曹禺全集

·11·

北京出版集团
北京十月文艺出版社

主编：王风

本卷责任编委：王倩

“入戏”的曹禺

1980年1月12日曹禺在赴英飞机上写有《杂记》，后数日留此摄影

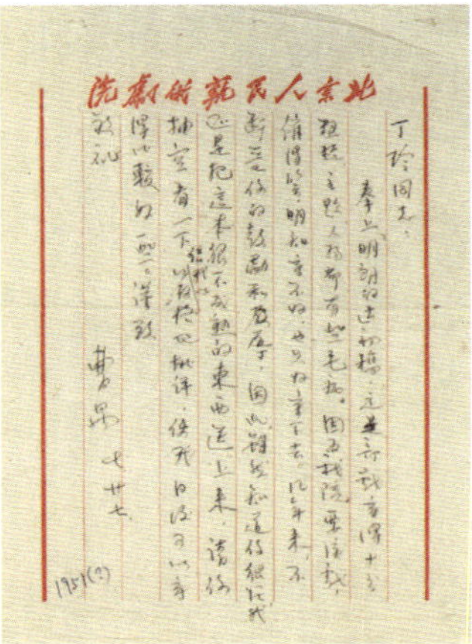

北京人民艺术剧院

丁玲同志：

敬礼

曹禺 七 廿七

1954(?)

1954年7月27日曹禺致丁玲。
中国现代文学馆藏

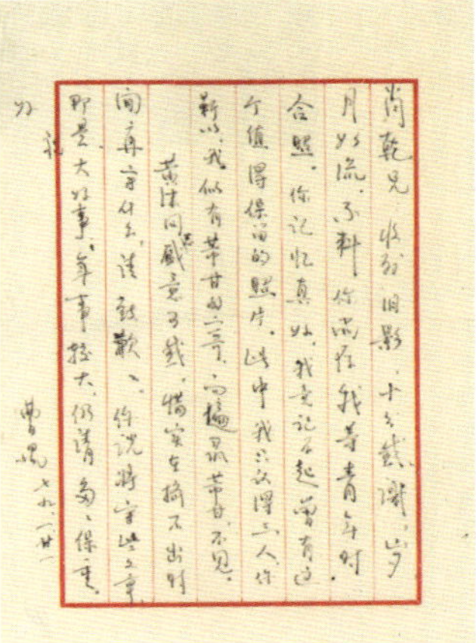

肖乾兄：

曹禺

1978年1月1日曹禺致萧乾。
中国现代文学馆藏

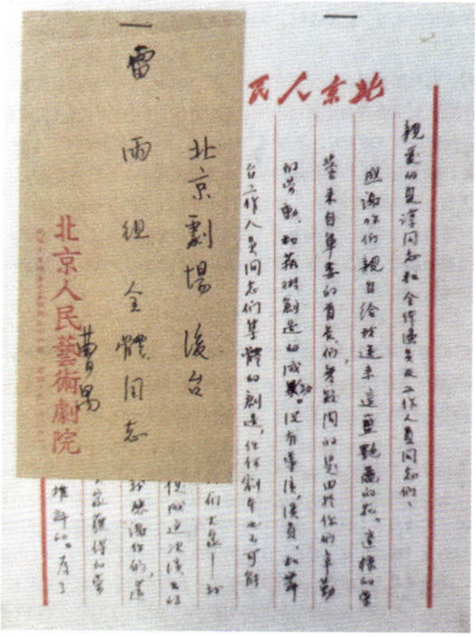

1954年7月31日曹禺给《雷雨》剧组的信。
人艺戏剧博物馆藏

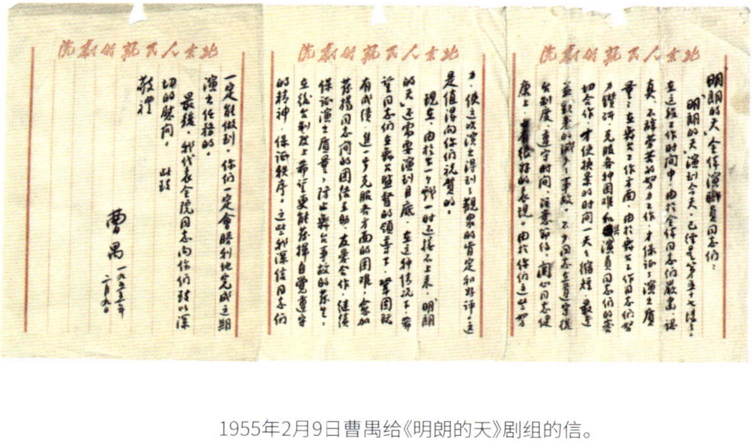

1955年2月9日曹禺给《明朗的天》剧组的信。
人艺戏剧博物馆藏

曹禺巴金书简

1949年8月16日

《收获》杂志2010年第6期刊载
“曹禺巴金书简”

二老偕行

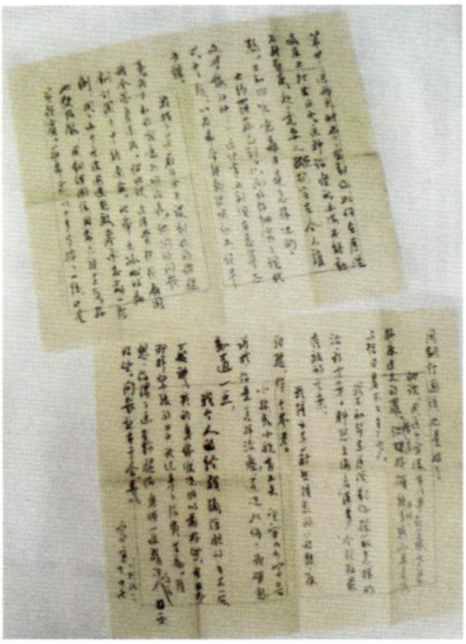
1982年10月17日
曹禺致巴金书信手稿

1983年秋李致带领“振兴川剧”剧目晋京汇演，曹禺时任中国戏剧家协会主席

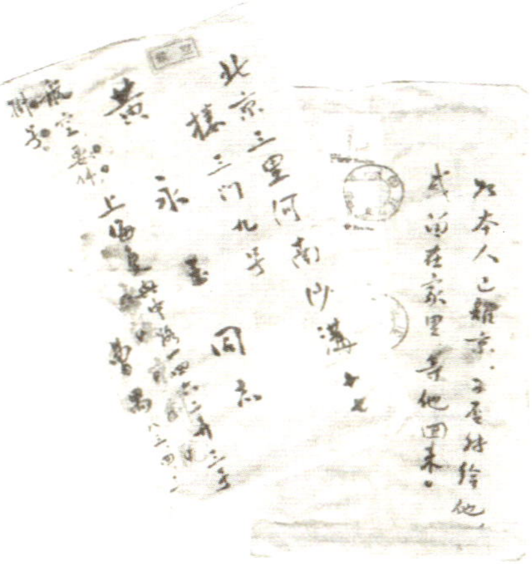

1983年4月2日复黄永玉函信封

1985年曹禺与研究者田本相在北京

四十年代初，
曹禺、郑秀与长女万黛在江安

五十年代后期，
曹禺、方瑞与三女万方（右）、
四女万欢（左）在北京家中

八十年代初，
曹禺、李玉茹与万方（右）、
李如茹（左）在上海寓所前

1978年全家福，时方瑞已逝。左起：（前排）外孙唐迎、刘迈；（中排）三女万方、曹禺、四女万欢；（后排）大女万黛、大女婿刘小达、二女婿唐彦林、二女万昭

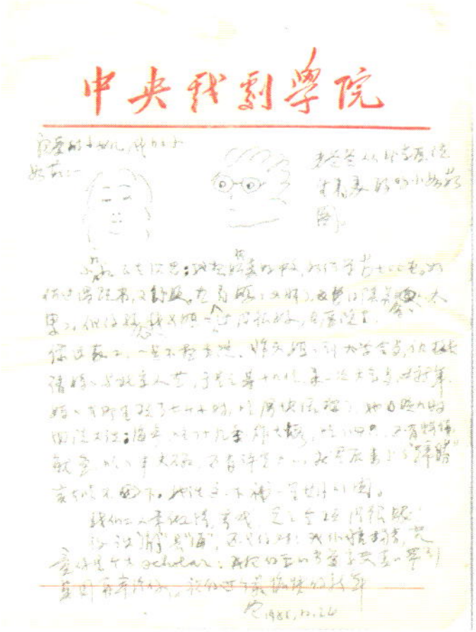
中央戏剧學院

1988年12月24日曹禺给李如茹的信

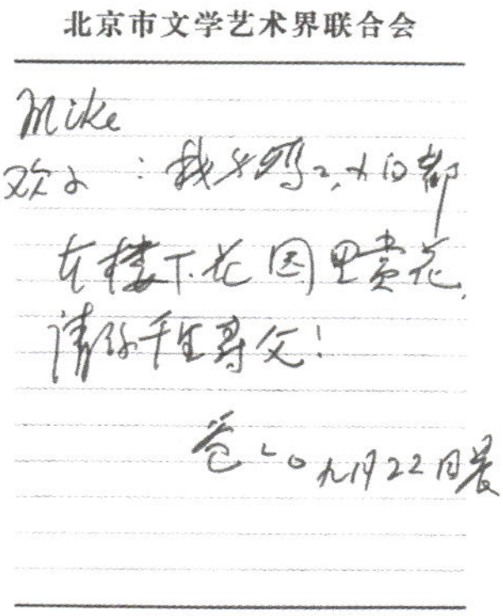
北京市文学艺术界联合会

Mike
欢欢：我和妈妈、大白都在楼下花园里赏花，请你千里寻父！
爸爸 九月22日晨

曹禺给万欢夫妇所留便条

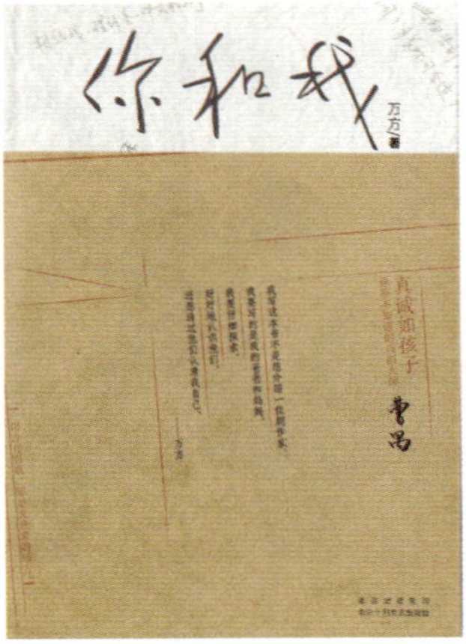
你和我
万方 著
真诚如孩子
曹禺

曹禺傳
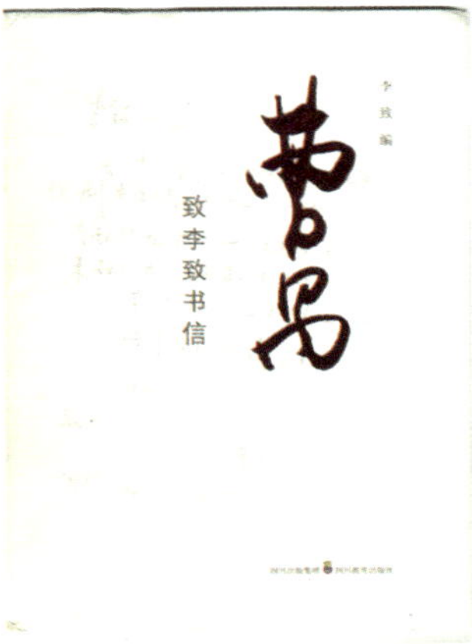
李致 编
曹禺
致李致书信
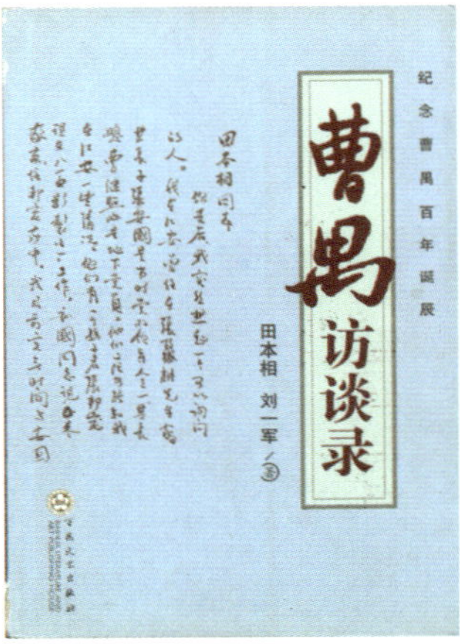
纪念曹禺百年诞展
曹禺访谈录
田本相 刘一军 /著

曹禺 著
没有说完的话
逼近世纪末人文书库 I
山东友谊出版社

李玉茹 钱亦蕉编
倾听雷雨
曹禺纪念集

目　录

日　记

书　信

致李致

致李玉茹

致李如茹

日记

杂　记[1]

十二日晚七时。在国际机场，招待一些客人和朋友，英国外宾来送，还有韩夫人及小何。几乎误了上飞机，机场人说："就等你们四个人，开飞机了！"[2]我们飞奔登机。

寻不着安眠药，大急，只好吃"安眠酮"四粒。大喜，找着了，在我裤子口袋里（速可眠），因而速喝两杯茅台。

我对欢子说，如我万一因机失事或心脏病发作，你们应视玉茹阿姨若母。她是个宽厚、慈爱的人，对爸爸感情很深，她会照顾你们如自己的孩子，告诉小方子。

××说我戴的"猎人帽"，我不以为然。第一我是中国人，我是我。可以适当讲究外国习俗，但也不必与外国人相同。只要不矫揉造

【题注】收录李玉茹编、钱亦蕉整理:《没有说完的话》，山东友谊出版社 1998 年第 1 版。

1　1980 年 1 月 12 日赴英途中所记。——底本注。

2　还有三个人大约是英若诚、吴世良、赵寻。吴世良，英若诚夫人，曹禺秘书；赵寻，剧协领导。——底本注。

作就好，人要本色，不要讨好。

我不喜欢gentleman的心理，中国之gentleman总有奴仆相，不足怪，数百年积弱所致。因此，我常想到中国人的微笑，其中有善意，也有恶意。

孔罗荪夫妇来送。

张庚同志主动关心玉茹到京工作，他说，她戏不可丢失。可以到中国京剧院。我说："演戏也是偶尔还可以，她还想做研究工作，我们以后回来再研究。"

夜三点（中国时间）到卡拉奇，候机室商店土产甚精美。热，冬天尚有风扇，巴基斯坦人穿冬衣。商店人赞美我的手杖，说很轻。歇半小时，即飞往巴黎，约八个小时可到。

遇一往加拿大进修的学生，学激光。他说考试才得来，先到大使馆培训，然后入校。校备中、上等餐，或给中、上等餐费。如有奖学金，可为本校买公用器械。

……

由卡拉奇飞往巴黎，不止八小时，吃饭，又睡了会。忽然醒来，窗外星星点点灯火，不知又过了什么城市。穹空是黑的，黑如漆，大约过了许多城市。早到了欧洲，就近窗戴上眼镜，才看见天空闪的是星光，大的、小的、淡的、发亮的、嵌着了舷窗外的。暗空地上是一片黑糊糊的，什么也看不见，不知飞过山，飞过地，过水，过湖，过海，过草野，过如花似锦的田园，也不知过了什么国家，这才明白阳光是多么可爱。

只听见单调的机声，对座一位英国老太太已入梦乡。她是一个很和蔼的人，微笑着，吃得少，盖上机舱的毯子睡觉。这是瘦高、有些憔悴的人，看杂志，但也忍不住睡了。然而她睡着了么？如未睡，她想什么呢？她是难过呢？还是想着什么事和人呢？人是一个多么难测的东西啊！

窗外亮的只是机翼上一闪一闪的红光，大约这是表示飞机在天空中飞行，以免别的飞机撞上它。很安静，后舱的客人们大都歪歪倒倒在椅上睡着，只有一两个人影在甬道上走入自己的座位。

过卡拉奇时，当地时间才半夜。

沉静黑夜中，有多少人在沉思，在想，多少人在梦中。我想着玉茹与下飞机后的种种事，心中欣然。

一万几千公尺上飞着一架波音27的飞机，载着二百多旅客，怀着各种目的、前程、梦想，向巴黎或经过巴黎更前往世界上其他国家进行自己的工作。我能知这机上所有的人的心思么，显然不可能，然而我又多想明了这一切人的奥妙莫测的心啊。

机身有些摇动，不如以前那样稳。……似又平稳地飞行起来。奔，飞奔，载满多少思想、目的和梦境、希望，飞行。可爱的人，富有生命力的人啊！

现在北京时间已近八点半，我们飞了十二小时了。

幸而有安眠药，我睡得很好。

读了孔罗荪兄写的巴金（在《人民画报》），我很兴奋。友情，什么东西比友情再高贵啊，友情浓似酒。大约巴金老友已起了床，又扑在桌上写他的文章，多么可敬的老友，他已是七十六岁了。他对我说，他心中有扑不灭的火，他定会写许多东西留给后世子孙。我羡慕他，正直、热情的中国作家，我们有了他，是我们的骄傲。人老才看见人可能有多么博大、宽阔，像海一样不可测的是他的仁爱与富足。他可以给人类多大的珍宝，不一定是学问与文章（虽然他会有许多文章，千万字的全集），而更是一个人怎样过了他的一生。巴金的一生是充实的、正直的、善良耿直的、无不可告人的，这才叫作“完美的人”，如莎士比亚在《哈姆莱特》所说的。[1]

中国应该有千万这样看上去很普通、很和蔼可亲，而在人生的波涛汹涌海洋中，如此勇敢搏斗过的老人！当然，我们应看年轻人、中年人——他们应比巴金还要好，还完全不自私。能为人民真正做点事，没有虚度此生！

飞机在黑夜飞、飞，但光明在前面等候完美。天亮了，总会亮的。但多少人愚蠢、自私、龌龊的心里是经常黑暗的。人与人又多不相同啊！

---

1 以上写于飞机上。——底本注。

旅美日记（一九八〇年三月）[1]

三月二十一日

三月十八日晚间我离开了中国的国际飞机场。送我的人有玉茹，有孩子们，有许多朋友，还有美国的史密斯先生同比昂逊先生。坐中国的飞机到巴黎，路上跟一个英国的工程师奥克谈话。他谈到中国有一种奇怪的浪费，他说在清华大学有五十头驴抬着草，清早割的造纸草，他说如果有一辆卡车就够了，但是非得偏偏要用五十头驴子。

我们在巴黎等了七个小时，然后乘法国航空公司的飞机到纽约，到纽约是第二天大约美国时间两点半。周文中先生，陈楚同志的夫人，使馆的许多朋友们，还有於梨华都来接，另外还有米歇尔和利莎。我们一起住在"五月花"旅馆，我住在311，老英住在321。当

【题注】收录李玉茹编、钱亦蕉整理：《没有说完的话》，山东友谊出版社 1998年第1版

1　据录音整理。——底本注。

天晚上，就由周先生和周夫人请我们吃饭，在一个很豪华的“火树银花不夜天”的这么一个饭店吃饭。吃饭时，谈到了日程问题，我很累，就回家了，因为那时候已经十点钟，确实累得一塌糊涂。我吃了点药，但是还是管不住地想家、想玉茹、想孩子们。我简直是困得不行，就睡了，吃了药只睡了一会儿，中间又吃药，大概睡了八个小时吧。

第二天一早上，就有《人民日报》的张彦同志来访，还有就是我们的大使馆柴振林大使派了一位苏先生和我谈话，谈各方面的情况。

到了下午呢，就有一位白克姆教授带着我们——我跟老英，还有《人民日报》的张彦，去看帕坡先生。这个帕坡先生，是一个很有能力的人，他在一个旧的图书大厦里头，搞了七个剧场，他是第一个搞非商业化剧场运动的人。他居然在纽约中央公园搞不要钱的莎士比亚的戏给大家看[1]，搞了很多新的试验，新的作家也介绍了不少，我看这个人确确实实是比较聪明的一个人。我们谈了一些戏剧方面的问题，他问到中国的戏剧是什么情况，我就谈现在中国的戏剧很好，欣欣向荣，有许多青年剧作家。谈到写了不少的问题剧时，他就说是不是在莎士比亚与易卜生之间还有这么一种剧本，我说这个大概应该是有的，就是说能够写出这样的一种剧本——包括了整个的社会，也许谈的是某一种问题，但是它写的人性，写的人物，写的各方面，那么

1　每年夏天，帕坡先生邀请戏剧、电影界明星和名导演排练一出莎士比亚戏剧，在纽约中央公园免费为公众演出。剧场是露天的，但灯光、布景都可以，很精致。——底本注。

深刻，以至于整个的时代精神都包括在内，我想这种剧本将会传至永久的。

他后来就请我们吃饭，在一个意大利的饭店吃饭。吃了不多久，白克姆教授就带着我们到哥伦比亚大学的梯彻学院的一个小剧场看《北京人》。一进去，就有许多照相的，拍电视的，照了不少。我呢，就看戏，也谈了不少的话。演完第一幕以后，我就到台上跟演员们见面，我大大地鼓励了他们，但说的话，也有说得夸张得太过了，但是已经说了就说了。确实有时候我觉得夸他们夸得太多了一点，不过，为着鼓励他们的信心呢，我说了。这个戏，他们确实很严肃地对待，同时，又很有点新，也带了一种很强烈的感情要把这个戏演好。这个导演，是肯特·波尔先生，翻译的人是罗先生。我看了，一直看到——我也是困得不得了，到了十二点，我们就走了。

回去也是非常之累，就睡觉，一直睡到天亮。这个时候我才想起，我给玉茹写的一封信，给孩子的信都没有交，我告诉了老英，跟张彦同志打了电话。后来张彦同志就说他来取，那么这个信可以很早地到上海或者到北京。说起信，我记得我还在巴黎碰见一个人要回国，也写了一封信，让这个人转的。

今天上午，是二十一号了，赖亚利（？）大使来，我们谈了半天，我把整个的经过向他汇报了一下子。同时，我跟他说，我也很希望见一见台湾的作家们，他说，那很好，预备找个机会找个人跟我谈一谈。

到了中午的时候，波尔先生跟罗先生都来请我们吃饭，中间我就谈了关于我们昨天观看《北京人》这个戏的意见。我觉得是不是可以缩短，但是我说缩短大约很难喽，要演三个半小时，我说最好能删掉一个小时，他们觉得很难。同时，我觉得有的演员好，但有的演得也并不是很好的，我很反对那个陈大妈这么跳，跳着跳着走路。我也觉得那件龙袍不要，还有许多吧，谈这些小问题谈了一通。到了中午，已经谈到一点多钟了，快两点了。后来他们一走，我就赶紧上来，果然周文中先生来了，从周文中那儿晓得今天将会见《纽约时报》的一个记者理查德·查普特先生。后来他来了，他还带了教他中文的一位张萧萧女士，我们谈得挺好，整个的记录是搁在另外的一个磁带上头了。

现在我正休息一下，已经五点多了，一直等着利莎，利莎来了我们就去吃饭。我们同时约了在八点钟看一个叫作《歌舞线上》（*Chorus Line*）的音乐剧。

三月二十二日

昨天晚上，同利莎，还有米歇尔一块儿吃了一点三明治，后来就到一个剧场去看音乐剧《歌舞员应考》。我觉得写得很好，演得很好，舞得很好，唱得也很好，整个来说确实描写了纽约的这种跳舞家的现实生活——他们的困难，他们怎么样子才能被选进跳舞的这个行业。戏里头，每一个人在经过考试的时候把每一个的个性和遭遇表现出来，总之是非常感动人的。虽然我不大懂，不大懂他们的话，但是我觉得表情和演奏很好，而且那种准确性、那种表情跟态度都觉得很深，确实很好。后来，完了以后，他们又非常客气，很隆重地领着我们到他们的后台，后台所有的这些演员已经累得不得了了，但都穿得非常整齐，见我。它的这个导演同作者是一个人，叫迈克·贝纳特。这个贝纳特先生就把我介绍给他们，我也鼓掌，我还感谢他们，这是非常好的戏，而且我说我看了很多的音乐剧，但以这个我觉得是最好的一个，因为它叫我思想、叫我思索。听见我说“我代表全中国的戏剧界向你们致意，向你们致贺”，我觉得他们也挺高兴。同时，贝纳特又送了我和老英每人一套整个演出的唱片，还有点儿什么小坎肩之类的。

后来，我坚决说我不行了，我身体太累，我真的确实太累，我说我岁数大了，我要睡觉。本来呢，贝纳特要请我吃饭，因为贝纳特曾经到过中国，大概去年吧，中央音乐学院院长曾经招待他们，他们现在就要回请我。我确实不能去了，就婉转辞谢，我就回来睡觉。已经很累了，我根本连洗澡也没洗，本来我还想写点信给玉茹、给孩子们，也许有机会再送去，我现在已经写了两封信了。我记得在巴黎写了封信托人带回去，今天又有人带了一封回去……

今天是二十二号了，昨天二十一号上午跟谢乌德先生[1]谈话，这个谢乌德先生由苏珊公司的苏珊领来的，谢乌德先生代表《纽约时报》跟我谈话，作一个访问，大致谈了谈中国戏剧最近的情况。这个人倒是非常和蔼，照了半天相。接着晚上就是刚才我说过的，看音乐

1　在三月二十一日录音中曾说要见《纽约时报》的理查德·查普特的记者，但这里见到的是谢乌德先生。是否人名有错，或者报社换人，不详。——底本注。

剧去了。

今天呢，又由这个苏珊公司的苏珊自己带来了《时代周刊》的一个记者埃克曼先生，又谈了一点中国戏剧。在他访问以前，周文中先生来了，谈了四月一号的电视的问题。同时，我们新华社驻纽约的新闻记者于先生跟于夫人要来谈，我答应他明天九点钟来，但是我这才想起明天十点钟还约了一个人，就是一位於小姐吧，约会排在十点钟，也许可以。

下午我睡了一会儿，也没睡着，吃了药，简直睡不着。后来一直等到大约五点钟吧，苏珊带了一个照相的来，他们等着阿瑟·密勒（Arthur Miller）来，因为阿瑟·密勒打了电话说五点钟来。他五点一刻到，来后我们谈了一会儿，很高兴地见了面，我们作了一个磁带记录，还在屋子里照了相。接着他就请我们在一个专门吃牛肉的“牛排屋”吃牛排，我的肚子非常胀，难受极了，但是还是勉强吃了。后来，他就把我们送到剧场，利莎正在等着我们，我们就看了一个戏。这个戏是英国剧作家品特（ Hardd Pinter）写的，叫作《背叛》（*Betrayal*）。《背叛》这个戏阿瑟·密勒说不错，很值得一看。那么就看，一直看到十点半的样子，八点钟看，看了两个半小时。我觉得我又懂又不懂的，反正讲三角恋爱的问题。我还是想找剧本来看一看，我也很希望把《歌舞员应考》的剧本拿来看一看。

噢，我想起来了，今天上午，我们到“美国剧作者协会”去了，遇见拉维尔先生，他大约就是管整个事务的，他说有三千个剧作者，关于他们的各种权益吧，都由他来管。他给我看他整个的这个地方，各种档案，各种契约，每次订好契约之后剧场给上演税的情况，给得准确不准确，他来核对，再由他们直接交给作家。在那里，我们看到了很多漂亮的屋子，如大客厅喽，每一个月大约有三十个作家来开会，所谓的董事会吧。后来他就给我介绍三个剧作家，一个叫作罗伯特·安德荪先生，这个作家写了不少东西，岁数相当大，大约六十岁；另外的比较年轻的叫阿尔比；还有一个女的，名字想不起来了。后来，我们这几个人，连着老英一块儿，都到一个演员常去吃饭的地方去吃饭。今天是礼拜天，所以几乎很多地方都关门[1]，独独这个地方却满得不得了，许多人都跑这儿来吃饭，几乎都是演员，店里墙上挂了许多演员的像。后来我问了过去我一九四六年看的一个戏，是《戏剧艺术月刊》搞的，我问总编这个人怎么样了。他说也许死了，也许病了。我后来跟这几个作家倒是谈得很有趣，因为都谈一些本行的事情吧，仿佛搞得挺欢势似的。

接着就是刚才我说的了，睡一会儿觉，等阿瑟·米勒来，接着再看《背叛》这个戏，现在我正回到家来，本来我想睡觉了。我真想拿着精神给家里写封信，给玉茹写封信，给孩子们写封信，我实在是想念孩子们，我特别特别地想念玉茹。不知怎么回事，我觉得她呀，我简直想念她得不得了，因为总觉着这么大年纪结婚不容易。又老远老远地离开了自己的祖国，又看不见她，还有许多许多麻烦，各种想不到的许多麻烦，我真是需要她。我觉得我实在是喜欢她、爱她，我老

1　在很多基督教国家，保持星期天商店不营业的传统，但现在已开始改变。据后文，三月二十三日才是礼拜天。这里的今天似是“三月二十二日”，可能口述有误。——底本注。

觉得她真是对我太好了，我十分想念她，我真是说不上来。每天总看看《呻吟篇》，有时候看看唐诗，接着就想睡觉了吧，因为明天上午还要招待新华社的记者，同时招待於梨华的女儿来访问，十点钟。明天二十三日晚上，泰纳伯姆请吃饭，在他家里。二十四号，就是下星期一，有一个招待酒会，那是周文中主持的，大概是相当大的一个招待酒会，其余的事我都记不住了，大约就这个样子了吧。

除此以外，因为利伯吞同鲍勃·荷坡都非常想见英若诚同志，他们在看完《歌舞员应考》以后拉着英若诚去夜餐，我没有去，我实在累，不愿去。今天晚上，荷坡又来了，这个荷坡就跟利伯吞两个人又拉着英若诚同志去参加晚餐，利莎送我回来。再就是还看见了柴大使请来的苏同志。我在看完了音乐剧《歌舞员应考》之后，直接找了一次陈大使。陈大使很客气，他叫我看看病，别病倒，理理发，要想吃中国饭到代表处吃中国饭之类的。天一直下着雨他还送我到大门口去让车子来接我。后来，张彦同志一直送我回来，这是昨天晚上，二十一号，回来之后，张彦同志又与我谈了谈。

三月二十四日

昨天是二十三号，上午新华社驻纽约的于主任，还有一位姓于的女同志，访问我今后的行程同这两天看戏的情况，还有对《北京人》演出的看法。以后呢，是於梨华的女儿同一个姓何的小女孩来访问，她们也请我谈谈对于《北京人》的看法。关于中国戏剧的一些情况，我大致讲了一讲，也讲了很多吧。我问她妈妈好，她说她妈妈将要听我的公开讲演。

昨天上午，英若诚同志同张彦同志出去逛逛马路，恰恰是礼拜天，所以上午吃早点是一个人，中午吃饭也一个人。下午，吃了安眠药睡了一觉，睡是睡好了，但总是昏昏的。以后绝对白天不吃安眠药，无论如何不能吃，吃了简直不行，办事情困难。

起来的时候大概三点半，英若诚同志早回来了，告诉我准备一下，谭林邦（？）来接。谭林邦在楼下接我们，我跟张彦、英若诚，还有他的夫人陈女士一块儿出去逛一逛大街，他有车子。逛一逛哈拉姆呀唐人街呀这些地方，看了一看，最后就找一个地方喝了一点咖啡。咖啡喝完了，挺热，我很累，总之挺热闹的，真的想安静，后来走一走路么又坐汽车了，到唐人街的一个和平饭店吃饭。这和平饭店大概是最好的一个饭店了，我看吃的人很多，我们在那儿吃了饭，吃了饭之后就聊天了。他们喝二锅头，我喝点啤酒，连喝啤酒都不行了，简直是累极了。大家还是聊啊聊，本来还要到谭林邦家去，但是我不想去了，实在是累得不行，最后就回家了，由张彦同志陪着我回家。张彦同志跟我很诚恳地谈起了关于我最近说话的情况，他觉得我说话还是要保持一定的尊严，另外态度不要太谦虚，因为谦虚当然好，这样谦虚却不对，他说“你是代表国家的”。我说这话我也觉得很对，今后必须注意这件事情。

晚上，周文中来了一个电话，说要换一个人去华盛顿。他说他部里面要请谭，谭呢，我也觉得不好说，还是周文中再考虑考虑吧，还是周文中比较合适。因为谭确实对中国的戏剧并不了解，要说了解中国的，我看还是周文中更合适一点吧，回头再商量，他说明天一定跟老英一块儿商量。在这以后，我就谈到昨天这样累啊，吃饭这样累，我身体是真正不大行了，所以我建议以后个人的应酬坚决一律不答应，能躲便躲吧。这样很不妥当，事情办不好。

昨天是礼拜天，三月二十三日，今天是三月二十四，礼拜一。今天下午大约四点半钟，有一个正式的欢迎会，据张彦同志讲这是这个礼拜的一个重点了，很重要。这是一个很重要的招待会，要说两句，回头要跟英若诚商量商量，还要与张彦同志讨论一下，不卑不亢很重要，自己要保持一定的自尊心，不要过分谦虚。今天这个时候才六点多一点，等着老周和老英一起来。

接着刚才说。今天上午有一个华人报纸的新闻发布会，这个新闻发布会有五六家报纸参加，都是中国人办的，除这以外，还有一个“美国之音”，用英文讲。大致讲得不错，最后在快完了的时候，我大约累了，也讲不很好了，后来就请老英翻了一段英文。这个以后，老英还作了一点表扬，后来我跟他说我今天还是非常累。回来之后，我跟老英讲，我说预备几句英文的稿子，下午在招待会[1]上讲一讲，老英说三点钟给我准备好，让我看一看。后来我就说我很累，我中午不吃安眠药了，喝点酒吧，就喝了两杯葡萄酒。这两杯葡萄酒倒是很管事，睡了会儿觉，不到三点钟，老英把我叫起来，就把那个很短的小稿子给我看了一看，读了一读。

等到大约四点钟的时候，周文中先生来接我，同时从华盛顿来

1　指上文提到的下午四点半的正式招待会。——底本注。

的中美学者交流委员会（Professional Associate Committee on Scholarly Communication with People's Republic of China）的一位代表安德鲁先生也来了，他给我一个片子。这个人很客气，说一口非常好的中国话。后来我们就和他一道到这个招待会去，我们去的时候人不多，才有两三个人吧，我们就挂上了牌子——每个人都有个写着自己名字的牌子别在身上。招待的人都是哥伦比亚的一些学生，这屋子热得不得了。我进去一会儿就来人了，来了差不多一百人，其中有两位黑人作家，一位叫爱墨里·巴拉卡（Amiri Baraka），另一位是勒茹伊·琼斯（Loroi Jones）[1]，他们是夫妻两个，送了我两本书，一本是诗，一本是戏剧。这两个人据说都是非常出名的黑人作家，而且态度也非常可爱。再就是在那里看见许多人，看见孙增爵，这是清华同学会的会长，看见了无数的大学教授和一些学者。还有罗伯特·培恩，四十年前在北碚见过他，他是个诗人，当时在北碚教英文，他说一九四六年也见过我，一九四六年还有个斯曼德里，我已想不起来了。他写了两本日记，关于闻一多，已经发表，我说很好，能够把这两本日记送给我的话，我会很高兴的，他倒是答应了。还有就是《北京人》剧组的许多人，导演波尔先生和翻译罗先生，还有一些演员，都在那里。再就是哥伦比亚大学教授一大堆，都是些学者吧。谭林邦也来，还有两位大使，赖大使来得早，很早就走了，后来陈大使也有事情，陈楚大使也走了，赖大使叫赖亚利。

原来预备等着他们的一个艺术学院院长（周文中是艺术学院的

1 关于《茶馆》到美国去演出的问题。——底本注。

副院长），后来他老不来，因为有别的事情，周文中就说开始吧。他作了一个讲话，推崇我很高，后来我也作了一个答复，我这个答复是用英文讲的，没有按稿子，因为实在是背不下来。“Ladies and gentlemen：I'm grateful for the nice things all hold here，for Professor Zhou Wenzhong and Mr. Dean Angeles said about me. I'm also grateful and honored by the presence of so many distinguish guests today. I'm fully aware that these honors express a deeply felt need for further understanding and friendship between our peoples. And these are also the most important aims of my visit. I'm a man of the theatre，having been that for the last fifty-five years. So I'm looking forward to meeting my colleagues here. In the last few days，I have already had a chance of meeting quite a few of them. Mr. Arthur Miller，Mr. Edward Albee，Mr. Robert Andson，Mr. Jo Pab，Mr. Michael Banham and many，many others. With them I hope to discuss our respective theaters，talk shop and I expect to learn much from them. Thank you once more for your coming.”讲完话之后，客人们都很客气，说你简直没有忘记你的英文，讲得很不错，大家客气了半天。我确实非常之累，又累又热，我是一口酒也不敢喝，我喝了好多汽水，终于把里面的衣服也找个地方脱了，简直热得一塌糊涂。那么，无数的朋友来找我谈话，很多人我都不大认识，有些是哥伦比亚的学生和老师。还碰见吴性栽的那位大小姐，尤其是大小姐的爱人，非常客气啊，要我到他家里去，我说我实在没有时间。还有就是老孙，清华同学会会长孙增爵，他也希望我到他那里去，但实在是没有时间。

再就是晚上，这个会议完了以后，我们又到一个地方，到一个高级学术会议的会址，一个俱乐部，很讲究。我跟周文中，还有老英，我们三个人到的时候，主人已经等了我们许久了，主人的名字我记不得了，差不多都是学者们吧。大家一边吃饭一边就谈了许多问题，多半谈的是中国方面将来究竟是不是还会乱，是不是怕请中国的青年学生到美国来留学，将来一到乱的时候他们是不是又要挨整这些事，大概整个的意思就是怕中国又要变吧。后来我跟他们讲，我说这个事绝对不会有的，因为中国人现在是觉醒了，确实知道什么是是，什么是非，再也不允许过去那样的混乱再回来；同时，政府的人也有所觉悟，就是以后不要一个人来领导，要集体的领导，要安定、要团结，要把中国的国家办好，办得富足、强大。但是，这里头我们的意思，决不愿意侵略别人；我们充分地利用外国人的知识，但是你不要担心我们中国人就会把自己的这一套东西忘记。因为我们这些来学习的青年人，他们也确实有理想，他们都是奇迹，拿着美国的技术、美国的知识回来建设社会主义，我们猜想他们也是不会犯错误的。除此以外，我又谈到了你们老担心将来还会乱，我说在瑞士和英国都有这种担心，但是以我来讲吧，我认为绝对不必这样担心，这种事情是不可能再发生了。那么，至于长久以后，将来会不会变呢？这我就不知道怎么说法，我只知道从前我们中国有一句话，叫作天下“分久必合，合久必分”。但有一段时间，总之是相当长的一段“合”的时间，我觉得今天确实是一个非常安定的时候，而且安定的时间会很长的，至于这条规律对不对呢，那咱们再说，不过我觉得安定、团结这是一定的，而且很长。同时我又觉得，中国人很相信美国人，我们中国政府也很相信美国政府，觉得美国政府和美国人民都是靠得住的，那么，他们就讲美国同美国人民也觉得中国和中国人民是靠得住的。后来，周文中教授说从历史上看都是这个样子，比如拿西汉来讲，西汉安定了差不多三四百年的这么一段时间，这以前也是乱了好久，最后终于统一天下，杀了许多功臣，统一天下成功了，后来搞得很好，搞了好久的“合”。那么唐朝呢？也是这样，先乱了好久，后来又“合”了一段，这“合”了以后也又乱了一通。总之，它得经过一段乱哪才能真正地“合”起来，这样才安定好久。我们差不多就这么乱谈吧，大家都还是比较高兴的，后来主人说了几句话，我也在末了说了几句感谢的话。我说，“虽然我读了不少美国的书，也有许多美国朋友，我究竟是一个中国的戏剧家，我接受的是传统的中国教育。我很想在这儿提起一个人来，就是孔夫子，孔夫子头一句话在《论语》上说：‘有朋自远方来，不亦乐乎？’我想今天晚上，我们这种从远方来的朋友，你们觉得我们在一块儿谈得很高兴。我希望有一天，你们也‘有朋自远方来’到北京来，我们也欢迎你们，也要有这样的快乐。我非常感谢你们这样好的热情的招待”。大家都很高兴，就出去了，散了。

散了之后，我跟老英雇了一辆出租车，就回来了。回来之后，看见桌上留条说是我洗的衣服要在下面取，因为晚了，就没有去取。再就是苏珊公司给我写了两封信，这两封信说是有三个记者来访问，头两个记者我记不得了，最重要的一个记者是个女的，是《新闻周刊》的记者，她问的都是些关于政治方面的问题，这个人比较尖锐。关于这个我将要跟老英和张彦同志再谈一谈，看怎么样一种答复的方法，她大约有几个题目吧，多半是关于毛泽东思想的问题，艺术与政治的问题等这一类的问题。

三月二十五日

今天是二十五号了，据说中午有一个午餐会。四点钟周文中他们来接我，五点多钟我们吃饭，吃完饭以后就去看戏，看《北京人》。今天是《北京人》在美国的第一场演出，所以叫作premiere吧，许多人都答应去看这个戏。但是，我确实有点担心，我感觉这个戏啊，因为太长——起码三个半小时，人家受不了。我们计划着送一盆花，由老英跟利莎·罗宾斯去办，我还想说几句话，得要想一想。

现在已经是早晨的八点一刻了，一会儿就要去吃饭了，我心里想，哎呀，我真想回家，我想见见玉茹，我不知玉茹现在在哪里，她二十五号是不是已经回到上海啦？怎么样啦？她心头高兴还是不高兴？累不累、气不气？家里的事情都怎么样了？上海家里头孩子们都对她如何？整个都叫我挂念不止。而且我真觉得她是我的很好很好的妻子，说句老实话，我能够遇见她呀，我真是幸福。我觉得今后啊二老——我已经七十了，她已经五十七了——我们能够相守一起，能够相守二十年哪，那我一定要写一点东西。假使我能写出东西来，我要试一试，那时候如果她到了六十，她老早就说她愿意退休，我说假如我真能写，她再帮着忙，那就值得。咱们生活过得简单一点，把所有的这些生活上的活动都停止，就专门写东西。那天，我跟阿瑟·密勒也谈过这个问题，谈到社会活动太多了，真耽误事情，我觉得从我们作者的这个方面看，把时间花在这上面确实是个浪费，应该将来要自个儿多写点东西，这才是对人有点贡献。我不敢说对人一定有什么大的贡献，但是起码你在工作，在你的写作岗位上工作，这是非常要紧的。所以我现在就急着想慢慢地把这些事情搞完，也不是慢慢地吧，大约四月二十八号，我可以从旧金山走，现在正在跟老周商量，因为到美国的这个访问四月二十五号就结束了。那么还有今天晚上，还有礼拜四，有一个演讲会。那个时候阿瑟·密勒也会到的，还有周文中讲讲话，也许是哥伦比亚大学的校长主持这个会。大约两小时，这个东西也很费事，现在我看我所讲的恐怕很多、很长，我头两分钟，还是依然用一点英文讲喽，这个也得再跟老英商量商量，大致是如此了。我很想再写封信给玉茹，这封信老写不完。真是的，我就觉得玉茹一定是也很想念我，我老觉得她呀确确实实真正是把整个的都交给了我，因为她也觉得我是一个很难得的朋友，很难得的知音，她是对我确实非常好的这么一个女人。我确实非常喜欢她，我不晓得为什么这么喜欢她，我觉得我从来没有像对她这么深的感情，离开她简直不行的样子，有了她在旁边，说说话都是好的，看见她我就高兴。真是奇怪，我自己都不知道这是怎么回事情。现在已经不早了，不再多说了，等着明天再说吧。今天是二十五号，现在是八点一刻。

三月二十六日

今天是二十六号早上，七点多钟，我想谈谈昨天的事情。今天是星期三，昨天是星期二。昨天上午，大约是《人民日报》的张彦同志来了，给我一份前两天的《人民日报》，关于最近戏剧方面的一篇文章，还有一个小册子，我也没有时间看。张彦同志还给我买来了几双袜子，很便宜，只有三毛多钱一双。同时我托他买一个电池充电器，他都托人去办了。他说前天的招待会开得很不错，反应很好。

昨天，利莎・罗宾斯小姐来了，来之前先打了电话来，说是预备请我们出去吃饭。她说我们是中国人，吃中国饭吧，就到一个叫“金玉满堂”的地方，是哥伦比亚附近的一个四川馆子。碰见老板，是一个姓鲁的先生，鲁先生大概抗战时在重庆的时候看过我的戏，看见我来挺欢迎。我们吃了什么担担面啦，什么红油饺子之类的，还有麻婆豆腐，挺有四川味道。完了之后，他直嚷着不要花钱，不要花钱，最后我们说这不是我们，主人是哥伦比亚大学的这位小姐，我和老英坚决不允，后来酒算他请，这么样才完的，我们就走了。走了之后，利莎又送我们回到旅馆。我想睡，但是，喝了一些葡萄酒，就睡不着。睡不着，因此我就又吃了一颗安眠药，但药也没什么用，吃了也只睡得着一会儿。

睡了一会儿，大概四点三刻的样子，这位利莎・罗宾斯就来接我们，把我们送到白克姆教授那儿。白克姆教授是哥伦比亚的研究戏剧系的主任，同时他的夫人也是搞戏的，他住在赫德森地段的一个很讲究的公寓里。他预备了一点简单的素菜，一点简单的吃的，我们谈得倒是挺好，很轻松。白克姆教授是研究莎士比亚的一个专家，专门研究环球剧场的，他送我一本书，是他自己写的。后来呢，我们就急急匆匆地走了，因为要赶着六点半去看头一次演《北京人》。我们走着去了，因为很近，到那个梯彻学院的剧场去。到那儿差不多已经有很多人了，还有从华盛顿来的。……

明天是礼拜四，礼拜四很重要，大概是晚上我预备作一个公开讲演，由哥伦比亚的校长主持，还有阿瑟·密勒也要讲几句话。我这次讲演据说大约要两个小时。明天上午一直到一点钟吧，都有人访问，两个访问者，我也记不清楚。再就是关于《华侨日报》文艺版，有人要访问，这个人还请吃饭。但是这个事情不能答应，因为华侨的报纸很多，你去这个、不去那个，都不大好。那么，只有清华同学会，这是应该去的。除这以外呢，恰巧明天一点多钟，也许两点钟，有一个田纳西·威廉（Tennesse Williams）的戏，白天看，我确实倒是很想看。我待会儿跟老英再商量商量，因为昨天我倒是辞掉了的。除此以外，我也很想看看他们的马戏团，据说非常好，可以说是纽约风光吧，大约就是这个样子。

现在就是我非常着急，想极了家，想极了我的玉茹。真是没有办法的事啊，真是奇怪、奇怪又奇怪！还有今天一定要洗衣服，我看这儿衣服有时候倒洗得挺好的、挺快的，今天我想把它洗一洗。暂时就说到这儿，今天是二十六号，现在大概是八点钟，我预备跟老英打个电话，请他过来一下，完了。

三月二十七日

今天二十七号，现在是八点多钟，我想讲一讲昨天二十六号的事情。二十六号一大早，我吃了早餐以后，张彦同志就来了。张彦同志这个人非常好，他带来了他说好的买的那个变压器，后来我们回到屋子里头，把变压器试了一试，但这变压器怎么也不通电，因此他又拿回去换了。我们谈了一谈，他说那个叫维克的人不要见，就是那个写江青的传记的人。当然非常好，我最不愿意见这个人。

他走了以后，我就想看看书，也没看多少,《人民日报》也没有怎么看，就等着见这个巴纳森小姐。因为她的问题都是关于政治的，谈的都是政治性问题，所以要想一想。但是后来大约是利莎来了电话吧，噢，对了，周文中先生也来了，就谈起关于华盛顿的一些节目，说华盛顿节目已经由安德鲁先生定了，就是三十号上午十点钟吧，坐纽约—华盛顿专程车到华盛顿。以后在华盛顿还有些节目，这不用再谈了。周文中先生大概第二天三十一号到，三十号是怎么个节目我忘记了，反正待几天吧，四月二号就回来了。周文中先生也觉得很有意思，很愿意听一听乔伊丝・巴纳森的访问。同时，还提了一个问题，是利莎忘记提的。那就是一个叫作“演出人行会”的组织，这是所谓的“资方”，资方也联合起来了；劳方呢，就是演员、舞台设计等等，也就是舞台部门的工会，与他们作交涉。

我们大约十二点钟去的，这个巴纳森原来是早一点来的，后来改成下午三点钟来。我跟英若诚，还有利莎一块儿找到“演出人行会”这个地方。管事的这位先生非常客气，非常有礼貌，把他整个的办公室都给我们看了一看。也给我们看了很多所谓合同，他们跟这方、那方的合同，他们的一些规则，总之是非常复杂，什么事都得要有律师，一本一本的。后来我们要了有关跟作家定的合同，跟导演定的合同种种，这些东西我想将来拿回去给赵寻同志看看一定很有用，起码可以作一个参考吧，因为这是一种完全资产阶级社会所定的东西，反正总之有参考的价值。据他说，一个戏如果成功的话，那么这么一个人哪（作家）最成功的可以得好几百万，他讲可以吃一辈子。那么当然也有不成功的，不成功的大约是两个半与一个之比，就是在百老汇有两个半失败的，一个是成功的。主要的成功的路子呢，都是看头一天晚上所有的六十个评论家的评论，第二天评论得不好，那就算完了。这些评论包括各种报纸、各种杂志以至晚上的广播同电视的一些评论，他们说这个几乎是几十年造成的这么一种规矩。过去也不是这个样子，从前都是散的，就像费尔德那个时代，由他一个人包经理，一个戏包一个；现在不然，现在劳方呢，也隔着行业组织起来，资本家也组织起来，大概是这么一种订合同的办法。我曾经问过他，我说这很不保险了，我说评论家大概有没有标准呢？他说大约也可以说有点标准，也可以说没有标准。我就问他，譬如说，这个评论家那天看戏以前跟他的老婆吵了一架，心里不痛快，回来赶紧写，写出来这就看起来没意思。是啊，他说很可能啊，他说有时候喝酒喝多了，或者吃得不舒畅了，他也会这样子写得不痛快、写得不好。所以这个东西说有没有标准呢，还是没什么大标准。……那么，我接着谈了，关于所谓资方的这些情况吧，都捞不少钱吧，总之是为了赚钱。同时还有一种人，专门做宣传的，如何刺激观众叫他们来多看百老汇的戏。这个百老汇的戏呢，据他们讲，从前，一般的人是不大重视的，现在他们想叫一般人多看戏，所谓提高文化吧。他们很想跟议会呀国会谈一谈这件事，说是要国会出一个议法案，如何来重视、提倡今天这些事情。他们自己呢，还有一种所谓奖赏——每年举行一次什么最佳演员喽，最佳剧本喽，最佳导演喽这种的奖励。我问，这种奖励是不是“普利策”（Pulitzer's Prize）这样的奖励，他说那是另外一回事，我们搞我们自己的奖励，每年都有。很有意思的就是，他们资方也每月开会，很多的大会议室、小会议室一大堆。然后，他就谈到《茶馆》的问题，他介绍了几个地方，他说有一个叫肯尼迪中心，还有各种基金会，可能有些用处。他们对《茶馆》知道得不多，同时他们毕竟是个完全商业式的，到处走啊，各个城去排呀，他们对这方面大约是没有兴趣，他介绍了好几个地方，无论如何呢总算是比较热心的。这一些话，不只是在办公室谈，在办公室谈得很少，后来他请我们在百老汇附近的一个非常讲究的馆子吃的饭，边吃边谈。吃饭当中还碰见一件很有趣的事情，就是那个管事的吧，忽然跑过来，说在电影里看见过我，说我怎么坐汽车呀，来呀，照电影啊，他说的大约是鲍勃·荷坡那次吧，我猜想我根本没有坐，没有人能够照我的电影的相，我看是瞎胡扯。管他怎么样吧，他反正认定我是一个所谓要人之类的，他就硬要表示敬意，送两杯酒喝喝。他硬要送，那我说好吧好吧，我说要点白兰地吧，老英也要了白兰地。其实我没有喝，因为我认为三点钟要去跟《新闻周刊》的这个记者谈话，我说我脑子要清楚点，别喝得醉乎乎的。这时候利莎也注意这个问题了，反正吃完以后，谈得也差不多了，我们就告辞了，坐了一个出租。噢，听说从华盛顿回来时，说不定地铁也要罢工，因此将来坐出租一定很麻烦。巧得很，我们两次到美国，上一次大概是轮船的水手罢工，这次地铁罢工，可见他们罢工也是经常的事。

后来我们回到旅馆，我们到得还早五分钟呢，想不到周文中先生同这个巴纳森小姐已经来了，于是我们就领她到我的屋子里头，开始访问。巴纳森小姐问了一些关于政治问题，“您对毛泽东怎么看法？”我就说毛泽东是我们伟大的领导者，我说他是人，不是神，并不是永远老没有错误的，也可能有错误。她问那是什么错误呢？我说我就觉得“文化大革命”判断得就不对，我说这就可以说是一个错误，但是无论如何呢，他是一个伟大的人，如果没有毛主席，就没有新中国，没有社会主义。那么，她呢，仿佛是听得很吃惊的样子吧。接着没有往下谈了，准备的那一套也没用。后来就谈谈我在“文化大革命”时受的这些迫害吧，我也不想多说，因为谈了好多遍了。结果还是谈了一点。接着她说：“你预备写什么？”我说我当然是想写东西，我告诉她现在是思想解放了。自从“四人帮”打倒之后，刚一开始并不是立刻就觉得“哎呀，解放了”，因为这是一个箍，这个箍儿箍在脑袋上。虽然箍是去掉了，但那个极左思想还是存在着，并不是一下子就觉得能写。她说：“你怎么样？你写了没有写啊，在‘四人帮’当政的时候？”我说我当然没写，因为我的手被捆住了，但不过手捆住了呢，思想是捆不住的，慢慢地我们就认识到他们是坏的，是错误的，我们私下里面总是讨论他们，而且是责备他们，而且是痛恨他们。等到一解放，等到“四人帮”粉碎之后，我们等于第二次解放喽，虽然是第二次解放，也不是完全的，也不是立刻就写东西了。当然是慢慢地，先是有群众的舆论，国家的领导者提倡要思想解放，可以说差不多无论老年人、中年人都觉悟了，绝大部分人都在写东西，大概青年人写得最多了。我们应该说青年人现在是很勇敢、很聪明，写了许多现在的问题。她说：“是些什么问题呢？”我说，头一个问题吧，好比血统论的问题，血统论就是父母不好，所谓“不好”，那么儿子就一定不好，这是一种不公平的待遇。这一次因为时间很紧，就没谈《报春花》。她说还有什么呢？我说譬如说有一种思想僵化的官员，对知识分子不信任，那个时候，“四人帮”把知识分子叫作“臭老九”。臭老九，她说是什么意思，讲了半天，由老英跟她谈什么叫臭老九，总之我就说是那时候的这么一种思想：知识分子，知识越多越反动。而这种思想的遗毒还常常保持在这一段时期里，因此呢，知识分子刚一开始确实还是不大受信任的，渐渐地现在知识分子当然都是认为很重要了。尤其是我们知道工人、农民、兵和知识分子，这就算是平等的了，所以现在知识分子很受重视，无论在科学界，在文艺界，都是这个样子。她说：“你将来是不是还要写戏啊？”我说我当然。我说，“老实说，我现在不就是在跟你说话吗？就没工夫写戏啊！同时还有很多的访问者，不只是在纽约，在我们祖国，在北京也是天天访问的人很多。那么，譬如说我写过一个《王昭君》，那关于《王昭君》就有无数的访问，而且甚至于电视之类的”。我说：“当然我还要开会，要招待外宾，要看戏，总之，一天到晚就为这些事情忙。这当然只是社会活动喽，当然，这个社会活动也是一种很重要的事情，确实也不是无意义的，是有意义的。不过呢，对于我来说，我就觉得我还有更重要的事情，那就是拿我的笔写作。不过，我不能告诉你我现在想了些什么，预备写些什么，如果一宣传出去，就有无数的信啊，无数的问啊，这些事情，弄得很麻烦。”那次阿瑟·密勒到我的屋子来，也谈到这个问题，他说他过去也是社会活动多，耽误了许多时间，真的是时间浪费掉了。他这个说法，跟我差不多是相同的。总之，我说，过一阵，从美国回去之后，我欠了很多的文债，就是答应人要写许多文章。写完之后呢，我预备关门了，找一个地方安安静静地想一想，写戏。虽然我七十岁了，但是我总觉得我还有精力，还要为我的祖国、为我的人民写点东西。同时，她问关于四个现代化的问题是怎么看。我说，四个现代化，这是很自然的，对我们中国人来说，一个要安定团结，一个要富庶强大。老实说，我们中国人哪，从我祖父的祖父起，一百年来呀，就受了封建的压迫、清政府的压迫，以至外国的帝国主义的侵略，受尽苦难。每一个人，尤其是知识分子，都想改造这个社会，摆脱这种困难的局面。那么，像我们这一次吧，我们现在是“解放”了，我们就特别想把社会搞好。目前，我们尤其是经过了“四人帮”之后，我们就特别要一个安定团结的建设的新中国，富庶强大，反对霸权主义，这些应该说不但对我们祖国有利，对于世界和平也是有利的。因此，每一个中国人，尤其是知识分子，特别是这样，我们现在几乎是每个人，无论哪一方面，都在蓬蓬勃勃地工作，希望在八十年代里头，我们能够完成四个现代化。当然这里面还是有很多很多问题的，不是那么容易的，我们要一代一代地克服。我们为什么要写这些戏？把一切这些个阻难四个现代化的困难以及所谓的问题写出来，因为我们迫切地要求四个现代化，把社会上的许多问题、缺点指出来，为了改正这些缺点，叫我们的四个现代化能够更快地成功。所以说，立足于全世界，能够保障和平，能够发达我们的国家，我想这是一个很重要的原因。

后来，谈着谈着，苏珊也来了，听了半天，苏珊就直催“快完吧，快完吧”。虽然叫苏珊·伯劳克公司，但苏珊总是自己带着一个记者来。这次苏珊来的时候就直催，这一点当然是好的，说是只要四十五分钟，实际上谈了差不多一个小时了，她就赶着催促我们“完了吧，完了吧”。这样，这位巴纳森小姐也就很快地结束了，后来她就走了。苏珊把巴纳森小姐送下去之后，又上来跟我说仿佛很对不起的意思吧，她说这个人纠缠不已，谈了许多话。等到苏珊走了，周文中先生又谈了一谈关于这个巴纳森的话。还谈了谈关于到了华盛顿怎么准备，大概是在四月一号吧，四月一号有一个二十分钟的我的一个谈话。下边还有讨论会（Panel），就是我谈话之后二十分钟他们讨论我刚讲的内容，谈谈他们的意见；同时呢，如果还有时间的话，下边买票听的人也可以发问题。那么这个东西呢，不是电视，而是一个广播，过后再播出的。他们给了我一个日程，就是丹格里斯先生弄的。四月一号呢还有柴大使给我们举行一个招待会之类的，大约是当地的一些闻名之人吧。

后来，还是谈昨天的事情，昨天是二十六号。他们走了以后，老英就说睡一会儿吧。我吃了点安眠药，睡了一会儿。感觉也就睡了一会会儿，老英说咱们下去吃饭吧，就穿好衣服去吃饭，其实就吃一点三明治。一看呢，时间已经不早了，三明治没有吃，就买了搁在身上，预备到那边再说。因为利伯森先生预备请我们看纽约的这一季大马戏团的开幕，对他们来说这是一件大事情喽，据说晚上还有极大极大的一种宴会（Gala）。我们就在旅馆的大厅里等他，等了一会儿，果然利伯森就来了，这利伯森先生倒确实像是很有学问，同时也没一点商人气。后来他送了一本书给我，他这本书上面介绍说他是一个诗人，又是一个文人，还是一个演员。总之他这个世家是不错的。

他的夫人我后来也看见了，回来的汽车上我发现一个人，那就是他夫人。据他讲他的夫人有些日本血统吧，这个夫人据说是一个模特，这模特是一种带戏的或者角色的，带着一种感情式的演出的这种模特。他领我们到他的办公室去看了一看，他的办公室很讲究。后来他放了录影，是鲍勃·荷坡如何从长城出来唱歌的一幕，这歌是他写的，同时还忽然露出沃德赫克同老英的那一段场面。后来就关上了，赶紧跑到那个叫作马迪森广场的一个大的场子去看马戏。他这马戏确实很热闹，可以说我倒是头一次看这么大的一个马戏，几乎完全坐满了，看戏的还有许多小孩。还有什么象啊，虎啊，走钢丝啊种种这一类的，马戏总是差不多这一类东西，不过他这儿动物很多。完了之后，就是进行大型夜餐了，我已经累得不行了，无奈我只好去。

一九八一年日记

二月十八日

晚八时，到首都剧场参加欢迎Toby Robinson（注：托比·罗伯森，英国著名导演，研究莎翁权威）与Alan的元宵节晚会。

二月二十一日

中午英国大使馆请罗伯森吃饭，邀请了剧协负责人曹禺、赵寻等人。主人：Cradock大使与Lady Cradock Hunter夫人，Viva Harl小何，新来的领事大胡子。

饭后赵寻、英若诚、吴世良到我家中讨论四月初英、日两方戏剧

【题注】收录李玉茹编、钱亦蕉整理:《没有说完的话》，山东友谊出版社 1998年第1版。

家安排剧场时间问题。

签同意赵（赵寻）、刘（刘厚生）赴西欧开会。

谌勇与王某持八期《北京戏剧报》来，我又发怒，极不好，实应改过。但又迁怒欢子，摔保温杯。欢子屡次诉苦，想弃医学外语，多次劝告不听，实难忍耐。然仍应约束自己，大不必发火，心脏病几发作。

二月二十二日

读《呻吟篇》，应自常存度量，宽宏不躁，不褊浅，勿空自懊恨。

上午与玉茹到三里河散步，购水果，发信，三团支部书记王永序，挂号。

我立志要从七十一岁起写作二十年，到九十一岁搁笔。要练身体，集材料，有秩序，有写作时间。放弃社会活动，多看书，记录有用的语言。改生活习惯。每日练字，锻炼身体。

二月二十三日

上午写广播剧序。我写作不勤奋，不能一气呵成草稿，再徐图修改。

与张梦庚通电话，他劝我今晚到吉祥看上海王正屏的《坐寨盗马》，梅葆玥的《王宝钏》(老舍本）日后还演。

新侨买“葡萄酸”“黄酒”，晚间伴玉茹看杨至芳的《玉堂春》与王正屏的戏。见到周扬同志，约日后访见他。

二月二十六日

上午九时前送玉茹到“人艺”听Toby导演讲课，即到大会堂参加五届人大十七次常委小组会。乌兰夫、邓大姐……持会。邓大姐托问玉茹好，我很感动。会毕十一时半赴“人艺”听Toby导演讲课，满屋听众。慰问Toby健康，和其助手Alan，与玉茹同归。

晚看电视很累，约与周扬见面，未成。

三月五日

下午又开会组织讨论决议。

晚与玉茹散步。看电视，北京“人艺”《公众舆论》演得好。柳以真来与玉茹谈自传、演剧心得等。

夜读果戈理。

三月六日

今日惊蛰。九九的第三天，天气渐暖。上午原想开始正规习字，写文章。不料漠南（安柯钦夫）来，电询梅益同志，关于他的调职事。午餐，漠南饮酒少许，即返家。

下午开大会通过各种提议。

返家吃晚饭，饭后找赵寻同志，谈到我的书不在戏剧出版社出版，改在四川人民出版社出版。赵答，作家出书可以自主。拟明日告李致。

拟明日找何大夫为玉茹找一中医看病。

三月七日

胡叔和来信说戴 ×× 十一日午来京。

上午欢子起来又埋怨，不该学医，我生气，又背痛。

玉茹流行性感冒久服药不愈。我陪她找中医院何大夫请一位王大夫看病，开五服药。谈及欢子学医事，请何大夫劝她。孩子啊！我的小女儿啊！

下午梅葆玥送来明日《王宝钏》戏票。闲谈。

读秦牧《骨朽人间骂未销》，此文说出一个真理，阴险毒恶元凶，未有不败露，康生型人可以写。

昨天又觉得杜甫应写成戏。

三月八日

我夜读上影寄来《王昭君》电影文学本，我读到深夜二时，今晨五时又读，我欢喜非凡，王炼、谢晋以及许多同志，改得十分好！我喜不成寐。

今晨玉茹帮我改广播剧稿，并誊写两份。她中午不眠，为我誊写。有妻如玉茹，我感愧交并。

下午三时三十分与玉茹、孙世新（注：金山夫人）同到空军总医院探望金山。

三月十三日

上午开始习字。

西德关愚谦（玉茹友）与其妻海佩春（德人）来访，海君以黄庐隐为博士研究题，我请北京图书馆戚志芬帮她找材料。关君请我赴德（由德国大学请）讲学，我辞却，我已不想到国外耗费光阴。

下午得黛黛由美国来信。

方子来给我日本杉村春子剧团的剧本阅读。

三月二十一日

下午三时赴剧协学习，赵寻同志报告中央的精神，要文艺界领会中央文件的实质，不要忽“左”忽右；也不要打棍子，应教育帮助，费些精神。

玉茹到前门韩家胡同黄天麟家练习。

与玉茹同往人民剧场看为侯喜瑞八十年舞台生活纪念演出。《牛犀下书》《战宛城》，都不甚好。×××不太称职。艺术家不可懒，不可混，不倚老卖老。剧场见周扬同志，他说茅盾病重危。

我告赵寻《雷雨》《日出》不在戏剧出版社再版，赵应允。

三月二十二日

上午到北京医院探视茅盾。其子韦韬终日侍奉。茅盾老比往日好，终日吸氧，闭目喘气。韦韬说：“爸爸，曹禺来看你！”他睁开眼说：“谢谢。”气息弱。看样子，可能有好转希望，他已八十五岁，气力衰竭。我很痛苦。

约周而复看电影《原野》，方子、苏雷、玉茹同往，大家都认为拍得不错，将作英、法、日版。

三月二十四日

晨四时三十分起，写致芾甘信，响应他建议成立“中国现代文学馆”，将见报。

晨九时，到北京“人艺”看Toby导演的《请君入瓮》(*Measure For Measure*)，并参观Alan的舞台装置。戏排得非常好，演员大见进步。莎翁的剧本极深刻，人物语言，非吾等所能想象。舞台布置雄伟辉丽，有特色。我建议要Toby任（“人艺”）导演，尚未与国人商量。

下午韦启贤来，携去年在杭州讲演稿，再作改动。

晚餐前方子来，拿来响应“中国现代文学馆”稿，但我已写好，约明天再定稿。

三月二十七日

上午五时三十分起床写日志，略体操。准备下午在宣传部学习会上讲话大纲。叶向真来电话，茅盾于昨晚逝去。我十分悲痛，大纲只好草草准备。

下午二时三十分赴宣传部学习。五时三十分散会。急赴北京医院探悼茅盾遗体，到119房，已换新床单，人去室亡，很难过。

玉茹三时到中央电视台录立体声京剧选段，有白、黄（白登云、黄天麟）各位乐师。晚十一时才回家，她很疲劳。

告荒煤约夏衍看《原野》。

三月二十八日

上午五时三十分起床，略体操。读 Paul Eagle 的诗，系聂华玲赠。

玉茹一天疲乏，仍写文章。晚间与莉莉、如茹通电话，我太忙，未给二女信，太不该！

为崔美善写节目单上（独舞会）几句话，交朱子奇，他又添了两句，我请崔、李（编舞）不必来看戏。

下午二时三十分到宣传部学习。

上午刘（刘孝文）、梁（梁思睿）二同志，为他们编的《二十年话剧综览》求序。

三月三十日

上午写罗郁正及其夫人胡邓烈信。

下午二时三十分赴中南海宣传部学习。

晚间七时赴长安剧院看北昆的《荆钗记》，改编、演出、演唱均好，尤以“雕窗”“投江”为好。回家找“南传奇”《荆钗记》及《中国戏曲史》对比，今本确实精彩，与原著大相径庭。戏曲改革，实在需要。加了“双吊”，排演也好。应宣传此剧，歌颂不应“富易变，贵易妻”，夫妻信守不渝。这与今日世风多离弃不同，应赞扬。

三月三十一日

上午八时三十分赴宣传部学习。

发出罗郁正、如茹、李致、欢子信，两封致美信，致华嘉附君朴君（亲家，万黛公）。

晚间同玉茹看《请君入瓮》，戏“生”，台词也快，布景虽尽力，但庞大得压住戏中人物。演员被约束得成傀儡，上台“走样”，无喜剧气氛，可能成为失败的悲剧。但Toby及其他艺术家下了极大功夫，要改剧院演员的夸张，下“猛药”教他们自然、真实。但他不知剧院风格、演员与中国观众。外国专家往往趾高气扬，我们应尽力，但不能一味迁就。一切纸做的物，应有自知之明，放下架子。我以主人，仍鼓励几句。

四月一日

今日与周瑞祥电话，谈Toby无礼貌，并嘱告英若诚。我心胸狭隘，不应发怒。

上午蔡骧（剧专学生）来，谈了他将赴江西拍电视剧《战地鸳鸯》。他在北京电台。我告他应一生为电视剧献出些好东西。他希望我看稿本。不久叶向真托人送《原野》英译本，托阅读。她说，要争取到威尼斯参加影赛，并说《原野》拍摄是得到中宣部允许的。

下午到中宣部听林杉（影协）发言，荒煤发言，江峰发言，返家。

读茅盾同志《回忆录》，极有感触。茅盾少得母教，读书多，勤奋，与郑振铎等组织文学研究会，与郭沫若、成仿吾论战。茅是正确的，正派的。

晚间，朱子奇率李仁顺、崔美善来，并舞“东方的微笑”，他们为独舞会奔走。中国艺术家待遇太薄，她们月仅九十元工资。

四月二日

《人民日报》发表《致巴金——响应建立中国现代文学馆》一文。

上午方子来，我把悼茅盾的文章内容、程序与结尾词句都和她讲清，以为她可以坐下帮我边谈边写。但她下午还有学习，我给了她二十五元阿姨月费，她就走了。来去匆匆，我颇难过。

下午陈默、司容谷、杨景辉为出书事来谈，我坦直告他们，杨君空说两年，我等待两年，工作不见，忽然出了按旧版印来那本封面庸俗的《雷雨》来塞责。他们工作压力大，不必再敷衍我。

晚间赶到首都看《请君入瓮》，英大使与夫人，外交大臣与夫人，Carrington爵士都来看。戏毕上台，我说感谢的话，外交大臣也说了几句。后到客厅酒会。

上午送玉茹回家。遇张胜远夫妇，乃王安宁公婆。

四月五日

上午看儿童电视剧《不及格的妈妈》与《居里夫人》，她在巴黎听课，一位教授说："这不是哲学课，可以凭你们的想象。我的课，没有设想，只有老老实实地认识客观事物。不能凭空去推理，想象。我们物理学家要有证据，不断探讨、追问到底，不要讲出名，忙着写论文，追求物质的原理!"（非原话）此电视剧剧本好，剪裁好，演得深，朴素有力，启发上进心，为人谋幸福，坚强而锲而不舍。

晚间看电视《革命家庭》，于兰、孙道临合演，讲一妇女丈夫、儿子为革命牺牲，由朦胧状态到革命、向前发展的道路，丈夫、儿子为革命牺牲。但收局不佳，"派你到延安"，此乃无办法的办法。

闻老巴将来京，为发奖中篇小说，或悼茅盾。今日下午《解放日报》记者约"悼文"，颇烦，求索不已，苦恼甚。

读罗大岗的" Balzul"文，有感触。

六日上午欢子赴学前，谈她昨日访梁中（思成之子），他劝欢子学"医学社会学"，应学科学的思维方法，管理社会、医学。现在不重科学的社会研究，盲目求高指标，求农业快，乃极左表现。上海有个"思想中心"四人，上海大见进步。近来有"人才学"，日后应有"决策学"。

四月六日

有些人虽然口头上也喊要抓紧时间，但是从来不抓紧时间。他们对过去，老是忏悔，忏悔；对将来，老是幻想，幻想；而对于现在，对于正在进行的时间，却老是让它轻轻地滑过去。——读《语言战线》一九八一年第二期有感。

上午玉茹抄写悼茅盾文，但我未想好，思想正在游离中，总写不出来。一则过去懒动笔，苦思不得。二则对茅盾先生的确不熟悉，满腔敬慕之意，终于难下笔。

下午，韦启贤来，先闲谈。后二人共同商定了《我对戏剧创作的希望》的清稿，即发表在《剧本月刊》上。赵寻同志的意见颇确当，均一一照改。

晚间与玉茹看李元春与其妹李韵秋的《三打白骨精》，二人合作好。其妹乃戏中配角，故意不施其所长，以烘托其兄的主角（猴王）的精彩，这是有道理的。

四月七日

读《当代中国作家风貌》，文笔简练流畅。我国作家怀大志，勤奋，要做大贡献。

香港三联书店分店编辑副主任潘耀明来访，送《当代中国作家风貌》一书，问写作计划，我告以后十年，写三部戏，目前杂事太多。复索题字，照相。他应常寄香港杂志来。送《王昭君》一本。

下午到中宣部学习，听江峰反对建立“中国画研究院”。王蒙、凤子、李连庆讲话。

晚间与玉茹同看四川“人艺”的《赵、钱、孙、李》，写三中全会后，农村富裕的斗争经过。喜剧，剧协很多人看。我代表剧协赞美他们的劳作，应学习他们为农民写戏。

四月八日

上午为崔美善独舞会题词，斟酌许久。朱子奇同志十分同情她，一再托我写，我便答应。我应作自己的剧作，却屡因这类事，不能如愿。看来，好凑热闹与懒散是我的大病！

下午参加学习会，听林默涵发言。

晚七时半即到首都剧场看日本话剧访中演出团的《华岗青州之妻》，戏很好。

休息间，外办同志把我放在廖承志与黄镇之间，我与有吉佐和子又谈话较多，我好在多人前说话，不知谦让。也是好“凑热闹”，突出自己的毛病。

玉茹同归，告我《中国青年报》与《文汇报》记者又在催稿悼茅盾同志。

四月九日

上午到中南海学习，听赵寻讲话。送周巍峙回家。返家午餐，急赴飞机场与玉茹同接巴金、李小林。迎接的还有吴强、孔罗荪。仓促中把巴老之手包失落，幸而飞机场Taxi的司机送交机场，电告作协，已拾到。小林把杭大录音带来。

玉茹陪我到北京医院看病，又到新侨买水果。发给真真（注：方瑞外甥女）“在罗马学唱”信与书。回家极疲乏，略睡一刻，吃晚饭。饭后改悼茅公文。十一时半睡。陈沂、丁玲等同机来京。

四月十日

上午又赶一篇悼茅公文，由《文汇报》记者拿去。玉茹帮我抄写，并提意见。另一稿拟交《中国青年报》，尚缺《解放日报》一稿。悼文如此赶写，且致三处，此奇事，已失哀悼之意。

上午十时到国务院招待处看巴金，他到冰心那儿探病。我们把昨日接他时买的水果送给芾甘。他此次身体好，我很安慰。

中午到人民大会堂参加欢迎“日本访中话剧演出团”，邀玉茹同去。

下午一时三十分返家略休息，即赴北京医院同向茅盾先生遗体告别。他像在酣睡，面上有水珠似汗，真不像死去。

又到白登云家小谈。

晚到体育馆打网球。

四月十二日

千田是也晨返日，赵寻、刘厚生到机场送。

早晨复改《解放日报》悼茅公文《天地共存》，玉茹又抄一遍。九时前赴首都剧场与玉茹看日本童话剧水上勉的《文那啊，从树上下来吧！》。看了戏见水上勉君，戏甚好。儿童剧别具风格，且易在广场、工厂、街道演出，有音乐歌唱。

到新侨购软些的点心给芾甘吃，他牙不好。

出去送芾甘点心，即赴赵寻家茶会，有杉村春子、石泽秀二（青年座）、村冈允平（日中文化交流常任理事事务局次长，此行秘书长）、中村多津（排优座女演员）、伊藤巴子（剧团中间排优）。吃汽锅鸡与米线。

晚看电视《第二次握手》。

四月二十五日

上午致刘君朴兄信，告以已托交他托转给当局请赴港探亲的信。

方子来，听我讲幼年故事录音。我不赞成在《人民戏剧》发表，我想日后自己写，不知办得到否。

下午冰岛客人（在挪威任导演）来，谈很久。他曾在日学Kabuki，谈到他移植日本闹剧《夫、妻、仆》。夫为幽会要到寺院，其妻颇悍，只许其在家参禅。夫令其仆蒙黑衣孤坐屋内，出去幽会，妻疑心，识破，痛殴仆，夫返又大闹打。同来有周宝佑、吴世良等。送他《雷雨》，六时才走。

晚赴市人大主席团开会。回家叶向真来，玉茹、叶又谈到十一点。

四月三十日

上午九时国际广播日语部录我对“日本话剧访华演出团”讲话。刘开宇来电，又决定于五月三、四日赴扬州（木偶剧团）。韦启贤来，中国作协来电五月十日瑞士大使馆欢宴瑞士作家代表团，我应十日前返京参加。

下午香港唐乙风女士（画家）由中国新闻社高瑜介绍来访，并拍照，应为写几个字。问夏衍同志，唐是靠近我们的进步朋友。

五月十二日

扬州之行，甚疲乏。玉茹与我早卧。

李致兄来函，催印戏剧集，并列启事。李兄情意恳切，当奋发编校与写作，不能再昏聩虚度。

五月十五日

乌韦（注：德国人，为“人艺”赴德演出《茶馆》翻译）来电说二十日星期三将与白霞（注：爱尔兰人）结婚。

九时英若诚同志陪哥伦比亚大学出版社的John Moore（约翰·牧尔）先生来，签了《北京人》的印书合同。约翰·牧尔颇有礼貌，托我介绍中国小说译英文。我提茅盾的《林家铺子》《春蚕》《子夜》已译；巴金的《寒夜》《家》已译；还有人民文学出版社的《短篇小说选》。可译的有茅盾的《蚀》(《幻灭》《动摇》《追求》三部曲)，老舍短篇小说（他的长篇大都译出），蒋子龙的《开拓者》。牧尔说一个月后，邮寄《北京人》英译本稿给英若诚，由他校对。

晚沈钧儒先生之女沈谱来，问我心脏病，未多谈，即离去。

五月十六日

上午作协外委会范宝慈同志来谈Wiscon大学东方语言文学系主任、红学家、五四运动史家、金石家、旧诗词人、美籍华人周策纵教授于下星期一下午三时来访事。

天津文联《新港》杂志来人约稿，未复话。下午三时人大常委会开紧急会议，议宋庆龄病危，一致通过授予她中华人民共和国荣誉主席。常委表决隆重异常，我很感动。通知她已被认入党。

晚与欢子同赴BBC交响音乐演奏会，很好。欢子在医院考毕，十分疲劳，心中难过。我老了，特别怜爱幼女。

五月二十日

上午与玉茹共读论《京剧花旦》文章，即将在《戏剧论丛》发表，未读完。

下午看《原野》电影。在政协遇孔罗荪、唐弢、吴祖光、叶向真同志等。叶约明晨来谈《原野》当时座谈会意见。

与欢子、玉茹同赴乌韦、白霞婚礼。中式旧礼，跪叩不已，十分可笑。人多拥挤，西德大使及夫人、周巍峙均来。

斯琴高娃《归心似箭》（女主角）跳蒙古舞很好。遇黄宗英。

五月二十一日

六时醒，心病犯了，十分难过，不能动。幸玉茹在旁，给我药急救。吃安眠药，八时才醒。电告温华（司机）来车准备到医院看病。但约好叶君，只好等待。复周彦询问《娜拉》信。

午前叶向真来谈明日整天录像计划，她十一时才走。

十一时半赴医院，医生说大致无妨，但应犯病即来就医，或告医生来诊，恐万一心肌梗死，不好抢救。嘱必须休息，不能继续工作。

看病后到荣宝斋取行简沈画，周而复字，又请王大山君（注：荣宝斋专家）题签。

晚与玉茹讨论她的文章。

致蓝天野信，并请北京“人艺”全体题字。告蓝天野，请北京“人艺”能书、能画者与同志们都在纪念册上留上字迹。

五月二十五日

夜改《原野》。

今日得巴金短信，促我继续为汝龙找房，并鼓励写信。已复信。

晨即起拟讲话大纲，到中央戏剧学院讲话，并与导演进修班合影。

十时半始赶到“京西宾馆”参加诗、报告文学、小说发奖大会。白桦的诗得第一名奖，这很对。文章不好，便批评；文章好，便奖励。外报也有公平评论。

听周扬讲话，仅半小时。与冯至约下周见面，他应允详谈，并可记录，关于杜甫的一生可写处，与历史上应写的文人或人物。

晚七时赴民族宫参加中国儿童剧院二十五周年纪念。遇周巍峙、王光美、严文井。周来院长讲话。

严劝我再写十个剧本，我感动。

六月九日

听《原野》录音睡着了。因精神不佳，身体困倦。上午谈生平简历。

下午四川人民出版社杨字心、李定周来谈《曹禺戏剧集》事，取照片，要各戏剧照。定蒋牧丛为责任编辑。

下午天气凉爽，精神仍疲乏不堪。收到而复的《散文小议》。

晚间读《小说月报》第一篇，讲先订货竞争，复又合作的××经理二人。其结构是政策方针所指定的那样配凑，实不可耐。现在似乎文章又一切往“好”处写。可喜乎？可虑乎？

六月十日

玉茹收到贾丽妮信，来自纽约，谈周少麟事。

下午三点开人大常委会，买《白居易评传》与烟。

晚看电视，关肃霜的《铁弓缘》。电影不及舞台好。我看过她在舞台演出，电影剪裁与武打，都不见光彩，化装也不“美”。结果，演员演京剧旦角饰姑娘，拍电影经常显老，不吸引人。京剧夸张，大不宜电影。

六月十五日

候老史来，赴北京医院看病。颇想休息，读书，到大连去。黄山不见得能去。

到北京医院赵大夫看病，约十八日作“超声波”，胆影有结石，浑浊。下午作胆囊“超声波”，二十日上午不早餐，照胃。

晚间到“首都”看《日出》，很好。剪裁适当，演得有分量，没有乱动，上台是新演员，刁光覃导演。合影并谈话。北京“人艺”青年演员谦虚上进，有“人艺”风范。导演干净，结尾尤佳。

十四日收到石羽同志信，详述在剧校各友为我回忆过去事，情重谊笃，满溢字里行间。反复读，见旧人情，与浮薄少年相去不可以道里计。“当面输心背面笑”前句“晚将末契托少年”。杜甫心力交瘁，迫饥寒于暮，日遇轻薄幼儿，与之委婉求温饱，痛曷可言！

又收到骏祥信，也坦爽可亲，如见其人。

六月十六日

与刁光覃电话谈《日出》。

昨下午收到巴金寄来的《探索集》(他的回忆录之二)，精装本，捆得紧，面乱。表面是他自己写的，大约是老人亲自走路到邮局发的。玉茹为我再捆好，压在一摞书下。今午拿出，平整一点，还是皱巴巴的。我读了《忆老舍》《赵丹同志》《小狗胞弟》几篇，他的感情真诚、热烈，一团火热的心。我敬爱他的文章，更敬爱他的为人！

六月十七日

今晚玉茹赴北京烤鸭店为庆祝×××收徒，邀我，未去。拜师风吓人！

晚间原想先找汝龙再到北京“人艺”的院庆会（注：二十九周年纪念），却到首都电影院看了一半《芨芨草》。意境好，其新鲜，但卖票不佳。到院庆会已九时，饮啤酒，跳舞，十时半返家。未吃安眠药，便睡着了。

读《探索集》，巴金的真话，实在的。他勇敢、诚实，言行一致，一生劳动，求学问、求真理。巴金使我惭愧，使我明白，活着要说真话。我想说，但却怕说了很是偏激。那些狼一般“正义者”将夺去我的安静与时间，这“时间”，我要写出我死前最后的一二部剧本。

下午方荣翔来送票，此人可亲，似诚实的。

六月十八日

我觉得“拜师”是一种“走后门”的变态，“师”可帮他走一切方便之门，真正教什么，真正教材大概没有的。

下午一点半到医院看病，胆结石。约明晨七时三十分复看。在这之前叶女士来谈，约与周而复下午四时与她会晤。

近来我脾气太躁，使玉茹受罪，我心极不好过。

到人大会堂招待日本作家，搞错日子，回家晚餐。与玉茹去吉祥看《姚期》。

六月二十四日

我读玉茹信，十分感动，十分心疼。我们永不会分离的。她待我至深、至真，我常常不体贴她。此信我要经常看。

上午七时三十分，欢子、我、玉茹三人同到北京医院见周主任、于大夫，定秋天动“胆结石”手术。我又找李主任开中药方去肝火。

十一时吃午餐，略睡即与玉茹看日本“能”乐（一时三十分至四时），上台祝贺。

回家略休息即赴人大会堂宴请“能”乐团客人，十时回家。

看电视《三盗令》，一般。唯老演员张云溪、张春华、景荣庆，确有功夫。

六月二十五日

上午六时半起，与而复通电，告我如何回美研究生信。

出去散步，玉茹陪同，到玉渊潭公园小坐，走八一湖，搭114回家。吃速可眠，仍不能睡。急于写戏，而腹中空空，辗转不能休息，也不能静下去，昏昏然，再不可吃午后安眠药。可闭眼休息，想不出东西来，就不想。

我缺的是真实的生活。

与周而复通电，美研究鲁迅的学者信，他收到。告我如何办理，约与他同往大连。

晚赴北海仿膳，日"能"乐上田昭也的告别晚宴。"能"演出成功，主人颇得意。吴主任与周宝佑将同行。

六月二十六日

天阴，欲雨，郁闷。

叶向真来告啤酒已买得，老史（注：司机史群吉）同来，托请老史送她到北影，她病于足。

九时可能到中央戏剧学院开"大百科全书"戏剧部会议，主持者是办公室主任王颌明。我提议：一、中国话剧起于何时何地？是否春柳社是话剧的起源？柳即在中国本土，产生了话剧。二、周总理应列入戏剧卷内。三、南开新剧团应多记载。

下午访王蒙，谈了许多。临行他送我两本书。王蒙谈论十分敏锐。

六月二十八日

看高尔基两篇小说。

今晨金山与孙新世来，谈一上午，并进午餐。谈《日出》与《原野》演出，以及可写的材料。新世同志谈了青年状况。想起来中国可忧虑者甚多，虽竟晨谈笑，然心中凄苦。

饮啤酒，略醉，送金山出门。

七月七日

玉茹定十二日飞沪，我十分难过。相处一年多了，夫妻相知，相体贴。我与玉茹过的是天给的美满生活。尤其是玉茹，她的爽直、诚挚、勇敢、冲天干劲、对我的忍耐，是我怎么也做不到的。我们二人可以说是无话不能说的知心。一旦分别，虽短暂，也觉身边忽然空了一大块，不知如何是好。

下午到新侨买水果，与罗荪夫人周玉屏及其少子再到首都医院看罗荪，谈及出去避暑。罗荪病状能大好，我安心多了。又见刘开宇及其夫人关木琴，刘也见好。

早睡。夜二时又吃安眠药。

七月八日

北京医院中医李辅仁主任之兄李术仁，颂词有“术仁仁术”。

早九时与玉茹到北京医院看我的病。今日下午日本电视记者来访，收拾客厅。

下午三时中央电视台郭玉祥偕日本放送协会田川纯三、奥道雄池成启与翻译潘桂松、司机白金生、梁来福来访。寒暄后即谈“我与鲁迅的关系”（其实太简单），“我从鲁迅学习了什么”，谈了近三个小时。后到鸿宾楼请他们吃晚餐，以我的名义。欢宴后，回家已九时。

安柯钦夫坐候，他已到少数民族文学研究所工作，即赴新疆。

九时半叶向真偕香港舒琪（叶健行），电影评论家、导演周锦祥（录音），香港《新晚报》编辑杨莉君来夜谈，神聊到十二时才走。罗德安也来，我累极。

七月二十六日

上午苏雷取其小说，告他意见，肯定作品。

得从文信，终于找到叔华“Ancient Melodies”（古代乐曲），乃给萧乾的。电吴世良，吴遍寻无着。拟下午访沈从文，给他书。该书已绝版。

须明日在“当代文学研究会”开学典礼讲话。

下午访从文、三姐（沈从文夫人张兆和），谈甚欢。从文真是厚重君子，怡然可亲，三姐仍如前，谦直如昨日，见小虎，已四十四。告叔华的书找不到，当时确无此画册。（注：关于书的事，前后似有不通处，查前后日记仍不得解，照原文录。）

晚看电视剧，高洁编的《恩与仇》。

八月二日

入夜大雨，顿觉冷，盖棉被。

上午六时起，睡得好。搭一位海军某长的车到海滨镇，有方子、杨振明、颜振奋，同在起士林吃冷饮。后访吴茂荪，又访王昆仑，搭王车归来。

闻瑞芳、作人夫妇、叶浅予、戴爱莲都来了，都没有访候。暂时想清静，此地虽僻远，然有静思之趣。静中可深想，可立志，比笑谈了一暑天要好些。

下午，午睡后，仍想下海再游。候欢子来，三时尚未到。

欢子误车未来，我与方子下海。海浪大，打击背胸，既痛且快矣。

晚间与耿其昌和李惟康说京戏。李唱李清照《声声慢》昆曲。听他们谈戏剧（京剧）界各种不平、困难：体制不立，赏罚不明，不能裁冗人，不能拔奇才，吃大锅饭，一律平等。非改制不可。

晚谈话间得赵寻同志电话，告返京开会，定四日下午三时乘车返京。

八月三日

晨雨未停，冒雨早餐。回屋改《日出》一上午。方子到镇上，购买蓬蓬玩具。

午餐后未眠，仍改《日出》，三时太疲乏，到海边游泳。水天一色，波浪不兴，仰泳观白云蓝天，其乐无穷。仍念玉茹不止，自己也难解释。

“是苦亦思，乐亦思。”此真言有尽而思无穷。以此攻学问，写剧本，何愁不得。偏遇此“孽障”，匿影藏形，迟迟不来！实命也！

晚间又改《日出》，终完毕。但有赘语数段未写，留诸近日。

八月十四日

昨晚睡不好，因惦念方、欢二女于晨四时观日出，常醒，终在四时，叫她们起来。天阴无日，我告她们：凡决定的，必执行。她们去了。回来，二人均困。我也因吃了安眠药，仍未醒清，又睡了一小时。

午餐时，约金山海泳，今日大风浪，想必更有乘风破浪的豪致也。

书玉茹，不料昨日信仍未发。此信到沪，不知何时了。

欢子身体不好，不能游。

阮若珊托要北戴河中央戏剧学院宿舍地址，又请玉茹当学院教授，讲京剧与话剧民族化的问题。与玉茹信，赞同她任上海京剧院副院长事。

晚间奇困乏，因下午游泳，在风浪中远游，足绊水网，几淹没，较危险。此平生第二次几丧命。

九月十七日

上午改《镀金》。

告高莽要《能说话的猪》及其他小说。

告北图找Labriche（拉伯里奇）剧本，想译*Le Chapeau de Naille*，约下午去取。

下午到北图取书，借两本Labriche作品。“Lamoure uni”有方子与玉茹。

到中国书店购《英法大词典》《小说字词释疑录编》，王朝闻《美学新论》……

晚间游泳，玉茹、方子、我，仍游一千米。

欢子回家学英文。又读医书，她十分勤奋。

晚又改《镀金》，对照原文，为了增加喜剧气氛，我改了不少词句。

九月二十日

上午八时写《镀金》后记，直到十二时。中午苏雷与方子累，带来豆腐，方子抄誊两遍。

下午游泳，有苏雷、方子、玉茹、我，游一千米。玉茹在水中已能呼吸五次，又能仰浮，学得快，她已五十八岁了。

六时三十分赴首都剧场看《咸亨酒店》，演出很好，尤以孔乙己、阿Q、狂人出色。庆贺编导梅阡同志与全体演员，忘记贺舞美人员。

回来十时许，十一时即困倦，上床，来不及看《小说字词释疑录编》。

十月七日

这几天连阴雨，似来上海后，仅有到时是大晴天。过一星期，阴雨绵绵，但心情很好，一因天天工作，二因感到家中温暖，不能不感激玉茹与二女。

一整天改《纪念鲁迅》稿。韦启贤按我说的大意写稿，前段须重写，写了三遍始成。韦君确实下了功夫，大致能用。小如茹借来《文艺月报》一九五六年第十期，读唐弢同志文章《鲁迅与戏剧艺术》，十分佩服。须再把韦稿重写几段。

晚间大雨，玉茹与莉莉游泳。

我修改纪念稿件，又请如茹代抄数段。十时玉茹、莉莉归来。

十月八日

上午托如茹借鲁迅书籍，唐弢文集多种，作参考。她冒雨借来，顷刻即归，又回校上课。此女有股傻气，宁可自己辛苦，不使别人为难。但身体瘦弱，日见消减，念及此儿终身事，颇焦虑，她已近三十了！

下午天气突冷，仍下雨。我仍就借来的鲁迅书籍查改稿件，也添了几段。

天未出门，只练太极拳。

晚餐后，如茹又为我誊写草稿，我读她记。《纪念鲁迅》稿，多添了一千字左右。大约写毕，又由玉茹誊，先和我对核一遍，未及毕，已很疲，读不成句。睡床上，加上毛毯。

十月十二日

晨起（未吃安眠药），赴小花园打拳。等待胡蓉蓉来电话，说请我看《雷雨》芭蕾排练。

又读《桥》，不知如何改法。

何至雄同志（芭蕾舞团）来电，约好晚七时三十分，胡蓉蓉来访。

上午读毕《桥》上半部，觉得可能续下去。现在是又要找材料，找抗日胜利后的情况，或在渝或在上海。

下午到锦江游泳，玉茹、如茹、莉莉、我。原来每日下午二时至四时，有水球练习。

晚七时三十分胡蓉蓉，叶 ×（注：原文如此），与《雷雨》主要演员都来。胡蓉蓉讲话，想法很好，确实下了功夫。十时走，很累，虽兴奋也累。十二时睡。

十月十三日

我终日在读《桥》，看如何续法？前面应大压缩。许多技术语与人物应删一些。

下午读如茹借来的《金陵春梦》第五册，讲日投降前后。拟修改《桥》的意见。

晚莉莉买螃蟹。晚饮黄酒吃螃蟹，不觉醉。醉中见庞增涵丈夫范民声（上海戏剧学院艺术概论的教师），未谈几句，便上楼。

又读《金陵春梦》，但一会儿就睡着。

十月十六日

下午上海芭蕾舞团一时四十五分来接看《雷雨》芭蕾舞。

上午搞《桥》材料，读书。

下午看《雷雨》联排，遇陈沂同志。《雷雨》芭蕾舞很精练，演、编、舞很好，演员有几场也好。但他们的基本训练工夫是不够的。陈沂和我都说了许多鼓励的话，我最后说："行百里者半九十，你们只走了十里，还要苦练。"关于演员及有关人员的营养问题，我们大家都谈了，应反映。

晚游泳，玉茹蛙泳很进步。

在外一地下餐馆"人民食堂"就餐，他们工作由上午十时到晚九时，很辛苦。

十月十九日

上午六时醒，七时与玉茹赴花园练操。

构思《桥》。

十时许到巴金家。巴老说：“现在一个作家要给自己下结论的时候到了。写点东西，留给后代人看。”“写了登不出，放几年也无所谓。”

我每见巴金，必有所得。我一向无思想，随风倒，上面说什么，便说什么，而且顺着嘴乱讲。不知真理在何处。

下午收到韦启贤信，很感动。唐弢同志如此诚恳、热忱，他为那篇文章下了一天功夫，是鲁迅先生作风，不可及也！得学。

晚看电视《山道弯弯》，很好，歌好听。

已经到了给自己下结论的时候了！一个作家要给自己下结论，写点东西给后代看。

一定要独立思索，不能随风倒，那是卑鄙的、恶劣的行为。

既错了，便不要再折磨自己，想起没完。让过去成为过去，自己清醒些！今后，不再上当。少说，错误少些。

但写作却要从自己心里想写的，写下去，不说违心话。写评论，不夸张；写散文，应说真话。自己真感到的再写，更不要，为了文字的漂亮，为表现虚伪的激情。那样写出以后，自己看了，就会觉得丑的灵魂在自己心目中，在众人的眼睛中，表现得更“丑”，自己会痛苦万状。

不要为自己一生所犯的各种错误、缺点、失当的地方，就反复思念、后悔、痛苦得没有止境。“君子坦荡荡，小人长戚戚！”这要自己常常想想。

我觉得我常为文字的“把戏”（俏皮、痛快淋漓、引用典故的恰当……）把自己变成一种不正确的“思想”的“把戏”。如同为了一时的光彩（极肤浅而庸俗的），宁用一尖刀在自己的心窝处，划一道口子，流血不已。

我自己一生，总感到“轻浮”，但非改不可！

十一月二日

上午六时半起来，到桃江路花园练操。回来稍改为日本演出《日出》的《作者的话》。

翻阅雨果的传记。忽然想:《桥》应该写三部，讲中国的社会变化。一、解放前，抗日战争胜利时。二、“四人帮”时期。三、时下——一九八一年。《桥》仍未做好。

下午未吃酒，起来还舒服。从今天起戒酒。

许思言（注:《海瑞上书》的作者）来谈京戏，我正想今后的工作。送十个石家庄梨。晚间与如茹吃三个梨，大而甜、嫩、脆，准备明天送巴金五个，想见见他。

下午收到方平讲弥尔顿的译文的信，他确是学者风度。

本想到苏州看昆曲传字辈演员会演，给赵寻、刘厚生信，已得刘电，欢迎去。这两天有雨，我也忙于工作，闻该会演颇有别扭，我不喜到苏州就讲话等等。终于不想去了。

我有不少毛病，或者说贵族、老爷的丑恶习惯：①不交朋友，我孤独。在家里苦思冥想，恨自己，悔光阴过去。一生懒惰，华而不实。②不四处找朋友，尤其找处境困难的人谈话。不真去认识各种人的生活，只图在个人孤独的家庭生活中，过得舒适些。有点小事便抱怨，有点小机会，便管不住自己吹自己。不沉着，不多思考就说就闹，过后又后悔。③未想明白，便发表意见，又随风倒，不肯独立深思。④我有“官”气，仿佛随时都在做“官”。

十一月三日

玉茹教戏，我去看她上课，一边看《沉重的翅膀》，一边看她教戏。

下午与玉茹乘96路汽车到武康路站下车。巴金身体好，走路健步，上下楼尤见好。很高兴，略谈，送我们《创作回忆录》。

谈起：“不管人家怎么谈，不要想！时间是个考验，群众会鉴别。”

告诉我《原野》在香港，颇为轰动。上下三次楼，找香港报纸——一张《文汇报》给我看。我见老巴默然为我高兴，又谈了些《原野》受欢迎情况。

急赶回家，见南京戏剧学院吴××，此人颇傲慢，我终先上楼。

晚与玉茹谈如何改《回荆州》的孙尚香。

十一月四日

上午新艳秋、费玉策、江苏省文化局副局长来访。

谈后，我与玉茹到华东医院看病。玉茹骨变拍X光片，看出无大问题。我心脏病，并未见恶化，虽最近常心闷痛，但医嘱：①不要过累；②勿受冷。

下午玉茹与我谈，如何改孙尚香，又读《三国演义》。我提了意见，玉茹动笔改，她很用功。苦玉茹《大登殿》不可演。

晚雨大，仍去看江苏省京剧教师与上京三团合演的戏。梁慧超有功夫，大受欢迎，我也开眼界。但《杀四门》的武功虽好，不见人物。不知别的戏，他演得如何？

新艳秋仍唱得好。七十二岁了！人是可以不老的！只要真诚，用心于功夫上。

十一月五日

读巴金的《创作回忆录》。他是个伟大的人！因为一生他在追求光明、理想，他有勇气，说真话，交许多真朋友，总在工作，一时不停。乐观！沉着！但感情与思想是沸腾的；他衷心爱一切美好的事物与人；他那样爱新生力量！

玉茹上午到三团，定建院剧目。

晚间与玉茹谈孙尚香性格种种。她立即动笔写戏的动作、对话与台词。

十一月六日

上午又看玉茹教戏，但上午我大略改好送去《日出》演出的《作者的话》。

下午中雨，未出。巴老令祝鸿生送来香港关于《原野》电影片演出的宣传。

心中焦急，未完成计划，其实也做了不少事。略饮酒，便心痛且闷，又不能工作。

多顾虑！太多！非静下心来，实实地做事。必须不顾任何小事，搞好写作。

晚间看电视《一江春水向东流》。看了杨振雄的《回差》(注：评弹)，武松回家见其兄灵牌，质问其嫂，神绝！

十一月十五日

赶写给欢子信，寄五张照片，一百六十五元作十二月份家用。玉茹也写了信，恐她着急，告她，我病不重。

下午任德跃来谈最近的苦恼，我安慰他，共晚餐。他明日赴京，参加儿童剧目讨论。

陈其五要来看我，我正犯心脏病，约改日会面。

我确实感到自己想写什么，便写什么！不能有个东西箍着我的头，什么思想，什么条条框框妨碍我的笔。“自由”当然不能绝对的，但写作时必须“自由”，任自己按自己已有的观念、思维、感情——爱的、憎的、纯挚的情感去写！不然，我将憋死！

看了《家》(上海戏剧学院)，我又犯急躁病，感情用事，太不沉着，当面指责导演，并且当着许多领导！若说出来，是我的浮躁，架子大，盛气凌人。虽然，后来在台上，着实表扬了导演（我看时，确实觉得导得真好！）和所有的演员等等，但想起自己的浮躁，还是不安。我说了真话，却说得太过，不讲究词句，还是不好！

十一月十六日

上午到剧团看玉茹排《别母》(《回荆州》)，与王梦云合作，排到十一时半。返家，我睡一时余。读小说，随时有心得即记。

上海芭蕾舞团来电，请十七日看时钟琴演“蘩漪”，她演后即赴京参加常委会。

晚陈其五来电，请看藏书楼的报纸，他答应可送来。

得李致信说：一九八三年可出《戏剧集》，由蒋牧丛负责，写详情。

晚看电视，中国女排得世界冠军，我大喜。怕输，不敢看，只看授奖。

电影，沙鸥说：

“人活着要有目标，没有目标还活着干什么！我要的是金牌，不要银牌！”（把银牌扔在海里）“我爱荣誉，胜于我的生命！”

“一切艰难困苦算什么！”

“真正的幸福，并不在于目标是否达到，而在为达到目标所做的奋斗之中。”

“这批青年力量，只要决定干一件事，就无论如何要办到。这一种精神除了是伟大之外，不可能有第二种说法。这一种精神，大概并不仅表现在体育的领域中，而一定是贯串在整个国家。这是既有前途，而又惊人的力量。”

——大松博文

命运多蹇，沙鸥屡遭不幸，然而与命运搏斗中，她始终是个强者！

生活是严峻的！我们中国是有希望的！

十一月二十六日

上午与玉茹雨中访南京路花园坊1173弄9号旧居。三十几年前了！

玉茹为我买了健步鞋，坐公共汽车15路归来。

《新民晚报》李小峰之女来访，谈及芭蕾的周朴园的处理。

下午应写信：①北京人大代表。②托周瑞祥取工资，报飞机票。

午睡中想起《桥》的种种可改的人物与结构，立刻记在正读的书上。晚间也在想《桥》的立意。

十一月二十八日

这两天想回京开会，因在上海也心神不定，写不出东西。

欢子来信，说她大哭，因我不回家。

再老不出面，使人误会，以为××犯了政治上的错误，决定回京。

玉茹同意，即告人大办事处（上海）买四号（星期五）飞机票。

上午到“国际”看吴雪，他提到芭蕾的《雷雨》。

下午二时看昆曲《×××》，写、排、演都很好，但作者有些自负。我赞誉了他，他更有些自负了。今后，不可乱赞誉人。孩子与玉茹说我在外面易夸奖，人们往往以此为荣，其易生误解。

想《桥》的结构不通，十分苦恼。

十一月二十九日

我应重新成为一个“新人”，把我的过去种种虚荣、赞誉与毁谤都忘记，不想有些人在我背后的话，不想过去的荒诞、疑虑、多心、胆怯，追求名声、享受、安逸。我要成一个一心为真实，为理想，为人民做好事，说真话的人！不再犹豫，不再怕人们对我的歧视、轻蔑，因为那些人的称赞，我过去太重视了，以至于迷了路。我的阳光快尽，烛火将熄，但我还有时间改我的过去种种谬误——随波逐流，赶潮流，听人们说过的话自己又重复一遍那种话。我要说我的真心话。

我写下来。我要追求一种高尚的生活，坚硬而真实的生活。我要真实地看见人民的生活，为人民而生活，为人民而写作。

我还要多读古时的、今天的书，充实我的心灵。我要沉默，我要往生活的深处钻研，必须不怕穷、不怕苦。我要弃掉过去的生活，放弃这个“嘴”的生活，而用这“脚”踩出我的生活，用“手”写出真实的生活，明显而又火一样为人民所急需的真理！我要想!!!

十一月三十日

生活中各行各业都充满了有抱负的青年，每个人都在为崇高的理想和目标奋斗着。

平时要“仁者不忧，智者不惑，勇者不惧，达者不恋”。

热爱是最好的老师，着迷是最好的朋友。

刘德海同志:（注：给友人信的草稿）

我在近四十年的艺术生涯中，领悟出来一个真理：一个艺术家在小有成就之后，应当保持自己良好的艺术晚节。永远不要为赶潮流而随波逐流，不要靠一点小小的成就而止步不前，在虚荣中度过自己的一生。

为了人民，×不×，算个什么！现在大家干，不为着×，是为着国家，为着未来应该好好地干，才算个人。

十二月十六日

上午九时先打针，后到人民大会堂开文联的会。荒煤、周巍峙、贺绿汀发言，十一时三十分散会。我在十二时到北京饭店，看吴仰前、吴承欢、凌子，与美商签字。还有罗丹及其他人。饭后三时送凌子、罗丹到新家。他们送我关于《原野》剪报。

回家已四时，急读玉茹信，我落下眼泪。她真是我的好人，相知的老伴，同甘共苦的妻子！

吃两片“氟硝基安定”，仍睡不着，太兴奋了。自己还是不沉着，易激动，爱虚荣。

晚餐时《工人日报》记者送稿审正，改了半天。与欢子、菲菲游泳。又到首都剧场看戏，见习仲勋同志来看戏。

十二月十八日

上午八时半到民族宫开中国作协大会。巴金主持，他写稿读，非常沉着，我看他疲劳得很。冯至谈起请Dusen Matt（杜笙·麦特）的信，已告而复，又电告赵寻。

黄源宣与我谈莎士比亚学会事。

下午又开作协小组会，听了胡耀邦、乔木文件。到科技电影院看《现代启示录》，没有什么意思。

交三个月党费三十元。

十二月二十一日

上午到人大浙江厅，乔木同志接见作协理事会部分人员。巴金谈“无为而治”“爱护作家”等。乔木同志大谈“有为与无为，治与不治”，实即反驳。大家谈及新华书店发行问题，有冯至、韦君宜，我也说话。又激动万状，实不可取，今后一定改。

打针，见赵寻同志，请他改改那篇关于上海戏剧节谈话。

下午发出修改稿，又电告如茹，请她告《文学报》编辑候我修改稿刊印，并发急电给《文学报》。

晚间，周而复、孔罗荪、我，请巴金、欧阳山、马识途、黑丁、陈残云等在森隆便饭。

回家得玉茹电话，谈已告《文学报》。我又告《上海画报》的稿须改，请明午后来电话。

十二月二十三日

上午到新侨饭店找巴金，文学艺术出版社请吴印咸同志为我、巴金、欧阳山、孔罗荪、李小林等拍照。

上午十时许访见叶圣老，遇上海育才中学校长段力佩，求叶老字。

下午游泳六千米。回来有中央戏剧学院学生刘书彰送《鸣凤》。

回家，蒋代平（兆和先生的女儿）送来兆和先生李太白像，奇妙。大师手笔实不凡，虽是复制创作，也是亲笔画。蒋先生信人也，前两日应送画，今日即来。我立刻回电谢他，又听见蒋琼夫人的声音，明日拟往谢他。

一九八二年一月一日

少讲话，或不讲话，言多必失。

要讲话就应该冷静，会好一点，万勿激动。

表态，就不应有意气，仍须冷静。不动感情。多考虑！

书信

致《学校新闻》编辑

一九三七年六月七日

编辑先生：

承惠寄《学校新闻》第六十三号一册，十分谢谢！不过，贵刊所载鄙人在中大演讲，与当时实情大有出入：

第一，当时只是闲谈，并无这样吓人的题目，如《中国话剧应走的路线》。

第二，我并没有提起任何剧团来批评，所谓“南国剧社”的记载，不确；提到“四十年代”说他们演出的戏“是给有闲有钱的人看了消遣的”更不确。（相反地，我以为“四十年代”在南京的几次完美的演出，有些戏决不为“有闲有钱，只图消遣”的观众所喜的。）

【题注】载《学校新闻》1937年第64号第3版，题名《曹禺先生来信关于他在中大的讲演》

至于说到“第一次在中国上演话剧的是‘南国剧社’”，这位代我投稿的先生确实杜撰得大离奇了。其他，或删或改，或添或误，尤其是语气上的恣肆，都令人莫名其妙。诚恳地希望,（编辑）先生把这封信刊登出来，免滋误会。再三拜托。匆匆，敬颂

撰安！

曹禺谨启六月七日

致巴金

一九四〇年

……一个人活到壮年开始觉得有的路走错了，少年人的莽撞，糊涂，近视慢慢逐步发现。现在我的心只想从头来过，我绝不相信走错了路就转不回头。我不肯像“家”中的“觉新”那样委屈了自己的生机，……我想或者有一天写出一点略微成形的东西。……你的信使我流泪，使我在路上读完了眼里充满泪水，我的学生们看见了，偷偷怪异这么一个大人怎么默默地哭了？但是我忍不住，我心里高兴，你给我多少精神的凭藉，这字里行间哥哥一般的心情使我再也忍不下我的泪水。我给我所爱的人看（芾甘，请原谅我，我现在可以告诉你我所爱的人，因为她现在也爱我，并且答应我把这件事告诉我顶好的朋友

【题注】载《收获》2010年第6期“曹禺巴金书简”。载《现代中文学刊》2010年第6期“曹禺晚年书简”。收录李玉茹编、钱亦蕉整理:《没有说完的话》，山东友谊出版社 1998年第 1版。收录田本相、刘一军主编:《曹禺全集》第6卷，花山文艺出版社1996年第1版。

芾甘）。她是个极幽静温婉的女子，同时也是个“钢铁”般性格的人，我们谈你，爱你，把你当作共同的哥哥看，虽然你来到此地见了她，没和她说一句话，她也是沉默的。

一九四九年八月十六日

芾甘：

回沪后一定十分忙碌，文化生活社的事情不知安排得如何了？新政协闻可能九月初旬开，你务必来平，怎样忙也来一次。如不为这件事，我也早返沪了。蕴珍和小妹都好吧？译生也惦记不已。

有一件事请转告家璧。

昨日见着钱俊瑞，上次在莫斯科由郭沫若茅盾诸公签名寄老舍的信是寄往巴黎孟邻野君转，孟君并不识老舍，他也托人转。寄给谁钱俊瑞不得而知。于是这封信转来转去还是莫名其妙，弄到哪里去了。不过信是发了的，请老舍速回国的意思也是普遍的。所以请家璧速函舍予先生请他回一封信吧。

你来前，告我一声。我好接你。

问方叙[1]好。

家宝　八月十六日

1　方叙即靳以。——底本注。

一九五〇年三月二十一日

芾甘：

健吾来信，告知你病了，已经割治，不知最近病况若何，我们非常惦念。大约不十分重，这类病很多人有，只在老年人痛苦些。你的身体素来结实，经了割治，多养息几天，不立刻工作，一定很快恢复健康。能提笔，写几个字给我。不然，请蕴珍告诉我们你的近状。

前两天，翰笙谈起你没能来参加文教会，因为太忙，言外之意还是希望你能来开会。就来一次北京吧！我想，你病愈后，再遇开会，无妨来一趟，住在我家里，开销自然不大。文教会虽然没有经常事要办，主持人总是盼望你能到场的。

我每天是开会忙，还没有工夫写戏。我连续收到你主编的译作丛书，不知销路如何。听说最近文艺书不易卖，老舍先生的版税简直没有多少，他大感困难。你现在生活如何，版税情形还好吧？

关于你，我只偶然在《小说》上看见你开座谈会时的几句话，报上偶尔报道你在华东区文教会上的职务，其余便不知了。有工夫，我们真该写写信了！

祝好！问蕴珍和小妹好。[1]

家宝　二十一日

一九五七年一月四日

芾甘：

到了北京，正下大雪。这两天处理一些事情，大约十天后可以返沪。我求你办一件事。新华书店唱片部（南京路，电话九八九〇六）现卖捷克手提快慢两用的电唱机，售价三百五十元，需作家协会出信证明，得公安局准许，即可买。此事我曾托孔罗荪兄代办，他说，可交作协秘书去买。此种唱机曾在京卖过，一两天内被人抢购一空。因此，请告知孔兄可否立刻代为购置。价款，是否请你仍代付给他。我回沪后，可一并归还。感谢。

译生问你和蕴珍好，她说前次寄来小孩们用的东西，都好极了。

祝

好！

家宝　一月四日

1　此信收入《生命的开花——巴金研究集刊卷一》，文汇出版社2005年5月版。——底本注。

该唱机内有110V和220V两种电压闸。如放在110V电压闸上，则不可用220V电。

我曾用曹禺名字在新华书店唱片部登记过。我建议你也买一只，确实非常好。如购得，请函告，我便不在北京想办法了。

孩子们的相片已给译生，她说都长大了，姐弟都像妈妈。

行前译生寄一封信，信中有汇票四百元。曾托老朱连我的印件，一同交给你。如已到，请托九姐代取出，即以此款购买唱机。谢谢九姐。信留在上海，候我回来看吧。

一九七八年四月三日

老巴：

读到你的信，十分感动！老朋友不多了，我们见面，即不谈天，沉默中，也是很高兴的。你嘱我注意身体，抓紧时间写《王昭君》，我定当做到。

但有时，在京，各种会议真叫“铺天盖地”而来，又不能不参加，因此时间还是很少。我现在还得开一两个会，然后便躲起来，写点东西，写《王昭君》。

常感时间不多，便着急万分。

我想你也应该注意身体，少见客人，写你的文章。听说你也有小病，老了，即便犯小病，也该找医生看看。一定！一定！

问小林、小棠好！

家宝　七八、四、三日

黛、昭、方、欢四女都问你与小林、小棠好！

一九七八年十一月二十五日

老巴：

感谢你给我一套英文本莎士比亚。这是我多年梦寐以求，而市上极不好找的剧本。不久（大约本月卅日）将有上海一行，我想问问你关于《雷雨》首次刊登情况，有些事情与年月，我完全忘记了。

罗荪受《人民画报》之托，要写一些你生平和创作的情形，附配于整版巴金的画面。他希望你提供一些有关资料。此事，我也觉得须要你大力支持。

你写给我介绍宗福先同志的信已收到，我已见到宗同志，和他谈了话。下星期中（未离京前）还要和他再谈一次。这位作者十分谦逊，而且平易可亲，写作前途未可限量。

问小祝、小林、小棠与全家人好。

家宝　78.11.25

电影《家》正在首都上演，十分轰动。特告。罗荪附笔问安。

一九七八年十二月十七日

老巴：

不知说什么好，在飞机站上看见你和我招手，还是觉得你老了一些。我心里难过。我们两个老友，分别了，我总以为不知何日相见。其实，京沪两地相距不远，只两小时距离，但还是有些说不出的滋味。请你多多保重身体。我也必如此，遵照你的嘱咐。

此次赴沪，你几乎整日陪伴我。虽然话多余，我心中是十分感激的。但愿你不再见老，坚持多创作些好文章、好小说。其他活动，能推，便推。希望保佑你活到一百岁，看到2000年的中国，这在你自己要珍惜自己的体力与时间，你比我要更懂得多，无论在哪方面，你是我的良师、好友，我在你面前，总觉得自己是个幼稚的、不大懂事的人。

小祝、小林帮我不少忙。我来沪，可把他们二位累坏了。望为我说声谢谢。他们是多么可爱的一对少年夫妻！端端小女实在逗人喜欢，为着看这个小家伙，我都想再来上海的。

回家，很累，但又是一大堆事和信，并且还要讲话。真是老驴推磨，不知何时才算推尽?

但是我得听你的话，一定找一定时间休息一段，不然，很快，这点气力就要挤干净的。

家中一切正常，连暖气都和从前一样。我穿一件单衣就可以了。天气与上海一样，你看奇怪不奇怪？

下星期四（21日）晚7:50起，有彩色电视，“访问曹禺”望你看看，据说是北京电视台，但可能在上海转播。如此，你我二人又相见一次。

茅盾前辈送我手书小条幅一帧，我将裱它一下。你是否也用宣纸给我写一条幅，我将藏起来，盼极！

孃孃、九姑妈、萧荀，均请问好。到你家，看见她们，如同见着自己的姐妹一样。

明年春末，有时间，当再到上海，与你同赴西湖一游，不知可否？或黄山也可，桂林？庐山？

你又送我的Shakespeare已放在书柜上。见书，如见你！

问

全家好！

家宝　78.12.17

一九七八年

芾甘：

收到你的信，又高兴，又熨帖。你安慰我，叫我不要为最近没有给《收获》写东西而着急，我感谢极了。奇怪，我总怕你为这件事生我的气。未得你信之前，我甚至有些着急，现在，释然了。

尤其因为你说，你没有什么病，只是“疲劳”，并将保重身体，而且希望活到九十岁，我多爱听你的这句话！你是心宽而又乐观的人，活到九十高龄，你一定做到的。但是必定要结结实实，还能写点文章。我记得萧伯纳过了九十还写东西，我想善于保重身体，劳逸结合，很重要。我们肩上有许多事，压得成天忙，而忙不出个道理来。我最近也颇明白这点。“事半功倍”，真不知如何做到。

我也感觉到“可以工作的时间不多了”，因此，也是着急，但偏有些不必要干的事情，压在头上，而且推不掉。使我觉得工作一天，无效率可言，真是浪费！

我们需要“休息”，这样“工作”才有效一些，但现在总是一件事接一件事，使你手忙脚乱，每天像走马灯，转来转去，还在原地，没有前进一点。

我是个蠢材，要非常多的时间搞成一件事才稍如意。写东西更是如此。

还有，“深入生活”与“生活要下去”，在我已是相当吃力了，但是连这样的机会都不可得。这不是领导不给机会的问题，是我自身存在的问题。我不愿走马看花，那样，毫无益处。只是开开眼界，使心胸开阔些而已。但有时稍稍离开原来的地方，遇见的“任务”比在家时还要多，你说怎么办?！提笔即来篇东西，天下哪有这样的便宜的事情！

此外，还有病的问题，体力问题。接触工农兵，一时谈不到。也许真养好病才能“下去”。而时间，时间真是不多了！读书时，遇到这句“时不我与”，如今才明白这句话怎样使人痛心！

因此，我羡慕年轻人，他们有精力，脑子也好使，年轻人浪费青春，真可惜极了。

不谈这些了。总之，怪自己，不会安排时间，责任心不强，种种，种种，将来还要遇见麻烦。

你来京，如上次我们这两个老家伙，闲逛东风市场，买几根冰棒，随吃随逛，不知所云地乱谈，那真值得留恋。我看不必游山逛水，那已经是不可多得的“休息”了。

你叫我写些“回忆录”，我也感困难。回忆录要写得自然、真实，写出一些真东西，让人读了觉得有益。我说“有益”是广义的，能让人读了，感到“休息”，觉得“有趣”，这就很不容易了。我是古板人，人见了便要皱眉头的人，你想，能写出“回忆录”来么？我颇想再写一两个新剧本，如果可能，那就用来送给《收获》吧！自然，如果能够写出一些像样的东西，也将交与《收获》的。最近，早已允许的一些“文债”，仍未还清。大约，只有挤时间，“见缝插针”才行！

我经常想念你，就同我怀念过去一些美好的往事一样。其实，见面也没有多少话说。但总想和你见面，以至于想一同游山逛水。也许，这终于是梦想。

问小孩子们好，祝

身体健康！

家宝

一九七八年

一九七九年一月十日

芾甘：

得来信并照片。幸得我二人同照一张，置诸桌面，如相见。你我都有些老，你尤甚。远行巴黎，切望不可住久，家中人，国内人，都惦念你！早早回来，免得人着急。今年我也可能出国，何时何地尚不可知，许多事知其不可行而行，这是一件。在京，还是那样。开会，写短文，见外友，实不胜数，总要事渐大，做一件是一件，实不想推托。但写剧本事未尝忘；你的话，我总要记住。忽发奇想，真想写本小说，作为最后“冲刺”。可见如何昏聩！

明日入三九，天气冷，请多穿些衣服，不要又感冒，真是惦念之极。告小林,《收获》稿，常在心中，然这些日，常来“苛捐杂税”，只有瞎写，最近，又得写老舍八十诞辰一文，是党报约的，时间迫，不得不先写。为《收获》文，定会写得长，请你修改。我有些东西常是你改的，想起来，又是几十年前事，颇有些感慨。总想到上海去，见你与其他老朋友。弥来，越过，越有些多情，我有些冲动，有些伤感。难道是“回光返照”么。据说全国文艺界代表大会将在四月开。时间不巧，你在法国，恐不能相见也。请代问九姑妈，孃孃，萧荀好，问小林，小祝好。告小祝，他和陈伟若的信已收到，感谢他们十分仔细的记录，甚有帮助。

不知再说什么？但我确有一肚子话，不知从哪里说起。

敬礼

家宝　七九、一、十日

一九七九年某月十一日

老巴：

读了你的《怀念萧珊》的文章，我痛哭不止，再也想不到她是这样凄凉、孤独地死去。她受了这许多罪，她为你受了这许多痛苦，你也为她受尽人世间想不到的痛苦。我想不出你在暮年，会遭受这种不可形容的煎熬、苦难。我也想不出萧珊那样坚强，那样深切地爱疼你。她是个了不起的母亲，又是你真正的好朋友、好妻子。一个女人会那样伟大，她就在我们一闭眼就看得见的地方。你说，她临终时，她的眼睛“很大，很美，很亮”，她最后一句话是“找李先生”，而不是“找医生”。我从心里看见了，也听见了。从前我只觉得她天真、坦白、热情、爽直，我没有看到她是这样一个伟大的妇女！

我读你的《怀念萧珊》的悼文，一连好几个夜晚，我的泪水从眼角流下去，流到耳朵里。我觉得你是幸运的，我仿佛又到上海看见你桌上放着她的相片，而她又像望着你，那样深情地望着你。

我看见她时，她似乎是一个中学生，我现在才明白她那时便是那样深情地望着你，而我和靳以都觉得她是个小孩子，可见知人是如何地难啊！

以后，她逐渐地成熟了，但她的眼睛，确如你说的“很大，很美，很亮”，看出她心地总是那样明亮的。

正因你我是好朋友，你又是我的老哥哥，萧珊之死，我的心是说不出的痛刺。你说，你若永远闭上眼，你的骨灰将要跟她的骨灰掺和在一起。一想你这句话，我以后要非常之孤独、寂寞，我将什么都不想。在这人世上，我还有什么？还有什么？！

你教我写些东西，我一定听话，但如若你永远闭上眼睛，我就不知道怎样过下去，还谈什么写东西？我的老哥哥，我的老巴，你懂不懂我这些幼稚的话哟！我想，我要死在你的前面，让痛苦留给你，这是多么自私，又多么幼稚的想法，哪像一个七十岁的人说的！

我们是将近五十年的朋友，我愈老愈糊涂，你是巨大的人，你会明白我的心。我简直不知说了些什么，又像一个十几岁的孩子乱讲的，老巴，原谅我吧！

接了你的信，隔了多少天，我没有一点心情回复你。现在才写这么几个字，但是没有说的，还有很多很多，老巴，你会懂的，懂的。

老巴，我从未写过旧诗，读了你的前一封信，我不知不觉地写了几句：

死去原知万事空,(你当然知道，我偷了陆游绝笔首句。

有时我心情忽然这样!)

忍看山河代代穷!

从今再不事杂琐!

拼将残勇赋春风!

真想照你劝我的，拼命再干一下。为社会主义祖国多写点东西。但心思如麻；我不是你，你沉得住气；我却是一个既冲动又肤浅的人。听罗荪讲，你本月二十日将来京，见面，我有多少话对你讲，但也许又沉默下去!

家宝

十一日

一九七九年十二月二十二日

芾甘：

我即将赴英，行前，必须向你，我多年的兄长，告诉你一件事，不然是过不得的。

我已和李玉茹结婚了。我早该告诉你，并且和你事先商量。

我多次想对你说明白，我不好意思说。因为自从方瑞去世后，我也想再不结婚。后来，发现自己几次突然晚上犯病，叫不了人，几乎死去。感到需要，但仍不觉得什么！还是可以挨过去。“死”就死了。孩子们曾劝我结婚。我也觉得很难寻伴侣，我怕高级知识分子，也怕那些家庭妇女。实在不易找。很有几个人为我介绍，我看了，都不行。去年，忽然看见玉茹，我才想起这个念头，因为我认识她在三十多年前，那时她便对我谈过，她的出身与境遇。她也认识方瑞，恭敬她，称她为“方先生”，方瑞也觉得她人好。

我说这些，不是要为自己解释。对别人，我是不在乎的。只是对你，我必须讲一讲。我应该，使你明白我与玉茹相守的道理。我69，她56，前些天，才登了记。对外说，我们前半年已登了记，免得搞“吃糖”，乱哄哄，使人害臊的这一套。

其实，你早已看出。但不对你讲明白，我的心不允许我。这个人是好的，对我是十分体贴的，是心地良善的，是受苦人出身，经过旧社会的侮辱，知道人生很不容易过下去的。她老了，原不肯再嫁。我也老了，也不想再惹麻烦。在“文化大革命”中，她吃过大苦头，心已死了，我们原只想再做做朋友就算了。

但是不行，社会不允许，人言可畏，必有个法定的手续，才能相守。我们，我与玉茹，准备明年下半年在北京成个家，孩子们（她和我的）都同意，她们对这对老伴，都认为应该在一处互相照顾。当然，我们二人都做了一定的工作，现在两家孩子都喜欢我们。

你永远不能知道，我对你的感情是多深，多恭敬你。我与玉茹，结婚后，我还是想写东西，不负许多朋友的盼望。尤其是你，我的兄长，十分偏爱我，多年偏爱我的兄长。

我要写，一定写，但是写得好坏，便很不敢说。我感觉肚子空了，有时，确实有点“丧气”。觉得自己不行了。但我仍然想写，只要上天允许我多活几年。我这一生犯了多少错误，犯了多少自己都不能原谅自己的错误与过失。埋在肚子里，也很难过，但我却敢同玉茹讲，多少讲一点。自然，这不是政治上的大错误，和对朋友不起的事情。因为自省一遍，我没有。芾甘，我有错，你总是对我指点，对我劝告。我是感激你不尽的。

明年上半年赴英、法、美，看看。尽量看点东西。我心里总觉得这是去打发日子，因为已经答应人家，不得不去。

但明年下半年，我一定开始想东西，写东西，并且尽可能关门，不再应酬了。

这种社交来往，只有坚强的人能避开。这种无休止的“叩门”，而这种“叩门”声，我现在觉得不是什么洋人、陌生者，而是“死神”的低声呼唤。因此，我这次下决心不开门了。

有人说玉茹嫁我，是她做了大傻事，因为我比她大十三岁。我早死的可能性较大，我还有较重的心脏病。她是很健壮的。我想过这个问题，但我很爱她，她很爱我，我们真说得上来。也就不管这许多了。

如果发生什么意外，这也叫作“命该如此”！

芾甘，我敬爱的兄长，我说了许多，仅为了玉茹和我的事，请你原谅我，我实在闷不住了才这样写，向你啰唆。请原谅我吧！无论你认为我做得对，或者不对！

问小林小祝，和妹妹们好。

请你务必多多保重身体，不要太累!!

家宝　79.12.22

一九八〇年六月十七日

芾甘：

回国仍如纽约那样忙，长此以往，还是不听你的话，将会弄得一点东西写不出。

我想不久离开北京，或许到上海，躲起来。上海虽热，至少比在京每日乱糟糟，打发日子的好。

你来信，我已赴美。此事前后已在给鸿生信上谈起，总之，我是十分歉然的。

现在我大肥胖，偶尔也犯点心脏病。六月份还要开北京市文联。大约我是“无事忙”那种人，别人也看出我这个毛病了。

我非常想见你。想看端端这个可爱的小孩!

请向全家老少问好。

家宝　1980.6.17

一九八〇年七月七日

小林，鸿生：

听说爸爸病了，我十分着急。他住在华东医院。我怕寄不到信，还是托你们交给他。爸爸的病究竟如何？他是否要出国？目前的健康状况是否可以出国开会。爸爸年纪大了。他实不宜再那样劳累，这是很不适宜，不合理的。你们想想，究竟应该如何？

我不知病情到底如何？

请你们来信告诉我。如爸爸看了我的信，要复信，你们就代他写几个字。

我托玉茹同志代我去看爸爸，叫她见见面，只说两三句话就走。小林，鸿生，我十分希望你们能答应我这个愿望。玉茹会把详情告我的，叫我放心。

端端好，全家好！

家宝　1980.7.7

一九八〇年十二月二十三日

芾甘：

回来已十天，又恢复从前的日程，既忙且累。北京人艺的同志们要我写信给你，想请你为《雷雨》演出本，写个“序”。

我也很盼望你能写，但不知你的健康如何？上海的事忙，你是否还有精神写这种东西？

我十分惦念你在上海如何过冬，年纪大了，究竟与从前的健康情况不一样。

能否在家添一些取暖的设备？我觉得你经常感冒，你又不甚在意，这种情形，千万不要持续下去。

在北京，房子太暖，出门很冷，我也伤风一阵子，现在好了。

玉茹要我向你问候，请你多多保重身体。问九姑妈、孃孃、鸿生、小林、小棠好。

家宝　1980.12.23

附北京人艺苏民同志来信与我致鸿生函。

一九八一年一月八日

苇甘：

读了你的信，看见你的字写得更小了，我很难过。你写东西吃力，你疲劳过度，你“身体垮了”，都使我说不出地苦痛。我不愿看你有一点一丝老态，因为你的精神从不曾老过。然毕竟你的身体，我看到你，是不如从前了。你的“芝麻”大的字使我感到异常。我当时便想复信给你，问问这是什么缘故？在医学上是什么缘故。但我不愿意问你，我就是拖延，不愿问。一直拖延三天，我认为你应该问问专家，这究竟是什么缘故。只要是因为老，写字写小了，这是自然的衰退，是不可抵挡的。苇甘，你就认真休息，不要再工作，不要写到深夜。你的工作与精神已经鼓舞所有的朋友与热爱你的读者。你必须留有余地，你说你要休息。如果你认真做到，我是非常快乐的。只怕你还日夜在严寒的冬天，瑟瑟缩缩地写你的文章。我深深晓得你有一肚子的话要说，要迸发出来。你也应该讲出你这一生所受的种种的苦恼，压迫，折磨与你短暂的快乐。

但是苇甘，你现在只有休息，把身体真正养好，你才能动笔。绝不可因为时光易逝，硬挺着写文章，这是不合算的。今天我看见周建人先生（北京医院同看病），他九十三岁了。除耳目不大好，听不清楚，看不清楚外，没有什么大毛病。你在十年浩劫吃了太大的苦，但你的精神与心情是永无衰老的。你会长久地工作下去，会写比你所宣布的，还要多的文章，只要你——我的芾甘！我的兄长！——在目前是真正处在安闲、舒适的状态中。

你当然想得到全国有多少读者都在盼望你，他们盼望你健康，盼望你写出你的心中的情感，写出你在苦痛中、在热爱中涌泻出的滚烫的言语。我的多少年敬爱的老朋友，你只要稍稍真正休养一段，我知道，我相信，你会写出使我们震动的真文章。

然而，你必须沉住气！养息！你须等待，一、你身体康复，二、适当的气候。

真的，连“空调”都无用么？那么再加一个电炉子。

写着，写着，我又看一遍你用极大的气力写的那蝇头大小的字。我的敬爱的芾甘，你使我不安极了。

不谈这些话了！

今天我在《人民日报》看见一篇关于你的一小篇文章，也许你已读过，但仍然寄给你。我爱所有的真正赞美你的品格的真文章。

问候九姑妈、孃孃、鸿生、小林、小棠，和端端。

家宝　1981.1.8

“序”，我告诉北京人艺，他们会找人写的。这是无关紧要的。

一九八一年二月一日

芾甘：

收到你一月十五信，我因赴天津开会，回京又料理杂事，直到现在，才写信给你。

你说“快到灯尽的地步”，你心里的火焰永远不会熄灭的！千万读者会因你书中的热烈的感情，认识人生，更加奋发，多少人在盼望着你多写，多留下几部好作品，大作品！

在你面前，我感到你的生命力是旺盛的，虽然表面看，你老了一些。

我十分相信你，“最后的（我不喜欢这“最后”两个字!!）计划”会完成。你完成后，休息一阵，再写，再写，想想萧伯纳，九十多岁还在写文章，写戏，写了《苹果车》，那是多么有劲的一部作品，多么有益于英国社会的作品！你，巴金！也会如此，也必然如此！你会长寿的！你会写下去！

你能把那些纠缠不已的人们，为私事打搅你、请求你的人们撇开，那是最好不过的。

我们都不想永垂不朽，我们的文章并非“千古事”，但是是非得失，我们还是知道一点的。

你留精神，保健康，少接待洋人与开会，多留一点体力写东西。这是幸福，是快乐，也是像你这样一位老人应该享受的权利。

我也要学学你，写点东西。也许把《桥》续写，也许是写点与现实有关的东西，但肚里空空，我将寻找！寻找使我真能喷出熊熊火焰的东西！

我赞成你主张办一个现代文学资料馆，可惜，我从前从不好留稿子，但今后，我写点什么，一定留底稿（当然较像样子的底稿）。老巴！我的老朋友，我的老哥，祝你身体好！祝你春节愉快！

家宝　1981.2.1

一九八一年三月十一日

芾甘：

《十月》本年七、八月份正是三周年纪念。《十月》编辑部十分盼望你能为他们写一篇东西，无论是什么。态度非常恳切。介绍该刊编辑章仲锷同志面谒。你若能见他,《十月》的编辑们会很感谢的。

话很多，容日后再叙。

问全家好！

曹禺

1981.3.11

玉茹嘱笔问你好，我们请你多保重身体。

一九八一年三月二十三日

芾甘：

我回北京，近半年，又恢复我记不上账的紧张生活。你劝我写点东西，甚至多写点，但我总没有认真听进去，还在忙着我并不胜任的事。我秉性懒散，又好热闹，把时间轻易放过去。一到深夜，我常想你的话，我知道你此时正在写文章。你一定也很疲倦，杂事不少，劳累一天。你的永不熄灭的热情和对读者的眷念催促你写，写你心中要说的话。

你是76岁的老人了。上次在沪，眼见你头发全白了，你的举止行动有些老态。我说你必须休息，休息一阵再写。我看出你疲倦的体态。但你的眼神依然那样沉着、倔强。你勤奋，你写作不止。你我的友情将近五十年了，我愧疚，我没有听你多次的劝告。今天，我对你说，我要尽量爱惜自己的光阴，希望在有限的时间里写点戏或者什么，因为我也71岁了。

这封信原是为响应你的号召：建立"中国现代文学馆"。我十分赞同你这个倡议。这是为我们后代留下财富，为全国与全世界的中国文学研究者积攒些有用的资料，也是为今后中国的文化展览做个准备。

中国老一代的文学家的手稿和资料自然应该广为搜罗、研究、珍藏起来。目前，只有为数不多的几位杰出的作家，有专人重视。但在这些前辈作家中，有多少知名或不甚知名的作家的文章，已经流落散失，没有个定处珍藏。好的文学是时代的镜子，是正史不能替代的。好的文学帮助人民扩大眼界、丰富思想、提高修养；帮助我们有个正确的真、善、美的观点，使文学批评也能找到出处和根据。

解放后，出现不少成熟的作家。尤其是近几年，有才能、有思想、爱人民、爱祖国的青年作家更是不少。读了他们的文章，我常想起曹雪芹。我总相信，今天的中国的文学家们是受了时代的磨炼与滋养的。他们幸运，他们不会再遭受曹雪芹的命运，不再遭受折磨、压迫、困苦、夭折的命运，不至于如曹雪芹那样不幸，连一部完整的《红楼梦》都没有写成。

前年我在瑞士日内瓦，参观了一个很奇怪的收藏馆。那是一座异常坚固而美丽的地下建筑。在那里我亲眼看到卢梭的手稿，伏尔泰的手稿，歌德的《浮士德》的手稿，还有席勒、拜伦、萧伯纳、托尔斯泰、契诃夫的手稿……时间匆匆，我所看到的仅仅是文豪们手稿的极微少的一部分。但是，我惊异、激动，同时又有着一种深深的亲切之感。

馆长告诉我，这个收藏馆是由一位收藏家用他一生的精力和财富建立起来的。想到这位先生和他所完成的这样一个成就，我为我们在这方面的空缺，万分感慨。

几次出国都感到外国人搜集研究中国作家的资料，比我们还要认真。

现在美国的文科大学，都开了中国当代文学课，中国现代文学已开始被世界所认识，我们也应为人类提供资料。

建立一个“中国现代文学馆”，实在是一项值得我们用心去做的事。它会增强我们的民族自豪感，让我们更加地认识自己。这也将是祖国的一个荣誉。

不知说得当否。

芾甘，最后我还是那句老话，你要千万保重身体，爱护自己，为着可以多留下些好东西。

问全家人好！

家宝

81，3，23

一九八一年五月二十八日

芾甘：得手书。

你不能来，仅以书面作讲话，也见了报纸，大家倒是都能看到了。

最近见了一位美籍教授周先生，谈锋甚健。他说你身体很好，有精神，听了，真是欣喜。

汝龙房子事，有机会便说、便叫，但文艺界中领导，是无用的。我还得遇见，或打听出正管他这一段的人，才能有效。我最近犯点小病，已好。下星期，我会找汝龙，面谈一次。前因后果明白了，才可找出个路子来。北京房子事比登峨眉山还难。只有常催，常办，还得有耐性等，才成。

感谢李致，他真是热心出戏剧集。

全家人好！

家宝　5.28

一九八一年七月二十一日

芾甘：

早应给你写信，只因发现胆结石，肚子痛等，又加上不得不办的事，便耽误下来。

罗荪病见好，我已托首都医院院长及其他熟朋友换一个较好的房。医生仔细告我，他的病和我一样，都须开刀取石，只因他已发作，所以考虑手术，但最后还要斟酌，因他已七十，又在盛暑，恐开刀后愈合难，周玉屏朝夕陪伴，甚辛苦。但现在的床位，光线好（不西晒），时有凉风吹来，铺上凉席，已比上次见他好多了。他已能吃饭，而且跟我谈话有力。

汝龙家我去了一次，确实挤，也热。我由市委方面想法换房，但不得其门而入。找了人，都不是“刀口”上的，顺嘴答应，我看无用。只能再找到那个关键人物，才有用处。真觉对不起他。

关于你提议建立现代文学资料馆，筹备组已成立，作协副秘书长李枫为组长，专办此事。据说李枫诚恳、负责，是可托的。你放心，大家都会催促速办。现在又是房子问题。如用得上我，我想李枫会告诉我的。

你的《探索集》，我读到深夜，每篇都说到人的心坎上。你说真话，大家爱听。现在说真话的人较少。谎话连篇，一派胡言的东西较多。我们是爱国、爱人民、爱社会主义的。但为何不许讲几句良心语言。我信，国家会进步，人民会逐渐敢讲话。但无所不知，又无所不管的“首长”们甚多。有人说中国新生一种人叫“知道分子”，不仅限于“首长”们。这种人一切都懂，一切“真理”都在他身上。自作聪明，有了权，便刚愎自用。……谈多了，气死人！但人还应该有“气”。有人告我，你身体仍弱。但我相信你心中的“正气”可以使你长寿！使你健壮起来，你要活到九十岁，一百岁！相信我！这也是科学真理。

家宝

一九八一年七月二十一日

一九八一年十一月十四日

芾甘：

这几天，十分惦念你，你伤腿，吃了苦头，今后还要卧床一阵，时间长短，要看你是否能静下心来，完全养息。

我总觉得你还有很长一段时间来写作，你虽然老了，但精神不老，生命力强，你完全可以战胜这场小小的灾难。

井上靖谈起你来，说你看他时，正落雪，那种静适、温和的情境，我可以想象。他的窗外有个小小的天井似的花园。有竹，有石，有一些常绿的植物，也许有一汪清水。我记不清楚，和他谈话间，偶尔望望，那小而细嫩的窗外的“山水”，很像一幅画。日本朋友一般讲，懂得生活，善于安排。这位老作家确是很忙，但也有幽闲自得的时间，能够写出大量好作品。

他比你的身体强多了。我看见他，就想到你。为什么，你不能有那样健壮的体质！你比他大不了多少，也许你受的折磨多，看起来比他衰老，但讲写作的一往无前的劲头，你们是一样的。

临别日本朋友的前夜，在一个名叫“老爷爷”的小酒店，大家畅饮畅谈，嗤笑声中，井上靖与千田是也坐在我对面（是一种火车座），大家都很高兴。井上靖安静地拿一只有托座的玻璃酒杯，品着威士忌，总在微笑，和善、诚挚，当时，我又想到你。为什么你不能坐在我们当中，一同举着杯酒，有一句没一句地谈心呢？

赴日前，你说可以在那里休息，大约戏剧团体和作家们访问不一样，我们从一早忙到深夜，连干了十四天。这一次，我确感到日本人的节奏太快，有点像新干线、像地下铁道站里的人群，你追我赶，为了抢时间却使人忘记时间，我仿佛做一夜许多美丽动人、彩色的梦，一晃就过了十四天。

我看见水上勉，他写了个好戏《越后つついし亲不知》。讲一个年轻的艺伎嫁了个憨厚的农民，想从此成为和顺的妻子，但终于为恶汉强奸，为众人讥笑，被丈夫掐死的悲剧。东京的“文化座”演出，写得好，演得好，我很受感动。我读他的小说《越前竹偶》，写得真实，强烈，写竹工与艺伎的相恋，而又终于为恶人所破坏的惨史，乡土气味浓，也十分动人。

我看现在日本的小说、戏剧的水平相当高，有的似已达到世界的品级。他们真用心，真不惜时间与精神。他们的健康、体质很好。

回国后，我与玉茹都累得不能多行动，腰腿以及全身都痛。大概还是有点年纪的结果。

托罗苏带给一点纪念品和北京的茯苓饼与粉丝（据说上海没有），有一对日本孩子人形，希望它们能陪伴你养病，和端端一起玩。伞给小林，日本的圆珠笔给小祝，一支PARKER圆珠笔给小棠。

我很想多谈谈日本的戏与寺院种种及在静冈的富士山风光，给你解闷，我怕你看累了。

还是不写吧。

我很想见你，陪陪你。目前只好在北京开会。

万幸的，是你未碰伤脑子，没有影响心脏。

玉茹和我都请你，希望你一定静下心来治疗。

你写作的时间，有的是！只稍微等一等。

家宝

一九八一年十一月十四日

一九八一年十一月十九日

苇甘：

昨晚在一次宴会上遇见萧乾，他说小林给他信，要一点音乐录音带给你听。我回家，找出一些录音带，贝多芬、柴可夫斯基……可惜一盒舒伯特的，很好听，找不到，大约是欢子放到什么地方了。

玉茹今晨即飞沪，托她带给你。

你最近如何？能否休息？不久罗荪回来，可以知道一些病情经过。很想念你，十分怀念你。我的老巴！一定下决心养好病，借此，也可以真正休息一下。

家宝

一九八一年十一月十九日晨

一九八一年十一月二十日

苇甘：

从玉茹来信，得知你伤在大腿上部，不是股骨，也动了手术，且用钢钉固住。我看这样治疗方案是好的。吴蔚然大夫说，这种固定方法可以起速效，一个月后，便可以翻身。现在不能动转，其苦可知。

我只怕你得褥疮，然既有特别护理与高明的大夫，他们总应想出办法，使你不致得皮肤病痛。

前次，我在北京医院开肚皮，刚做完手术，当夜便由护士两小时一翻身，痛得不堪。其用意倒不在防生褥疮，而在使腹内气排泄（即“屁”也），使伤口愈合快。你伤在腿且又牵引，只好不动。大约动亦痛，不动亦痛，反正病人不好过。只有一句话，必须记牢：吃得苦中苦，便为翻身人。平日常说“翻身”毫不在话下，现在才明白，做一个伤了腿的病人，翻身之难，难于上青天。只有平心静气，听大夫们处置。预料，你虽年近八十，也会好得快。华侨代表庄希泉九十余岁老寿翁，也折骨，在病院用了钢钉固定法，不久行动如常。前信举例颇多，今不赘叙，以免唠叨。

这两天，看了俞振飞的《太白醉酒》，此老八十一岁，仍有当年豪气，饰李太白，颇有神韵，唱、做、念都不显得老态，可见年龄似重要，也不重要。

方子与玉茹通电话，她说已探望你，告我你现在情况很好，心情也不坏。总算这场祸灾又有了高照的福星，我现在不知为什么忽然有些神经，稍有什么异常的现象，就能使我往不好处想，而且往往固执，必须另有一种与我所感到的异常现象正相反的“吉相”发生，我才放下心来。大约小时听神秘鬼怪故事太多了，到了老年，又回转反映在我的头脑里。

正是深夜，四周寂静，却耳鸣不止，仿佛耳旁有个发电机在轰鸣。想起你静卧病床，不许翻动，正在受苦，我就像在你床边，看着你，你似乎在微笑，用沉默忍受着一天一天的不许动转的折磨。我忽然又像成了一个还不会说话，甚至不会走路的婴儿，缚在摇篮里，被一个大手举起，一来一往地忽上忽下地摆动着、起伏着，我不能哭，还不知道怎么才是哭，只会呻吟，小猫儿似的哼哼。我恐惧，仿佛又不是什么恐惧，感到莫名其妙的空虚，因为连恐惧、喜悦、痛苦都没有了。这是什么人呢？是我么？抑或不是我么？

难道我变成古代的哲人，我变成了庄子了么？这是今天的意识流么？我一点不知道。我不是虚无派，不是颓废派，更不是资本主义社会的什么什么，我只是个老人，一个毫无知识的老人。我只是想活下去，而且要认真活下去；为我的祖国、人民、社会，也许要加上我个人的家庭、子孙活下去，并且要真正做一点有益的事情，对整个的“人”做点事情。啊，老朋友，我在病床上的老巴！

交李□信请代转。

家宝

一九八一年十一月二十日

一九八二年十月十六日

芾甘：

今晨参加“现代文学馆筹备处”建立典礼，乔木、周扬、朱子奇、罗荪、艾青、王瑶等都来了，部队方面，有总政部主任、后勤部方面，市里刘导生、房管局单位等，各新闻机构与电影记者也参加。

由乔木同志亲手挂牌，摄了影。大家巡视全地一周。这个馆包括万寿寺全部，规模很大。乃慈禧的休息行殿与佛寺并在一处的庭院，前后约有十进，亭台楼阁、木、石、花、草都有，但都败落。如修葺好，乃世界少见的中国民族形式的“文学馆”。

乔木主持三方（军、市、作协）的交接，定界的会议，大家决定两星期内作好协议书，要符合原风景区要求，与文学馆现代设备的需要，一切办法，今后处理，将作汇报给乔木，再定下以后的计划。据说井上靖与日本当代文学馆馆长，将于明年来京访问此馆。看来，我国现代文学馆将尽量早些修葺、改造成功（有一条：保证原样，不得建筑西式大楼，改动了已有的风格）。

罗荪说，已于前日向你电话讲得仔细。

我看地点好，已有的格局与民族风格房屋、庭园，很有味道。这件事是正式地上马了，大家都很高兴。此事既作宣传，想明日即会见报，香港《大公报》与新华社有报道，你会看见的。我将于廿一日飞日，十一月四日归来。

家宝　十月十六日

一九八二年十一月十七日

芾甘：

这两天时常想到你如何在医院病床上打发日子。这种治疗的办法不能动，不能起床，处处需要人照护，实在令人难熬。不知你究竟每日是怎样过的。

大约罗荪已到沪，向你仔细谈了现代文学馆的种种，这件事办到现在总算正式开了头，以后希望能够很快动工，尽早开馆。

我找了吴蔚然大夫，谈到你的伤腿事。我不知你究竟如何治疗，他问的问题，我全答复不出。但他说，这样骨折，须用钢钉固上，才能速愈。他举出冰心的病例，用了这个方法，迅速见效，廖承志前一阵也跌伤腿，用钢钉固住，目前已能走路接见外宾。庄希泉，九十多岁，摔了一跤，也是用钢钉固住，也是好了。

他说，用这个方法，可以早起床，少受卧床过久的罪。治疗得好，确能早些走路，而且走路与往日差不了多少。

我不知华东医院对你采取怎样的治疗方案。料想上海名医多，会采取最有效的方案。

我提出吴蔚然提起的一般临床经验，作个参考。

小林或小祝有工夫，望写几个字告诉我，你是怎样治疗？近况如何？我确想知道一点。

我个人的经验，摘除胆的手术后，一般讲，我的身体状况比以前好些。在日本那样紧张的日子，我过来了，没有生病。我想，你得了这场腿伤，身体一般情况日后会更好些，问题就在于会“养”。

家宝　一九八二、十一、十七

一九八二年十二月一日

芾甘：

又许久没给你写信，惦念之极。那天井上靖到我家里，谈起你在医院，气色比平时好，他很放心。大约，住医院整日卧床，不见阳光，有时又红又白（可能因为吃得好些），总比平日在家中忙于写、忙于见客，可能心气平顺一些。

昨晚与玉茹通电话，她说曾在病房陪你坐了几小时，看你似乎沉住气，已能习惯于长卧床上。这真是磨性子，莽张飞也要成为医生的乖宝宝，没有法子，就当作命中的“灾星”。一跌足便要养上几个月，谁让咱们已是老胳膊老腿呢！

小祝来信说上海电影厂想请我，在十二月廿日接我去上海住一阵，谈谈《雷雨》电影本的事。请告诉他，“正中下怀”！我十分想乘此机会看看你。当然，我会写信答复他。

目前，人大开得很有精神，讨论新宪法，大家都十分热烈。昨日，听了赵紫阳的第六个五年计划报告，有内容，有办法，我很高兴，我们这个民族、这个祖国、这个社会确有可能富强起来。想想几十年我们盼望着、盼望着。受苦受难近百年的中国老百姓有一天确能幸福，过着一个真正像“人”的生活，有一个理想能为之奔走，流汗、流血，而不至于白混了一场！这岂不令人兴奋。当然，这要许多用极大的韧性、干劲与确实可靠的措施才能保证其实现。然而，这要时间，也许我们都不能看到了。但能望见这个远景，也是极大的安慰。

我像是大作宣传，但我不想宣传，我确感到有这样热烈的空气，这样的决心！

因此，我很想写点东西，当然不是关于现代的题材。我不懂，也不知道今天的生活与工作。只是想写点什么！

活着太不容易了！多少风风雨雨，经过来了，然而前途光明，还是需要真正的人去做，去认真地干。不为自己，为了大家，为了祖国，甚至是为了人类，抛弃许多东西，放下啰啰唆唆许多杂念，做一番事业，巨大的有益于世界的事业。从我们这方面说，大约就是写一点像样的有益于人民的东西。

我最近常“犯傻”（北京土话），有一些莫名其妙的想法，又道不出，也许终究要变成个“半疯儿”（也是北京土话）吧。

我很想念你。真希望拿起笔来，再写出不少不少的好作品，大作品。我们需要伟大的灵魂，伟大的心，要有这样气质的巨人来为中国文化添上光彩。而今天，虽然有不少有才能、有前途的青年作家，但是太不够了！太不够了！也许我们的子孙会出现一些如莎士比亚、如托尔斯泰、如曹雪芹、如关汉卿……这样的概括人类的才智与想象的人。然而目前的眼光太窄了，气魄太不宽阔了。

也许我举的，如许多挑剔者说的，都太陈腐了，太旧了，日后伟大的作家是我这种无知的梦幻者不可能想象的。那确是有这种可能的。因为我究竟是个“半疯儿”！说些糊涂话，只为了排除你在病床上的单调感。我毕竟是极浅薄的，正如我平时说笑，也落于庸俗一样。

听说小林及侄女很会侍候病人，体贴老人。儿女能在病床边来扶持、照护年老人是一种幸福，做人的幸福。施与者与被施与的都快活。但这不是施与，是从心中发出的爱。真的，如果这个世界人与人之间没有“爱”，那是怎样一种丑恶的世界啊！

再谈吧，苇甘，愿你每日都过得十分愉快！

家宝　十二月一日　北京

一九八二年十二月十一日

苇甘：

想不到我也进了医院，是否能即刻出院飞来看你，不得而知。我只是非常想念你，想和你谈谈话，握握手。真不料我们已经老了，住了医院，想见面，却不能见。病都有一点，都因为一个缘故——老。不然我们会坐在一处，东拉西扯，比这样“窝”在狭狭的空间里，要快活得多。

昨日罗荪来，才知道冰心又跌了一跤，和我住在一层楼里。看了她老人家，八十二岁，精神旺盛，还是谈笑风生，今天又在X光照相室遇见她，她照跌伤处，我照喉咙。仿佛喉内生一红疙瘩，每咽水、吃饭，必有点痛，医生问我最近被鱼刺刺着没有？我连个鱼影儿也没有见。总之，咽口唾沫也痛。怪，什么事都会发生。日后，吸一口新鲜空气也要病，会不会？那大概就差不多了。

人是很不幸的动物，因为他有敏锐的感觉。但正因如此，才产生宇宙间罕有的事物，美的人和美的诗和艺术。有时，我想自然赐予我的种种够多了。我应感谢母亲给我以生命，尤其是我，我的母亲生了我三天，便因产褥热死去，她才十九岁。我对她没有一点印象，只觉得一切做母亲的都可怜，都伟大，不可形容的美。美得让人心痛。

我爱“人”，但时常我也憎恶“人”，人性是多么复杂啊！对你说这样的傻话，只说明我多么无知！芾甘，你是真理解人的，你的著作解释了这一点。到现在，我却不懂什么叫作人。大约多学一点哲学就好了。我总是不爱读书，不是做任何什么研究，寻求什么，探讨什么。

不谈这些谈话。听说你已经适应病房生活，并且你还很有口味，喜欢吃。这是再好没有的现象。求生的意志是不可战胜的力量，生命不但要求存在，而且要求延续下去。为什么世界会生殖那么多“活”与“死”的东西？也许因为活就是一切。

再谈下去便更荒诞无稽了！

让我歇一下，我有点疲乏，明天有精神，再谈点有趣的事，为你解闷。（一九八二年十二月十日夜）

睡了一夜，并不安稳，时醒时梦，仿佛我又回到十二三岁的时候，在树林里一个人游来游去。当然有树木，有花，有阳光从树梢里透下来，甚至听见各种好听的鸟鸣，还闻见一片青草的香。我高兴，居然要唱，躺在好大好大一片草地上，望着蓝天白云，几乎要笑起来。因为一只蜜蜂总追着我，在我耳边嗡嗡。我想跟它说话，它却是振着金色的翅膀，就在我眼前飞来飞去，非常友好。没什么可说的，就唱一支歌吧。我正要高声唱出世上一支最美的歌，忽然我怎样用力，甚至于嘶喊，也没有声音，只感到痛，不知什么地方痛，就醒了。原来真是喉咙痛，牙痛，当然并不厉害。隐隐作痛，居然把我一场好梦打断了。以后又睡了，因为我吃了安眠药，但还是有梦，只梦见一些杂乱无章的东西，糊糊涂涂地睡到天亮。芾甘，你曾梦过有颜色的梦么？我昨夜的梦都是彩色的，比最好的电影好得多，因为我身在其中。

不再扯了，好好养息吧！

家宝

一九八二年十二月十一日北京医院

一九八三年一月五日

芾甘：

许久没有给你写信了。玉茹来京我方才知道，你在医院受了多大的苦。她仔细地告诉我，你整天仰卧，脚高高抬起，也不能动，一日多次须由鸿生、小林、国煣、小弥扶起为你揉背。你夜三时便醒，每天探访的朋友也多，你的胃口不如病前了。你默默地承受着伤病的折磨，你已经是快八十的老人！

在我心中，你和“八十”这个数字总像连不到一处。你总像是从前还是在壮年的神态，只有想起去年夏天到你家里，看到你走步蹒跚的样子，我才觉得你老了一些。你一头白发，并不使我感到你老，即便现在，你也不老。你的永不停止的思想，你的真实，尖锐，有分量的文章，也从不使你在读者（尤其在我心中）面前显出一点老态。人是可以永远年轻的，芾甘，你便是那样的人！

只是你受苦了，我知道，你是承受得起的，大约最难挨的是不能动笔，你有那样多的话，却写不出来，你又是不习惯于口述的。听说，你每天还活动活动手指，这很重要。准备起床后，把积压许久的思想、情感痛痛快快地写在纸上。多少人等待读你的文章，病后，又执笔写的文章。

入院前，在那个长篇小说发奖大会上，我与沙汀同坐。他提起你宽厚，提起你在编辑刊物、在出版事业中，扶植起多少人。如今许多老一辈的人也是在你日夜读稿、校稿时发现出的作家。那时大家都年轻，也不觉得这有什么了不起。回顾一下，一个孜孜不息的称职的编辑，可以推动文学事业，可以使金子不会埋没在沙里。我们想到靳以，他的编辑的功劳，发现扶掖许多新起的作家也是不可埋没的。

昨晚，医生告诉我活体检验结果：没有癌细胞，只是轻度发炎。于是放下包袱，忽然感到又演了一场滑稽剧。当时我觉得不会如所想的严重，但总觉得是个负担！

好了，我可以看你来了！我想，后天或大后天就出院。牙齿还没有弄好，再等十天左右，我就在上海看见你。那时，你的腿已经可以放在床上，至少可以略微活动一点了吧。

你告小祝给我电话，我们通了话。那时还没有诊断结果。现在我可以确定来沪，小祝安排得好。我可以在上海过春节，我可以和你一同过大年夜了。也许医院不许可，但这样想想，也是快活的。

在医院里，尽看许多受苦的病人，有人几乎全无知觉，完全不动、不说，吃也要从鼻管灌下去，见人也不认识，但要活着，活着，活——要活，而且要活下去，真是不可战胜的力量！

家宝

一九八三年一月五日

一九八三年一月八日

芾甘：

今天起得早，才四点四十分，也许你还在睡，也许你已经醒了。昨夜降温，大风，说夜半将零下十四度，医院的温度已不算很暖，想起华东医院，暖气每日只放两次，天气预报，华东降雨，温度也随之下落，不知你在床上又冷得如何？

昨夜与罗荪通电话，他说本月廿五日后赴沪，我今日下午即出院，以后来院补牙，估计料理在京琐事约十一二天，可能在罗荪前我已飞沪。相见在即，总算见着面聊聊了。据罗荪言你七日——即昨日——可放下伤腿，可平卧，然仍不应转动，其苦仍未能少减。我忽然想起普罗密休士。你虽未窃火，遭天谴；谈了太多的话，毫不顺耳，因此天要罚你痛苦一阵，使你稍感说真话之烈，亦不殊于窃天火。尽管能稍降福于人，然罚处由天，终不可免。

昨夜又读《探索集》(《随想录》之二)，你说，说真话得自卢骚。

他是你的启蒙老师。你今天的种种真话，想亦可启发众人说几句心里话。但也未必，世风如此，恐未见得有此神效。我们爱社会主义，爱人民，爱祖国，说出话，也是为了改改一些邪气，其意也是帮助党改正党风，吐吐民间真气，使昏昏然者能稍清醒，使蒙蒙然者知中国尚有可为。一呼百应，固然听来顺耳，然千呼不一应者，亦大有人在。我们是国民一分子，义当吐，则吐，不可因目前有希望，便有些飘飘然心满意足。顺其上，而逆于心，使大部分人还在昏聩中讨生活，而党内还有不少各种不义，不信，不知羞耻，不为人民操一点心的东西，在那里掣肘，仍在争名夺利，作“大人”状，作各种口是心非的事情。予岂好辩哉！予不得已耳。

目前仍是聪明人太多，报纸宣传了些真共产主义的人，终是凤毛麟角，为了鼓励今人，做大宣传，这也是可以的，应该的。独今日人心不复昔日，信心不足，党的威信降低，大多事情慢而又慢，能真心诚意的，响应党中央号召的，究有多少机构。也许大乱之后，拨乱反正的工作确属不易。今后三年整党，如能认真执行，搞得彻底则有可为。党员若诚心诚意为人民工作，恢复解放初日面貌或更呈新风，前途确是乐观的。

中国人民与知识分子是最善良的，最知好劣的，但有一丝好风，便乘风而起，愿为祖国效命，效死，效忠，无所憾。一切在领导，在认真的领导；在知民心，在真知民心。过去上面说瞎话，下面听瞎话，尚有何希望。今日上面有了觉悟，下面（尤在党员中）仍旧作风，遇事拖延，敷衍，先为自己，甚至独有自己，则事无可为。不改党风，不认真整党，则一切上面的话与指示都可因人而变，因人而换形，而换骨。偷一两句“指示”一变而为保他个人身家权利的“指示”那便毫无指望。

我确实看见一些真正的党员，好党员，那是人民的脊梁骨。只可惜人太少，不过我也相信，有这类人领导，作正义呼声，作安排，作措施，真看见这些年腐败的症结所在，确实对症下药，下大决心，放下官架子，少做空议论，与民同心协力，则事确是大有可为。我信如此，更希望“翻两番”“更高的精神文明”等都成为事实。如不能亲身见到，儿孙们见到一个文明强盛的国家屹立神州，这是何等幸福。

拉拉杂杂发些空议论，也是病中呻吟语。其实，我在医院，仍旧日日忙于求得一点知识，忙于办事，尤其使多年相处的北京人艺能得一个好书记，好的第一把手，做今后的领导，不然这个老剧院也是岌岌可危，苟混时日。然至今，无着落。真是“上穷碧落下黄泉，两处茫茫皆不见”，不是真不见，而是无人真关心，遇事掣肘，都不顺心，一个小小的剧院，改革一下都如此困难，大机构可想而知。

也许，这种想法还是不对，大有大的“好”处，众目睽睽，不得不变。大约，小有小的“难”处才是真的。

很是想念你。其实见了，可能也无多少话说，但老了，能见见聊聊，终是一大乐事。

前信说与你共过个大年夜，罗荪说也要参加，那更好。

《文艺报》登了唐弢的《我爱原野》，据说写得好。《原野》久不得认识，倒无所谓，只是曾与《苦恋》(该剧全国评论也是不公，我妄去评论，系旧日恶习！)同在文学家们面前共在一上午同放该电影以便批判，此一招，诚属意外，数十年前旧作，也拿出来“鞭尸”，威风凛凛，真是得意之极！

家宝　一九八三、一、八，晨

一九八三年一月十二日

芾甘：

今天（十一日）上午得小祝长途电话，知道你已放下腿，能平卧，并且偶然还可以摇床坐起。换个姿势，总算有大进步。能坐着，不知是否能自己吃饭？据说，你很弱。睡久了，吃了那许多苦，体力不足，是自然的。但医生说，不久你可以起来，而且能学走路，最使我高兴的，今后不再动手术，这是最好。算一算，从你伤腿，到今天，已过两个月了，见效快，恢复得好，你配合医护做得好，你是老英雄！过一阵，你站起来，能来回散步，可以出门，我们将设法到你的四川家乡一游。在成都，那时，再把“老”字去掉，你就是干干脆脆的英雄！

这不是瞎扯。李致前天到我家来，他和我谈起今冬要接你到成都，找一个僻静地方，你好好休息一下，当然大大地写几篇好文章，或者写长篇小说。

《真话集》尚未收到，我和玉茹急等着读。你知道，有时，我们感到不愉快，尤其是我，时常有些感伤，甚至是气馁，拿你的随感文章读几篇，便快活，便振奋起来。

我仍好做梦，梦境总是考试不及格或一生无路可走，住在穷窄的小店里，前途暗淡，再便是与方瑞东奔西走，被郑秀追逐。醒来，虽然感到松快，然常一天不悦。梦真是怪。曹老靖华总梦他和人打架或与特务拼搏，我绝无这类有战斗气势的梦，即在梦中，我也是一个孱头！

上次曾向你谈起我一生曾做过两三次彩色梦。在医院中，居然梦起孩童时游玩，走入美丽的森林里，那真是破天荒的奇迹。我写表态文章总“雄赳赳气昂昂”；卧梦中，便显出原形。一个人表起态来，可以有七十二变化。但梦中，却似被金箍棒打醒，真面目出现，我常因此十分讨厌我自己！

我现在对自己的坏习惯——“懒”与“乱”特别恨。但最无办法的，是我竟对这个“懒”字，已似根本不可克服。我常想如果这几十年来有十分之一——任何作家的十分之一的勤奋，我会写出多少东西，当然，我不是说写好东西。但无论如何，量上要多一点。

我恨我自己，许多时间都是在好热闹与懒散中混过去了。

以上是十一日晚间写的。昨晚在电视里看了峨眉电影制片厂的《弯弯的石径》，讲一个在十年动乱中心神受了损害，终于觉悟了的青年，他保持一种在苦难中坚决斗争的气概。为人，为科学，白天干着沉重的体力劳动，拖着一车千斤重的钢筋水泥的预制板，在成都泥泞街道上匍匐前行，晚间却钻研生态科学，成了一个有学问的人！沉默，单纯，不为名利，在爱情上也是先想到别人，想到大家，想到自己瘫痪的妹妹，不为一时的情感摇动的硬汉子——哎，我说不明白，我说了一大堆概念化的词句，实在描不出这个名“慕容××”的青年人。整个戏，自然真实，又极精致聪明。一个简单极了的情节，我以为，剧本、导演、演员都好。想不到四川新建的电影厂摄制出这样一部有回味的片子。芾甘，我是好夸张，你一看，就许摇头笑了，笑我总是如此冲动。不过，你也一定以为不错，虽然你不至于如我这样把它赞美到天上去。

我总希望我能如你所望于我的，今后能写点东西，然提起笔来，总是茫茫然。也许我正在头脑发蒙的时候，不知哪天，有一个小神仙飞到我面前，用棍子一点，我突然开了窍，就像山洪暴发一样，我走笔如飞，写出些像样的东西，我觉到那时，我见你，才不至于羞惭。虽然，我非常明白，我便今后一字写不出，你也不会发恼！

家宝

八三、一、十二

一九八三年七月二十日

芾甘：

汗流浃背，我在酷热的北京小屋夜灯下给你写信，我心中愉快，背上的汗像一道道雨水流下，一直流到屁股上。

我听说你已经写文章了，而且发表在报刊上。我多想读到你在病后，又执起你真实、热情的笔来为人类写出最诚挚、炽烈如火的大文章！快寄给我一份，我想读，急于想读。读你的文章，就像见着你。你知道，我多想见你，多想拥抱你！我们二人几十年的友情，我却从来没有拥抱过你，大约，你不大喜欢太表面的情感表示；再，中国人不习惯这种表达感情的方式，而我每总想拥抱你一次，或亲亲你的发丝如银的白头。我爱你，又十分敬重你，以至不敢，或者不好意思这样表示！

不要忘记你快八十，我也七十三岁，我们能相见几次？一想到这个，我不是酸楚，而是悲哀！认识你，很不容易。你是一个不好外露的人，我却像一个九岁的男娃娃。记得么？有一次在你的客厅里，我忽然跳跃起来，甚至于滚在地上，那才倾吐出我的喜悦，而话是表现不来的。

听说你还急于你的病伤好得不够快，上楼不方便。你好得够快了！只是行动不方便而已，也是小小的不方便。人老，不能性急，徐徐地缓缓地生活。你能长寿，你能活到一百岁。那时，我九十四岁了，我们见了面，真正拥抱一次，并且要为这两个老头照一张相，庆贺我们活得那样长，而多少有一点贡献。

我的兄长，我的芾甘，我有些感伤，而你不太欣赏我这一点的。但即便你不欣赏，我也欢喜你这样的不欣赏。这个世界，能有比真诚还幸福的么？我真切地希望你写更多、更真实、更热情，更对人类有贡献的大书，你是个长寿的老人，你到一百岁，还神志十分清楚，还写好文章！

爱你的家宝　八三、七、廿

一九八三年十月二十六日

芾甘：

我十分想念你。听说你身体与精神都健旺，很是高兴。我想望望你，但又胆怯，因为你一再嘱我写的《桥》到今日还无着落。觉得对不起你对我殷切的期望。然而我还是那句话必写出！只是要晚一些。我把这情况也告知李致，这次川剧来京，我费了点时间，还有其他接待事宜也耽误我。你又该笑了，家宝就是爱热闹！其实写不出东西来时，空虚，也苦闷极了。感觉自己那点货已经挤干了。有时甚至悲观！这两天，情绪又好起来。大约否极泰来！

济生给我写了一封十分热情的信，我想复信，现在又有家人来。过两天再写信给他。

家宝

十月、廿六

一九八三年十一月四日

芾甘：

不知你是否在华东医院？治疗进展如何？我与玉茹很想见着你，

亲眼看见你的健康状况。我想，至快，也要到十二月间才能来沪，到时我会告诉鸿生的。

有件事告诉你。邓颖超大姐十分关心你的健康，托我说，请你好好保重身体，一定注意自己的健康。

其次，全国政协每月有主席们的会议，下月就会举行。她说，如你能来京，与其他主席们见见面谈谈，那就太好了，但如身体状况不许可，自然，不可能来，千万不要勉强，身体要紧。其三，她很希望你能谈谈对政协的意见，和其他什么意见，请你写封信给她。

邓大姐平易近人，也很真挚，对你很关心、尊重。

因此我写信告诉你。我想下月会有通知来。我真不敢说你现在的健康是否还能允许你这样长途跋涉。到了北京，定有许多朋友和青年作家要见你，这是应该考虑的，我想，对你来说，过多的劳顿与谈话是很不相宜的。

目前，正如你所说，我仍在爱热闹。一在北京，许多事躲不了，只有如此。

问小林、鸿生好！问小棠夫妇好！问全家九姑妈、孃孃、国煣和济生好！

玉茹嘱我代她向你问候。

家宝　八三、十一、四

一九八四年五月二十七日

芾甘：

祝贺你讲话大成功！

听说你在日本十分疲倦，回家后，不知休息如何？玉茹本想看你，她怕打搅你休息，不如晚一些去。我希望你能不见客，如可能，乘尚未太热，到杭州休息几天。看看湖光山色，稍稍散步，也算享点福。劳动一生，辛苦一世，我以为晚年，不要太赶忙。你的内脏都好。我相信，你还有二十年光阴，可资你悠悠地写作。

我在京，就是忙，不知所云，忙得昏天黑地，到夜间扑在床，已经喘不出气来。当然，这话也是我的夸张。你知道，我好说过头话的。因此，不要相信我。我愿早日返沪，热死我，也比瞎忙好！好得多！

问九姑妈、孃孃、小林、小祝、小棠、小棠嫂嫂及娃娃，与端端好。

家宝　一九八四、五、廿七

一九八四年十一月十八日

芾甘：

过两天就是你的八十寿辰了。我一直想给你写一长信，说说我们这几十年的友情，叙叙你这些年给我多少诚心、真实的帮助与鼓励。不是赞美你，也不须说是感激你。这些话对你这样一颗善良、伟大的心，显得多么无力、苍白。

因为多少祖国的、世界的读者，已用最好、最赤诚的语言，称颂你，感谢你。你用你的心血，点点滴滴，一年一年地写出的各种作品，感动了成千上万的善良的人。他们——就是世界上这些数不尽的读者，由于你的勇敢、坦白、诚实、智慧和热情，改善了世界，正在为日后光明的世界铺路。

你一生写作为“人”，为一个真称得起“人”这个庄严雄伟的名称的“人”。

我爱你，尊敬你，正像许多你的读者一样。但也有一种不同的地方，你不只介绍我进了文艺界，你还时常对我说出一个伟大的朋友的真话，你当面批评我，有时又督促我。你的朋友，或者说，热爱你的朋友遍四海，我不过是其中的一个。我引为终身幸运的，是我遇见你、认识你、知道你，当然仅仅是你心中海一般的对人生的了解极小的一部分，我已是一个在心灵上，十分富裕的人了。

在你家里，我常不期而至，胡谈胡说，我不是一个有学问的人，总是家长里短地谈一些东南西北的话，你总是耐性地听。在我心中总是你温和微笑的脸和一头白发，使我忘记不了的，是每次去看你，你行动那样不灵活，却总是送到门口，你的妹妹和孩子也一齐送到门口，我是那样感动，我自觉，我似乎成了你家中的一员。你确实是把我当成一个兄弟那样的人看，我也感到你就是我的兄长一般的朋友。

每次见你，看到你很健康，我是多么高兴啊！我耳聋，一谈总要你提高声音用力讲，而时常我还是听不清楚，听不见。我真是不安，看见你费劲谈话，面色都有些涨红了。

今天，天未亮时就起来。走到另一个房间里，不知不觉拿起《巴金散文选》，一个小座灯照着我和你的书。家人都在酣睡，空气很柔和、很静寂，仿佛你我正在谈话。我翻书里六十二页的《自白书》，那是你在一九三四年七月的北平写的；还翻读六十三页的《繁星》，那是你在一九三五年一月在横滨写的。

这两篇短文都异常打动我。我沉默地望着室内的暗暗角落，想起过去许多往事。回忆刚刚见面的你，那时你我是多么年轻!《繁星》有一段话:“普照大地的繁星看见了这一切，明白了这一切。它们是永远不会坠落的。”

这句话使我联想了许多，也想起今天这样一个明亮的好时代。

我以为“永远不会坠落的”是中外古今许多巨匠所写出的“人”，其中当然也包括你写的。

打开窗幔，窗外竟是落了一夜的大雪，映得屋顶通亮。心里真是明朗、愉快。瑞雪兆丰年。这场好雪也预示我的兄长和朋友，老巴，在你八十寿辰之后，将写出对世界人民幸福的未来，对子孙后代有影响的大作品。

你是不会衰弱的老人，是永远对自己、对人民说真实话的老人！

我和家中大人、孩子们向你祝贺！祝你长久地保持着跳腾不息的生命力，活得更加硬硬朗朗的！

请代问家里所有老人、孩子们好。

家宝

一九八四年十一月十八日清晨

一九八五年一月二十三日

芾甘：

十分想念你。你家已成了上海的一个圣地。凡来的文人，必须朝拜一次。可是苦了八十岁的老翁了！前在四川，许多友人，要为你与艾芜同志等再做八旬大庆。如你回四川，这件热闹事是逃不脱的。

我仍在北京“混”，以你的说法，“热闹”着，大约在二月十日左右才能到上海相见。我颇不乐。一切事都想不开。希望大解脱早些到来。人生旅途走到极限，一切也只好罢了。

家宝　八五年元月廿三

一九八七年二月二十三日

芾甘：

返京，没有什么可谈的，反正一大堆无聊的事又堆在身上。我已能游泳，去了三次游泳馆，与方子及孙子蓬蓬（方子的儿子）同玩，大感到天伦之乐。小孩子真可爱！我想到端端与晅晅（查了字典，原来音“选”），你有这两个宝贝，也是一大乐事。我身体很好，我却非常惦念你的健康！我总觉得，你平时要尽量走走路，能休息便休息。我比你小六岁，你大约八十三了，我们真是暮年，应该多活几年，再活个二十年。只有养息得法，是完全可以做到的。我常后悔，在上海没能常去看你，和你多聊天。玉茹在香港演出很成功，而且居然变为交际家，认识了许多朋友，又见着四十年前的老观众，更早一点的老同学，她兴致高，就是一天吃到晚，又忙，又累。她在沪休息几天，会来看你的。回到广州，广东省剧协的老朋友，又迎接她，为她找一个安静的住处，搭火车返沪。她六十二岁，还在奔波演戏，精神可嘉，但体力已不甚行了。

我现在有时，上午常坐着就睡着了，而夜里虽吃安眠药，都常醒，有时还做梦。天天有人来，说些淡话，就是消磨时间，如何得了？但我仍想写点什么，留给后人。方子读了你给我的《随想录》（无题集），想请你给她一本。如还有请交玉茹带来，好么？你千万珍重身体。

家宝　八七、二、廿三

一九八七年七月十二日

芾甘：

收到你的信，我读了许多遍。睡觉前，或起床后，都看。我难过，感觉你真的是老了，累过头了。辛苦一生，晚年还是多灾多难，有许多事情攀住你不放，像许多蜘蛛的网，使你不得自由。也有一些人，要咬啃一个老人，从你身上硬要弄出一些纪念，以便日后夸耀。更有一些狼犬在你背后嚎叫，要骂倒你，咒倒你。我每次听了，很难过，也不愿意向你讲，一则这些话极无意思，不过是嫉妒你一生抓住真理不放，群众热烈地爱你，敬重你。再则我见着你，看见你的笑容，打心眼里透出的笑，我不愿把这点宝贵的时间浪费了，糟蹋了。我总想和你静静地谈些闲话，甚至于默默地看着你，因为我耳聋听不见你讲的话。你有时讲得快，我真听不出，往往靠玉茹为我大声讲一遍。有时回到家里，叫玉茹再叙述一遍，你讲了些什么。老了，二人都老了，太费力，不如多看你几眼，尤其当你在笑着的时候。我经常想念你，其实，我在上海时，我只允许我一星期看你一次。我不愿见有些无聊的人在麻烦你。你又是好性子，从不肯催他们走，多半是任他们摆弄，问你这，问你那，要求你很多，追一个有病的老人多谈点什么，回去好记下来，将来好写文章，也许等有一天，十分沉痛地写出怀念你、仰慕你的回忆，那时，每一个字都是金子，可以在多少人面前晃眼。还有一个原因，我怕你累着，多说话总是累人，而我又好激动，谈谈就莫名其妙地激动起来，我怕你受不了我有时候的大喊大叫。耳聋人的声音总是大的。

你信中有几句话给我很大力量：“我现在的确看穿了，要活下去，必须保重自己。”

还有两句，使我受到鼓励，感到人活着，无论遇着什么，活着还是要有劲，有点分量。你说：“经常挨骂挨批，却始终不倒下去。既然不死，就不必顾虑太多，所以我常常乐观。”

芾甘，你说得对，我们还是不能放下笔。尤其是你。萧伯纳九十多岁，还写长戏，而且写得很好。你这几年五本《随想录》是你最勇敢，最有智慧，最显出你的生命活力的大文章，是给祖国，给你的读者最热情、最有朝气的文章。因此，我觉得你一点都不老，你有的是精神，虽然我充分体会你现在写每一行字，都消耗体力，你感到很疲乏，我感觉到你还有更大的文章可写，而且必然写得出！多少人在盼望着你不断地写下去，他们爱你，感激你，难道这对你不是写作的力量？不是使你能够又得到青春么？芾甘，你现在的疲乏只是身体上需要休息的表现。过了这一段，你会年轻起来。就是不要那么多人来“朝拜”你，麻烦你。给你喘息的机会，你仍然如一个在沙漠中长途坦步的骆驼驮着人的灾难，一步一步有力地向前走下去。

我不是故意地说些虚话来安慰一个老人。你我已是半个多世纪的老朋友，我十分相信你的生命力。在你的生命中还会显出奇迹来。

我也是有不少老态，清晨起来，只精神一会儿，就在客厅的沙发上打起盹，醒来，还是感到疲乏，甚至于厌倦。你在电视中看到一刹那的我，大都是被人拉去做些无聊的事，强打起精神照出来的。一回到家，我就累得不堪，连话都不想说。我就是感到烦累，急躁。目前有不少的事使人不快，使人生气！

但是我不能长此下去，大约我现在才开始“看穿了”。我每天清晨起来，若有点精神，总在想点或者写点东西，不想昏过，想在我最后的几年中写出点东西，哪怕是极不像样子的，也要写出来。只是拿不准，什么时候可以成形。这远不如从前你和靳以在几十年前，约我写稿子，我写戏一月一幕，像写连续小说似的，按期寄出去，绝不误期了。说了一大堆，还是要保重身体，要活下去，要写点东西。我相信天或者上帝总会体贴我们这两个老而有病的人的心情，会赐给我们以年龄与健康，使我们完成自己那点点心愿。

你的信，我放我卧室桌面一张塑料纸底下压着，我可以随时看看读读。这是几年来你写给我最长的一封信，其实不到六百字。你每个字写得多吃力。我收到这封信，我既欢喜又吃惊，你的身体已经好多了，你已经可以写出这样长的信了。信中的“心”为着你多年喜爱的老朋友在一下一下地跳动。我感激一个老朋友的热诚。我万分后悔多少年你给我的信，我没有好好保存起来。

我现在还有点小毛病，需要进医院动手术，那是小手术，两个星期便会好。只是现在没有病房，等待通知。

进了医院，便可以和一切杂事割断，也许就能逐渐地关起门来，写点东西了。

你现在要能吃，能睡。多贵的东西，只要想吃，就弄来吃。不要相信那些补药，你如能走几步，就走几步。即使那些最仰慕、最爱你的读者们，也不要让他们进来。这点要家里人为你挡住。你是这样一个人，为了治人的病，或者为了满足人的需要，人家要割你身上一块肉，你都会答应的。

写这封信，中间又有人来打搅我，所以更证明我说的话对，就是狠狠地关上门，插上门闩。当然，世事不可能完全如此，但我们老了。除了死神以外，一切都可以挡驾。我要做到！你要做到。你不能精疲力尽，你要“保重自己”，为着这个世界需要你！

告诉幺孃，九姑妈，一定要做“把门神”。为我问幺孃、九姑妈好，问小林，小棠，鸿生和他们的小姑娘们好。我多想见你，看你在一群保护你的人当中，露着欢喜的笑脸。

玉茹告我问你好，她啰啰唆唆，说了许多养生之道，吃这个药，进那个补，我想不必一一告诉你了。小方子问你好，她问小林好，她特别喜欢小林，说小林很像你。仿佛写了四页，已经用大半天，也疲乏了。我只是想念你！想见你！芾甘！芾甘！

家宝

一九八七、七、十二

一九八七年十二月八日

芾甘：

收到你在四川照的相片，看来，你健康，愉快，欢欢喜喜，我从未见过你这样高兴的照片。你是多么可爱、可亲的老人。

你的“六十年创作生涯纪念展览会”，我去了两次，一次与方子，我们是第一名，签在簿上。许多青年和我们一道看。很高兴。还有林林，他也高兴地和我们在一起。

第二次，是程世鉴和我去的，带了照相机。我想照几张我与我所喜欢的言语，与人一同照。那是“傻瓜”机，一闪光，就把相片前的玻璃照成一团白雾似的大团团，有的照片就如此。蕴珍那张照片，就因为这个原因，没有照好，这是最可惜的。还有你和蕴珍的，你和一家人的，你身旁的人都照出来，你反看不见了。但我在你大照片前立着的，非常好。最可爱的是你和母亲一起照的，与你头上一撮桃子头发的小时照片。天气冷了，你要多注意，别冻着。看你寄来的相片，似乎一切都好，你文章不瞒人，你的相片也不瞒人。

问全家人好。

家宝

1987.12.8日　晨

我很诧异，据说有一个座谈会，我没有得到帖子，大约请的人太多了。

彭德怀的信，十分可敬、可亲，如其人！

一九八八年四月十一日

芾甘：

玉茹回家，便告我一同看罗荪。昨晚，开会完毕，今天下午便同到罗荪家。他现在仅走路迟缓，说话不多，但头脑清楚。我告他今天上午在新闻电影制片厂看了你的纪录片。我认为片子很好，把你的主要大事、重要的思想、感情如实纪录，很使人感动。我和玉茹都很喜欢。罗荪听了，也很高兴。此片尚未给你看，我们少数几个人先看了，不久，一定会给你看的。

罗荪的病大约是脑血管软化，穿衣、走路、大小便须人扶。眠食俱佳，他的房子很安静，周玉屏大姐身体很好，照顾他很好。家中仅有一孙女，一切事都是罗荪夫人干，没有请阿姨。但家里井井有条，一片兴旺气象。这位夫人真是能干极了。她还请我们吃点心，罗荪也吃。我看罗荪很乐观，开朗，心情不坏。你不必再为他们操心了。

我看你的纪录片后，感情激动，大家要我谈，我就说了几句。也许说过了一点，但却是我的真心话。

我现在极易疲乏，又好兴奋。兴奋后，又大疲乏，有时累得回家说不出口来。总之，似乎老了不少，虽然我比你还小六岁。

我十分想见你，但又不想到上海去。也许到不得不想见你说说，我定要打个电话，听听你的声音，使我感觉一下，你的身体究竟如何？

家宝

1988.4.11

一九八八年十二月二十三日

苇甘：

许久没通音讯，好像我从此不可能到上海看你了。

我病了，现在见好，仍在北京医院疗治，我时常想念你，想你近况如常，也就不写信，但确实时常记挂你。其实，也没有什么多余话可谈。问全家好，问小林、鸿生好！

家宝

一九八八、十二、二十三

一九八九年三月二十一日

苇甘：

又好久没通信，前些天听说你跌了一跤，后在报纸上又看到这个消息。兆和三姐讲你的软组织受了伤，现找了一位中医治疗，不知最近疗效如何？我非常惦念，希望你不至于太痛。本早想给你信，一则我总在低烧，终日疲乏，住院已有五个月，精神不佳。偶尔出面，都很强勉。

按中国老算法我也进入八十，其实才七十九，总之，颇感到老弱，你比我大六岁，我才感觉你信上谈过疲乏，累，我现在也感到如此。

我想起半个多世纪以来，你对我极深的帮助、友谊。你介绍我入了文艺界，你不断给我似火的热情，我有许多缺点，你总是真诚地指出来。回想许多事，我能有你这样兄长似的朋友，我是幸福的。我只是惭愧，你希望我再写些东西，我至今望着白纸，一个字也写不出来。

我很想念你，不知今年能否到上海看你。从复兴中路到武康路，坐一站公共汽车，再走几步就到你的家，看见你和全家人，这是何等的亲热，何等高兴！我真想立刻到上海，再看看你！我想定能去，也许过两三个月就能出院了。

问小林、鸿生、小棠及其夫人、端端和晅晅好，九姑妈和幺孃孃好。

家宝　八九、三、二十一日

玉茹托代问你和全家好。

一九八九年四月三日

芾甘：

这些天，时时想给你复信，却不知怎样下笔。我不知如何说出我的心情。只是望着我心中在华东医院北七楼的你，望着你扶着助步器，一步一步地从病房走出，过了我从前住过的病房，还是艰难地向前迈步。当然，孩子们在陪着你，安慰你，小端端和晅晅、小林鸿生、小棠夫妇都会朝夕陪伴，我仍然说不出那样难过。你吃苦了，又一次吃苦了！多少年了，不断地病痛，跌了，起来，跌倒，又起来。我不明白为什么你要受这许多折磨？我记得你第一次跌伤，腿高高地架起来三个多月，你说痛啊，如今又添上腰痛，为什么要你受许多不应承当的罪。我相信你是坚强无比的，然而毕竟是肉身的磨难啊！我止不住地流下泪。如若你结实一点，不是这样衰老，世间的事该是多圆满。托尔斯泰八十多岁，身体就非常健康！前天，有位孙越琦先生，特来看我，他说他现在是九十五岁五个月零五天，而身子骨挺硬朗，声音气力都很足，当时就想到你，你若有他一半的健康会多好！

这两天，我回忆我一生多少次受你的真诚、热情的帮助，从我作为一个大学生认识你，三座门，南京，上海，重庆（尤其在抗战中的文化生活出版社，经常在那可爱的木楼上与下面，吃、住、谈天，见着许多文艺界朋友。）……一直到我们共同在华东医院治病，每天能见几次面，晚间我能和你在甬道上，慢慢随着你走路，到客厅，与病友们一同看电视……这些都是美好的梦，我已记不很清楚了，但仍是个年老的人，一直追寻过去多年你给我的说不尽的温暖，真是想念啊。想见见你，再说说话，尽管我的耳朵更聋了，你得用很大的力气讲给我听，我已听不进多少。

信不能讲出多少，只有见着你，也许说不多少话，但心总算踏实了，玉茹再三问你好。

你不要回信了，我看你写的“芾甘口述”这四个字就很高兴了。尤其你的笔迹挺硬，看来体质还是相当有力的，芾甘，你永远是坚强的力量，虽然过去使用太多，而《随想录》又费你不少心力！我希望两三个月后，我能来看你。

家宝　八九、四、三日

一九九〇年五月五日[1]

芾甘：

从你给我复一封长信后，有半年我没有回信。原因是少见的疲乏，看来，我出院的希望只是幻想，说不定今生再见你是不可能的。心里乱糟糟的，时常想念你，我的兄长；想念我们曾在一起欢聚的情

1　此信收入《曹禺全集》第6卷。——底本注。

景，想起靳以。读了散文集中一位萧似写的纪念萧珊的文章，我又念起许多见着萧珊的场合，重庆的文化生活出版社，上海武康路的你的家，甚至想第一次我和靳以在兆丰公园见着十几岁的萧珊的笑脸，笑个不停的少女声音。

我念起那篇文章描写她去世的状况，小林喊“姆妈！姆妈！”的哭声；小棠一直诧异为什么妈妈不来看也在病中的小棠，我不知为何那样酸楚，我不敢再看第二遍，而经常那样想细细再读一遍。

我觉得许多往事使人流泪，使人高兴，使人那样渴望它再现。大约我这一生快走到尽头；回顾这一辈子，可想的事情不多，错失确是不少。自己想算算总账，我欠人，欠这个世界的太多，太多了！

芾甘，你永远燃烧着热情的火，你是对一切世界的丑的、坏的事物永远反抗的灵魂，因此有正义感的人对你总抱着崇敬的热情的感情。真希望，你一点不感到累，你是总在战斗着的人。

我又写不动了，衷心祝你一家都好，你的身体硬朗起来！

家宝

一九九〇年五月五日

玉茹问你好，问全家好。

一九九〇年九月二十四日[1]

巴老：读到你热诚的贺电，看到你送来的非常美丽的花篮，我感奋不已。六十多年来你对我的关怀、帮助和支持，我永远不能忘记。感激你，祝你健康长寿！家宝

一九九〇年十月三日

芾甘：

三个多月，也许半年我没有写信给你。我几乎天天想念，每天总是说明天写吧。身体不成，又想写比较尽心的信，只有推，推到明天，明日复明日，到今天才能拿起举重铁杠一样的笔。

我多想念你，仿佛八十岁的人思念八十六岁的老人几乎不可能那样想，事实确是如此。不能给你写几个字，就像犯罪一样。

我想起玉茹最近看你时，你第一句话就是："家宝近来好么？"我听下去，想起你的眼神，你一头白雪，你终身待我的情分，我几乎像女人似的要流下眼泪。芾甘，你现在好么？

我的女婿带来你写的全集七本（还有未出版的，没有见到），我

1　曹禺发给巴金的电报。

又收到你译文选十本。你一生的勤劳、辛苦，你对人类真挚的感情，对学问严肃深刻的探讨，使我觉得我是多么幸运，认识你这样一位伟大的朋友，永远像火一样待我、待一切人。我回忆你多年给我的帮助、支持，我忆起一位最善良、最忠实于生活，最爱你的萧珊，我眼里浮起一片潮湿，我想起以后到你家里，总缺少的一位，永远见不着的一位，我想哭，大哭。尽管全世界的读者献给你许多光荣，不知为什么，我总觉得老人坐在客厅里，只是他一个，只是他一个。

我在病房有两年了，经常有人来看，尤其是这两天，热热闹闹里，我感到孤单，做人的孤单。因此，我想念你，你这位永远诚心诚意的兄长和朋友。

济生来信说，你很想晅晅，也想着我。我能和晅晅，你的孙女，一样放在你心里，我感到你是多么宽厚。你的心容纳世界的一切，包括六十年来的我，你的小朋友。

我怀念北平的三道门，你住的简陋的房子。那时，我仅仅是一个不知天高地厚的无名大学生，是你在那里读了《雷雨》的稿件，放在抽屉里近一年的稿子，是你看见这个青年还有可为，促使发表这个剧本。你把我介绍进了文艺界，以后每部稿子，都由你看稿、发表，这件事我说了多少遍，然而我说不完，还要说。因为识马不容易，识人更难。现在我八十了，提起这初出茅庐的事，我感动不已。我觉得我有些太唠叨了。

你要好好保重身体，一定！希望你活到一百岁。这不是希望，是能做到，必然做到的事。

问济生好，问小林、鸿生、端端好。问我的小说家小棠好。

玉茹托问候。

家宝

一九九〇年十月三日

问九姑妈好。

芾甘：

写了信，玉茹说字太乱，她抄一遍，连原信寄上。

家宝

一九九〇年十二月二十四日

芾甘：

李舒来，给我看了你在西湖游览照片，你精神好，我也愉快起来。

你回家，立刻在餐桌上给我写信，李舒摄了四张，我留下一张，是你在你的筷子旁边，四周有全家老小的筷子的那张，我着实高兴，看老人把眼镜放在额头上，握着自来水笔，一个字、一个字地给家宝写信。这信其实早收到了，我就是无力握笔。每晚，尤其是在深夜，时常想到你，不知你睡着了？还是未上床，有家人和你谈天？玉茹说要把这张相片和你写来的信放在一道。现在这张照片搁在玻璃板下，我随时能看，那信只好放其他你的信一处了。

我想说的话很多很多。

很想见所有在上海一家老小，小棠能在春节前回来，可惜我不能到上海看看你，这真是憾事。

新年快到，我们二人都长一岁，不愿谈“老”，而确实有点老了。

如果回到五十多年前，你我又在北京聚会，那是多么幸福啊！

请向所有老老小小问好。

家宝

1990.12.24

一九九一年四月五日

芾甘：

祝贺你，《巴金全集》你编好了，出版了。这是你的毕生的心血。你的爱，你的正义感，你的智慧在《全集》里放出热情，给人们以温暖和鼓励。这部集指点人们应该走什么道路。人一生总是为了寻路，你是找着了路，找着大路。你说你十分疲劳，一生写出许多这样的文字，流着心血的文字，岂止是会疲劳，而是苦痛，也是苦痛后的满足，做人的大满足。多少人赞扬你、尊重你的勇敢与道义。我平生最感到的，是你给朋友的热与力，你给我以无限。我是多么渺小，不是自卑，是我这一生的懒惰，整日地优哉游哉恍惚了八十年。

我最近最以为痛疚是失去的光阴，是最近日趋无力的健康。

你疲劳，必须养好到西湖春游，养养身体，多住些天，使你发挥起你的热与力。你的力与热是用不尽的。相信你无穷的生命力！

我在医院快三年了。有玉茹与一个护工陪伴照护，我现在无力到这一步，连吃饭都要人喂，然而即如此也累得不行。我经常拿你的信看看，我觉得你在我身边极亲切地和我谈着话。这封信写了快十天，时写时放，周身无力，你看到此信想已从西湖回来了。问小林、小棠、九姑妈、幺孃好。不能再写下去了。

家宝　九一、四、五

一九九一年六月十八日

芾甘：

又许久不通信，怪我一直无力气复你信。

前两天，接到范泉同志信，才知你患上呼吸道炎，又进了医院，并且输液。真想你，更盼你早点痊愈，又回家休息。

我最近找着了一种名“促红素”的针剂，一星期三次，用了两周，血液见好。虽然疲乏，究竟比前些日子好些了。我确实想出院，有一天回上海来看你。该药剂还有些，够用，也许能使我起来，走出医院。当然，这是梦想！

然而梦想也好，我想一旦能看见你，那是多大一件喜事。我们会见面的，也许在秋天，或早冬。你也健康些了，也精神了，哪怕谈几句话，也不枉这几年的盼想。

芾甘，你一定长寿！活百岁，活到一百一十岁，咱们再见几次面。我真想看你脸上的微笑。

问大家好，小林、小棠、九姑妈、幺孃，问我的朋友祝鸿生好，还有李国煣，小端端好。

家宝、玉茹　1991.6.18

一九九一年七月七日

芾甘：

又有许久没给你复信了，其实每天催自己动笔，总是疲乏，推迟下去。这样在医院，我快住三年了。

我想见你，希望有一天到上海，在你的书房和你对坐闲谈。

没想到你从西湖回来，得了感冒引发了气管炎，又进华东医院。这次住了十六天，返家后还要不时到医院打针。现在是否想吃东西了？

你把我们这两个老头子见面的希望寄托在明年，你是坚强的！你的希望就会实现，我们会见面的。

老托尔斯泰坟上的草花使你又读起这位伟大作家的文章，不朽的作品，使我们的生命也丰富起来。你的《巴金文选》经常陪伴着我，这本小书是精华的精华，我从中吸取生命，使我少苦恼，少一些折磨自己。水干田不知何许人，他编造这本小册子，确实用了大功夫。我相信很多读者和我同样感动。尤其是书中许多照片，你的住房的正厅（那是多么使我怀念的地方）书房，和你的书桌上的照片。

我常追忆我这一生见过你的许多情景，我记忆力不好，一些细节全部忘却，但你是使我永远忆念的一位师友，你的朴素真实，常在我面前指点着我，告诉我人应该怎样活着。

我曾经想要好好地读你的传，写你的传的人一定很多，我希望能得到一本比较好的传陪伴着我，就如我们见面一样。

不能多写了。

问全家人好！

玉茹嘱我代笔问候。

家宝

一九九一年七月七日北京医院

一九九一年七月十二日[1]

芾甘：

连日多地暴雨，洪水成灾，上海北京也大雨不止，户外阴天，想到你在上海身体如何，正想写信，还是无力。

午饭后，睡着了。仿佛一个小女孩叫我到你家里吃饭，我看她十

1　此信收入《曹禺全集》第6卷。——底本注。

分好玩，问她：“你是巴老的第几代？”“走吧！”她拉着我的手，快活地叫着跑着，“第三代！”到一间相当大的饭厅，你已坐在大圆桌旁，连续有人来坐。你吃饭很好，鱼特别吃得多，我说：“老巴，你身体真不错啊！”你笑呵呵地应着，眼神是那样慈祥！……

我就醒了。

我梦许多旧事，这次确确实实感到我来到你身边，真实地看见你，你很好，没有一点病，完全不是坐在书房的那个你。

我把这个梦告诉玉茹。

我写信给你，告诉你，我想你身体一定很好，精神也好。我想你也为国内这次大水灾着急。这次水灾，实在太大，万分令人着急！

家宝

一九九一年七月十二日

一九九一年九月九日

芾甘：

多少日夜思念着给你写信，还是前些天的样子：写不动，体力不行。我矛盾、踌躇。疾病捆着我，终于我不能不说：我不能到南方看你了。医生们早已对我说，不能行路，我现在每夜离不开氧气，饭食需要医生定下，不可乱吃。这样连回一趟家都不行了！

我多想念你！那天小林与鸿生劝我到杭州去，与你在那里见面，我一直盼望这样能和你聊聊，这是多么愉快的事。

听说你已经定了十月到杭州，就在眼前需要做个决定的时候。

我只能说希望以后再能见见，我已经八十一，过几天，就八十二了，又有这个讨厌的肾脏病，还有心脏病，看来这个美好的期望，可能落空了。

我经常回忆我这一生，我太不勤快。你一直热情地劝我多写点东西，我却写不出一个字。小林也约我为《收获》写点散文，五百字也成。她真是和你一样的诚恳，要我写点文章，这是一位热诚的编辑的好意，我却做不到，我惭愧极了，不安极了！

想念你啊，我的老朋友！我的老师一样的老朋友。玉茹一直陪伴我，我这样病下去，真是折磨她！

问候你身边所有的亲人。

家宝　1991.9.9

芾甘，你写的字，大多了，你的身体真是好多了。

一九九一年九月二十八日

芾甘：

读到你的信，我觉得你身体好起来，字写大了，人精神多了。你教我写点东西。我想不到我就写出来，不只玉茹惊异，连自己也吃惊。我对你的感情都在这篇文字中表达了，我在末尾，抄了一段你的信。这给全文添了有力的结尾。是你鼓励我要写，你终身都如此真情地告诉我。我觉得我有了“信心”，这却是你信中早说过的。

我感谢小林，从上海来了电话，要我如期发稿，我做到了，这不使我愉快，不使我真有信心么?!

小林编辑发刊这篇短文，我想到我23岁时，你在三座门读了《雷雨》，朋友中是你首先读的，你发刊了它。从此我走上文学的路。我们都是老人了，但你我都不老，尤其写了这短文后，我信我还有前途。

在我生日那天，你发了贺电，那不是一个简单的电文，是“巴金率全家人”对我殷切的厚望。我读“祝生日快乐，身体健康!”的话，我真笑出声来，感谢你，感谢你的全家。

我想你从杭州回来，身体会更好些。

家宝　1991.9.28下午

一九九二年一月三日

芾甘:

许久没给你写信了，总在想念你，总在拖延，老希望写出点东西，可以寄给你看。但是写不出来。时常感到话不能说出来的地步。

我几乎快成一个完全无用的人。一个多月来，只有给玉茹写信，别的似乎不干什么。

她回来，详细告诉我，两次见着你，你比以前更好起来了。手中有了“对话机”，连电话都可以直接讲了。

她说要搬到一个新地方，和你家很近，以后我出了院，住在上海，可以坐轮椅，推到你家，近到你可以坐轮椅来到我家，两个老头可以真正聚会，可以说见面就见面了。

我也真做这样的梦，我能随你一同到杭州去游游西湖，那正是江南春好，一切都在茂盛成长的时候，我能随你终于一同被儿女们推着旅游一次，那是多么赏心快意的事。

只有一个可怕的担心，我是否能够出院离开北京。我现在走上几十步，就上不来气，要回到床上躺着吸氧气，药和针连短时间都离不开。

也许和你见面的希望推动我的生命在漫长冬天逐渐旺盛。我能和芾甘见面，看见你的全家人，使我激生出勇气。我能到武康路见这样一位最可爱、最可敬的白发老人，这个伟大心愿会帮助我生出一种生命之火，终于看到，见到，亲自感到这温暖又火热的，像在跳动的巨大的心灵。

我看见在报上你在日日写着东西，与朋友们回信的你，仿佛见到你扑在餐桌上一个一个整洁的字从你的手指流出来。你是多么热情，是多么旺盛，多么亲切的好人，不能用文字来说透你充满了爱，对世界、对人类有那样深挚情感的大人啊！

我羡慕那些能到你家能见着你的人们，仿佛唯独我没有那样的幸福的机会。我被隔离在这样美好的氛围之外。我在医院中也是有好天气，好阳光的。然而我却感不到，摸不到，看不到啊。

真的，有时真以为自己是个盲人，拿起笔来，说不出一个字的“哑巴”。平日怎么这样孤寂，使我的周围的人也不大容易笑出声音。

芾甘，请原谅我，我突然写出一大堆扫兴的话，废话，无用的话。人是应该有用的，有所作为的。我把自己估计得太渺茫了。我真不该如此。

原谅我，我想你不会怪罪我。在你面前，我确是没有顾忌，什么怨天怨地的话都讲。写完了，我又后悔起来，我这是一时的脆弱，冲动。也许以后不会再犯了。问小林、端端、小棠……亲人们好！

家宝　1992元月3日

玉茹在我身边，她给你拜年，一再问你好。

一九九二年一月二十五日

芾甘：

今天（1992，一月廿五日）收到你的信，我非常欢喜，这些天不见你复信，我总怕你进医院，那里的生活，我的体会：是很不快活的。你的信使我兴奋起来。来看你的人说你气色好，我想那必然是真的。我和所有爱你的人都愿意你身体很健康。我们决不能当着你，对你说谎。

其实，我有时常想你或者我，一天忽然一高兴就走了。我觉得这也不坏。这对身后，尤其是爱我们的人会相当痛苦。然早晚有一天，大家也渐渐习惯起来。但你决不会先走的，因为你坚强地活着，仍这样活下去。你说的话，你“欠债，活着为了还债”，这就必须活下去，要对得起，对你说，是更对得起你说的“债”。你贡献给人、给千千万万的读者，非常宝贵的东西，你的最真诚的话，你的热烈、永在跳跃不息的心。芾甘，我有你这样一位朋友，一位兄长般的老人做朋友，我觉得随时可以闭上眼，而你，我方才对玉茹说：“巴金可以活过一百岁。”如果这样，你“欠的债”会很快还完，以后，该知道歇口气了，该在西湖，或比它还美的地方养养神，不整天动脑筋了。

你午夜梦醒，有时一连几小时“给自己算总账”，“越想越着急”。我想你实在惦念得太多了。芾甘，你一生都这样严肃，认真地生活，你八十八岁了！我的老哥哥。这个世界欠你的很多，你一点也不欠这个世界！

这些天，我感觉好些，也就乐观一点，但一累，便立刻要吸“养气”。你见人多了，疲倦不止。过自己不愿过的日子，这种日日来访，时时有扯不上的人来访的很多，确实是难受的。你待人厚，总是为人想，不知，这个世界有许多不太为别人想的人。

我想告诉你，我现在安眠药吃得少多了，然而那剂量对任何人说，还是惊人的。我可以连睡几个小时，有时，醒了，一念起我这一生我做的一些对不起亲人的事或其他丑陋的事，便再也睡不着。那时，再多吃安眠药也不中用。因此，我想，我现在不该对自己再过不去，还是快快活活地在医院的环境中过下去吧。

你说写第二篇文章，要有信心，要慢慢地，仍有信心写出来。我听进去了。

你的医生提到“主观能动性”，其实你的决心和信心，已鼓励不少的人，使人奋发，使人清醒。你的主观能动性，已经唤起你的千万个读者的主观能动性了。

这一点想法我还没有想明白。发信后我将再仔细读你信中最后一段谈“主观能动性”的话。

我多么想念你，想望望你，想着满头白发的你。我们在年轻时谈了许多，但我已经不大记得。你有好记性，我却一点也没有。但一见你，便非常愉快，这是永难忘记的。

请代问九姑妈、幺孃孃、小林、小棠、鸿生、端端好。玉茹一直在我身边，一直说要写上：“我问巴老好，巴老全家好！”

家宝　1992，元月廿五日下午

一九九二年二月十日

芾甘：

又是春节，多么想念你！

在报上常见到你，只是听不见你的声音，看不见你平时见着我露出温暖的笑容。我更想到上海去。我希望能离开氧气，在春天与玉茹到你家看望你。

因此，我有生命的欲望，我想练习走路，起立自由，到街头走走、自由。

会有这样一天，在你面前立着一个矮矮的小老头，精神极了，像室外的麻雀一样，一跳一跃地走来走去，而且像夜莺那样兴奋地对你歌唱。

你的周围是春的周围，你的世界是有蜜蜂、有花的世界，你在不停地工作，你在为我们积蓄一切最好的东西。

我在你写的东西里，深深吸着生命之氧气。寄你一张剪报，一张我与玉茹的照片。

家宝

一九九二年二月十日

一九九二年三月八日

芾甘：

三星期过去了，我写不出一个字，因为我就是推拖，时间飞逝，我的日子，每天一样，旧话“乏善可述”，就是目前的情形。

从报上看见你用熏醋，消除传染物。知道你感冒，但你能接见记者，像是不重，也就放心了。

林放死得突然，一月前尚能见你，真是太匆促了。我很怀念这位老先生，闭眼就看见他那种和蔼可亲的神色。文笔那样尖锐动人，清新可喜，这样的短文作家不多。勇于执笔，又能写得那样亲切，每次读他的文章，就多一点生气。目前应景文字多得吓人。读这种东西，实在看不下去，也着实气人。

李辉说得相当对，你生活得累。如你说的，你在挣扎，争取多活几天，多写，多说出心中的真话。给我们立个正直的榜样。

有一点是真实的，你不像冰心大姐那样乐观。人确实应该活得洒脱些，不能天天那样累，每日总在挣扎，那太辛苦了。

我的日子过得混沌，不知怎么，昏昏地打发了一天。我知道这不应该，但总是无可如何。明明你举着火炬，向前走去，我却赖在后面。芾甘，我应该如何，每天问自己，怎也找不出一个答案。

我最后只好说，我是生就的一个懒汉，现在是个更懒的老头，如此而已。我这样说我自己，我知道你不同意，因为你时时刻刻总想拉我一把。

玉茹问你好，全家好。

家宝　1992.3.8

一九九二年四月二十七日

芾甘：

读了你的信，到现在已有一个多月。

我想念你，经常想念你。每次来了客人，从上海来，看了你，你总问他们：“家宝现在怎么样了？”我是多高兴！再读你四月十二日信，你说你的病情并不比我好多少，“一动就疲劳”，就这，确实是我整天感到的。你说“一定要活下去”“更多时候是乐观”。你鼓励了我，我虽然时时好乱想，听了你的话，终于要动脑筋，尽量使自己活起来。

我练习走走路，我居然看了遍《战争与和平》，伟大的作家，永不朽的人物，我在《收获》上看你的文章要学老托尔斯泰，你讲得好，工作得好，越老越要努力写出东西来，为了读者，为了爱你的那些人，那些朋友。

今天我才开始听你的话，写了几十个字，已经感到疲乏。从前那种行笔如流的精神早已消逝了。

但我必须听你的话，每天动动脑筋，写几十个字，坚持下去，就是你鼓励我的话，我就有了“信心”了。

我看错了信，方子说你的信是九一年的，方子又为我找到九二年的信，我真是发昏了。

原来，你最近给我的信是九二年二月十六日的信，今天是四月二十七日，那就两个月没复信，原谅我吧，原谅我，一定。

我八十二，你八十八，加在一起，有一百七十岁，我们还在不断通信，这是多大的幸福。

芾甘，你使我感到幸福，你是我的真朋友！！老朋友！

家宝

一九九二年四月二十七日

玉茹与方子都在我身旁，母女二人都问你好，问全家人好，李小林好！

一九九二年六月二十一日

芾甘：

又许久没有通信了，时时刻刻在思念。前一阵齐敏（祁鸣）同志来，说你校选集稿过力，又有点不舒服，不知现在好了没有？

我还是那样，整体疲乏，有时坐轮椅出来转转。来客人，精神一阵，客走，便疲乏不堪，需要吸氧。

前两天，为北京人艺四十周年，我出门两次，我像是到了另个世界，感到新鲜热闹，但回医院，又躺一阵。

收到巴金相集，包书纸上，是你亲笔写的字，感到亲切，仿佛你给我写了信。真是想念，想见见你，现在不知秋天能否到上海看望你，看样子很难办到，虽然，总免不了时时这样想，这样希望能见着你。

这个相集里，我觉得晅晅抱着你说悄悄话，那张最可爱。

真是好久好久没有通信息了。想念你芾甘！

家宝　一九九二、六、廿一

一九九二年七月十二日

芾甘：

收到你六月二十日信，今天已七月十二日，将近一个月，迟不能复，一是我也感到写信困难，二是我秉性好拖，今日复明日，一直拖到今天，才能执笔。

你写字那样困难，你的信是你一个字、一笔、一笔极困难写的，而你写了两页，我又难过，又感激。仿佛不用说客套话了，但我心里，当我看到你这样艰苦的字迹，我真感激。

上次，你又吐又泻三个小时，居然第二天好了，未进医院，真是天保佑！你想见晅晅之情，祖孙的骨肉情战胜了疾病。晅晅，这个八岁的小孙女，一定可爱极了，三年在美，回来探亲，仅一个月，是少了点，她能说四川话么！还是跟你用外国话讲话，抱着你，亲你，一定是个高个子吧？如果可能，给我一张你们祖孙二人的合影，或者全家的合影吧。

齐敏来，告我你的一些近况，似乎你又弱了些，然还是很精神。我觉得有朋友来看你，望望你，谈谈，对病体有好处。当然不能太多，更不能多得使你感到吃力。你的债确实多，只巴金这两个字，你的著作，便使多少人要来看你。

我对齐敏说，你还有更长的时间活下去，多活，多多活，活到“双轮花甲”，这个盼望不是全不可能的。你确实要保重，多保重。

前天，凤子自上海来，告诉我，你身体好，精神也好。

我的最小的女儿万欢从印尼来京，专来看我。住了两星期回去了。临别，我还是难过，以为每次看我，又要离别，还不如不回来的好。她说："我还要来，再来看你的。"人老了，常有这种感伤情绪，还是看不开啊！

齐敏说，不久上海将出版另一种巴金相集，有三百多张，你可能较满意，他说一出来，就会寄给我。

我成天地疲乏，走几步就累，需要吸氧，我每日整夜吸氧气，只这种治疗已使我难于离开医院。远行是很难的。因此，我常想我们何时能再见一面，似是一个大问题了，但愿天助人愿，我还是能回上海，我们能见面谈谈话，即使不能畅谈，默然对坐也是极大快事。

我在电视中露面，是鼓足了劲，在那里做出精神饱满的样子，许多朋友以为我好多了。我自己知道，整个还是不行的，我相信你信中的话，精神良好，可以使身体变得好一点。我最近也有这种感受。就是乐观一些，快活一些，自己鼓舞起来，似乎病体较好，人也有些体力，气足了一些，当然以后还是累的。

我每天傍晚，坐轮椅，到医院大门前和玉茹观望来往行人。男女老少，衣服款式，幼儿跳跃过去。母亲怀抱婴儿，夫妻三口，乘一辆自行车。还有外国倒爷（北京常有洋人买卖货物、衣服等等，来往出入中国，获利颇丰）走来走去。问全家好！

家宝

一九九二年七月十二日下午

一九九二年八月二十日

芾甘：

又拖了一个月，才能执笔作复，还是老病，终日疲劳不堪，屡欲作书，屡次心力不及，又放下笔。

你的小孙女晅晅由美一个人来沪探视你，祖孙二人，十分欢喜。她说两年再来庆祝你九十的生日，当然能办到。你至少能活到100岁；那时，我希望我仍在，还能见到你，见到你的孩子们。希望真是可爱的情感，一有希望，活得便愉快，便生气勃勃，真以为自己是个长生者，而且是个欢快的老人。

邓大姐故去，我很悲痛，你说她是一个高尚的人，一个大公无私的人，我也这样怀念她。做一个人便很不容易，做一个高尚的人，不是一般人说说就可以成为高尚的。

她使我想起许多逝去或还活着的人，一个人留下真正的给后人怀念的事迹，就没有枉自活了一辈子！

我非常想念你，我们相识快60年了。真想不到年轻时，还会如此长生，到了今天还能相互惦念。我常念起你第一次读我的《雷雨》，便立刻推荐给人发表，这是终生难忘的事，识作品不易，识人也不易。我多么想念你，芾甘！

为了日后能到上海，我力求每日少用氧气，希望日后，能像个老人样地生活!

家宝　1992.8.20

一九九二年十二月十六日

芾甘:

九月读到你的信，现在十一月十五日了，还没有作复。你知道我，不会生我的气。我懒，又多心，给你写一封信，要真下功夫，不然，我会显得多可笑。我这一生，不好复信，总因为字难看，我得罪多少朋友。老年了，人是孤单的，朋友少，甚至可以说就是你一个。天下人都是你的朋友，你的读者，你有多少敬爱你的友人，相识与不相识的，都要把心交给你。这因为你一生交心给你的朋友和读者，我每读你的文章，我就感到我的心中，有你的心在跳动。我想许多人都有如此感。

今天得玉茹电话，她看了你，说你身体现在好起来。我真是高兴！九月间你总感到疲劳。说除脑子清醒外，一切都不行，我很难过，你说你大概活过九十，我看断然比九十要多得多，我为你粗估，百岁老人不成问题，如果照顾、自己当心得好，你将是中国由古至今文人中最长生命的人，你将活到一百一十岁。到那时，你的全集当然每个朋友都到了手，你也许又有今“随想录”，这才是你的真顶峰。你不再疲劳，生命虽然灿烂，生命也太累人。也许你从来不感觉活着累得慌，你总是活得很从容，很自然。我不然，有如一块小山在心头压着，吃力极了。

邓大姐去了，我没有写出什么，只是难过，你写出你的情感，我读了，很感动。在冰心发表的文章，在你给我的信里，我觉得你是真正的，你是第一个说一句简单而重要的话“她是一个高尚的人”。

《人民日报》的编辑硬是删去你的文章的一句，这多么令人气愤！不尊重别人的劳动，一意孤行，这真是有权人的专利，现在都是如此。

上半信，是三个月前[1]写的，如今已是十二月了，快到一九九三年。

马少弥带来《巴金对你说》，我看了，其实是读了好几遍，我们全家人都看了，玉茹和我非常喜欢。书内有些人故去了，我很难过。这本书使读者和你更近了，更理解你了，多少朋友围绕着你，那些在上海的朋友，有这样宝贵的机会，我真羡慕他们。

玉茹由上海看了你归来，她说，你精神很好，比从前好得多。少弥来，也说你身体好多了，看来，你休息得好，保养得好。你的生命力更强了，我多么安慰。你要多活些年，你长长地活下去，是所有读者的愿望。

我觉得你会有好文章要写，不仅仅是写你的全集的序。先不要把自己下个句点。

奇怪，我的健康也好一些，当然依旧疲乏，但有时能走几十步路。

1　根据文首和文尾的日期，此处可能有笔误。——底本注。

我在报上看见你和夏衍老人在杭州，二人都坐轮椅上，享受杭州风光，真是羡慕万分。我大约不能如此想，医生从不说我何时能出院，我已不再问他们了。

你在饭桌上写信的照片在我的玻璃板下，我天天看见你，何时真能到上海看你，就不得而知了。

我正在写个短篇小说，这是遵从你的嘱咐，何时真写得出，也不可知。“六十岁学吹鼓手”本是笑话，如今八十岁学写小说，你想，其困难，其可笑，可想而知。但我仍坚持，有一点写一点，写一段是一段，总得把它写完。应该写好了，请你改。我怕太丑了，太不像样，就拿不出去了。我很想念你，虽有《巴金对你说》在手边，但还不如真正见到你。多保重！多保重！问全家人好。玉茹问你和全家人好。

家宝

一九九二年十二月十六日

一九九三年四月二十六日

芾甘：

感谢你，给我写了信，我读了，十分感动，你的几句话，使我觉得我就在你的面前。然而我复信又拖了很多天，日日想复信，还以疲惫不能写。

你的估计“明年以后，我也要躺倒”，那是不实际的，你要活到很长，很长，活到世界最长的年龄，118岁。不要以为我是夸张，或故意说些鼓气的话。你现在依然有充足的干劲，玉茹到你家里看见了你，她说老人每天还用五六小时校清样，这是何等的精神，何种气魄，谁能想到近九十的老人还有这种顽强的力量。你的话很对，你的目标是生命的开花。你的生命正像清晨雾散的花。这不是年龄甚至于老人的生命限制得了的。你的好事已做了不少了，你现在还想做更多的好事，这是你的生命仍在呐喊。我羡慕你，崇敬你。

我的心情很不一般，见你的信，见你的笔迹，你的每一笔、每一画还是放出强有力的生气。我每次收你的信，总想到初次见到你的情形，现在你自然是老了，然而你还使我念起青年时的你，年青时的我。当然，第一次见你，我已经对你有深深的敬意了。

你不能那样长地工作，时间还有，你为何那样急促。缓一拍吧，你的歌将唱得更美，更使人得到快乐，甚至于幸福。你以往的26卷的皇皇巨作给我们的影响不是充分说明这一点么？你给我们种下生命的花，这花是有阳光与水，花将盛开，将怒放。

你说从友情得到温暖，我们大家是从你的热情与高尚的情感得到不只是温暖而是生命的意义。

我很幸运，在这世界上，我遇见不少大写的人，只是我错过向他们多几次来往的机会。这真是遗憾！

你说你也读你的旧信，你的信也常提到我，我很怀念你，真正希望有一天我能到上海看望你。

问端端好，听马少弥说她已经上了大学，真好，第三代也起来了。他们将为人类增添美、正直、善良与智慧，可敬、可爱、可尊敬的后一代，我感觉到他们向前雄伟的步伐，他们迈过今天的一代，他们将创造伟大的历史。

多多保重吧！缓一点步子，你将亲眼看见后一代的崛起，我想，那是今天的人所想不到的。

我学着步行，但走几十步，心便跳个不停，要歇许久，才能恢复元气。听说，你每天还在花园中走几趟，那真是太好了！问全家人好，玉茹虽在上海，我也为她问你好，问全家好。

家宝

1993.4.26

一九九三年五月二十七日

苇甘：

日日想写信给你，还是天天耽搁，时间如流水，这又是几个星期了。读了你的信，你提到我们曾在东安市场外两个人各拿着一支雪糕，边溜达，边吃，像还聊些什么，心情快活，我感觉像中学读书时一样（也许你一生从来没有这样过），其实，这时我们都是老头了，你有心情想起这一段事，足见你一点也不老。

你说你可以活到一百岁，你说少了，你可以活到一百一二十岁，路还很长。这长路，要人忍受得住。长有长的苦，虽然谁都不愿意死，但活得长，也是要把力气。

我现在生活很闷气，一是生活不能自理，二是一点动作都不可能做。幸而有玉茹在身边，常给我说一些安慰的话，我还能活下去。

你永远是鼓舞我的力量，你像老师，像兄长总在给我不断的启发。我太不成器了，到了老年回头一顾，自己一生多惫懒，如果我能有一分一毫你的勤奋，你的开阔，你的干劲，我会做出一点事情。现在日暮途穷，悔也无益，不如不想。不想还好过一些。

你说需要安静，这种情绪，我也如此。我最大的苦恼是自己由心里得不到安静，时时刻刻折磨自己，用往事折磨自己，甚至于以偶然的话语说错了，对人态度不对了……种种折磨自己，这就使我沉默。而我的沉默中，经常心中翻江倒海，时而又像老了的色黄的蚕吐出细弱的丝，那样无尽无休地缠绕着自己，苦恼着自己。我知道这是病态，也许因为长住医院，也许因为本性如此，真不知如何是了。

然而一想到你，想到几十年来你给我的鼓励，我便振作起来。欣欣然，有点生意。

这是古往今来人们都珍视的友情，人们都离不开的友情。你是如此珍视它的。你的文章有多少篇歌颂这种无私的情感。

你说活着不容易，我也这样想，身体不支，力不从心，这真是要命，我尽量走路，但走几步，就喘气，心跳不止，穿衣、吃饭、起身……处处都需要人。老了，难道就是这样无能么？蜕化得跟处处需要照顾的婴儿一样。像婴儿，但又不像，心老了，也多虑了。

这些日子，我的大女儿，小女儿，都来了。我的一家四个女儿一块照了相，吃了饭。明天，玉茹要亲自做饭给孩子们吃。我也回一趟家。

多思念你，请代我问全家好！

家宝

1993.5.27

一九九三年八月二十七日

芾甘：

读你的七月卅一日信我很感动，今天已是八月廿七日，我才复信。周身无力，我拿笔困难。朋友来看我，我说话可以，有时且很兴奋，但一执笔像写不成字，每写一字，如登天那样难。

今年你八十九，按中国规矩，这也就是九十。看你的信，你写字很困难，笔笔都用极大劲。我也觉得你身体不是太好了。然而你还是校对你的全集，这要多大毅力，多大决心。一个人能写出二十六集，就很难，何况你写每一个字都是用心血，用眼泪写，写得动人真心。使人也学你说真心话，做一个真正的好人，勇敢的人。敢于面对一切苦难，一切妖魔，一切丑劣的人和事，发出大吼声，使人觉悟，使人终于明白人不能浪费自己的一生。要爱，要恨，能爱，能恨，世界需要改造，必能改造。你的一生是奋斗的一生，也是悲哀的一生，又真是乐观的、肯定的一生。我感激你，感激世上有你这样的真人。

现在我能走几步路，时常有小白推我坐轮椅在河岸柳荫下坐坐，有时到附近的玉渊潭，湖中有青年，小学生，小姑娘，划船在湖上笑闹，只是回来后便累得不行，需要躺在床上吸氧气。

我等你把全集的后半部签名寄来，但我真想你亲手送给我。那需要我身体好，我真想到上海看你。然而看目前的身体还是不行，我经常到医院打针，检查，拿回如一箱一箱的药品，一天吃四五次，每次一大把，还要吃中药两碗。多走两步，气喘如病牛，——但是我多想到上海见你，默默相对，看看你的慈祥的笑容啊。

上海有38℃那真吓人，亏你受得，我想你会有空调，但人总在冷气里，也不大好。请你多保重，要认真保护自己。

玉茹在英国时，我很寂寞，但快回来了。她在英国还教了京剧，录像，看戏，很忙，也很高兴。

你的记忆真好，记得我们见面时的一些情形，我记忆力几乎丢失了，许多事记不得，近两天的事都记不住。为记忆力失去，很难过。

问你的全家好，我又写不下去，没有力气写了。

家宝　一九九三，八月廿七

一九九四年九月二十五日

芾甘：

天天想写信，天天拿不起笔。我心里充满了对你的感谢，感谢你很快给我复信，持笔作书是多么费力。小棠过京，你嘱咐他来看我，他带来好看的花和好吃的杏花春（楼）月饼。我们谈得很高兴，问起你的起居生活，九点半上床，第二天七点起身。如果早醒了，就在床上听半导体。吃饭很香，耳朵比我好得多，能听人讲话，而我现在当面都听不出朋友的讲话，必须大声叫，才听得见，这不叫讲话，这叫喊话了。然而这样，我们谈得很好，尽可能你的生活都谈了。访问你的人并不多，你能安心校改你的全集。我们也说到“西湖之梦”，他说你不久有可能又到西湖赏游，可见你的身体是很不错的。

西湖，这个多情的地方使你流连不已，我看见你在水边的兴奋的笑容，柳条抚摸着你的白发，山上堤岸都有你的足迹。孩子们、朋友们在轮椅边笑谈，一同欣赏美丽如花、如梦的西湖。我多么羡慕这样的好时光，有我在你身旁共同徘徊在这优美的岸上，嗅着水中的莲香，望着多彩的湖光，又确确实实我们一道实现这个美好的西湖之梦。朋友，老朋友！老师，我的好老师，何时相与游玩在西湖，也许明年，也许我永远不能去了，我的芾甘！

你又要写小说了，而且是两本，这是人间的大事。九十高龄的文豪，还是毫不懈怠，又孜孜切切地写下去，写下去，巴金究是巴金！

问全家人好。我就是疲乏，不能再写了！

家宝　1994.9.25

一九九四年十二月一日

芾甘：

前两天陈刚送来你在医院卧床的照片，我便时时刻刻想给你写信，我一时写不动，直到此时才拿起笔来。在我眼前是你那直挺挺地躺在床上的样子，不能动，不能翻身，这太苦了，太受罪了。这样躺卧还要一段时间，你只好忍耐下去。确实把老人家折磨得够难受了。盼望还能想出别的好办法，使你在病中稍稍舒适点，这只有靠医生想法子了。

你身边有小林、小棠、济生等照顾，总是尽可能的力量，使你过得好一些。

吴殿熙送来你和蕴珍的“家书”，我正在读，我边读边怀念往日你的神态，你的勤劳，你的热诚待朋友的情感，还有小林、小棠的种种，更使我回念不止的是蕴珍，你的至亲的伴侣。这部“家书”使任何读者感觉到巴金的心灵，这对后人以及现代人有极大的帮助与鼓励。我们都需要读这本书，尤其是我，很感谢你，送我这本书，谢谢小棠代你签名。我一切尚好，日后再写信给你。祝

一切顺利

家宝

一九九四年十二月一日下午

一九九五年一月一日

苇甘：

这些天时时想给你写信，但以无力，终未执笔。你目前病况如何？惦念很深。你在上海，我在北京，迢迢相望，更感久别之苦。你是否渐有好转，还是那样硬板板地躺在床上么？我见过你的照片，你很苦，很痛。我一闭眼，就是你的痛苦的形象。听玉茹讲，你现在又痰多，咳吐困难。这真难为你，不知你这样疗治，还要经过多少天，才能起床？

又是元旦了，我们又都进入1995年。看你的朋友想必很多，也许这些来慰问你的朋友，可能使你稍忘卧床之苦，希望你一切能在新年里，很快地恢复健康。

我们都老了，又有病。有些痛苦，是自然的。我这些天一直周身无力，不能多转动，讲话也很费力。你的病痛，我是体会得到的。在医院里，还有冰心大姐，夏衍老人，他们都算平安。夕阳晚年，在医院里疗养治病，这应该说是幸运了。

向你和全家拜新年，祝吉祥如意，早日康复。

小林，小棠，济生，都请问好。

家宝　1995，一月元旦

一九九五年三月十六日

芾甘：

收到端端代你写来信之后，一直是天天想动笔复信。每时每刻想念着你，但动笔十分困难，人非常疲乏，这样耽搁到今天才决心执笔。

前天采臣来看我，从他言谈中才知道你的健康日趋好转。穿着钢板背心，已能起床走路，每天在过道中上午走两趟，下午走一趟。胃口非常好，东坡蹄髈，肥鱼，肥肉都能吃。你还准备到杭州，这太鼓舞人心了。

舒乙说，你还准备在医院开“现代文学馆”建设问题的大会，这也是大喜事。

方子写了小说《珍禽异兽》，小林为她修改提出很多好意见，小林洋洋洒洒，写好长好长修改的文章，我很感动，也佩服她们之间的友情。

我这里除了偶有朋友来探视，没有什么可讲的。

现在玉茹又要回上海治疗，我更加孤寂了。

我写不动了，不写了，问全家人好！

家宝

1995.3.16

一九九五年七月十二日

芾甘：

十分想念你，忽得你的信，其欢喜可想而知。应早复，却浑身无力，现在才能执笔，请你原谅。

你的病情时由玉茹讲来，你赴杭休养已见效。听说十月才回沪，那更是好事。收到你给我补品并《再思录》，我十分感动。看你写字很吃力，终于给我写了信，我甚是感激。

小林托我给在杭的朋友熟人写字，都写好交吴殿熙寄给你，不知你看了觉得合适否？

写字困难，不多写了。你更要保重身体，一定养好身体。衷心盼福，问全家人好！

家宝

1995.7.12

一九九六年四月二十日

芾甘：

收到你最近编的书，足见你体力日趋好转，十分宽慰。谢谢你。祝全家好。

家宝

96.4.20日

致吴组缃

一九四八年八月三日

组缃：

昨天由文生社寄奉《家》《万世师表》《吾土吾民》与借在途中读阅的短篇小说集。《家》与《万世师表》请交鸠生。按考试材料准备，她一定可以考中。

《某日》确实写得生动真实。你对农民有广厚的知识和情感，在你的精致而有力的笔触中处处蕴含着同情。你不偏不倚，你客观，仿佛生怕自己的情感压倒了理智的安排，于是有些地方显得拘谨（固然往好处想，这成就你形式上的严整）。我感觉你故意拉紧住你那可以"天马行空"的笔意；我深切相信你的材料的幅员博大到可以任你驰骋，毫不蹈空，却不知何故你有些踟蹰，只缘着一片小小的池沼徘徊。《山洪》我读了三分之一，人物口语无有不好，文笔美，观察真

【题注】载《新文学史料》，2008年第1期，题名《曹禺致吴组缃的三封信》。

尖锐。你使我们睁开眼望望你的王国有多么辽阔，你略略显出你的才能和你对人生的认识，但，依然，你还是不肯完全施展出来。我只读了一小半，不配多讲，又不是一个批评家。你的作品使我相信你的大文章将在你四十岁以后，因为你一直没有放开怀写作，你还没有大用你的宝藏。

你的小说，不成问题，将是我们大家的宝藏。我们日后会由你的小说里看出我们今日怎样生活的。你一定要继续写小说。目前我请你写电影剧本只是为眼前救急——却也说不定，一次两次试验中，可能你发现出你另有一面更可施展的才能。不管若何解释吧，写影剧确可试一次。前几天提起限两月半交“货”，不是笑话。自今日始，十月十五你肯寄给我一部影戏本子么？

我等你写一个故事来。我一生不被人催不写一字，受逼次数太多，今日也来逼逼朋友，尝尝逼人怎样的威风。

请代问夫人好。鸠生好，鸠生的朋友好。

家宝

（一九四八年）八月三日

一九四八年九月二十八日

组缃：

《绿野人家》故事，我读后，又找了几个影业的朋友们仔细读了一过。这件事我做得冒昧，没有征询你的同意，却冒失与你不认识的人看了你的还未写成的作品。但，我想我一个人的批评不足，我对电影艺术的了解不够深，对于一个剧本的胚胎——故事是否有可以充分发展为电影的可能，这一层我还把握不住。多几个内行来研究，推敲，会更使我们明了这个故事在电影上的性质为何，—— 那就是说，它的电影性大不大。再，我也想立刻知道就你现在所能写的电影故事，它能否“推销”到“电影市场”上去。我有些性急，急于见功，急想明白你的故事能否应实际的需要。因为电影是供给大量的观众的艺术品，如果这一层你根本没有，写得再好也没有用，那就是，电影界的演出者不会要，即便是因为写得细腻深刻取用一个剧本，这剧本摄制出来也不为大量观众所喜悦，接受，就等于是失败的。

我找了两个老板，有艺术眼光兼有营业经验的人，一是金山，（他是你所不佩服的《松花江上》的编导，同时是个老板。—— 关于《松花江上》，我和你有极不同的看法，我始终认为那是一部十分成熟的优异的电影作品。）一是吴性栽，文华公司的老板。那天，还有一位专办电影发行的朋友，娄先生。这三个人都是能欣赏好东西的，同时又真正是电影—— 固然各在其固有的职位上—— 的内行。我十分高兴，他们没有白读你那篇故事。他们都立刻发现你的切实，深厚，在那篇短短的故事所含孕着的无穷尽的真实人生和性格。他们都以为你是五十开外的人，难怪他们，你晓得你的材料，你对宗法社会真明了！他们劝我请你写下去，并且耐烦地一遍两遍地改。（现在真正还有些艺术修养的电影老板已经知道如何珍贵好作家，也知道一部好电影剧本不能一蹴而就，需要放了功夫修改琢磨。）他们虽没有具体说出买了这个剧本，我确实感到这个剧本（如若写出来的话）的出路已没有问题。

我没有具体和他们谈“买卖”的问题，因为这还不成其为一个剧本。我从旁探问现在剧本的“行市”。上次我和你说到一千五百元到三千的基数，依指数照算的办法，现在是实行着的。不过最高数到今没有人肯出，通常他们出一千五到二千。我想，即依今日的他们的算法，那“二千”之数应无问题。卑之无甚高论，这一层买卖的问题将来再商量。你必须为着今后的写作先从电影上谋得生活。在我还未十分明了你在电影上的才能之前，我还是以为你写电影剧本是手段，不是目的。

那天讨论大约用了两小时余。我择要报告你几点：

（一）大家一致认为你真知道你的材料。电影内容的贫乏一部分由于作者不知道他所写的对象。大家觉得你写这一对爱人时不能忽略这个社会背景，这社会背景会充实这部电影。自然，社会背景是有机地和这故事联系着的，不能孤立，所以不是将这社会背景“白描”化。（有的说五分之三写背景，五分之二写故事，这分法我认为不一定对。）

（二）金山原先以为土地诉讼问题是这个故事的中心，所以觉得王松出走不如就在本地解决这个问题。后来，再读之后，问了那懂得清末民初旧社会的娄先生，发现清末民初，土地问题还不成为普遍的问题，就也觉得以反封建为主题是对的。但是他以为王松的离乡有其必然理由，而且该在电影上点得清楚，说得明白，在当时一个小地主型知识分子若何初步离开了家乡。他主张剧本开始以王松离家，然后回溯以往，这样观众便明了若何王松走到现在的路上去。我以为这个方法很好，也对。

（三）大家并不认为这故事欠通俗。故事的骨架是很结实的。只是收尾无力，若能倒置一下如金山所说，便收得。

（四）王松写得很真，却并非英雄。似乎采儿比王松重要，王松不是一个令人同情的角色，相形之下，采儿一生所受之折磨使她成为作者可以发挥主题的对象。只有点，这戏是反封建的，要处处使人觉得过去的封建社会确实要不得，又不能因采儿之屈死，使人以为反抗封建社会便遭恶果，因而错得了反抗封建是做不得的印象。

八月五日信你问的些问题，我依次说说我的意见：

一、剧本中应当改动的地方只有你写成了大纲即故事分了场，前后按了递变的程序后才看得出。依现在推测，仿佛王李二村因地涉讼成仇事只有对王松不能与采儿结婚有关，与宋氏买地得了便宜有关，大致对故事的影响不太大，所以似不必太置重。但想不出代替办法，亦不必删去。

二、关于“强调”与“省略”之处，前面我已有了意见。这也得看大纲，你最好写一个来，我们再研究。但无此习惯，把剧本写成了，也好，只是改动时，要有耐性，要狠心肯改。

三、女子缠足演出有问题，但或不做缠足或做出缠足状都有办法。此点乃小节。

四、民初装束有办法。

五、应保地方色彩。这里就成了安徽话的问题。我想以能用国语表达出地方口语的味道为准，不能用徽语。

六、山中大片田野之景（有高山、河水、牛群、浣女……）只可以相当地表示出来。现影片公司无此财力完全弄出来。

七、乡村风光（唱山歌、小曲）必须弄出来。

八、剧名非常好。人物亦无须增减。

虽然说了那么些话，你若能有更适于今日电影的故事，你还是写出来。我们从中挑选，做你第一次的电影创作，比只凭这唯一的一个，更周全，更慎重些。

你如有故事就再写一个来，两个来；一时想不及，就从《绿野人家》着眼。总之，我们要试，要闯，要干。

这封信，写了两次。一为着又把故事给一个导演看，（他说“太好了”。）一为着我写了许多莫名其妙的意见，以后再细看了你的故事，觉出自己的错误，又搁下了笔，所以今天才把这封信写完。

我感谢你，你真鼓励我。我一个人很苦恼，写不出东西来。不像你，你有的是好材料，好文章。你是懒，我是贫。你略略放出一两手，便够我们多少天的咀嚼。我挣命似的想写东西，却没有一丝消息。我羡慕你！真羡慕你!!

我读完了《山洪》，真是一篇好文章，你的针线密，人物真。你很好分析，有时略显痕迹，但通篇而论，还是我们的大块文章。我又读了《还乡记》，那是有力的，男人的手笔。沙汀有深沉的情感，他的情感渗入他的人物内，不用力似的传达给我们。他懂戏，那是更深的人生的“戏”。—— 用思想，用艺术安排好的真实。比起来，我们弄戏的，真是弄戏的了。为我问夫人好，小姐好，弟弟们好。

家宝

（一九四八年九月廿八日）

一九四八年九月二十八日

组缃：

又久不通信，非常惦念你的近况，尤其念着你的写作进展。《绿野人家》已写了多少？我和许多朋友们谈及此事，大家都希望你脱离教书生涯，专心写作。一些与你不相识的朋友也时常问询你这个剧本，可以何日脱稿。

《绿野人家》我已与文华公司谈定。他们十分盼望你能长期供给剧本。现在谈判结果，这部剧本报酬是二千元金圆券，公司可以预先按月致酬一百六十元，交稿后除扣去每月预支之一百六十元外全部付清。此数乃近来可能争得的最高价。你觉如何？请快函告知，以便进行。这个剧本自然需要我们经常来往讨论，总以到自己完全满意为止。你如同意，我们最好在你写成一半时见面，你来我去都可，不过最好你能来沪一谈，你该见见这些优秀的电影的从业者，和他们谈谈。电影厂拍制情形似乎也参观几日才好。

组缃，万万不可泄气，无论如何在教书当中拿出大部工夫写了它。你每月生活费用一百六十元够否？你能否搬到上海来？自然上海找房困难，那么住苏州也不错。一脚踢倒那把教授的讲座，来苦苦地写作两年。我为你心中蓄着那些宝藏叫屈，你该都发掘出来，使更广大的人群认识你。只要你能陆续写，一年写出三部，便有六千元可得，生活费无论如何是够的。我们已过人生之半，还有几年能写呢？

多想想看，这一层请你也告诉我。

大小姐考取了，恭喜！她写一信给我，还客气半天。我不给她回信了，请多致意。

大嫂身体如何？也请问候。

家宝

（一九四八年）九月廿八日

致作霖、培林

一九四九年六月九日

作霖、培林：

许久未通音讯。我到了北平十一天，就参加和平代表团，去了两个月匆匆忙忙在苏联捷克转了一趟，回到北平是五月二十五日，正是上海解放的那一天，一直是惦念着你们，不知在战争期间你们在上海是如何过的，我希望你们没有受到什么惊吓。

我和柯灵收到你们的电报相当迟了，大约因为那地址不十分对的缘故。我们两个住在北京饭店，本想立即复电，又念二三个字说不明白，不如写信的好。

文华公司现在照常进行否？如何进行？我料想，刚一解放，沪上电影界还未见得十分明了现在的文艺要求，或者还不急于拍片。于

【题注】载《影剧新地》1949年9月11日第3期“予友人书”栏，题名《小市民观众问题》。作霖即黄佐临、培林即桑弧。

伶兄想已见到，他自然会有些说明。我们在北平看到东北影片公司出品《桥》，一部钢铁工人积极完成任务支援前线的影片。（思想性很高，东西也很结实，除了微小的技术毛病，是一部很成熟的作品。）如果中国影片将来须一律走向在工农生活中找题材，材料自然异常丰富。但民营的电影事业可能要经过一度整理和准备时期。民营电影过去通常以小市民为对象，编剧、导演、演员对工农生活均不熟悉，恐怕都非下功夫体验一下不可，实地生活一下不可。解放区演戏有一不可及的特点，即“真实”（自然，先将思想内容的正确这一点放下不谈）。看了他们的戏、电影，不能不承认每个演员、编剧、导演，都是未在工作之前先在生活体验这一面作了很深的调查和研究。这一点我们上海的朋友们固然也注意到了，相形之下解放区的剧艺可着实多了。所以如果民营电影也要完成以工农为对象，上海弄电影的朋友必须从思想上生活上都要重新学习一下才成。现在有两种看法，有人主张，不必顾到都市观众，小市民在全国比例太小，该以工农为主，也就是完全写工农，工农尤其是工人，是今日革命的主要力量。又有一种说法，只要立场正确，有了立场，就应该连都市的小市民也一起被教育。前一种意见可以宋之的兄为代表，后一种意见则以茅盾先生为代表。

现在民营电影应该走哪一条路呢？这是我们应该切实考虑的问题。文华电影公司的日后发展有待这个问题的确切的解答。到现在为止，这个都市中的文艺、戏剧、电影的种种问题还没有剖析明白，却是在酝酿着，大家都在想，在研究怎样具体解决这些与解放大城市俱来的小市民观众读者的问题。我料想，在六月二十五日的文学艺术代表大会上可能有一个解答，至少在各种报告中我们可以明白一个方向。对这个问题，我们也可以出来，要求大家作一个讨论，把这个问题弄清楚，把大家的意思集中起来，成一个可以遵守的意见。

这个文艺代表大会很重要，重要之点，在我们更能深刻地了解今日的方向。你们催促我和柯灵返沪，我们也想回来，就是现在为了这些事情一时不能走，大约至早要在此会开毕才能开口说离北平。同时我和柯灵以为作霖应该来北平一趟。百闻不如一见，在中国整个大解放，一切要变成新的时候，不到这力量的源泉所在地，是不容易接触到基本问题、根本的精神。现在各解放区的好戏（包括各种民间戏、歌、舞——都是经过改造的）要在北平示范表演一个月。这会给我们很大的启发。我说这话没有夸张。今日的情况，不认明今日艺术方向，那么日后的摄制可能生些问题，不如今日大家下功夫学习一下好。

文华公司也是很被看重的电影公司之一。文艺代表大会筹备会正考虑邀请文华公司的主持人。总之，能来便来，为着团结，为着了解与学习，为着建设一个新的电影戏剧艺术文化都有来的必要。

祝

健康！

家宝上

六月九日

致《春华秋实》剧组

一九五三年六月十五日

耿震、于民、童超并赴津演出的全体同志们：

首先祝贺你们在天津演出的成功！祝贺你们获得了建院以来第一次远征的胜利！

同志们：你们的胜利成功不是偶然的，由于你们深刻地体会到北京市上级领导指示的精神，努力不懈地坚持了剧场艺术的建设事业，善于总结在北京演出阶段中艺术创造上的心得，虚心地接受了来自观众的批评和建议，发挥了集体主义的精神，不顾旅途疲劳，辛勤劳动，继续加工，使得《春华秋实》从剧本到演出各方面改进得更为完整，因而受到天津市各界人民的欢迎。同志们！你们所以获得胜利成功，是全体同志们付出了无上辛勤劳动的结果！

【题注】据原件排印。原件藏于北京人民艺术剧院。本年北京人民艺术剧院排演了老舍的话剧《春华秋实》。

我们都非常关心天津的演出消息，一次又一次的捷报使我们非常兴奋！你们光荣地实现了全院同志们的期望。我们特代表全院同志向你们致以热烈的祝贺和慰问！

同时也告诉你们一个好消息，我院巡回演出队从六月一日起下工地，已经为三万多工农观众演出了七场，他们的收获对你们也是一个鼓舞。

听说你们除了演出外，还在挤出时间来认真地进行艺术总结，这是很好的，等你们从天津回来和巡回演出队的同志们两路会师。你们彼此可以很好地交流演出的经验，相信你们彼此的经验对于我院戏剧艺术的建设事业将起一定的推动作用！

祝同志们身体健康！

祝《春华秋实》获得更大的成功和胜利！

曹禺

焦菊隐

欧阳山尊

六月十五日

致丁玲

一九五四年七月二十七日

丁玲同志：

奉上《明朗的天》初稿，这部戏写得十分粗糙，主题、人物都有些毛病。因为我院要演戏，催得紧，明知写不好，也只好写下去。几年来，不断受你的鼓励和教导，因此，虽然知道你很忙，我还是把这本很不成熟的东西送上来，请你抽空看一下。给我以严格的批评，使我以后可以写得比较好一些。此致

敬礼

曹禺

七、廿七

【题注】据原件排印。原件藏于中国现代文学馆。

致《雷雨》剧组

一九五四年七月三十日

亲爱的夏淳同志和全体演员及工作人员同志们：

感谢你们亲自给我送来这篮艳丽的花。这样的荣誉来自军委的首长们，无疑问的是由于你们辛勤的劳动，和艺术创造的成功。没有导演、演员，和舞台工作人员同志们集体的创造，任何剧本也不可能有光彩的。我感谢你们，不就因为你们大家——我是说每一个人——都用了心血、精力，促成这次演出的成功，使我增加了信心，为你们写戏。我感谢你们，还因为你们是这样的谦虚，竟把你们大家获得的荣誉让给我。我确实不值你们这样推许的。为了我们共同的戏剧事业和社会主义的文化建设，让我们大家更加倍地努力吧。我热忱地预祝你们今后在导演、演技和演出艺术上更大的成功，并盼望你们每个人保重身体，保持身体的健康。谨致

敬礼

曹禺

一九五四.七.三十日

【题注】据原件排印。原件藏于北京人民艺术剧院。据《北京人民艺术剧院大事记》本日条目记述，本日“《雷雨》剧组全体演职员派代表（李乃忱）将军委赠的花篮送给作者曹禺，并写了热情的慰问信。曹禺于当天给剧组复信。”

致《明朗的天》剧组

一九五五年二月九日

《明朗的天》全体演职员同志们：

《明朗的天》演到今天，已经是第五十七场了。在这段工作时间中，由于全体同志们严肃、认真、不辞劳苦地努力工作，才保证了演出质量；在舞台工作方面，由于舞台工作同志们努力钻研，克服各种困难和与演员同志们的密切合作，才使换景的时间一天天缩短，最近并显著地减少了事故。不少同志在遵守后台制度、遵守时间、注意节约、关心同志健康上，也有很好的表现。由于你们这些努力，使这次演出得到了观众的肯定和好评。这是值得向你们祝贺的。

现在，由于下一个戏一时还接不上来，《明朗的天》还需要演到月底，在这种情况下，希望同志们在舞台监督的领导下，巩固既有成

【题注】据原件排印。原件藏于北京人民艺术剧院。北京人民艺术剧院自1954年12月18日起公演《明朗的天》。

绩，进一步克服各方面的困难，愈加发扬同志间的团结互助，友爱合作，继续保证演出质量，防止舞台事故的发生。在后台制度上希望更能发挥自觉遵守的精神，保证秩序。这些我深信同志们一定能做到。你们一定会胜利地完成这期演出任务的。

最后，我代表全院同志向你们致以深切的慰问。此致

敬礼

曹禺

一九五五年二月九日

致周恩来

一九五六年七月七日

总理：

为了北京人民艺术剧院兴建剧场的事，我痛苦了几年了。“首都剧场”原是北京人艺的剧场。我们辛苦筹办，费了许多心血，但中途为文化部要去，大家多年的希望一旦成空，言之心痛！现在其他剧院都有较好的剧场，而我们用的北京剧场不但早过保险期，而且条件过分恶劣，与其他剧院比起来，实在不平。一到伏天，挤在狭小潮湿的地下室里，许多演员的罐头沙丁在百度高温下化装，一身痱子，往往在台上晕倒。这些演员里，有些应该说是我国戏剧艺术中的高级知识分子，他们的辛勤劳动您都看过。

我们再次向您迫切地请求帮助，把我们筹办的首都剧场归还给我们。附陈较详细的汇报，务请您费几分钟的时间亲自审阅一下。谨致

敬礼

曹禺

五六年七月七日

【题注】据原件排印。原件藏于北京人民艺术剧院。

致邓台梅

一九五八年三月十四日

尊敬的邓台梅同志：

收到您的信，因为一直有病复信很迟，至祈原谅。

非常高兴《雷雨》和《日出》这两本很不成熟的东西，能够由您翻译成越文。您的劳作具体地表现了中越两国人民的深远友谊。我个人感到十分光荣。

感谢您通知我这个愉快的消息。热烈地希望不久能再和您见面。

谨致

敬礼

曹禺

北京1958，三月十四

【题注】收录胡如奎撰：2005年5月华东师范大学硕士论文。文前说明：人民文学出版社于1954年6月在北京发行新版《曹禺剧本选》，书中包括修改过的《雷雨》《日出》《北京人》等三个剧本。1958年邓台梅根据此版本翻译新版《雷雨》。为此，邓台梅写信给曹禺。曹禺于1958年3月14日复信给邓台梅。

致阿·柯索夫

一九五八年九月二十日

亲爱的阿·柯索夫同志：

读到您的信，十分快慰。很感谢您和您的演员们与艺术家们费了很大精神来研究并且准备上演中国剧本《雷雨》。我和我们剧院的同志们都认为这是中苏两国人民深厚友谊的具体表现。我个人尤其感到荣幸。

请允许我答复您提的问题。

我同意您前四个问题的答案。关于这个戏的含意，这个戏发生的时代，以及鲁大海代表的时代精神，我以为您的解释都是对的。

只有第五个问题，我略有不同的看法：

周朴园是由封建家族（大地主）的子弟转化为成功的资本家的。他非常自信，觉得自己十分“正直”，他们的社会也认为他是“仁

【题注】载1958年9月20日《戏剧报》，题名《关于〈雷雨〉在苏联上演的通信》

厚”“正直”的榜样。他根本不可能猜想他的长子与其后妻有暧昧关系。因为，他那样相信自己的道德和尊严。表面上看他的家庭尽管像死水一样，但在他心目中这摊死水决不会腐臭。他以为别的资本家家庭会有这样的事，他的家庭不会发生这样的事。他从没这样想过，他并没有故意“孤立”他的妻子，但他自从把这位聪明、美丽却有些“叛逆性”的小姐（蘩漪）娶过来的时候，就发现他这个妻子不是他所企望的那样百依百顺的旧式瓶花。他失望了，对她冷淡起来。蘩漪总是有形无形地和他的思想、习惯与为人的方法有抵触的。这是“五四”以及所谓“解放”的资产阶级的女性，任性，傲慢，完全活在爱的情感当中，而这个“爱”是在比她岁数大得很多的周朴园的身上得不到的。蘩漪不大和一般当时的阔太太小姐们来往，是一个“孤芳自赏”的女人。这一点也是周朴园认为乖张的。周朴园并不是故意使周围的人觉得她“不正常”或者“疯狂”。而他确实从心里觉得她是如此。周朴园是一个当时社会上所谓最正直的上层人物。而他自己一点也不知道他内心中是这样可怕的、伪善的。

姑且写了上面的话，但我不敢说是对的。请您留作参考吧。

《雷雨》这个剧本太长，需要大大删减。这个艰巨的工作恐怕要放在导演的身上了。

向你们剧院全体演员与舞台工作者致敬，祝你们的演出成功，并继续获得新的更大的成就。

曹禺

送上一些照片，是北京人民艺术剧院送给你们的。

致王仰晨

一九五九年十月二十八日

树基同志：

月来连读您的信，因为一直在头昏目眩，提笔又头痛，就延至今日才作复。最近，失眠好多了，精神也好了一些，感谢你的信，你的信都给了我很大的安慰。

大致安心养病，才能有效。现在每日在海滩晒太阳，打太极拳，站桩，晚间读毛主席的选集，精神好多了，也能睡、能吃了。我无论做什么都过分紧张，因此好终日疲乏、烦躁不安，这一点我才知道要克服。我的病与自己的政治修养太欠缺有关。你若有工夫，给我多提些意见。

整风学习中，你一定很忙。几年来，我拖拖拉拉地病，都未能参加学习，只有赶紧养好病，安心养病，不久回到工作中补课。

青岛风景优美，气候温和，现在十月末梢头了，海滩还有人游泳。我住一小楼上，对面便是大海，晴天丽日，浪涛挟着海风，迎面

【题注】收录王仰晨等著:《王仰晨编辑人生》，人民文学出版社2007年第1版

而来，爽朗极了。但是非常想北京，想首都的建设，首都的人。首都一切是可爱的，离开北京才更体会在北京的幸福。

我的选集如已出版，望寄二三本来，准备送人。书价请由稿酬扣。

谨致

敬礼

曹禺　10月28日

方瑞托代致意。

一九七七年九月十三日

树基同志：

稿[1]收到，改得很好。实在感谢！

1　指《日出·后记》。抄稿中能看出王仰晨所做的一些改动，主要有：一、“它反映了**旧中国**十八层地狱般的半封建、半殖民地**的旧**社会的一个侧面……”，添加了前三个黑体字，删去了后两个黑体字。二、“他们象征着能创造未来的力量——虽然他们备受压迫、剥削，除了一双劳动的手而外，一无所有。”句中破折号原为逗号。三、“新中国成立以后，在党的文艺政策照耀下，《日出》曾重印和上演过（一九五四年，我曾对它做过一些文字上的整理和修改）。”添加了黑体字全句。四、“《日出》是个存有较多缺陷的作品，因此以它的重印和上演，曾一再使我深感不安：正因为这样，出版社要在这时重印这本书，我就不能不做一些认真的考虑，但我终于还是同意了……”这一段，原文是：“《日出》是个存有较多缺陷和某些并不那么健康的情绪的作品，正因为这样，它的重印和上演就曾为我带来不安，出版社要在这时重印这本书，经过一些考虑，我还是同意了……”——底本注。

但有些地方，我又改了一些，又托朋友按格抄了一遍，以便付印。不知好否？

你的腰病如何，十分念念。如是骨刺，请按我告的疗法，即，按桌立起，□转腰部，时时刻刻地勤磨骨刺处，定会逐渐不痛。开始，有点疼，坚持下去，就不疼了。我现在腰痛已经好多了。

祝你和全家

健康、愉快。

附稿件奉上

曹禺　9月13日

一九七七年十二月十七日

……改稿[1]奉上。你的严谨、高度负责精神和你我二人多年的友谊，维（跃）然纸上。衷心感谢！但此话也是多余，这样，反尔（而）见外了。你我都还年轻（虽早已六十有余）[2]，然要保重身体，劳逸结合才是，珍重珍重!!! ……

1　1978年版《曹禺选集·后记》。——底本注。

2　曹禺时年67岁，王仰晨时年56岁。——底本注。

致李致

一九七八年十一月二十三日

李致同志：

迭奉来电，昨日已航挂寄去《王昭君》(《人民文学》)两本，内有付印本，改动较多，请以此付印。如仍有错讹，切望代为改正。近影昨已托人摄照，若有可用的，当即寄去。《王昭君》的手稿，多请人抄写，若必须我的亲笔，只好抄一两页奉上。另，有几个意见，不知可否斟酌：(一)此剧的普通本，能否早印出来？因索取者较多，有单印本更好一些。(二)可否由你社请人做些插图。最好请画家仔细读了剧本再画，如画得不满意，便不做插图，也可。[1]

《胆剑篇》正改着，印刷格式可与《王昭君》一样。我于二十九日飞沪，离京前会把《胆》剧，航寄给你。

【题注】收录李致编：《曹禺致李致书信》，四川教育出版社2010年第1版。

1　在《王昭君》中插图，是曹禺提出的。出版社请了一位著名画家画插图，但不够满意，又改请青年画家徐恒瑜绘画。曹禺很满意徐恒瑜的插图。——底本注。

在京事仍杂乱。但赴沪也未必能闲下来，大治之年，还应为社会主义建设多做些工作，但总以干本行、写剧本为是，不要弄些“少慢差费”的事情缠住自己。

不多谈了，还应忙去！

敬问

安好。

请阅后面！

曹禺

七八，十一，廿三

在我寄去的《人民文学》的印付本上的第42页，第一栏的最末一行，王昭君说：“……一飞就是九千里？……”这个“千”字应改为“万”字。我查了庄子的《逍遥游》才发现这个误讹，务请改正！

一九七八年十一月二十九日

李致同志：

奉上相片[1]。

抄稿[2]容后寄，实在太忙，未写成，明（30日）我将起飞沪，大

1　指拟用在《王昭君》书上的作者近照。——底本注。

2　指拟用在《王昭君》书上的作者手迹。——底本注。

约十天即回京。

祝

好!

曹禺

七八,十一，廿九

此像是《人民日报》摄影组张雅心同志所摄，如能用应印出他的名字。

一九七八年十一月三十日

李致同志:

前奉上肖像一张，系《人民日报》摄影记者张雅心所作，此张已向国外发出。若能用，请刊印“张雅心摄”字样。这是他的创作。

另文稿，我由沪返京后，再誊写一张给你。

祝

好

家宝[1]

七八,十一,三十

1 曹禺姓万，名家宝。——底本注。

一九七八年十二月三日

李致同志：

奉上手稿两页，看看是否能用？

你真能追！居然把我追到上海，也不放！

真是个了不起的出版家。

祝

好！

曹禺

78.12.3

王昭君：（望着墙外的青天）

母亲，你生我为何来？难道这青森森的宫墙要我来陪伴？难道这苍松、翠柳、望不断的栏杆要我去看管？啊，这一天三遍钟，夜半的宫漏一点一滴，像扯不断的丝那样长。姑姑啊，你错了打算，欠商量，急急慌慌把我送进这三丈八尺的汉宫墙。

姑姑啊，你的“德言工容”说得巧，难道我必须在这里等待，等待到地老天荒？一个女人是多么不幸。生下来，从生到死，都要依靠人。难道一个女人就不能像大鹏似的，一飞就是九万里？难道王昭君，我，一生就和这后宫三千人一样？

见皇帝，我已经不再想。就是见了皇帝，又能怎么样？我只想，我只想——我想什么？我想什么？我讲不出，我也不敢讲！

盈盈和戚戚慌慌张张走上。

盈　盈　坏了，坏了！孙美人出来了。

戚　戚　她来了，向我们这边来了。这一定是看门的宫娥看热闹去了，忘记了锁门。怎么办？怎么样？

王昭君　那有什么？她出来看看，不好么？

盈　盈　可她是疯子！

戚　戚　她，她……

有个声音尖尖地叫着："孙美人到！"

一九七八年十二月三日

李致同志：

明晨当再写。

草稿按你的排法，重抄一遍。

曹禺

78.12.3

一九七八年十二月三日

李致同志：

早晨奉上一信。此时才见来函。我完全同意你建议如下的排法，十分好。前信的草稿做（作）废。

曹禺

78.12.3下午

王昭君:（望着墙外的青天）

母亲，你生我为何来?

难道这青森森的宫墙要我来陪伴?

难道这苍松、垂柳、望不断的栏杆要我去看管?

啊，这一天三遍钟，夜半的宫漏，

一点一滴，像扯不断的丝那样长。

姑姑啊，你错了打算，欠商量，

急急慌慌把我送进这三丈八尺的汉宫墙。

姑姑啊，你的“德言工容”说得巧，

难道我必须在这里等待，等待到地老天荒?

一个女人是多么不幸。

生下来，从生到死，都要依靠人。

难道一个女人就不能像大鹏似的，一飞就是九万里？

难道王昭君，我，一生就和这深宫三千人一样？

见皇帝，我已经不再想。

就是见了皇帝，又能怎么样？

我只想，我只想——

我想什么？我讲不出，我也不敢讲！

一九七八年十二月四日

李致同志：

昨日两信，谅达。

今又奉如你们要排的式样的手稿奉上[1]，看看能用否？

祝

好！

曹禺

1978.12.4

---

1 曹禺剧本的语言富有诗意，特别是有些独自就是诗。如果按新诗的排法，如《家》中觉新、瑞珏的独白分行排，效果很好。李致发现《人民文学》所刊《王昭君》中有一段王昭君的独白是连排，遂向曹禺建议改为分行排，曹禺欣然接受了李致的建议。——底本注。

一九七八年十二月十七日

李致同志：

十六日飞京。王昭君（《王昭君》）仍在改中。容后寄。但剧本中“献辞”有一句必须改为“我把这个剧本献给祖国国庆三十周年，并用它来献给我们的敬爱的周总理”。

第二个“献给”，原为“纪念”二字。

务请改过，十分感谢！

谨致

敬礼！

曹禺

78.12.17

《胆剑篇》[1]是否再印？望告。

1　指《胆剑篇》单行本。《胆剑篇》是曹禺与梅阡、于是之1960年创作的五幕历史剧，由曹禺执笔，1962年由中国戏剧出版社出版。——底本注。

一九七九年一月十四日

李致同志：

一连收到信和书并长途电话，感谢！

我实在忙得可以，不仅是各种会要开，而且各种必须写的稿件要写。

天天欠债，天天焦头烂额，以致忘给你寄信，无论如何，不回信总是错误的。请原谅。

《胆剑篇》改稿，过些天才能寄去，又耽误一段时间，这一年会比你我所想的还要忙一些，以至快成了一个“大人物”了，这种架子实在不好，确是坏作风！

问

你好，全家好！

家宝

79.1.14

一九七九年三月二十四日

李致同志：

《王昭君》新本收到，此书印得十分精致，见到的都一致说

“好”。这要感谢组织工作者，印刷工人师傅、校对、设计、插图艺术家，以及所有的工作者们。这样迅速刊印出来，足见你社工作效率高，团结、合作好[1]。李致同志，你的话确是算数的。

《胆剑篇》正在付印中，我既忙又病，年近七十，此地工作杂琐异常，因此，耽误较久，但今后当尽力赶出寄去。

我们用了《人民日报》摄影记者张雅心同志创作，不知按规定有无些稿酬?

我等候《王昭君》的一百本。

感谢！问

安好

曹禺

79.3.24

一九七九年四月六日

李致同志：

请按《王昭君》单行本排印、校对。[2]

---

1 出版社总编室曾打印此信送有关部门，大家对曹禺的感谢反应强烈。四川新华印刷厂工人反映，我们印了很多书，只收到曹禺一人感谢。——底本注。

2 指《胆剑篇》单行本。——底本注。

另有航空信奉上。

祝

好

曹禺

四月六日

一九七九年四月六日

李致同志：

得来信慰病，甚感。我患心脏病，但不甚重。请放心。

《胆剑篇》已奉上，航空寄去。略有更改。希望你们在排字、发稿时，仔细校阅，看出错字与不妥处，即请改误。

如何排印，我有些意（见），请求考虑。

①《王昭君》单行本印得很好！可否即依该本的排印与字体、大小，种种，排《胆剑篇》。

②《胆剑篇》的插图，不必再用原图，可否请人再画。但须印得清楚些。

③请也印一些精装本。

《王昭君》单行本至今在京书店不见，不知何故？

你们这样印，是否赔本，我很担心。[1]

---

1 《王昭君》1979年2月出版，当年10月再版。——底本注。

贵社寄给我的稿费，我已如数收到，请转告，并致谢意。

我的新剧本尚无消息，现在既忙且病，须日后病愈，空闲时再寄。该本如能写成并发表后，是否仍请贵店印单行本，一定好好考虑。一时尚不能决定也。

各印刷所乱收一些旧稿[1]，开始很热烈，现已不知下落。我又记不得哪些文章给予何处，我打听一下，再向你报告。向你一再致意，十分感激。

《王昭君》印得那样好，我到处宣传。朋友们都很欣赏，大约稿子将源源而来，你们的努力是没有白费的。

祝

好

家宝

七九,四,六

一九七九年五月十一日

小棠[2]：

听说你来，十分高兴。我今午有要事，须外出，约过两小时可

1　指曹禺的一些评论和散文，出版社拟结集出版曹禺的《论戏剧》。——底本注。

2　李致去北京看望曹禺，曹禺外出。这是曹禺给李致留的条子，但把名字写错了，小棠是巴老儿子的名字。——底本注。

返，望你等等。

实在抱歉！

家宝

一九七九年五月十一日[1]

一九七九年十二月

李致兄：

来信收到。

承你多方帮助,《王昭君》与《胆剑篇》的精装本终于准备好，十分感谢，奉上我的近照一幅，留念。

《王昭君》精装本也寄去，请收下。

家宝

79.12

一九八〇年二月二十日

李致同志：

前承致意由四川出版社出《曹禺选集》，我完全同意，但所选剧

1　原件没有日期，日期是李致整理时加上的。——底本注。

本略有更改，内容是：

①《雷雨》

②《日出》

③《北京人》

④《家》

⑤《王昭君》

共五个剧本。

前曾告你的同志（我忘记名字）说选《胆剑篇》，我仍觉得《王昭君》（这是粉碎“四人帮”后作，且系周总理嘱托）为宜。务请不要选《胆剑篇》。

祝

好！

曹禺

1980.2.20

承印《王昭君》精装本，实在美，实在大方，出国赠送，为国增光，请告所有协助工作及印刷同志，感谢之极！

通信地址：上海复兴中路一四六二弄三号李玉茹[1]转。

---

1 李玉茹，京剧表演艺术家，曹禺夫人。曹禺的晚年，得到李玉茹的精心照顾。——底本注。

一九八〇年二月二十八日

李致同志：

得来书，我仍赞同去年我们商洽好的计划，即一本一本地出，最后成盒。

我原说出选集，是听你在京的代理人，说出选集，我才提出这个计划。并非我原意。

你们的印刷工人与校对，尤其是编辑与负责同志，十分负责，令人感激备至。请一一为我致谢！

我三月十八日赴美，五月初回国，返京后，多做一些文字工作，不再想跑外洋了。李玉茹同志托我问你好。我常向她谈你。她十分想见你。

家宝

80.2.28

关于版权问题，过去的书可以不必管了。因为文学出版社已出，不便收回，但如他们要问你们为什么印我的书，我可以商谈现在出版法未定，已谈不上版权问题。

至于以后书籍，如你们单独印刷，我们再商量，好否？

我于三月一日即飞返京，与玉茹同行。

一九八〇年某月八日

李致老友：

前枉驾[1]来舍，未遇，至以为歉。屡谋电话一谈，你处[2]保密，只好通信。

请于每日清晨或中午来电，约时相见。

如我仍不在家，务请告知电话号码。

家宝

八号

一九八〇年九月十五日

李致同志：

前两天我接到四川人民出版社编辑部一位蒋同志[3]的信，他向我要《日出》《北京人》的剧本，要我改好，定稿的本子。

1 枉驾，指曹禺约李致到他家，他又因“急事”外出。——底本注。

2 你处，指李致在北京所住招待所。——底本注。

3 指四川人民出版社戏剧编辑蒋牧丛同志，曹禺在四川出书的责任编辑。——底本注。

我现在太忙，实在没有时间再看这些旧东西，你们如果想单印我的剧本，就按照人民文学出版社的本子就可以。

千万不要等我。

我很想念你，问大家好。

家宝叔

9.15

一九八〇年十月十一日

致兄：

收到你的信，你不来北京了，我却到了上海，住复兴中路1462弄3号，我的爱人[1]处。

来上海是为避开忙不完的琐事，想第一，干本行，写剧本主要是按巴金的意思，把《桥》[2]的下半写完；其次，修改所有过去的剧本，算是一个定稿吧；其三，如可能，写个新的，或独幕，或多幕剧，限期在明年秋季完工，因为1982年秋，可能要到日本一趟。

这三件事做起来，可以从今日忙到离国，也未必做得完。但时日

1　指上海李玉茹家。——底本注。

2 《桥》，是曹禺在二十世纪四十年代没写完的剧本，前两幕发表在当时的《文艺复兴》杂志上。巴金一直鼓励曹禺把它写完。——底本注。

不待，只有拼老命干。我想问你几个问题：

一、前次送寄的《雷雨》与《原野》修改本，你收到没有？何时付排？排后，我要看清样，因为错误还是很多。你社的编辑部，看到，也请为我修改。

我不知对印《戏剧集》具体的安排。时间表是怎样的？我猜，你社的书要排印的，很多。是否排得上号？我问这话，致兄，我确实不着急。因此，我从不讲在1983年要出《戏剧集》。因为我看，你的肩上，工作挤压得重，时间又急迫，到时，是不易完成的。你和我都难办到。虽然，“生死恋”[1]的决定是敲定了。我看，可能只有往下推。

其实这无关紧要，我就想知道你社是否有个具体的安排？有个时间限制？到时，我可以“应卯”。

当然，到1983年底，若能印出，还有两年工夫。但，为期也不算太长。我现在明白一件事，即，乘精神、体力还好，赶紧补过，把从前浪费的时间追回一点，写点东西，由你出版。

二、目前《日出》修改本快搞定了。你如不急，我便缓缓。先把《桥》后半，写出来。这也要费时间。还不知究竟能否写得出，我想把这个戏写到解放前。

三、感谢你，送我很多《胆剑篇》。感谢你的深情厚意和“有求必应”，使我想起童年时在我父亲衙门里的后荒园中的神树，上面悬

1 “生死恋”，《生死恋》是当时上演的一部日本电影。曹禺以“生死恋”来形容他和四川出版社的关系，即他的作品，无论过去的、现在的和将来的，都交四川出版。——底本注。

挂着很多小小的匾和红布，上面一律写着“有求必应”字样。

四、我不明白你为何不出川？是否你的病还是相当重？我以为，你要适当地做些运动。我常游泳，现在心脏病，反尔（而）好些。运动过力，那当然犯心绞痛。你不能游泳，打太极拳，常走路，比光躺着，好得多。

然而，跑出医院，大量办公，且无休止。只等到又病倒，非进医院不可。即便一次比一次重。真得注意。

我最近常想，好人少，好朋友更少，谈得来的朋友也少，因此朋友如你，有病，便担心，这也是自私心重吧。总之，我不愿意听见你病。蒋同志来，问他，他说不清楚，但总似乎你对工作放心不下，没有人为你负责，只好自己强勉出来干。真是如此？蒋同志并未说多少，我奇怪，我总有这样感觉。

真想见你谈谈，也许待我到八十几岁，你也老了，我再到四川看看你和其他的朋友。不过四川的朋友都出来了。我是一个孤寂的人，虽然，别人见着我，我总是好说笑，然心里空空的，我常想，这大概是缺乏感情的缘故。仿佛还有什么事要说说的，却又忘了。祝你健康，全家都好，问嫂夫人好！

家宝

1980.10.11

十一月将开人大，我将与老巴[1]一同去北京，那就是十一月中旬或下旬。听说，巴金已归来，我还未去看他。

玉茹嘱笔，告我向你问好，注意健康！

一九八一年三月十日

李致：

收到你的信，嘱我把剧本全交四川人民出版社出版，我现在已告中国剧协赵寻同志（他是第一书记）我的决心与过去如何答应你的情形，他已完全同意。现在我们可以说正式约定了。

你说的工作，即，把《雷雨》等书校刊一遍，我即着手。中国戏剧出版社已出《雷雨》单行本，样式、纸张，极潦草，我是剧协主席，始终不愿发表意见。今后，我要嘱他们不必再出了。

你说加插图，那自然好，但万不可用任何剧团的剧照。过去，这件事情有负你的盛情，我是很不安的。

新序或后记，我不想写了，因为实在无心思写。我的时日不多，颇想写新剧本，发表后，由你社出版。

各处欠债多，必须写点东西还债。但希望今后写出的东西还是看得过去的。

致兄，我希望重排，字要大一点，如能与你社的《王昭君》一样，

1　老巴，即巴金。——底本注。

再出几本精装，就太好了！祝好，问致嫂好！

家宝

1981.3.10

玉茹托笔问好。我们真希望见见你。

一九八一年三月三十一日

李致兄：

得来信。

已告剧协我将在四川人民出版社出全集。剧协已印了剧本，已出单行本二种，我告以不再版，卖完即可。

现在学习很紧。

俟工作略告结束，即把《雷雨》仔细校看，邮寄你。

实在忙，不多写了。

祝

你好，嫂夫人好！

家宝

1981.3.31

一九八一年四月二日

李致兄：

最近看了《原野》的电影，我们都觉得还好。如果能在国内上演《原野》剧本，想必有人要看。

我有个意见，先印《原野》，以后印《雷雨》《日出》等，你看如何？

你如同意，我即找本《原野》校刊一下。不同意，我仍持原议，校改《雷雨》，寄给你。听候你的复音。

最近芾甘[1]来，我们常见面，他将于21日飞沪。

问全家好，问夫人好！

祝

好！

家宝

一九八一年四月二日[2]

你何时来京？最近你社出版情况如何？四川人民出版社是很多作家愿意送稿子的地方。

---

1 芾甘，即巴金。——底本注。

2 原书信没有日期，此为李致收信时加的日期。——底本注。

一九八一年五月二日

李致兄：

收到你的信，事情较忙，复信晚，十分抱歉。

我赞同由四川人民出版社出《曹禺全集》，内容除了剧本外，还有什么，我还不敢定。好在还有十年，我想，从现在71岁到81岁，还有十年。这十年，我想再赶写点东西，剧本或其他。我的议论（关于剧本与编剧意见）与散文（我不会写散文，也许今后可以学，学着写好一点的东西），也许可以包括进去。

我从不留底稿，也不留剪报。我将来有文章，较好的，我会剪下，寄给你们。但目前，你是否托人代为收集一些？看看有否值得印的。我的《迎春集》，几乎没有什么可留下的。我的讲演，经我整理修改后，有一部分可以印。我看全集，先不要预告其中有什么内容，不知你以为如何？

我已校对好《雷雨》，用的是戏剧出版社版本（印得最糟，是一种不大用心的，甚至是全不用心的版本）。但做清样用，还是可以。现随信挂号寄去。我校对不仔细，希望你看出毛病，再改正。

我正在校对《原野》，根据是芾甘的文化生活出版社的本子，好容易才借来这本。借主凤子[1]，希望改了后的《原野》旧本，仍还给她。

1 凤子，剧作家。——底本注。

不知办得到否？

我非常高兴，看见四川人民出版社在《人民日报》上，受了赞扬，这是你和四川人民出版社的所有工作者应得的荣誉。我以为四川人民出版社是中国人民的出版事业，有远见，有干劲，严肃、负责的好同志才能办出这样的事业。

听见你有心脏病，我十分吃惊，惦念。你是心怀宽敞的人，不应有此病，大约你太累了。或者困难多，事事都要操心，才使你病倒吧？你一定要完全（但也不一定，这要问医生）疗养好，才工作。如心脏病不太重，仍应散步，打太极拳，做些运动，才好。你信中字里行间露出要赶紧工作，怕迟了的情绪，这不好，不符合事实。你绝不会如你所想的那样严重。你会完全恢复的，你会做出不少，不少的事情！这是无疑的。请你为日后更多的大事要做，保重身体。劳累了，必须休息一阵。我曾如此告芾甘。然你比他又年轻多了！

我于五日将赴扬州，十日前即返京。时间短促，还得在那里说几句话。其实，本想在那里，略事休息的。

《原野》校完后，即寄去。仍请你和你的同事们改正。

祝

你好，嫂夫人好！

家宝

1981.5.2

一九八一年五月十三日

李致兄：

连奉两书，回京后始读到。关于《戏剧集》《戏剧全集》《全集》，我以为用《曹禺戏剧集》较妥。我写剧不多，只有九本（除写了一半的《桥》外），称《全集》颇可笑。《桥》你若能弄《文艺复兴》刊载《桥》两幕两期给我，我很想，据巴金意，续写成一个整剧，那也不过十本，若用《戏剧全集》似乎有广告性，但不大实在。其他，我试想三个路子：

一、今后，七十一岁后，要多写“戏”。能多少，便多少。我意至少五本，到八十一岁。

二、独幕剧集，我记得曾改编《镀金》两幕，若谋来，看看可否列入。如今后，能写些独幕剧补入，也未可知。总之，我六月后，除必要的社会活动，开会外，我不想参加了。

三、关（于）《论戏剧》，据说零散的有一些，不知你社能否代为收集一下，挂号寄给我校读，再挂号寄回？我素不留剪报。四川大学中文系出了中国当代文学研究资料曹禺专集，上册有曹禺著译目录，但谈创作似亦不多。也许，日后再写一些。过去文章总要先看看，是否能用，不知也。我正修改《原野》，此本较难。需一些时间，无论如何，我当尽力在这两年把你所定的剧本校毕出版。然而，必须你与你社大力支持，各方寻觅资料，提出意见，才成。

你身体好，但轻了十几斤。似亦不妙，若是运动减食，以至于此，还好。不然，仍宜再查验。你说，怕两年中有事务变动，因此，急需刊印拙著，想后继无人。我是十分感谢，并同意的。如能在二年中出齐，当然好。但夜长梦多，事与愿违，也是可能。我目前手下无《蜕变》《胆剑篇》，前半年，你社似寄一批《胆剑篇》，后遍查家中书柜无着，不知何故。

电影剧可不收。今后若写新剧，将发表在期刊（《收获》我欠债甚多，其他刊物也不少），但书必在四川人民出版社，你说出大32开，分精、平二版本，书前有作者照片及手迹，插图3~5幅，都想得极周到。

匆匆，再致谢忱。

祝

你好，祝全家好！

家宝

一九八一，五，十三

北京

一九八一年五月三十一日

李致兄：

《原野》已较仔细地校对，并改动一些地方。这本子是十二版（文化生活出版社）。我虽尽力用心改，但仍恐有不少错误。你太忙，请你手下的编辑们细看一下。我忽发现写此剧本并非为了写“复仇”，而是为了写“农民受尽封建压迫的一生和逐渐觉醒”，我当时的觉悟不过如此。我很想在新本后，写一个短短的后言。如能今年内出版，最好。因为此电影大约最近在国内发映。《原野》重读，使我惊异昔日胆子确大，今日都大不如从前了。我将继续写剧本。

改动大处：

①大星的形象；

②“鼓”改“磬”声；“老神仙”改为“老道姑”；

③“洪老”改为“老魏”；

④有些句子改动了。

但绝大部分保留原样。

我的年轻时照片正在各处觅寻、翻拍，即将寄给你。

问嫂夫人好！

问全体编辑好！

问你好！

家宝

1981.5.31

我十分挂念你！你如得闲来京，我们将畅叙一下。

一九八一年八月二十八日

致兄：

久未奉书，十分怀念。日来身体如何，□前由蒋君[1]告知，你体重轻了，这是好事。但还是不要过劳。四川人民出版社的工作，看来极繁重，深深希望你量力而行，不要坏了革命本钱。

九月将到，你说要来京，不知何日实现，颇想见你，一倾积愫。近来事多，我愿少理，但终于拉去，真不知如何是好。

我想今后，尽力杜绝琐事，致力于《戏剧集》[2]，并补写《桥》的后一半。如可能，写点独幕剧，试试，究竟如何，尚不可知。

总之，时间不多，年过七十，如再不赶写点东西，将遗憾终生。

幸有你鼓励我，你多年对我的深厚情谊，催我前进。如今，“当面输心背面笑”的风尚，实不可取。我想，早晚，社会上这套西洋把戏应该拆穿，也必须拆穿！

祝

你和嫂夫人好！

家宝

1981.8.28

1 蒋君，即蒋牧丛。——底本注。

2 《戏剧集》，即《曹禺戏剧集》。——底本注。

收到《王昭君》再次稿费四百零五元，谢谢！

一九八二年二月七日

致兄：

两个月前，给你写了信，只写了一大半，便搁下。以后发高烧，进医院，高烧后，想续写，托孩子们把未写完的信找来，又找不到。现在只好重新写信。

我十分想念你，十分想知道你的近况。久未通音讯，仿佛我们许久没有见面，已记不清，我们前次晤面是在去年哪一月。这次病后，忽然感到疲乏、衰老，医生说还要动手术，把胆结石取出来。若再拖下去，日后愈弱，胆囊炎病重，则手术后，较难愈合。

总之，病后，颇想念老朋友。现我仍在北京医院，养息，等待手术。

关于我的全集问题，我是早和你商定，明确由四川人民出版社出版的。前曾邮去《原野》修改稿，希望能早些看到清样，我再亲目校对。最近我的记忆力益发差了。不知四川人民出版社究竟收到没有？

我还准备材料，续写《桥》，也可算做一本戏。不然这个戏只写一半，便放下，究竟可惜。我很想知道四川人民出版社关于出全集的安排，我好按时把我的旧剧本，一本本修改好，寄给你。

前一阵，有人以个人身份，劝我同时由中国戏剧出版社，以上、中、下三册出我的全书，硬说这种办法与四川人民出版社出全集，并行不悖。我当即严词拒绝。我告来人，我已完全答应四川人民出版社出全集，不能更改。一年前，该社副主编陈默同志与其他编辑来我家商谈同时出版，我早已声明不能同意。不知忽然又有这种劝说，现在究竟搞些什么？

我怕中国戏剧出版社，又不顾我的主张可能来和四川人民出版社磋商。如果有这类事情，请你告诉我，我将和他们直接谈判。作者的书应都由作者本人决定出版的地方。这是作者的权益，不能强勉。

致兄，我总感觉，你那方面似有些困难。我想起你说的一句笑话，“生死恋”。任何他人无权干涉“生死恋”的自由。

我未复信，很久了。我对不起你。病中更希望你能写几个字给我。

出书是小事，我还是惦记你的健康。有精神，告诉我，你的身体如何。

问嫂夫人好，全家好。

祝

早日康复。

家宝

1982.2.7

如立刻复信，即请寄北京　北京医院北三楼307室曹禺。如收信迟了，请寄北京木樨地22号6门10号。

一九八二年二月二十三日

致兄：

收到你两封信，并《书友》。

巴老十卷选集[1]修改本都已寄给你，我更应从速寄去《戏剧集》修改本。

这两天，我正在北京医院等候胆切除手术。不久，即把《日出》修改本寄四川人民出版社。我大约在北京医院医治一个月。以后或在上海疗养。你来信，请寄北京人民艺术剧院转给我。我出院后的地址，北京人艺会知道，转寄。

你最近短笺，看来是你的亲笔。想你已上班了。十分惦念你的健康。请代问嫂夫人好。全家好。

祝

工作顺利。

家宝

1982.2.23下午

1　即《巴金选集》（十卷本），四川人民出版社一九八二年出版。四川人民出版社以一年的速度出齐，这在当时实属不易。——底本注。

一九八二年六月十六日

李致兄：

你好！

有两件事，须麻烦你：

①我前一阵，寄旧剧本的修改本和信给蒋牧丛同志都无回复。我怕万一邮失，又去查。若丢了，即便太可惜。务请告牧丛速回信，收到哪些本子和信？我曾请他提意见，也未见复。

②我的女儿万欢[1]放暑假，她将来成都，并游峨眉、乐山等地。她无处住。你能否介绍一个地方住？不需要钱，更好。要钱，就得少一些。她是学生，简陋点，是无妨的。她吃食自备。请你想个办法，立刻告诉我，或介绍另一个朋友，我再写信去。

（她由北京到西安，再转道到四川。）

其次，女儿还想到西安，我无熟人可找。这也是个住处问题。你有熟人，可否为她谋一住处，住房要便宜。她在西安是参观，住不了几天。如你无办法，我再托京中朋友，看看有无办法。

③我十分无礼，用这些琐事相烦。听说你病了，才由京返川，究

1　万欢，曹禺的小女儿。一九六四年在北京，李致上班，万欢上学，同在一个车站等车。万欢是少先队员，活泼可爱，李致在共青团中央《辅导员》杂志工作，自然就认识了。同年暑期，曹禺陪巴金的女儿李小林来团中央宿舍看李致，带着万欢，原来就是李致在车站认识的小姑娘。——底本注。

竟好了没有，我十分惦念。请你告诉我现在的病情，是否已见好？

④你如在病床上，请告诉秀娟复信。欢子的事，如无办法请即告我，我再想办法。

叨在至好，我才如此麻烦你。一切，都原谅我吧。

我正在改写《桥》，在上海有材料，有些好意境，似乎今年年底，这部新剧本可以完成。但需要安静与时间，不能受干扰。因此北京人艺30周年纪念，我不参加，全国文联的会，也不去开了。其余《明朗的天》《王昭君》《胆剑篇》，因无须大动，暂放下。但如急要，我放下《桥》的写作，即把这三本东西略事修改，寄去。

以上都请您或你的秘书书告诉如何处理。请即复信。

最近许多事，都不大愉快。容我见着你，再细谈吧！

敬祝

健康并问秀娟好。

家宝

一九八二，六，十六

一九八二年六月二十日

李致同志并转牧丛同志：

我去了几次信，都未见复。

我只是急于想知道前几次航寄的书与信，究竟收到与否？文化生活出版社的几个旧剧本约五本,《雷雨》《日出》《蜕变》《家》与《北京人》，都费点精神修改的。遗失了，不只可惜，是我再无精力做修改了，请务必复信，以慰下怀。

现已仔细读完《王昭君》，只改一处。即《献辞》中第一行“感谢华主席和以华主席为首的党中央……”，把“华主席和以华主席为首”的字样删去，改为“感谢党中央”，就成了，即可发排。我就不寄《王昭君》的修改本了。

前托寄来《胆剑篇》简装本两本来，不知何时才寄到上海？来了，即修改，寄去。我已觅得《明朗的天》，不久也修改寄去。

我正在写《桥》，前半（前两幕）也要大改动一下，好与此时准备写出的后半协调。我不参加北京人艺卅周年纪念，也不开全国文联的会，只为了专心致志写这本《桥》。现在正收集资料，写片段，想结构中，确有些吃力。我答应给《收获》发表。但写成此稿，今冬未必能脱稿，大约从现在起不断写，明春末可写成。我很喜爱在《文艺复兴》杂志发表的旧稿两幕，那是用了极大精力、体验生活、收集资料写成的。因此，如印成为书，希望在新剧本后，附印登在《文艺复兴》上原来的两幕，不知可否？

此外，我希望你们能帮我收集一些资料。因《桥》整个地点是重庆。重庆在1943年（也不一定限在1943年左右，只要四川的各种报告文学、生活琐事，街头巷尾的生活小书都要）前后的世态、风俗、言语。袍哥的用语和生活、各种小（吃叫）卖声，滑干（竿）上路，前呼后应的行话，孔祥熙或其他要人的贪污案件（案件大，已被进步报纸披露，却又被蒋家王朝草草了事，但为进步人士大加攻击的丑闻种种……）又如重庆或上中等人住的房屋（在嘉陵江边的）与在歌乐山上的最讲究的别墅或南岸山上孔祥熙与四大家族为他们自己盖的最阔绰的别墅，或为他们的情妇添置的别墅，这些别墅详细描写或他们如何豪华的布局与他们生活与排场。

我已有的这种种材料，都不够，需李致兄牧丛同志大力帮助收集。

我听说重庆文史资料有这类材料，成都文史资料，也未尝不可。但这类文史资料不可能借出。还是要收罗那些街头小店的书籍，小通讯。最好，能找到这段抗日时期的小说，描写重庆或成都的小说、报告文学均可收。画报更好。

如不能收集，不能寄来，可否告我这些材料的名目，哪个书店出版？我好在上海去找。(《雾城斗》一书，我已看，这类解放前地下斗争的书，我不大需要。）在成都的四川抗日时期的生活、风俗、习惯，也未尝不可。

实在麻烦，但也确不得已，只好麻烦你。可否托一位老重庆搜集一下？

你们都忙，不知行否。如困难，就告诉我，我还是可以另想办法的。

前请李致兄代为万欢来成都时觅一暂时住处，不知可否？务请李致兄即复，极感。

十分感谢。敬祝

安好。

家宝

1982.6.20

附　第二信，在未收到牧丛信前的信。

一九八二年六月二十一日

李致兄：

我托你代为收集资料种种，这只可当作闲话，万不可当真，你们的事如此忙迫，我还在加重你们的负担，这确是太不成话。其实这些资料，我可以找上海的四川朋友寻问。巴金老了，且忙。实在无办法，我找他托人帮我，也不难的。

只有一件事，请你费心。女儿万欢暑假中要到成都、峨眉一游。她问到李致叔叔能否代觅一暂时住处（房费最好便宜一点）。她是学生，随处都可以将就。请你给我复信。万一有困难，我可以再想别的办法。但务请及早复信。最好能详细讲一下，如何接头，何时接头种种。

实在麻烦，甚感不安。

敬祝

安好，问秀娟同志好。

家宝

一九八二,六，廿一

一九八二年十月二十日

致兄：

感谢你和四川人民出版社托牧丛飞京带来《原野》，得到新书，十分喜欢，装帧美、大方，印刷讲究，插图有几幅很好。

即将赴日，十一月四日即返京，玉茹和我同行。

回京后总有些事，但总要找出时间赶写《桥》或者别的什么。

闻牧丛说，你身体甚好，我很是欣喜。但总宜劳逸结合，为日后更好地工作，更多地工作。

送上我的字，甚丑。叨在至好，不以为丑也。

家宝

八二,十,二十

一九八二年十二月十日

李致同志：

闻你已来沪探望叔叔，又听说你将进宣传部[1]，不再搞出版事业。

1　李致原为四川人民出版社总编辑，一九八二年底奉命调中共四川省委宣传部工作。李致热爱出版工作，但又必须服从组织调动，后兼任四川省出版总社社长。四川文艺出版社完成了《曹禺戏剧集》的出版工作。——底本注。

此亦意中事，是不可抗拒的历史发展。从四川人民出版社想，是大损失。也许从整个的大事业看，这样安排很正确。

我经常思念你和牧丛，有你们这样有心人搞出版事，人们是愿意多写点文章，为读者看。作者也可以欣赏一下自己的东西装潢在美丽、高雅的版本里。

似乎《蜕变》早已航空挂号由沪寄往牧丛，请询问一下。请珍重身体，不要发胖。

家宝

一九八二（年十二月十日）[1]

一九八二年十二月二十二日

致兄：

十二月十二日信由玉茹转到，听说芾甘已能适应病房环境，稍觉慰安，然此次跌伤，如大病一场，真是伤些元气。我一俟痊愈，即飞沪看他，当然也无用处，只是见他一面，谈谈，总好过一些。

巴老总是关心朋友，病中还嘱你出书事。其实，使我最着急的，倒是目前，迟迟未能动笔，不能早些把《桥》写出来，使他徒徒关怀，不见成果，觉得对不起他。

---

1 原书信无具体日期，依据李致收信时的记录。——底本注。

你说出我的剧本，要负责到底，我是很感谢的。一生总想写一点确有点水平的东西，而今，却有思衰力竭的样子，很不甘心，这几天，病下来，知时日不多，确是明白生命的意义在于有点东西，拿出来，而不在于取求什么了。

明年一年度能否把稿子出齐，看现在病状，可能有点问题，但如能在明年一月初即赴沪，在上海又能安心写作，也许明年二季度末，会交出全部稿子。其实，明年能否出版，并非大事。晚些出，毫不足虑。只希望在你亲自关注下能印出书来，无论何时，都是次要的。

你心脏好，眼无毛病，这都是好消息，一患重感冒，头很昏沉，似你的健康状况还不如我，你要求自己严格，平日工作太重，这大概是根本缘故。

工作惯了，难于自制，还是请从长远打算吧。

前为赴日，四川人民出版社的印刷装订工人费了大力赶出《原野》若干本，送给日本朋友，他们确是赞美这样的版本，我也觉得很光彩。我现在作为给牧丛的信，提了几句，不知适当否？不可用，就不必拿出来，已说得太迟了。

问秀娟嫂及诸侄好。

家宝

一九八二，十二，廿二晨

一九八三年一月一日

致兄：

来信诵悉。

即将会晤，十分高兴。

我前日动个小手术，取下喉头活体，究竟如何，需节后才知，医生说，用喉头镜看了，并无异征，不会有问题。

我住北京医院，门禁较严，探视需带工作证或介绍信。我的电话是556031转560找我。探视时间是一三五七日，但如无其他病变，不久即回家。返家前，当电话告知你。

祝

新年快乐！

家宝

一九八三元旦

一九八三年九月五日

致兄：

信早拜读。我万分欢迎，你领振兴川剧代表团来首都公演，我与玉茹将多多学习，多观摩，一定要写篇学习心得，表示感谢。玉茹将由沪特为看川剧代表团来京学习（她读我信告，将专诚来学），并想托你转恳川剧大师教她一二出川戏，尤其是《打神告庙》，她耳闻我多次宣扬，更想学会，学明白，以广学识。

再，北京人艺正在排演《家》，一群演员托我请求看川剧，为增加一点知识。

你说给戴卫[1]写的小幅字，给你，当从命。但我已忘记大小，见面时，你告我是若何尽寸，定办。我字之拙而俗，你是知道的。你既教我写，我就厚着脸皮写。

谈问嫂嫂好。孩子们好！牧丛兄好！

家宝

八三，九，五

一九八三年十月十八日

致兄：

振兴川剧来京[2]演出，大得成功，奋发首都戏剧界，确立信心，

---

1 戴卫，画家，曾为《曹禺戏剧集》设计封面并画部分插图，深受曹禺称赞。——底本注。

2 李致调四川省委宣传部时，正遇中共四川省委和四川省政府发出“振兴川剧”的号召，李致具体负责振兴川剧的日常工作。一九八三年秋，振兴川剧晋京演出，曹禺和夫人看了三场演出，即《巴山秀才》《绣襦记》《八郎回营·丑公公与俊媳妇》。时任中国戏剧家协会主席的曹禺，为振兴川剧晋京演出举办了讨论会。曹禺大力肯定振兴川剧，后又著文称振兴川剧的口号是“空谷足音”，必将对全国戏曲产生影响。——底本注。

至可庆贺。

近几日，屡电未通。颇愿与你一见，畅谈一次。看你实在太忙，无时闲聊天。万一能抽空前来，便极好。不然，也望能通一电话。

承嘱告，写了两张字，似比以前的条幅小些。字极拙劣。相知如你是不会见笑的。

请代问所有四川戏剧界朋友们好。

家宝

八三，十，十八

一九八三年十月二十日

李致兄：

奉上为左清飞[1]同志题字，请转交。

问

秀娟嫂好！

家宝

八三，十，二十

1　左清飞，四川省川剧院演员，在《绣襦记》中饰李亚仙。一九八三年秋，左清飞曾随李致拜望曹禺。——底本注。

一九八七年八月二十二日

李致兄：

连病数月，最近又动手术，尚未痊愈。文艺出版社邀约出席“名酒节”实不能参加。务请代为辞却，不胜感谢。专此专请安好！

曹 禺

八七，八，二十二[1]

1 一九八三年李致调离出版社，与曹禺的工作联系逐渐减少，加之曹禺生病住院写信不便，此为曹禺给李致的最后一封信。——底本注。

致萧乾

一九七九年一月二十一日

萧乾兄：

收到旧影，十分感谢，岁月如流，不料，你尚存我等青年时合照。你记忆真好，我竟记不起曾有这个值得保留的照片。此中我只认得三人，你，靳以，我。似有芾甘的二哥，而遍寻芾甘，不见。

黄沫同志盛意可感，惜实在挤不出时间再写什么，请致歉。你说将写些文章，那是大好事，年事较大。仍请匆匆保重。祝

好

曹禺

七九、一、廿一

【题注】据原件排印。原件藏于中国现代文学馆。

一九八三年六月十四日

萧乾兄：

罗郁正教授刚来电话要我通知你，他想看今晚《彼尔·金特》。但经电询中央戏剧学院，说十六、十八、十九才演。罗君现住和平宾馆七一〇，电话是五五八八四一转七一〇，他请你给他打个电话。专此敬问安好。

曹禺

八三、六、十四

晚

我的电话是362127

致海尔·克劳斯·文特

一九七九年六月二十六日

尊敬的海尔·文特先生：

我们北京人民艺术剧院的全体艺术家和工作人员向您及你们历史悠久的剧院致以热烈的祝贺。

我们高兴地接到了贵院通过乌韦先生转达的希望《茶馆》一剧到贵国演出的口头邀请。我们对此甚感兴趣，对你们的盛情表示感谢。与此同时，我们获悉，你们也很愿意派一个话剧团来华做回访演出。我们对于这一想法也极感兴趣并对你们的建议表示感谢。我们相信这一计划是可行的。我国文化部为此授权我们与你们取得联系。我们认为这次德国之行最好能安排在今年10月，与此同时，我们将在1980年下半年或更晚些时候，能在北京恭候你们光临。有关组织工作、经费及在西德进行访问演出的具体问题，希望听到你们的意见。我们组织访问一般是由被邀请者自己负责机票及到达东道国的运费。

【题注】据北京人民艺术剧院大事记编辑组编《北京艺术剧院大事记》所载排印。

致胡叔和

一九七九年八月五日

您的信和您写的《评传》，放在书桌里很久了，这些日子实在忙，又时常犯心脏病，今天才复信，我是很不安的。

我很想写点感想。我较仔细地读了您的大作《评传》的第一章。您用了很深的功夫，读了五六十万字的资料，写出八千字，这一章是有分量的，有分析，有敏锐的时代感。您对于所写的对象，是充满情感的。因此，既有说服力，又能感动人。

您行文的风格，我很喜欢。不仅是流畅(有时用字不多，却相当生动)，而且踏实。下了功夫的文章，总是不一般的。我不喜欢夸夸其谈、华而不实的文体。您用字有分寸，关于您所写的对象，您的想象是符合真实的。因为多少年前的事实与情境，我自己却模糊了；倒是您的文字才使我联想起过去的一些小事。使我羡慕的是您肯用这样多的时间和精力，放在如此专心致志的工作上。做学问，写文章，诚

【题注】据北京人民艺术剧院大事记编辑组编《北京艺术剧院大事记》所载排印。

然不是一件容易的小事。

我希望您能这样继续写下去。《评传》这类文体很难写，尤其是写一个还未盖棺论定的人。

必须向您讲，我十分担心，您下的功夫，恰恰用在一个不值得您用心的人的身上。我很惭愧。

但有一点，您可以自慰的，您的《评传》，可以成一格；我希望您能做到在《评传》这种体裁上，立下一个标准。不管写的对象如何，总可以有些记载和估计，我们历代的文章家是有些成功的先例的。

我在文稿上用铅笔写下一些与事实稍有出入的地方。

我不会评论。您对《评传》的大致立意与结构，我同意。

感谢您寄下原稿给我看。

稿件挂号另寄。

祝

安好

曹禺

七九.八.五

致田本相

一九八〇年三月八日[1]

田本相同志：

十分感谢，您寄来您的著作。我因即将赴美，许多事情亟待解决，只能十分粗略地拜读您的文章。您的分析与评论是很确切，也是深刻的。您的研究工作使我敬佩，有时间，应该和你长谈，但目前，许多事要料理。是否待我回国后，咱们再约一个较充裕的时间谈一下？我的作品确不值得用这么多力气，你费了大量时间去研究，使我很惭愧。

我即赴美，约五月中返京，当约请一谈。祝好！

曹禺

1980年3月8日

【题注】收录田本相、刘一军编著：《曹禺访谈录》，百花文艺出版社2010年第1版。

1　中国戏剧出版社将我的书稿《曹禺剧作论》寄给曹禺先生，请他审阅。事先出版社征求了我的意见，我认为很好！没有多久，我即接到曹禺先生的这封来信。这是曹禺先生给我的第一封信。——底本注。

一九八〇年三月二十六日

田本相同志：

请于本月29日（星期一）到北京医院一叙。请带本人工作证。如不能来，望电告。556031转分机560，找205房曹禺或李玉茹。

敬祝

安好。

曹禺

1980年3月26日

一九八二年三月二十四日[1]

田本相同志：

读了你的信，很想约你一谈。

但目前，我正校阅《原野》新本清样，大约在一星期内，可以弄完。那时，我可能已出院，回家了。

1　最早是中国戏剧出版社约我写《曹禺传》，我写信告诉曹禺先生，同时希望就如何写他的传的问题，向他请教。——底本注。

不久我将请你来谈。

我有空，便记一些我偶尔想到的人和事。等我见着你再讲。

敬问

安好。

曹禺

1982年3月24日

一九八二年四月二十二日[1]

本相同志：

收到您的信，曹禺同志十分高兴。知道您工作顺利，许多同志、老朋友热情为您提供资料，这使您的写作摸到一些线索。

您工作繁重，还要四处奔走，曹禺同志嘱我向您问候。望您在百忙中注意劳逸适度。尤其关心您的腿疾，更盼望坚持治疗。

曹禺同志来沪休养，较出院时好多了，只是年龄长了，恢复起来很慢，我希望他能在沪把身体彻底养好，为今后再多工作几年，打好基础。

---

1 此信由李玉茹亲自写的，曹禺签名并附笔。

关于写《曹禺传》的问题，曹禺先生在北京已经同我谈过几次，但谈得都不算深入。他说，他要到上海住一段时间，如果我有可能去上海，在上海谈更安静。我在去上海之前，给曹禺先生一信。此信是对我前信的答复。——底本注。

信中谈到您可能五月中旬来沪，我们在上海欢迎您。

曹禺

1982年4月22日

病中托玉茹代笔。

一九八二年八月十六日

本相同志：

读了您的信，知道您的计划正在进行，很高兴。

我提起法（国）莫洛亚写的传记，只是为您参考，并非请您学他如何写。我以为无妨广泛读一些东西，受一些能吸收的有益的影响。硬学往往失去自己的风格。您在创作中，文笔很好，有特色。

最近我读了您写的关于我的剧本的书，我受益很大，指出的缺点，有些是很对的。我要注意。我惭愧，费了您许多精力，其实，我的那些东西，不值得下这样大的功夫。

我读了莫洛亚的《三仲马》，不大喜欢。我以为那位大仲马的父亲十分可爱，他的子孙，尽管很出名，但大不如他们的第一代。

也读了莫洛亚的《雪莱传》，似乎这本比《三仲马》好些。

前次你来上海，我们没有多聊。招待不周到，以后见面再说吧！

现在正在续写过去的《桥》，但不想写工商业者，还是写知识分子，比较知道一些。但体力大不如前，工作很慢，有时对自己很失望。我总在为自己找点道理，鼓起勇气，继续写下去。

有精神，我再写信给你。

不多谈了，玉茹同志嘱我向你致意，祝你工作更顺利，更好些。

曹禺

1982年8月16日

一九八三年三月四日

田本相同志：

收到来自哈尔滨胥树人同志信，述说哈尔滨某大亨姚锡九通过官方，强迫改删《雷雨》中鲁大海台词一段事。

我转给你，也许对你有用，也许对《新文学史料》有用，请阅过。

敬问

安好。

曹禺

1983年3月4日夜

一九八三年三月二十二日[1]

本相同志：

来参加大众电视在昆明发奖会，恰故人范启新君来，道及1939年我来昆导演《原野》闻一多先生亲自做舞美，凤子、孙毓棠参加表演及《黑字二十八》即在渝的《全民总动员》，我与宋之的合写盛况。他写一张大事记，语焉不详。范启新在昆明地址是：昆明翠湖北路小吉波一号。我已把你的计划告诉他，他知此次公演事，甚详。如有兴趣，请通信询问，他愿供给资料及演出背景，但似仍须核对。

范君是我在江安剧专教书时学编剧的同学，曾在云南大学任现代文学史等课，现年老退休。

---

1 曹禺在范启新简述上的眉批：

（1）背景：此次演出是昆明地下党组织的。据范君查询。

（2）他说“曹禺参加此会”，我记得似不确。

为了我将传记写好，曹禺先生将一些资料，或是有关的人及时介绍给我。范启新先生就是其中的一位。范先生不但将一些有关的资料寄我参考，而且对我十分关照。记得我去昆明开会，顺便去看望他，他亲自带我去访问曹禺先生在抗战时期在昆明导演《原野》和《黑字二十八》的知情的人物。后来，我和范先生一直保持着通信联系，直到老人去世。我感到十分遗憾的是，他把他写的一个剧本交给我，希望我能在北京为之找一家刊物发表，尽管我也费了一些工夫，但却未能如愿。想来，仍然感到愧疚。——底本注。

24日即飞沪。匆匆。顺颂

时绥！

曹禺

1983年3月22日

来信仍寄沪复兴中路1462弄3号

附上范君写下的简述。

一九八三年六月八日[1]

本相同志：

来书诵悉，我每晨八时左右总在家，五时即起，如您方便，可随时打电话来。

植物神经紊乱症，也曾得过，需时日，自然好转，但应休息。《××研究资料》太劳神。不过您一向认真，成书想必十分丰富。饭冢容先生请代问候，国外材料难找，大约日本、苏联较多，美国少一些。

我一时不回沪，请来电话约时间晤谈，我们许久不见了。

1　我写信给曹禺先生，说我得了“植物神经紊乱症”，住院医疗而无大效。那时，我同胡叔和同志合编《曹禺研究资料》。——底本注。

承不嫌麻烦，居然找得儿时作品，令人感佩。《曹禺传》设想，既与出版社谈过，也就可以了。夏际，我在北方，请来电话约晤。

玉茹现在东北演出，七月初或来京休息。天气逐渐热了，请多珍重。祝

安好！

曹禺

1983年6月8日

一九八三年六月十五日

本相同志：

前函谅达。收到昆明范启新同志信并国民党禁演《雷雨》抄件两份，兹奉上。范教授的猜想，可能是对的。写《蜕变》并演出，当时又碍于众议，不能立刻禁止，只好泄愤于其他剧本。

专此即颂

安吉。

曹禺

1983年6月15日

一九八三年九月九日

本相教授：

奉上印刷品“国立剧专在江安”一件，也许有用。

十七日前，可否电话通知晤谈日期，我在十七日前在家。迟复，并以为憾。

祝好！

曹禺

1983年9月9日

一九八四年二月十三日[1]

本相同志：

早拜读来信，琐事太多，迟迟未复，务请原谅。

---

1 《中国戏剧》为纪念曹禺先生从事戏剧活动六十周年，特意组织了一次小型座谈会。出席的有唐弢、刘厚生、晏学和我。由主编方杰同志主持。会后，《中国戏剧》刊登了这个座谈会的专辑，并配合了一个标题：《走向世界的戏剧家》，在封面上登出曹禺先生的肖像。这个标题，也是我在座谈会上发言的题目。唐弢先生，是长辈，他的发言十分深刻精辟。会后，我将这次座谈的情况写信告诉曹禺先生，这是他接到我的信后的回复。——底本注。

您的健康十分重要，现在电视剧非常需要，语言文学，更应重视。您能想得开，把身体养好，多教出些好学生，这对文艺的贡献会很大的。

《戏剧报》开了个小座谈会，我曾多次劝阻，一是这类纪念太多，二是累朋友费精神，三则文艺界的师友很多有大成就的，我实则不值一谈。

累您在住院时期，还参加这种会，心中很是不安。

还惊动了唐弢同志和晏学、厚生同志等。我拜读了发表后的文章，更感到惶恐！

您的信，我转给唐弢同志看了。因为您对他的谈话也是说讲得好。

那个什么《曹禺传》，费了您的精神，我总是不安。您工作十分严肃认真，我十分佩服。还是那句老话，这个题目不值得浪费您的心神和时间。

务请多多保重！我现在上海，家在复兴中路1462弄3号。

敬祝

安好！

曹禺

1984年2月13日

一九八四年四月十二日[1]

本相教授同志：

介绍中国唱片社劳为民、黄群二同志，请予接见，并便中协助为感！

曹禺

1984年4月12日

一九八四年十月三日[2]

本相同志：

九月二十五日信收到。久未通音讯，忽接来函，喜可知也。

祝贺您把年谱下册写完，交南大出版社印，十分好。

1　中国唱片社上海分社拟为曹禺先生制作一个唱片，将他的讲话声音保留下来。前面需要一篇有关曹禺先生的介绍文字，曹禺先生请劳、黄两位编辑找我来写。后来，听说这个唱片出版了，但是，我只收到稿费，却始终没有收到唱片社答应给我的唱片。——底本注。

2　曹禺先生曾对我说，为了帮助他回忆一些人事，他希望我在写传之前，能够先把他的年谱搞出来。事实证明，先把年谱写出来，对我写传也很有帮助。本来，只是作为自己使用的资料，没料到南开大学出版社的崔国良同志，也是我的老同学得知我撰写《曹禺年谱》的消息后，希望把这部书稿交给母校出版社出版。我把这个消息也告诉了曹禺先生。——底本注。

范启新兄提及我与柯灵与佐临信复印稿，我未见到。我来往京沪间，信易遗失，也许这封信并不重要。

年谱下册我在校勘，断断续续，尚未看完。现决于近日内看毕寄交给你。

您说已写了五万字稿已交一学报发表，当然好。我总是不安，回顾一生，耗费时日，恍惚间已是老年，祖国形势日趋大好，想再鼓把劲，写点东西，常以疾病中止。如假以时日，即写得不成样子，也应努力。

打算十一月初旬左右返京，近上海冷暖不定，不知北京如何？国庆日只在电视中看到天安门前阅兵游行盛况，感奋不止。

玉茹正在排戏，甚疲劳，她托我向您问好。

敬祝健康，一切如意！

曹禺

1984年10月3日

一九八四年五月四日[1]

本相同志：

收到您的信，我原以为您的健康会好一些，不想您还在治疗，每

1　从1982年底到1984年底，两年间，我处于病中，为“植物神经紊乱症”所纠缠。时常心悸，头晕，有时竟到了非吸氧才得缓解的地步。好像是冠心病，但又不能确诊。在一段时间里，工作格外困难。接到这封来信，对于先生这样关心我的健康，我着实感动不已！——底本注。

日只能工作两小时，这是莫大的痛苦。我的爱人，玉茹说您的气色不算很好，我最近也觉得您的身体是不健康的。

我总觉得您的负担很重，管些不能不管的事情，这种事情，我自己也是经验过的，它使人忘记时间的流逝，消磨精神，磨损体力。我以为您要自己定下一个恢复体力的计划，心情开朗些，不要承担自己体力不能做到的工作，健康是工作的基础。下决心，休息、治疗一段较长的时间，主动地治愈自己的各种病状。最好要有些体育、散步，适当地娱乐，使自己放松一点。您似乎有些紧张了，把神经拉得太用力了。以您的年龄，似乎不应该经常在病中过日子的，因此，请您下决心请个假，长期治疗一下，养一下，先争取得健壮的体魄，才能工作。不要赶催自己，疗养好了，再工作，是不迟的。

奉上《日出》电影剧本。是我和女儿万方合改的。这个剧本和话剧本大不相同。但这是两部不同的东西，虽然主题是一致的。有人不赞同这样改法，但我认为电影是给更多人看，因此，就那样改动了。但这不是说话剧本的《日出》不对。我仍以话剧本《日出》(尤其是陈白露）是准确的，是比较站得住的，虽然“挤”进去事件太多了。寄给您，只为您消遣，而不是为了您研究，我的东西是不值得研究的。

另外，我寄给您海外华侨寄来两张影印件，翻出我在1949年给佐临与桑弧的信，因为您可能保存它。放在我手里，总是遗失，不知落在什么地方了。

不久，我（约中旬）返京，当和您联系。

祝您

安心养病！

曹禺

1984年5月4日

您不必定日期出什么年谱，我以为您是否能在下半年到四川一带旅行？须要慎重，要看看自己的体力、健康！

再：更多人说电影本《日出》，改得好，但我仍以为《日出》的话剧本是比较站得住，甚至于比较深些。又及。

1984年5月4日

《日出》电影稿本即在五月份《收获》发表，与此次寄来的本子，稍有不同。

一九八四年六月六日

田本相同志：

奉上信一封，似冼星海同志曾与《日出》写过曲子，不知对您有用否？

祝好！

曹禺

1984年6月6日

一九八四年十月十三日[1]

本相同志：

十月六日信收到。整理稿已读过，略有改动，不知是否可以？您的文章好，我的话也借此生光了。

年谱上册已航空挂号寄去。下册清样寄到，我当细读。嘱写几句话。自然应当。您费大量的时间和精神，我总感到很不心安。请千万保重身体，不要过于劳累。李玉茹同志向您问候。

敬祝安好！

整理稿随信寄上。

曹禺

1984年10月13日

此稿应用“田本相”名义发表。您费了很大精力整理成的。又及。

1　上海文艺出版社出版《曹禺论创作》，其中，缺少他谈《北京人》的内容。出版社得知我正在写传，对曹禺先生做过多次的访问，于是，希望将曹禺先生谈《北京人》的部分整理成文。出版社收到我为曹禺先生整理出来的文章后，请曹禺先生审阅。这就是他看过此文后，给我的来信。——底本注。

一九八四年十月二十三日

本相同志：

来信敬悉。您写的评传，获得高手奖誉，非常可喜，玉茹和我向您热诚庆贺。“音实难知，知实难逢”，逢其知音，倍觉庆幸。

我与玉茹将于十一月初赴京，她写的《青丝恨》也不久在京公演。您若有空，当请来指教。《年谱》俟读全后再遵嘱写几个字。天气渐寒，诸多珍摄为幸。

敬祝

安好。

曹禺

1984年10月23日

一九八四年十一月一日[1]

本相同志：

我素不留旧稿，偶见废纸几张，奉上。作为纪念。我十一月上旬

1 所谓“废纸几张”，是他写的一篇未曾发表的散文——《水木清华》的手稿，送我作为纪念。我将它全文引用到《曹禺传》之中。手稿仍为我珍藏着。——底本注。

回京谨奉闻。

曹禺

1984年11月1日

一九八四年十一月二十四日[1]

田本相同志：

你走后，我突然想起一个可以询问的人。我在江安曾住在张鼐耕先生家。其长子张安国是当时党的领导人之一，其媳曹继照也是地下党员。他们二位可能知我在江安一些情况。他们有一个孩子名张邦宠，现在八一电影制片厂工作。安国同志现来京，住邦宠家中。我目前实无时间与安国同志一见，详情您可告诉他。

张邦宠的电话是：365431八一总机转264，可托邦宠与其父联系，定一个日子，你们无妨一谈。安国同志是一位和蔼可亲的老人，他会帮助你，把当时江安的各种情况和你谈的。电话以中午或晚上打好，他们能在家。

祝

安好！

曹禺

1984年11月24日午

---

1 几次想到江安访问，都因身体不行而作罢。亏得曹禺先生及时地告诉我张安国同志来京的消息，使我从安国同志处了解到许多第一手的材料。——底本注。

安国在京只住几天，所以须快联系。

一九八五年一月二十九日[1]

本相同志：

大札奉悉：这些天，事情较多，迟迟作复，甚以为歉！

大作年谱下册已读毕，记忆力不好，究竟能改正多少，实不敢讲。特挂号奉寄。

夫人健康如何？请代为问好。

敬祝

安好。

曹禺

1985年1月29日

拍片事，南大既坚持，就随他去。

---

1 “拍片事”，系指南开大学图书馆和电教馆，为搜集著名的校友的形象资料，拟来京拍曹禺先生的电视片。南开大学的焦尚志同志和夏家善同志，委托我代母校联系。曹禺先生，先是因为事情忙碌而婉言谢绝。我再恳请，终于应允。此片拍摄了他在木樨地家中、在清华大学、在三座门的片段，这是我知道的十分具有价值的形象资料。——底本注。

一九八五年四月二十五日[1]

本相同志：

收到1985年4月16日信，正忙于开剧代会与卧病中，未能即复，至为歉。

我赞同您编选我的剧本四个，《雷雨》《日出》《原野》《北京人》。用文化生活出版社的版本，未尝不可。但可否印得好些？并注明是根据解放前文化生活出版社的版本？最近，外宾要的很多，我无法应付，可否另印一些精装本？我好送人。书价请从版税中扣除。

九月份关于我的学术讨论会，我可能不来了。我多半仍要出国。而且即使不出国，我也不想参加，我始终认为这个讨论会是不值得你们这些有贡献的评论家与学者浪费精神的。

祝好！

曹禺

1985年4月25日

---

1 南开大学中文系为河南的黄河文艺出版社编造一套现当代作家的作品选集。我应约为之编选《曹禺代表作》，曾写信给曹禺先生，并就版本和选目征求他的意见。此书出版后，几次写信给出版社，把曹禺先生购书的要求转达给他们，但是，该社始终不予理会。这种办事的作风，使曹禺先生格外生气。——底本注。

一九八五年五月二日

本相同志：

奉上相片及签名，请转上。何日进城？乞先电告，借便闲谈。

祝好。

曹禺

1985年5月2日

相片用完，请转告退还。又及。

我的学生张正安来信一则，奉上，是否对您有用？

一九八五年八月二十日

本相同志：

读八月十二日信，南开母校如此深情，对多年培养的学生，鼓励厚爱备至，真是万分感动。

十月之行，定应母校之嘱，除非有非常特殊情况，必将来津拜望各位师长。

所谓“曹禺戏剧学术研究会”题目过大。若必须出席，可否免予说话。最好是仅见见面，表示感谢之意而已。

承邀玉茹，更见母校体贴之情。

烦转达以上所述。

敬祝

安好。

曹禺

1985年8月20日

一九八六年八月十三日

本相教授：

收到复旦大学廖光霞先生寄1984年日本关西大学学生演《雷雨》说明书，来信说，五十年前演鲁贵的高维先先生尚在该大学教汉语。均奉上，请查阅。

敬请教安。

曹禺

1986年8月13日晨

一九八六年十一月十一日

本相同志：

寄上《大舞台》，其中有我在河北一带的记述，你可参考。望看一下。

曹禺

1986年11月11日

一九八六年十二月八日[1]

本相同志：

收到十一月十八日信，祝贺您已写好大作，五年的工夫真不短，

---

1 《曹禺传》写完后，我给曹禺先生写了一封信。其中谈到我在传记中写了他的恋爱和婚姻。曹禺先生一再表示不要写他这事，他说等他百年之后，愿意怎么写都可以。但是，我仍然向他说明，写传是很严肃的。之所以写他的婚姻和恋爱，是因为它直接同他的创作有关，如果不写这些，是不好向读者交代的。也是我一个写传的人对传主未能负起应有的责任。他，还是被我说服了。

信中提及阿瑟·米勒，是因为曹禺先生将黄永玉给他的信——一封带着真诚的挚爱批评曹禺先生的信，当面念给阿瑟·米勒听了。之后，阿瑟·米勒就此发表了一些对曹禺先生不理解，甚至误解的话。曹禺在信中，正是说的这样的情形。其实，曹禺先生，将黄永玉的信念给阿瑟·米勒，不但是对一个异邦朋友的真诚和信赖，同时也表明曹禺先生的勇气。但是，却未能得到阿瑟·米勒的理解。这才有了曹禺先生的议论。——底本注。

您的精神是十分可佩的。我确实不值得一写，虽然此语已一再谈起，我心中仍然十分惭愧。

我只希望在大作中最好不提我的婚姻事情，许多地方使我感到颇为难过。

阿瑟·米勒不知谈些什么，此公是美国人，美国人来中国几月，便以为了解中国与中国人，这正是有些异邦人使人每每不能理解的地方。

我常犯轻率的病，到老也不能改。所以不知人，也不知言。

最近我来上海，大约过一个月，才回北京。感谢你经常鼓励我，要我再写一些东西。我确想如此。我来上海，可以安静些，也许能思索些什么。能否写出来，这还是问题。

我最近想出两句话："知道犹未晚，求实正中天。"能否以后实实在在过一个真正的人的生活，老老实实做一点事，这是我朝夕企望的情境。

上海虽不如北方那样冷，但家中无火，刚来时，不惯。现在仿佛已适应，穿着厚一点，屋里清冷些，头脑倒比在有暖气的房间明白一些了。

您体质不够结实，盼望多加珍重。此地仍有一些麻烦，但比在京时好多了。

敬祝

文祺

曹禺

1986年12月8日

所用材料以及黄永玉同志的信，如已用毕，可交给我女儿万方。电话：362127，先打电话约好，不必等我回来。

广播剧事已谈过，有位马副部长在京来过。我又谈了许多多余的话，其实本可少谈或不谈的。

一九八七年二月十四日

本相同志：

奉上宋剑华同志信，他就是昨晚我们谈起那位从基督教观来论述的同志，所问的题目均难回答，只好烦请您代为答复。

不情之请。至祈见谅。

谨颂

文祺！

曹禺

1987年2月14日

一九八七年三月九日

田本相教授：

前两日日本友人抄了一份我过去写的两篇短文，一《杂感》，二

《偶像孔子》，都是我在南开中学写的，奉上，该文的出处抄自牧阳一君。不知对您有用否？

春寒料峭，至请多多珍重。

敬颂

文祺

曹禺

1987年3月9日

我即飞广州，约十四日返京。

一九八七年三月二十六日

本相同志：

奉上天津大学潘克明教授来函，实记不清楚。只好请您代为解答。十分感谢。

敬请

教安！

曹禺

1987年3月26日晨

一九八七年三月二十六日

本相同志：

来函敬悉。出《曹禺代表作》的出版社至今未见寄下书来，亦不见寄稿费。承问及，请以告。此书出版后，我仅在新华书店内部买了两本，送人。如能惠寄二十本或更多一些，不胜感谢。外面不好买，抑或已售毕，请转告为荷。

敬候

撰安！

曹禺

1987年3月26日

书价可由稿费内扣下。

一九八七年五月二十日

本相同志：

（1）《曹禺传》既然编辑们说“还可以”，自然不错。还是那句老话，我是不配写什么传的，太劳您的神了。

（2）南大主编《文化词典》，约我当顾问，自应从命，只是头衔多，无法做事，也是苦恼。

（3）《人民日报》及《人物》约您写关于我的文章，还有《传记人物》也约您先发表若干章，都未始不可。

（4）《新文学史料》想来访我，请代为婉转辞却。我身体不好，目前应差太多，现在请勿来，以后也请不要来。

（5）黄河文艺社寄来三百余元，钱还是小事，但他们的书实不好买，请代告黄河文艺出版社寄来20本，应付款写明白，我必然邮寄，分文不差。他们若仍不置答复，就不大礼貌了。购书事我已托您告诉过他们。该社出我的书，从未给我一封信，也未签什么合同，这是不合法的。

你在天津讲学，想必十分愉快。您回京有空，请先电告，我是十分欢迎的。

《红楼梦》电视连续剧，只看前几集，以后没有时间看，口碑很好。你说得对，头难“开”，有这样勇气，做这件大事，忙了几年，这些同志们确是开拓者，可以提出不足之处，但不可任意发话，吹毛求疵了。

玉茹和我都向您问候！

曹禺

1987年5月20日

一九八八年四月二十二日[1]

田本相同志：

潜江县要立一陈列馆，介绍他们向你借一些我的相片，他们用后，复印，即挂号寄还原件，不知可否？

匆不一一，敬请

撰安！

曹禺

1988年4月22日

一九八八年四月二十六日[2]

本相同志：

巴金先生与其弟弟李济生同志问我要《曹禺传》共两本，不知你

---

1 湖北省潜江市建立“曹禺著作陈列馆”，曹禺将该馆馆长刘清祥介绍给我。为该馆的陈列，我被邀请到潜江，协助他们搞了一个陈列提纲，并为其写了陈列的“前言”。同时，也将收藏的一些为人所没有的照片和书籍，提供该馆。——底本注。

2 接信后，即给巴金先生和李济生先生各寄去一本《曹禺传》。——底本注。

能否请出版社寄给上海文艺出版社，最好直寄上海武康路一一三号巴金同志与李济生先生，书款务请由我寄与该出版社，万不要客气，这是我个人的请求，务乞代办，十分感谢！

祝好

曹禺

1988年4月26日

我的两本已借出，不知出《曹禺传》的出版社的名称。

致李小林、祝鸿生

一九八〇年七月七日

小林，鸿生：

听说爸爸病了，我十分着急。他住在华东医院。我怕寄不到信，还是托你们交给他。爸爸的病究竟如何？他是否要出国？目前的健康状况是否可以出国开会。爸爸年纪大了。他实不宜再那样劳累，这是很不适宜，不合理的。你们想想，究竟应该如何？

我不知病情到底如何？

请你们来信告诉我。如爸爸看了我的信，要复信，你们就代他写几个字。

我托玉茹同志代我去看爸爸，叫她见见面，只说两三句话就走。小林，鸿生，我十分希望你们能答应我这个愿望。玉茹会把详情告我的，叫我放心。

端端好，全家好！

家宝

1980.7.7

【题注】载《现代中文学刊》2010年第6期“曹禺晚年书简”。

一九八三年十月二十六日

鸿生、小林[1]：

收到你们的信很久，因为一则这几天整党与各民主党派一道开会，占了许多时间。二则李致领振兴川剧大团体在京汇报演出，场场都看了，还开会。写文章把时间占了一些。川剧振兴了，在京获得巨大成功。影响很大似乎全国都要震动起来。爸爸身体大好转，你们陪他到杭州而且到绍兴玩了一次，看了鲁迅故居，等等。我感到他的兴致高，身体比以前好得多，我和玉茹真是万分高兴。希望他又恢复从前的好体质。要写出些大作品，只是万不要太累了。究竟有点岁数，还是身体第一，多少朋友读者热望他健康起来，还是那句老话有了好身体才能写出好作品。我非常想念他，想见他，想和他谈谈。他的老朋友多，个个都是如此惦念他，热爱他。我觉得文章虽然千古，然而得到千千万万读者的热爱与崇敬，这确是最值得想念的。这才没有虚过一生。我敬重巴金，热爱他，不只因为相交久了，还是因他的人格与对人的热情使我不时想念他，要和他见见。其实，常怕他谈话多了累着。见人太多，太伤神。帕金森病我问了医生，据说是有针对性药物，完全可以治好的。如果身体允许他再进华东医院如你说的住一个

1　祝鸿生（1945—1996），浙江绍兴人，巴金女婿，时为上海电影制片厂文学编辑；李小林（1945—　），重庆出生，巴金女儿，时为《收获》杂志编辑。——底本注。

月，我相信完全可以治得好。他开朗、坚强，这种病痛虽然熬人，但终能治好，使他能完成他的写作计划，那是再好没有的幸福。你们侍奉爸爸如此细心、劳累、费神，我很感动！我从心里敬重你们，这不只是骨肉的关系，更是发自衷心的热爱。为所有敬爱他的人代尽了心与力量。

《日出》电影剧本正在构思，大纲搞出来，就可以动笔。我与方子希望能如期交稿。不负重托。当然不会太好。只有留在大家讨论，继续修改。请告厂领导同志们！

我至早也在十一月中旬返沪，因为还有日本的杉村春子在十一月要来，为了她对《茶馆》大力帮助,《茶馆》才能在日本演出成功。我必须在京好好招待，欢迎她，感谢她。当然我要和方子同时搞《日出》电影本，尽量少见人。

北京已冷起来，我倒想起芾甘的房子有否暖气。只听说客厅很讲究，但重要的还是保暖。问国煣好各位姐姐妹妹好。八姑，幺孃好，端端好。

家宝

十月，廿六

一九八三年十二月二十三日

小林、鸿生：

昨下午看了电影《寒夜》(仅仅是个“双片”，只有对话)，我以为十分好。汪文宣演得深刻，潘虹称职，甚至于可以说相当好。母亲也好。整个气氛感动我，确实有重庆味道。汪文宣夫妻两次在咖啡座的场面都真实感人，恰如其分，此时潘虹也演得很动人了。

夫妇分别一场排得精彩。表演下了功夫。摄影确有《寒夜》小说的气氛。总之，整个工作都看出功夫。我不愿说得太好，因为怕宣传多了，反而使爸爸看了说“夸得过分”。总之，是一部拿得出去的好片子。

我、玉茹、方子，看了(是罗丹邀去的)，他们都满意，方子哭了几次。我与方子正在搞《日出》，但每天总有一两件事打扰我！

为我问爸爸好。想念他，想念你们！玉茹嘱问好。

家宝

83.12.23

上海巴金故居纪念馆[筹]供稿

致吕恩

一九八〇年十月六日

你十分客气，你的文章过多溢美之词，实不敢当。你的信使我想起四十年前在渝州初见你的时候，大约你才十几岁。岁月如流，大家都有些见老了。

你是一个出色的演员，演戏、演电影，都得到观众的赞许。作为一个艺术家，你已为祖国添了光彩，我是引为骄傲的。

【题注】收录田本相、阿鹰编著:《曹禺年谱长编》，上海交通大学出版社2017年第1版。

致张奇虹

一九八〇年十一月二十七日

读了来信并你的文章。

任何作品与演出，总要有些不同意见。不要引为不安。多让专家说两句，是好的。

你自己写文章答辩……你这样一位多年的导演，不能多听几句不中听的话，我以为不大合适吧。

我从来不认为我是莎士比亚专家。有人要这样看我，我从不敢“自以为是”。我希望你也不要这样看我。当一个专家，何等努力读书，下多少年功夫，我是知道的。我仅仅是一个写戏的，没有什么学识。

你的种种烦恼，是可以理解的，希望你能平心静气地对待这种事情。

【题注】收录李玉茹编、钱亦蕉整理：《倾听雷雨——曹禺纪念集》，上海文艺出版社2000年第1版。

致苏予

一九八一年一月六日

苏予同志：

收到您的信。《十月》为介绍新作者，关怀备至，足见你们对扶植新人，鼓励下一代，十分重视。《十月》编辑部是有远见的。“千金买骨”。我想，文学新人、业余作家的作品，会望风而来。创作将更加繁荣。事实上，《十月》登载许多成熟的好文章已经不少。

您嘱我写篇东西，最近社会活动多，恐难立刻做到。略有空暇，定当报命。

《十月》一直办得很好。中篇小说都比较精彩。尤其是近期蒋子龙同志的《开拓者》，更为出色。车篷宽继乔光朴之后，是又一个风流形象，写得丰满有力。作者以饱满的革命激情，刻画出车篷宽这位不计个人得失，为四化竭尽全力的老干部的胸襟，跃然纸上。车篷

【题注】载《新港》1981年7月15日第7期，题名《给苏予同志的一封信》

宽的见识、远虑、勇敢与乐观精神，鼓舞了我，也必然鼓舞读者的志气。它反映了我们时代的风貌。

《开拓者》描写了国民经济调整改革中所进行的斗争。在这场斗争里，通过人物、语言和他们之间的复杂关系，深刻揭示了人的灵魂的美与丑，善与恶的本质。作者没有图解政策。人物不是苍白无力，而是活生生的魂灵。一个经过十年浩劫的前省委书记，有能力，有魄力。经过那样酷烈摧残，他的革命感情毫不消失，满腔热情，深入基层，领导四化建设。作者批评了我们常见的丑恶。但又给我们一片壮丽豪迈的景象。它给人以力量、信心、光明。在在都见出作者观察时代的深刻性。

我庆贺蒋子龙同志又写出一篇富有浓烈的新时代气息的好作品。我庆贺《十月》独具这样的“慧眼”，立刻识出这是“一洗万古凡马空”的“真龙”。当然。我这样讲，是有些夸张的，但不这样说，又怎么讲出我这一腔喜悦之情呢？

我从不喜欢“抬轿子”，更不喜欢“打棍子”。我主张文艺评论经常化、群众化，平等待人，以理服人。您说对吗？

请代问蒋子龙同志好，祝《十月》各位编辑们好！

曹禺

1981.1.6

致黎舟

一九八一年三月二十八日

我读了刘孝文、梁思睿同志编纂的《三十年上演话剧综览》(前言和说明),认为这是十分重要的戏剧类书,是中国话剧工作者必须参考的专著。如文化艺术出版社能予早些出版,我以为这将对世界与中国各大学、各剧院团研究话剧人士有好处的。我答应为他们写序,希望能做些宣传。祝好。

【题注】据北京人民艺术剧院大事记编辑组编《北京艺术剧院大事记》所载排印。

致蓝天野

一九八一年五月二十一日

天野同志：

承你允诺写纪念册（或画），并邀请我院各书、画专家都在册上留念，十分感谢。

奉上北京人民艺术剧院纪念册，请按下列意见，托北京人艺所有同志们一一写几个字，画几笔、写个字，甚至仅签上名：

①不要称我为“院长”，更不要写些赞美的词句。我想在我更老时，刻刻看见北京人艺的老朋友们的笔迹。即便年轻的同志，也无妨作书、作画，或签字，都好。如果写上年龄、籍贯，更好。但不写，也一样。

炊事员、服务员、舞台与剧场各处工作人员都要留下笔迹，画上

【题注】收录李玉茹编、钱亦蕉整理：《倾听雷雨——曹禺纪念集》，上海文艺出版社2000年第1版。

两笔，就更好了！不要忘记后台老王与老姚，炊事员老赵和其他炊事员。还有许多许多北京人艺各处服务、工作同志，如院长办公室、票房、杨经理、白同志、陈同志等等。一个不漏。

②你们几位书画大家，于是之、苏民、于民、蓝天野，还有李行简（李玉华爱人）、李玉华更要画。以及其他能画、能刻，如院中各大舞台美术家，韩希愈、辛纯和许多想不起，及想起又叫不出名字的大艺术家，一位也不要漏。

自然，周瑞祥、张学礼、花芳，与总务科、政治处等等诸友，都不可不请！司机、机器房、锅炉房等同志都要写上一笔。

③几位院创领导，都请书写几句。

④所有演员，全不能漏掉。

⑤请你想个纪念册上题签的“名目”，候一切都书好，再请一书法家，或戏剧老前辈题款。

⑥务请包好。

（一）不要弄脏。

（二）不要掉了。

（三）交与某同志，务请不耽延，早些书写。不要放在一处，便永不传下去写。

⑦纪念册的每页都有夹层，须插进垫纸后，方能书、画。不然，便会墨汁透到反页。签字，也是如是。

这点很重要。

⑧各位北京人艺同志，要完全签上名。爱写什么，便写什么。但你们几位大艺术家要给些好字、好画。你们一定做得到的。

⑨纪念册，如不够用，当再送上。请通知我。

⑩此事务请天野兄一直管到底。万一有事外出，也请一位十分负责同志，一管到底。

⑪退休的同志们也请写几个字。

我万分感谢所有北京人艺的同志们。几十年相处，虽快，也不容易。写你们的心里话，不要客套。指责、批评更好。

天野同志，十分费心，费你的时间和劳力。实在没有可还报的。我是永远怀着敬重，抱着深深的情感想念你们的。祝

全体北京人艺同志们更严肃、更和谐地工作，你们将为社会主义的中国发出更大的光彩！！

曹禺

1981.5.21

一九八二年十月十三日

天野同志：

收到画册两本，看了一上午，还是没有看够。

你费了精神，同志们也费了精神，一笔一画，凝聚着盛情与往事。一生来，得友人赠书不少，然这两本纪念画册是和我的生命相连在一起的。

我感谢北京人艺的朋友们，朋友们的心似乎就在这些册页里怦怦

地跳着，你想，我怎么能不感动啊！

请告诉这许多位费了心血的朋友们，我是十分感激的。

以后，我想写点东西纪念这样珍贵的友情。

目前，我们就要出国，先放在心里，这样美好情感，我是不能忘记的。

祝

安好！

曹禺

一九八二，十，十三

北京

致范泉

一九八一年六月十八日

连收到你两封信，又得到巴老的信息，十分感激。我想写，但我现在无力，写不出任何东西。“话老年”活动，想得好。可惜我真老了，动不了笔，连执笔异常困难，仿佛举泰山那样，无能为力。请原谅我吧，范泉老！

我读了几位老人写的文章，使我高兴，他们都写得很好。

一九八五年三月十六日

收到您的信，我并没有写新剧本，只是想写而已。我收到周而复同志的信，也催我为四月中旬发稿写点东西，但是现在我突得北京全

【题注】据北京人民艺术剧院大事记编辑组编《北京艺术剧院大事记》所载排印。

国文联的紧急任务，需要我到朝鲜人民共和国，由三月二十日到四月四日。事情繁杂，回来又要总结，还要准备开全国剧协代表大会，参加全国文联大会，大约都在四五月间。我实在无时间赶写文章。务请您多多原谅，并转告周而复同志。容我以后写出点东西，报盛意。匆匆 敬祝

撰安

曹禺 1985.3.16于上海

致内山鹑

一九八一年七月十九日

内山鹑先生：

很高兴读到你七月十一日来信。荣幸地得悉民艺剧团将由你导演在日本上演我的剧本《日出》，当然我是同意的。有一点我想提出：对日本观众来讲，这原本可能太长，希望在你翻译时将它删节到二个半一三小时就差不多了。希望你们的演出一如既往地获得成功。你父亲和伯父都是我的朋友，我们已是老朋友了。我还记得内山嘉吉先生的形象面容。在一九五六年我访日时，他请我看了日本儿童戏。迄今我记忆犹新。他老先生近来身体可好？请代我向他致意，并祝你工作顺利，演出成功。

曹禺　七月十九日

【题注】据北京人民艺术剧院大事记编辑组编《北京艺术剧院大事记》所载排印。

致周瑞祥、苏民

一九八一年十月二十九日

瑞祥、苏民同志：

读了你们的改稿。你们十分认真从事，这是你们多年来的精神。我深受感动！

我熟读了七八遍，仍感到有些未尽意处，或枝蔓纷杂的地方，都加以改动，甚至于在你（注：指苏民）用红笔修改的段落与辞句，或删、或改，做些更动。我都用黑色或蓝色笔改的。

我想提请注意的是：

1.关于赵起扬同志的段落，作了一些改动，尽量符合真实情况，去了几处的形容词。也删改一些。这样，使他心里也觉得踏实些。

2.最后几段，我删去几行，似乎显得“精神”一点。

3.请用复写纸再抄四份，送一份给我，余三份，仍请几位负责同

【题注】据北京人民艺术剧院大事记编辑组编《北京艺术剧院大事记》所载排印。

志再斟酌，看看还有什么毛病？这文章代表我院，万不可疏忽。

4. 如大家无意见（如有毛病我愿再改），是否应交上级审阅，请斟酌。如不须再审，即交排印。清样我还请寄送二份，仍看有否可改的地方？我想总会有的。

5. 苏民同志加上的“校正演员的创作目标”，我开始颇觉陌生。细想一下，大约是指演员进行创造人物的过程中，常有中途失迷的情况。这句话是有道理的，还是用了。

一切拜托！专此布达，敬祝安好

曹禺　1981.10.29

致周瑞祥

一九八二年六月一日

挂号信收到，遵嘱写的给翰老、伯钊同志信，奉上。如不妥当，请在上面修改寄来，我再抄寄。

我院30周年纪念，我因病不能参加，实感遗憾。你们各位同志十分辛苦，30年工作，尽心尽力，为北京人艺做出了成绩，应该充分估计，大大庆贺。然凡事总在盈满中易保守，易退步。好话听多，可以鼓舞人心，也可生骄满情绪，似不可不防。我们相处30年，相知也深，相爱也切。

知道我院各事都欣欣向荣，在奋斗中日见成就。衷心喜悦，不可言喻。谨祝北京人艺所有同志们胸怀大志，宽阔眼界。今日之成就与来日之功绩，不过是沙丘与泰山之比。我们现在应该庆贺，但更可庆贺的，是我们无限的将来！

曹禺

1982.6.1 上海

【题注】据北京人民艺术剧院大事记编辑组编《北京艺术剧院大事记》所载排印。

一九八二年六月八日

来信敬悉（指 7 日寄给他的信，汇报纪念会邀请领导同志的情况，并请他审阅由周瑞祥起草的刁光覃代表他在纪念会上的发言稿）。

纪念会上刁光覃同志的讲稿已读过，我看很好。想不出可以修改的地方。

请哪些位领导同志，我都同意。见着习总[1]、乌兰夫同志，尤其是邓大姐（万一她能来的话），务请再三致意。其他各位领导以及同行、朋友与前辈们均烦一一问候。

你们辛苦了！30年工作确是尽心尽力的。稿中提得全面，行政人员、前台工作人员、各行艺术家，以及中青年人才都提了。是否可以提一句我院各方面工人的贡献呢？没有他们，我们的艺术力量将无从发挥。他们是很辛苦的。看看有否恰当地方热诚地提一下。我的意见，仅供参考。看得出撰写此稿已费了很大的精力了。在其他会上表示我们的敬意也好，请斟酌。

我真是想回京参加纪念会的。但是，反复考虑，我的病与写作计划都不允许我北归。一到北京，公事私事，纷至沓来，我将支撑不住。我总感到时间不多，要追回我浪费的许多光阴。我还是不回去了，请向阳翰老解释一下，感谢他对我多年的关怀。

1　系指习仲勋同志。——底本注。

请向刁、夏、于和所有的艺术家、行政人员、前台、作者和各方面的工人同志们致敬意。是他们一步一步走过北京人艺30年的，真是由衷地尊敬，由衷地感激啊！

曹禺

1982.6.8 下午，刚刚收到来信后

一九八三年二月二十二日

瑞祥同志：

来信奉函。感谢你给我讲得那样仔细，几乎像我也在院里和你们一同研究工作。

我十分高兴，你们几位同志掌握得十分稳，院里所有同志们确也见地高，真是久经考验的艺术家，不为一时的风云四涌所迷，反对了“突出一个包字，落实一个钱字”。群众真是英雄，想的词妙极了。

我遵嘱今日发了两个电报，一致林兆华，祝《绝对信号》一百场。另附上一句：“我以为，此时勇敢沉着走大道的人们总是会得到应得的敬重与发展。”另一电致杉村春子，感谢她率领十二位艺术家来华为《茶馆》做准备工作。

体制改革的讨论方案我看是相当周到的。现在，群众想着北京人艺的全局，不忘记来日发展的方针。这是北京人艺的艺术家与工作人员之所以立得稳、过得硬的地方。

“出好戏、出人才、出理论”，这是何等气魄。我看有些地方的人，忽然不知所措，一声炮响，四处开花，文艺事业不是一拥而上、诗歌遍地的事业。何况今日有些人还对孔方兄念念不忘呢！我爱北京人艺所有的同志们，他们究竟成熟了！深刻了！看得远了！

院分两队（注：指演员分为两个队），有一定的自主权，又有个全局的打算。将来如实践中还有问题，逐渐改变，以期协调、有效，既发挥集体智慧，又使个人的才能在社会上有所造益，庶不致窝住每个人的才智。如能达到这种境界，这是理想的方案。

密勒先生定下日期来京导演他的戏，所订计划均妥善。只要与各方密切合作，事事仔细考虑，以期演出成功。文化交流事业得以进展，这真是要靠各位同志的努力了。

久未与英若诚同志通音讯，他很忙，便中且书一二字，聊慰下怀！

我很内疚，不能与诸位同志开会讨论。然也只好如此。多年不知院内事，在京也是东奔西跑，不能专心致志在院多用心，只有恳求同志们谅解。

戏目安排，承惠示，我看相当妥当。但有一句话：必须提高质量，不可停滞。各老中青艺术家万不能器小易盈，听太多恭维，忘其所以是绝难成事的。

我院事极多，十分得力的工作干部仍似不足。这方面的调整，大有可作之处。目前已比往日好得多，但各得其所，适宜处理，大需整顿。然也不可过急，要慎重些。拉杂闲谈，叨在多年交识，正确与否，未多考虑，只供诸位同志作偶尔想起来参考。实多空谈，言之汗颜！

我在上海还有一阵。年事虽不太高，然时间却已不多。颇想在笔墨上再尽一点力，只不知身体尚允许我与否。十分想念人艺的各位同志，人老一些，便更思念相处多年的朋友。

祝

好！

曹禺

一九八三. 二、二十二

致李文敏

一九八一年十一月九日

得来书，才知《日出》在日本上演，是在11月中旬，看来，这篇《作者的话》早已迟了。但仍抄写，请你给赵寻与刘厚生二同志看看，改一下，免出差错。请立刻发出，寄给内山鹑先生。并请代我道歉，说我以为是明年春天上演。我确实这样记下的。

事已如此，也没办法。只好请你快办吧！反正，晚寄去，比不寄去，好得多。

久未见赵寻同志的消息，十分惦念他，不知他是否已从西藏回京？感谢刘厚生同志发来电报，我正犯心绞痛，连天气闷，上海又连阴雨，终未能去，很不安，请告厚生同志。

宝佑健康如何，很惦念。请为问好。我不久即返京。

读了你的要信，我在《作者的话》中，改正一些地方，谢谢你！

【题注】据北京人民艺术剧院大事记编辑组编《北京艺术剧院大事记》所载排印。

祝

　　安好

曹禺 1981.11.9

　　日本戏剧界朋友们名字的前后排列，请厚生同志斟酌一下。我对他们的地位如何，前后秩序，并无章法。

致英若诚

一九八二年七月九日

若诚同志：

来书敬悉。

《马可·波罗》电视剧在美，获得极大成功，中国方面的演员尤为人称赞。其中当以元世祖令人叹服。你的精湛演技，雄伟气魄与身后的文学修养使中国在世界人的眼中又获得一次文化上的胜利。至可喜。至可贺！

亚瑟·密勒的戏到底商定由北京人艺排演《推销员之死》，这是件大好事，真希望讲的清清楚楚，落实得明明白白。

你能在美排演《家》，这自然适当。你的艺术才华我是素来佩服的。

你提到删改诸点，我都同意。人物少，又能传达原意，乃是上

【题注】据原件排印。

策。以“觉新、觉慧、瑞珏、梅表姐、鸣凤”等为重点，删去“□鸣、觉民、琴”是好办法。

此剧场次多，也碎。第一幕就不能那样“大”演，“大”演必拖。那些“诸位□娘”可省，便省之。诸“爸”（叔叔）也可省去些。有些场子，如“新房”“鸣凤之死”，以及“冯老太爷的残酷、伪善”场面，“高老太爷怒命其不孝儿子自打耳光”场面，似均可采用。最后瑞珏在大雪与杜鹃声中死去，有意境，是否能做得出来？美国观众能否体会这样的悲剧情绪，都待你看情况斟酌取……

……商洽的问题。以及授权翻译、导读、上演、出版等等，我想不明白那许多东西，要签字，要同意。即你就告诉我，看看北京人艺与剧场能否帮助你到上海，旅费与住宿费用种种，由他们帮助。请你说清楚，我可以交代清楚。看他们以什么名义来办。

但这是我的一种揣测，如说错了，请你原谅。当然来上海面谈，是可以谈清楚一些《家》的缩短与改动问题，这是重要的。

我认为要缩短，不需要加台词。你先翻个整本，再弄个缩改本，我看一下。你看如何？

我现在不能回北京。一直在疗治，也一直想搞点东西。金山同志突然逝去，使我震惊，使我悲痛，我的心绞痛发作了一天，幸好及时治好了，北京之行，很困难，我身体弱，体力不足。北京事很多，去了，就不能不办。自然，党对我是非常关心、爱护的。但多少，也应该xx事。开会、见外宾、发言种种，总是要做的。

至于你日后搞专业演出，请专业演员演。第一，要求真能演戏的人演。第二，需要认真做些宣传，不能演个把星期就算“成功”，满足美国观众的好奇心，而不能成为一个像样的、站得住的节目。这就须要你下功夫导演，找人，组织，找后台老板等。这些工作，我觉得你是完全能胜任的。记住，你是第一个由中国来到美国的中国导演，必须出色！必须轰动！

当然，这是后话。目前，先在missouri的剧场，试试美国观众的品味。美国的好剧本，经常先由地方剧团演出成功而红起来的。

至于以后，一切权益问题，你看有可能，便考虑一下。

至于你选的全剧“主题”与“风格”向阳，无疑地，你早已明白了。我很欢喜瑞珏这个角色，这是旧家庭中善良、温顺、聪明、娴雅，而又极为多情的女人。她夹在“觉新”与“梅”中间，得到所爱的人。终于失掉她所爱的，连自己一双儿女都抛下了。这种诗意与悲哀的情调，是否能为美人所欣赏，我不大明白。

自然，瑞珏也夹在“革新”与“守旧”当中，她的死亡是守旧势力顽强肆虐的结果。她是善良的，她是牺牲品，然而，这也是废话。我没有谈到什么主题这类东西。我觉得。我们常过分强调“主题”而忽略了最吸引人的，是清新的、明丽的情调与赋有中国情意（或情趣）的真实人物。

如果能把真实的中国旧家庭，如水如诗一般，表现出来，那是作者“馨香祷之”的好演出了。当然，我决非赞扬旧家庭，我多么恨它，乱说一通，不知对否？

我有个怪念头，我觉得黄头发、高鼻子的男女，未见得不能演中国人物。最重要的是他（她）要一个真实的中国人物的灵魂。这样的演员很少。一演外国人物，便矫揉造作，令人作呕的演员，很多。

再，求其形似，毫无内心的神情与情致，是不足取的。

在苏联演《雷雨》都是黄头发。那不一定好，但在法国，演《日出》，黄头发的，演得非常好！

因此，我以为挑选演员至关重要，但我不是排斥黑头发、黄面孔的美籍东方人。但他们至少要非常严肃，要很有才华，有惊人的吸引力。当然，黑头发的，不能混在黄头发中，或彼或此，要清一色。

《家》中，我很喜欢在鸣凤之死。那个打更的老人，似乎这个人物给全剧添点颜色。

不说了，太多了。问候吴在良同志好！问候全家好。敬祝，

一切顺利！（其实，这个祝愿大可不必，你是永远顺利的。）

曹禺

19八二，七，九

致王余

一九八二年九月十二日

读了你的信，致玉茹信，那天座谈会的我的发言记录稿。我十分高兴。西藏族神话舞剧《卓瓦桑姆》给我极深的印象，我以为这是藏族同胞在近几年来发展藏族文化的高峰，是应当受到全国人民的赞美的。不料我这时，忽在川忽在皖，现在安庆才受（收）到这封信，那篇发言记录我已拜读，似乎没有什么可改动的。寄上，如果不用，就拿去发表吧。很抱歉，耽搁许久。敬祝

安好

曹禺

1982.9.12 安庆

衷心预祝你们在香港演出《卓瓦桑姆》舞剧大获成功！

【题注】据北京人民艺术剧院大事记编辑组编《北京艺术剧院大事记》所载排印。

致洪忠煌

一九八二年十一月二十九日

洪忠煌同志：

来信诵悉，读了《曹禺同志的谈话》，我看可以。访日归来，复晚了。

你们的领导同志和各位编《天津话剧史》的同志们很严肃、认真，这确是写好这本书的保证。

我的意见不一定对。但你们的精神深深感动我。

感谢你们，你们负责态度给我不少的收益。此致，敬礼！

曹禺

北京

一九八二年十一月廿九日

【题注】收录崔国良主编:《南开话剧史料丛编》，南开大学出版社，2009年第1版。

致祝鸿生

一九八二年十二月八日

鸿生[1]：

你的信收到很久了。各种事、会、人，使得我不能即时回复，稽延至今，十分抱歉。

曾托玉茹转告你，感谢你代上影厂邀我赴沪，谈改编《雷雨》事。我也收到上影正式的信。我可以去。听说有你在促成其事，那当然会十分妥当的。

这些天，忽得面部三角区蜂窝组织炎，烧到三十八度四，进了北京医院，于是一切工作只好暂停。医生说，此病如不及时治，细菌染入脑内，得了脑膜炎，就十分难治。原如西瓜皮的肿脸已消肿，牙与喉渐次减痛，已经像个人的样子了。只是还得留在医院，继续治疗。烧未全退，但已逃过所谓三角区的危险关口。要根本铲除“病灶”，尚需住几天。

【题注】载《现代中文学刊》2010年第6期“曹禺晚年书简”。收录李玉茹编、钱亦蕉整理:《没有说完的话》，山东友谊出版社 1998年第1版。

1　祝鸿生，巴金女婿，李小林爱人。——底本注。

我十分盼望能于二十日飞沪，这只是个人的打算。医院不肯，也是枉然。

但一旦能飞上海，必事先通知你，再来麻烦你与上影的同志们。

我同意你的看法。曾见孙道临同志，他来谈二次，谈改编与导演该戏，颇有些见解。听说他很实在，沉着，极肯用功。也许与上影这次合作不致中途撤退吧。

大约好说话也有缺点，就是常遇见说了话不作数的朋友。

我想去的最大理由之一，即可趁此机会能亲自看看芾甘，他究竟养病如何，我十分惦念他。有人讲，华东医院无暖气设备，这大概是无稽之谈。

原想早去沪探视，不料也卧倒病床。病总会好，不久即能见着他。不过请不要告他我也病了。那天，我向健吾遗体告别，见其夫人尤淑芬同志，已告诉她巴金托我转告唁慰之忱，请她多多保重。她十分悲痛，仍一再说一定要巴金好好保重，并且劝我保重。我确是难过极了，同情她极了。人已归去，只有活着的最亲近的，才真是难过。

我的书如出了，当然送你与小林。活到今日，才知时间可贵。只有乘这点精力还有的时间，用用功，再写点东西，以报答许多关心的朋友。小林和你都是关心我这个老家伙的。

目前烦恼事也多，只有静下心来，定下心来。

为我问爸爸好，问济生好，亲亲端端，问九姑妈和孃孃好，问国煣好。

家宝

一九八二年十二月八日夜十一时

一九八三年七月三十日

鸿生：

天气酷热，未能通询。《日出》改编电影剧本，上海电影厂邀我与万方二人担任，并正式来函，我已正式应允。十分承情，毋庸再提。

我与万方已应允上影邀约，改编《日出》电影剧本，似宜早为宣传，免生枝节，不知你以为然否？前次湖南（潇湘）电影厂约中央戏剧学院某人来商谈改编《日出》为电视连续剧，我当即拒绝，他们也从此作罢。此一枝节也。

爸爸的信虽短，我已珍藏起来。他的《随感》我们读了很感动！我暂不另处。他的健康是读者与朋友们最关心的了。请他不要为病好得慢着急，恢复到如此地步已是很快了。着急只有弄得烦闷，于健康不利。《随感》大家都想读，但能写便写，不然也闷。不过做得过多，八十岁的人了！也受不了。奇热难当，不可因写文章过力反引起他种病，这最不值得！千万听老友一点心意！所有爱他的朋友们都如此想。请他保重，又保重！玉茹和我再三问巴金好，你们夫妇好，端端好。万方大约八月份到沪，她已信告。

家宝

八三，七，三十

一九八三年十二月十二日

鸿生弟：

连接来信与小林函。我仍忙于各种不得不办的事，回复迟了。请谅解。

我把小林关于爸爸住院，不能来京开会及身体状况的信交与邓大姐，并说了爸爸感谢她的话。她极关怀爸爸的健康，嘱我到沪代她买鲜花赴医院慰问。

目前我刚开完人大常委又遇着招待外宾等事。但我仍在空时与方子着手《日出》电影剧本。时间不足，似将拖延时日（本年内不能交稿），是否能允许再晚些时候交稿。但也不会拖得太久。此事鸿生想必十分为难，我与方子都很着急，然剧本写不出，亦无可奈何。俟《日出》初稿完事，当来沪商议。

我从罗荪得知爸爸的健康逐渐恢复。我们全家都很高兴。务请你与小林为我向爸爸问好。久不见他，仿佛过了几年似的。十分想念他！

祝

全家好。

家宝

八三，十二，十二

一九八四年一月二十四日

鸿生：

向你报告几件事：

1. 这些天可以说日夜赶《日出》电影稿本。我和万方用了相当大的心力写这个本子。除了吃睡和绝对必要办的事，全部精神放在这个写作上。

我们即将完成这个稿子，正由万方抄写。预料在春节前（即本月卅一日），把底稿交给你与文学部审阅。我想，如果能得到你们初步首肯，提去意见，我们可作初步修改，再打印。

万一你们文学部觉得大致不差，是否可以在春节中，即作特别处理，在假日内打印成本，以便及时征求党委与同行们的意见，再行修改，务期做到不致误了在本年内拍摄的任务。

2. 我与玉茹正在设法购买本月卅一日的机票。购得，即电告你，请你派车接我们一下。

3. 我们感谢你的好意为我们订下有暖气的旅舍，以便继续工作。如机票购不成，听说年前很挤。必早早再电告你到沪日期。

4. 万方过了春节就来上海，我与玉茹争取在沪过节。但请不必告诉任何人。到处来回拜节、应酬，弄得住在旅馆也不得安心。我们感到有些疲乏，需要稍稍休息。

5. 日后党委与同行们举行讨论如何修改，或提出什么要求，我希望先叫万方用心听记。我暂不参加，可以使朋友们畅所欲言。

6. 很怪，写完了，舞美，我却想到导演、演员、制片人种种问题了。

这个稿本，似乎需要很称职的演员。当然，导演更重要，舞美、制片都要紧，尤其是演陈白露的演员，这个草本把她写得相当重。中国目前演技，使人总觉得不真实，不自然，很多造作。《日出》在舞台上演得较久，许多角色已经“脸谱化”，如顾八、胡四、乔治等都千篇一律。即潘月亭、李石清等，也演得十分浅薄没有个性。大家都不下心研其历史，环境，人的内心变化，台词、动作的意义。这个戏像是天天炒冷饭，一点新滋味，新鲜感，真正想吃一下的心情都没有了。鸿生，你是我的朋友，我才胡说一泡。这些话都不一定是对的。老爸爸说：“什么时候家宝来?”很感动我！我好伤感。听了，几乎他的声音就在耳边，不断地叫我。我真想立刻到上海看他。希望他已经回到家里养病了。多少事麻烦你。我不说谢了。

祝

全家好!

小林与端端好!

家宝

一九八四，廿四

致夏淳

一九八三年一月二十日

致乔木同志信已阅，写得很好。已签了名。为了说得更清楚、更恳切、更仔细，是否仍请刁光覃（如他尚未进院治疗）、于是之同志等一道见他？

此外，剧目《车站》《小井胡同》，我和你的意见一样，希望尽可能早排早演，早日争取实践中修改、加工，多多征询观众意见，以期成为一个成功的剧目。

北京人艺小剧场是一个可以勇敢地实验各种各样剧目的地方，是一个可以大胆地培养演员、导演、舞美、灯光的地方，也是在四项原则指导下，可以放手培植“百花”“百家”的地方。《车站》似乎是一个小剧场的下一个较理想的剧目。敬祝一切顺利，但需要大下功夫。

【题注】据北京人民艺术剧院大事记编辑组编《北京艺术剧院大事记》所载排印。

一九八三年二月二十三日

夏淳同志：

来信并讨论方案早奉悉。以事稽延至今才复，请原谅。

起扬同志来院事，以你进行的各方面的情况看，确实渺茫。前春节电视联欢，有我院节目，观众中瞥见黎光同志在座，是否又有点好消息？朝思暮想，费尽精神，终不能争取一位党领导，今天的事，确不好办。

然而，读到你的信的后半，读到我院体制改革小组与群众讨论结论，真是增加信心。各位负责同志各处征询意见，开各种会讨论，大家的思想似颇一致，即北京人艺的一贯方针不要乱套。培养人才、提高质量、争取好剧本上演，促成一套艺术思想体系，为人民、为社会主义服务。

北京人艺过去的成绩须发展，承包责任制实行起来，还是要继承与发展北京人艺的艺术风格，万不能成为一味追求经济利益，只在“钱”上打主意的，或在“风头”上打主意的思想所干扰。改革是为了提高精神文明；文艺事业究竟不是买卖！我看了“剧院方针任务与改革的目的”这一段，大家提出的缺点很切实，可见要求改革的呼声是多迫切。此段最后提出“出人才、出好戏、出理论”与“做到国家、剧院、个人三有利”。这样的目的是明确而又适合北京人艺的现状的。

演出队分两个，自行管理艺术、思想与演出工作。有一定的个人参加队外活动的可能，由院里主管部门负责签订合同，这可以保证北京人艺的演出与演员在外面演出合理的工作时间。

演出剧目需由主管院长批准，服从统一安排。这一点，需要选择真知全局为何事、什么是好剧本的人。

其实，一切改革要订好制度，都需要好的人选。

我感觉到，我院有人才，患在不能善用。

目前人员臃肿，应适当简化，然先求用人得当，人尽其才，然后才能谈到裁减。

我多年不知北京人艺各方面事情，只是在此地空谈，与你闲扯一扯。其实我是十分内疚的，谈这些话，首先感到惭愧。

今后如有艺术委员会组织，人选要注意能负责、有鉴别力。艺委会要真起作用。

曹禺

一九八三.二、二十三

致《绝对信号》全体工作者

一九八三年二月二十二日

《绝对信号》在小剧场公演一百场，我向作者、导演、演员、舞美、灯光及全体工作者热烈祝贺！你们获得观众衷心称赞，立了功！另外，祝全院同志好！此时，我以为，勇敢沉着走大道的人们，总会得到应有的敬重与发展。很关心我院体制改革。

【题注】据北京人民艺术剧院大事记编辑组编《北京艺术剧院大事记》所载排印。

致林兆华、高行健

一九八三年三月十五日

兆华、行健同志与各位参加《绝对信号》演出的同志们：

读来信，十分感动！

所述甚是。《绝对信号》剧组的优异成绩，是北京人艺艺术传统的继续发展。北京人艺从不固步自封、不原地踏步，绝不应抱着那点成就，就总是沾沾自喜，不求前进。人老，常易看不得新事物；机构老，就容不得新事物。

北京人艺绝不能仅成为保留剧目的博物馆。它是继承了我国话剧传统，却又不断汲取新精神、新形式、开拓广阔艺术疆域的地方。我们需要不同的艺术风格不同风格的剧本来丰富这个剧院的艺术。这将使剧院不致陷于死水一潭。这个剧院当然不抛弃已有通过艰难困苦、奋发创造才获得的所谓“北京人艺风格”，但我们绝不拒绝新的创造来发展、滋养我们的传统。自然，吸收新精神、新的写作与演出方法

【题注】载《十月》1983年第3期，题名《关于〈绝对信号〉的通信》。

不是盲目的，不是随风倒的，而是以我们已有的创新经验与艺术鉴别能力来吸收各种有益的东西，有思想、有艺术的创造（无论是写作、演出、演技、舞美或其他）。这一点，我相信，我们剧院的艺术家们也多少有一点这样的水平。

我赞成你们提出的“充分承认舞台的假设性，又令人信服地展示不同的时间、空间和人物的心境”的创作方法、演出方法。其中，“令人信服”四字很重要，不要弄到“我明白了，大家当然明白”的地步。此外，我们是八十年代的戏剧家，是在建设高度物质文明的同时，建设高度的社会主义精神文明的戏剧家，这一点我们随时随地都应该牢记。说起来，这是常谈，但这是必不可少的常谈。

我喜欢你们提到“我们这个有悠久的戏剧传统的民族，为世界当代戏剧的发展，也应该做出自己的贡献，这种民族自信心我们应该有”。我感到你们这段话不是一般的“豪言壮语”，而是很有分量的庄严誓词。这个崇高的目的，必须达到，但需要时间，更需要大家有个统一的认识，有干劲、有韧性，容忍得各种非议，经得了各种困难的考验。

一件事的成功总是经过曲曲折折的道路。因此：一、万一进了没有出口的胡同，要知道转折回来，再探新路。二、有了成绩，哪怕是很大，也不要称王称霸，容不得其他的戏剧艺术。大凡号称“老子天下第一”的人，没有不失败的。我随手写了这一篇，只因为我十分喜爱你们勇于进取的精神，并不一定有多少道理。祝你们更加努力。

曹禺

八三年三月十五日

致黄永玉

一九八三年四月二日

永玉大师：

收到你的信和歌颂你的充溢美的一切的夫人的长诗。好像一个一无所有的穷人突然从神女手里得到不可计数的珍宝，我反复地看，唤出我的妻女一同看，一块儿惊奇上天会给人——毫无预感地给了我这样丰满、美好、深厚、诚挚的感情。

我确实没想到你会写给我这样一封长信，这样充满了人与他所爱的那样深厚的情诗，我一生仅看见这一首。

这首诗有太多真诚的诗句，要人背诵，背诵不出，就渴望一读再读。我读一段，便立起在小屋里踱一遍，又读，又管不住站起来来回踱着轻快的步子。它给我无限的幻想，想着你和她如何相遇，如何眷念，如何相慰，如何一步步踏上生活的艰难而又甜美的道路。这首诗

【题注】收录李辉著:《绝响八十年代亲立记》，南开大学出版社，2009年第1版。

有至性，也就有至理：

你常常紧握着我这和年龄不相称的粗糙的大手，
母性地为这双大手的创伤心酸。
我多么珍惜你从不过分的鼓励，
就像我从来不称赞你的美丽一样。
要知道，一切的美，
都不能叫出声来的啊！

你和你的夫人大约想象不出，一个七十三岁的人会对你们的情诗如此敬重，如此羡慕，我只想再引一段来遏制我的过分的喜悦之情：

中年是满足的季节啊！
让我们欣慰于心灵的朴素和善良，
我吻你，
吻你稚弱的但满是裂痕的手，
吻你静穆而勇敢的心，
吻你的永远的美丽，
因为你，
世上将流传我和孩子们的故事。

关于你这首诗，我可以更多地引下去，更好地谈它是多么打动我，是我想遇多年，终于见到的情诗。

你鼓励了我，你指责我三十余年的空洞，“沉陷在不情愿的艺术创作中”。这句话射中了要害，我浪费“成熟的中年”到了今日——这个年纪，才开始明白。

你提到我那几年的剧本，“命题不巩固，不缜密，演绎、分析得也不透彻”，是你这样理解心灵的大艺术家，才说得这样准确，这样精到。我现在正在写一个剧本，它还泥陷于几十年前的旧烂坑里，写得太实也陈腐，仿佛只知沿着老道跋涉，不知回头是岸，岸上有多少新鲜的大路可走。你叫我：“醒来啊，把沉睡赶走！”

我一定！但我仍在蒙昽半醒中，心里又很清楚我迷了道，但愿迷途未远，我还有时间追回已逝的光阴。天下没有比到了暮年才发现走了太多的弯道更可痛心的。然而指出来了就明白了，便也宽了心，觉得还有一段长路要赶，只有振作起来再写多少年报答你和许多真诚的朋友对我指点的恩德。永玉，你是一个突出的朋友，我们相慕甚久，但真见而谈心，不过两次。后一次还有别的朋友似乎在闲聊，我能得你这般坦率、真诚的言语是我的幸福，更使我快乐的是我竟然在如此仓促的机遇中得到你这样的诚真见人的友人。

你说我需要阿瑟·米勒的草莽精神，你说得对。他坚实、沉毅、亲切，又在他深厚的文化修养中时时透出一种倔强，不失不在尘俗中屈服的豪迈气概。

我时常觉得我顾虑太多，又难抛却，这已成了痼习，然如不下决心改变，所谓自小溪再汇为沧海是不可能的。

你像个火山，正在突突喷出白热的岩浆，我在你身边，是不会变冷的。你说要写二十个剧本，如果我真像你举出的那种巨人，我是会如数写出的。不过，有你在身旁督促我，经常提醒我，我将如你所说“不饶点滴，不饶自己”。

你的画，你的“常在夜晚完成的收获”，世间有多少人在颂扬，用各种语言来赞美，“我再添什么是多余的”，我更敬重的，我更喜欢的是你的人性，你的为人，你的聪敏才智、幽默感，你的艺术与文章，是少见的。但真使我惊服的是经过多少年来的磨难与世俗的试探，你保持了你在“一个明亮的小窗口下”的纯朴与直率。

大约任何有天赋、有真正成就的人，必须有纯真和质朴，否则不可能成为一个伟大的艺术家。永玉，我是多么羡慕多么敬重你的朴实与坦率。你的真挚的热情使我惊异，使我感谢上天给人的多么可爱的赐予，多么可爱的品质。

我知道你不多，然即便那一次谈话，这一封长信，这一首长诗，我明白我现在想念的，是多么令人尊敬的一个人。

我终将有所求于你的。你引过的诗：“心在树上，你摘就是!”日后，我们会见面，我们将长谈，不仅是你说的“杂七杂八”的故事，更多谈谈你的一生，你的习惯、爱好，得意与失意，你的朋友、亲戚、师长、学生，你所厌恶的人，你所喜欢的人，你的苦难与欢乐。一句话，我多想知道你，明白你。当然，这要等你工作之余，你有兴致的时候。

我很想一直写下去，可我也感到自己唠叨了。

有一件事想告诉你，读了你的信，我告诉我的女儿和李玉茹到街上买一个大照相簿来。她们很快买到了，你的长信已经一页一页端正地放在照相簿里。现在我可以随时翻，在我疲乏时，在我偶尔失去信心时，我将在你的信里看见火辣辣的词句，它将促我拿起笔再写下去；在我想入歪道，又进入魔道，“为势位所误”时，我将清醒地再写下去！

确实，我还有话可讲。我可以讲到半夜。但我的老婆说我不爱惜自己，刚病好，又扑在桌上写起没完了。

你的长信来时，我正上吐下泻，体虚气短。其实只是吃坏了。你的信给了我一股劲，我要活下去，健康地活下去，为了留下点东西给后代。但是目前这个剧本是庸俗的，可能下一个剧本要稍如意些。请问候你的夫人和那“两个年轻水手”，感谢你，我的朋友，我的永玉大师。

曹禺

1983.4.2

致蒋牧丛

一九八三年五月十一日

牧丛同志：

知道四川人民艺术剧院排《原野》，请你向他们说一声。

一、那个金子唱的歌无曲调，其实可不必唱，除非这个戏已经大大删节，才能容下金子那样回忆往日唱的情歌。

二、此剧须排得流畅、紧凑；怎样删改都行。但不可照我的原本硬搬上舞台，以为那是忠于原作。导演要有自己的创造，自己的想象，敢于处理；此剧太长，最好能在三小时或二小时半演出时间之内。不要把观众“拖”死，留得一点余味，才好。

三、“序幕”与“第三幕”更要大删！剧本写得热闹，到了舞台，往往单调，叫人着急。第三幕，有五景，很不好弄。如果没有生动、松快、流畅、浪漫一点的办法，就留下仇虎与金子最后一点，几句话，几个能动人心的动作，其余完全可以不要（绝不要把五个景都搞出来，那是危险的）。我看过两次演出（大约我只看了这两次），都

【题注】收录田本相著:《曹禺传》，北京十月文艺出版社，1988年第1版。

不好。那个第三幕只能留给人想象。一实了，人“拖”死，“累”死，演员与观众都受不了。

要大胆一些，敢于大改动，不要使人看得想逃出剧场，像做噩梦似的。《原野》是讲人与人的极爱和极恨的感情，它是抒发一个青年作者情感的一首诗（当时我才26岁，十分幼稚！）。它没有那样多的政治思想，尽管我写时是有许多历史事实与今人一些经历、见闻作根据才写的。不要用今日的许多尺度来限制这个戏。它受不了，它要闷死的。我为四川人民艺术剧院的艺术家们作难；但我衷心祝愿他们能够成功！

曹禺

1983.5.11

再，服装不一定按剧本写的那样。要美一些，金子可以艳丽一些。

美工是否那样写实（整个剧不要太写实）？可否“虚”一点？留给人想象。换景必须快。灯光要照见演员的脸。但，无论如何，这个戏需要了不起的好演员，既能激情，又能松弛，放得开，又会含蓄，要观众看着，一点不吃力。这就要内心的真感情，不是要弄机巧。不要演戏！

他们的词句要读得明白，读得美一点。仿佛仇虎杀人后有一段关于生和死的独白，要说清楚，叫人听得见。不要毫无内容的抑扬顿挫，不要那么多的手势。如果是个好——真正好的演员，只站在那里，用真实的情感，有训练的声音，就足能表现了。又及。

致刘孝文、梁思睿

一九八三年五月二十日

刘孝文、梁思睿同志：

来信诵悉，奉上“序”一则，不知可用否？

近来身体不大好，写不出长文。好在这类文字只能作为介绍用，出版社同志们也许不在意的。

匆匆祝

安好。

曹禺

一九八三、五、廿

【题注】收录刘孝文、梁思睿编纂:《中国上演话剧剧目综览（1949—1984）》，巴蜀书社，2002年第1版。

致杨立平

一九八三年五月二十一日

立平同志：

来信并书籍都收到。十分感谢。您的各种建议都好。如果能获批准，得以实现，那就有助于文学出版社的声誉，作者们也会高兴的。

后记已遵嘱改了一些，是否可用，请斟酌。我记性不好，立刻寄上。

不知您的伤势见好否？念念。祝

撰安

问候舒济同志。

曹禺

八三、五、廿一

【题注】据原件排印。原件藏于中国现代文学馆。

一九八三年六月七日

杨立平同志：

早上四川人民出版社加急电，系我通两次电话后，他们的回电，请您联系。

多麻烦，但同一种最近改本要好些，远比旧版好点。祝

好

曹禺

八三、六、七

致杉村春子

一九八三年九月六日

敬爱的杉村春子女士：

我怀着十分欣悦的心情给您写这封信。因为，恰逢中日和平友好条约签订五周年之际，您第一次访华时演出的优秀剧目《女人的一生》，现正由我们剧院在首都剧场公演，深受各界观众的热情欢迎。同时，老舍先生的杰作《茶馆》也即将与贵国观众见面。这是贵我两国戏剧界之间的友谊日臻亲密的象征，也是我们共同为增进两国人民的友谊所做的实际贡献。值得庆祝，值得高兴。

您是《茶馆》访日演出的发起者、倡导者和全力以赴促其实现的组织者。鲁迅先生说过：“人类最好是彼此不隔膜，相关心，然而最平正的道路，却只有用文艺来沟通。”您是热心于用文艺来促进两国人民“不隔膜，相关心”的不倦的实践家，对您的热忱和精力，对您

【题注】据北京人民艺术剧院大事记编辑组编《北京艺术剧院大事记》所载排印。

多年来为日中友好不辞辛劳，不怕险阻，坚若磐石，不遗余力，我深表敬佩和诚挚的谢意。请您向为《茶馆》访日而操劳的日中文化交流协会、民主音乐协会、松竹公司、日本新俳优协会诸位先生和女士们转达我的诚挚谢意。在北京人艺《茶馆》访问演出期间，仍请您多方关照，多方指教，以期圆满完成任务。

至此　敬候

安好

曹禺

1983年9月6日

致千田是也

一九八三年九月六日

敬爱的千田是也先生：

流水光阴，东京别后，又是一年！目前正值贵我两国和平友好条约签订五周年之际，又逢我国传统的中秋佳节，故人不来，月圆人缺！回忆去年中日剧友的真挚交欢，依依难忘。

我遥祝先生健康长寿！祝日本所有好友日进千里！祝贵我两国的传统友谊万古长青！

我院《茶馆》赴贵国访问演出得以成行，是先生及杉村春子女士等诸位友人长期奔走、筹划之功。您为增进贵我两国戏剧界的友好交往和人民友谊，多年来不辞辛劳，不怕险阻，坚若磐石，不遗余力，我和我院同人衷心感佩，深表谢忱。北京人艺《茶馆》访日演出团在贵国演出期间，尚祈多方关照，不吝指教，以期圆满完成友好交流的使命。

至此　谨祝

大安

曹禺

1983年9月6日

【题注】据北京人民艺术剧院大事记编辑组编《北京艺术剧院大事记》所载排印。

致夏家善

一九八三年十一月四日

拜读十月十七日函，最近不舒服，迟迟作复，至以为歉。文献片《曹禺的创作道路》，我以为不值一做。今日文艺戏剧界，大有作家，他们的贡献大，都可供同志拍文献片。我看，不必费力了。署名“小石”的改译剧本，我料想，可能是我做的。不读该本，实在想不准。各位同志工作辛苦，用在我的剧本创作上，甚歉疚，也为你们惋惜大好时间。匆匆敬祝安好。

【题注】收录贾长华编:《曹禺与天津》，天津社会科学院出版社2006年第1版。

致朱栋霖

一九八四年六月三日

栋霖同志：

来示并大作早已读过。我不大好读书，至今引为遗憾。从您的文章里，看出您对古书外国作家书下过功夫。如谈到契诃夫，您的见解就相当精确，谈到我的那几本戏，您也有独到意见。您从一九八〇至一九八一写作《论曹禺的戏剧创作》，耗费多少精力，我感觉惭愧。我的作品，如果还算个作品的话，是不值得您下了这大精神的。

今天下午田本相同志可能来访，他正在写个年表。我想把你问的种种交给他看。我自己答不上来，我从不留过去的记载。关于《日出》某些角色原指的是哪些真人物。这些都是猜测之词，不足深究的。

田本相同志是北京广播学院语言文学部教授，在北京东郊定福

【题注】收录李玉茹编、钱亦蕉整理：《倾听雷雨——曹禺纪念集》，上海文艺出版社2000年第1版。

庄。他是位十分认真的人。他作过一些调查，才搞出一个年表。您如果愿问他，我想他会作出较准的答复。

我近来开会多，见人多，写作简直停下来。岁数较大，而无长进，是件难堪的事。

早应复信，以事、以病，耽误至今，十分不安，请多原谅。

敬祝

撰安

曹禺

一九八四.六.三北京

致田农

一九八五年十月二日

田农同志：

朝鲜之行您给我的印象至深。您九月一日信，今始读到，复信甚迟，请谅鉴为感。

梨园研究会约为荣誉会长，实为惭愧，既是尊意，仍应同意。

敬请

撰安。

曹禺

一九八五年十月二日北京

【题注】收录田本相、刘一军主编:《曹禺全集》第6卷，花山文艺出版社1996年第1版。

致朱穆之

一九八五年十月十五日

穆之部长同志：

介绍湖北省潜江县委刘汝成同志向您汇报关于潜江博物馆事宜，潜江是我党老根据地，文物很多，务请您接见，并给予指正和帮助。

十分感谢，敬祝公安。

曹禺

1985.10.15

【题注】收录潜江市曹禺研究会编:《曹禺研究》第1辑，远方出版社，2004年第1版。

致崔国良

一九八五年十月二十七日

崔国良同志：

在渝见南京大学陈白尘教授。他的研究生正致力于中国话剧史，曾闻我出版社已印出《南开话剧运动史（料）》一书。他们急需该书一读；尤其是《新村正》剧本，据说此剧早于胡适的《终身大事》，应有所改正。

陈白尘教授住南京中央路一四一号内二号，务请挂号惠寄一册，裨益话剧历史。

前在津，诸承厚遇；不胜感谢。专此敬祝

撰安。

曹禺

一九八五，十，廿七

【题注】收录贾长华编：《曹禺与天津》，天津社会科学院出版社2006年第1版。

致来新夏

一九八五年十月二十七日

在津诸承厚遇，衷心铭感。忽得手书，赐赠大作《林则徐年谱》，拜读之余，深获教益。先生治学态度谨严，内容丰富，文章自成一格，培植后学，定起作用。

……

近日赴渝参加重庆雾季艺术节，归来始获大礼，迟复，想不见怪也。

【题注】收录田本相、阿鹰编著:《曹禺年谱长编》，上海交通大学出版社2017年第1版。

致于是之

一九八五年十月二十七日

奉上美国大学来信，不知已复否？若何处理，均请斟酌，复信若需签字，请代签。

一九八六年七月二十九日

上海酷热，忽奉手书，正是一服清凉剂，痛快异常，正是“二人同心，其利断金”，所说各种计划，十分妥当。尤其是坚决顶住，不出国，是大决心，是大智勇，是回生起死的战略。不然，北京人艺将被每年的出国事拖垮、拖死。《茶馆》明年一换中青年，这个好戏将会永存在我们的戏目里。这样做，不是老一辈有造就的艺术家从此不

【题注】据北京人民艺术剧院大事记编辑组编《北京艺术剧院大事记》所载排印。

演戏。我以为这些国宝应该创造新的人物、新的生命，不能在一棵树上吊死自己。《茶馆》是万古长青的大树。但如我们这些有数的、极富有教养文化与很高艺术才能的老演员们不再从事新的创造，以号召、影响、培养、熏陶年青的舞台戏剧家们，那么，我们便浪费眼前有限的几年光阴。也就是自认老大，承认自己到晚年无能，失去奋斗的勇气。那是可悲的！如今，好了，有决心了！我是多么高兴啊！

明年的计划，十分妥当。出我意料，在各种困难与磨折中，你心里是有数的，和你一起工作的好同志们也是有数的。今年下半年与明年有个好计划，安排好中青年的成长，培养更小的一代，都想得周到。我远隔千里，我的心随你们跳动的心而跳动。北京人艺是我们共同的生命，共同的灵魂。我们这些老家伙们把一生最好的光阴交给她，只有把老命继续献给她才对得起她，对得起祖国！

你的信我仅看了两遍，我要再看看，然后再给你写信。但，如挑剔不出什么，就不写了。又及

致于是之、苏民

一九八六年九月二十八日

密苏里大学校长George. A. Russell先生给我来信，请允许英若诚同志及其夫人吴世良同志在一九八六年八月中旬到十月赴美讲学指导该校的戏剧教学。奉上来信，请代复信。可交英若诚同志看后代复，打印，我在上面签字。我拟同意他们夫妇去。但不知我院有否其他事情，不能如约。这也可以告诉该校长，不能去的原因。去与否都请你们决定。

【题注】收录田本相、阿鹰编著:《曹禺年谱长编》，上海交通大学出版社2017年第1版。

致乔羽

一九八六年四月二十九日

乔羽同志：

久未见，想近日创作诗歌、戏剧，更为精绝，钦羡不已。我的女儿万方在你教导之下，改编《原野》作为歌剧院剧本，经人推荐，我读了似还可以。

《原野》经她改编，颇有些歌剧味道，禺以为仍应求歌剧前辈如兄者帮助指导，始可言是中国歌剧。

中国自己的歌剧方兴未艾，披荆斩棘者有人而后继人才似宜多方培养，方可完成大业，不知是否？

匆匆敬请撰安。

曹禺

一九八六,四,二十九

【题注】载《人民音乐》1987年第9期“关于中国歌剧的通信”。

一九八六年五月二十五日

乔羽同志：

拜读手书，谬蒙赞许，实深汗颜。但陆续以拙著为今日中国歌剧的底本，实属不妥。理由以及我对歌剧浅陋意见陈述如下：

一、歌剧故事应简明、清楚，我的戏故事复杂，人物太多，有的立意且偏僻，今日观众未必喜欢。

二、目前需要熟习中国歌剧特点与要求的戏剧诗人，他们的才能与功力也称得起是歌剧作家，如从全国范围访贤，这是找得到的。

三、我们要伟大的作曲家。梅里美的小说《卡门》如无Bizet，便写不出传世的歌剧。今日为中国歌剧作曲的人太少，不够重视。世界歌剧多以作曲家称名，我们的杂剧、昆曲是以作家称名，可见我们自来不大重视歌剧作曲家的。

四、我们缺少伟大的歌剧演唱家。今日有成名的歌剧艺术家，但成就虽大，然仍需与各地音乐学院共同培养，多方实践，是一问题。

五、选歌剧题材，似不宜急功近利。若定要采取目前题材，求一日之效益，得上级暂时的首肯，发展中国歌剧是困难的。

在不违背四项基本原则条件下，任何高级人物、批评权威、普通观众，可以提出各种意见。对剧本、作曲、演出、歌唱，或批评，或赞美，都应真正争取有见解的歌剧艺术家的理解与消化，才能有所取舍。要在和谐空气中求交流，在平等地位上求团结，求进展。做不到这一点，则如石缝中硬埋苗子，永远长不成大树的。

六、今日中国歌剧唱法究应采取民族唱法？或洋唱法？或二者并举？应争鸣。但更应多实践。允许失败，允许得失参半的情况。在认真的长期的实践中终会得一定论。

七、我们赞同常演出世界名歌剧，以丰富文化，以扩大眼界。然而我们必须以有中国特色的社会主义的中国歌剧，在全世界、全人类面前做大贡献。中国歌剧的伟大贡献，要使世界人民口服心服，而不仅是获得多少个金牌。我们今日的中国歌剧要使子孙后代认为这是永恒的文化宝库，是祖国的光荣！

胡说乱讲，诸位原谅。叨在多年友好，不觉放肆之极。敬请艺安！

曹禺

一九八六,五,二十五

致高素凤

一九八六年八月十一日

高素凤先生：

收到您的信，您十分客气、谨慎，并且将立李叔同先生像的事转告李市长，他已批允并责成有关同志等合作筹划，我十分感谢。

我将几件应说明的事写在下面：

一、我在病中，错把你写的上海的家，认为是北京的家，于是在您的文章上，大改。其实，都改错了。现一律改回原样。

二、叔同先生（在《辞海》中，一卷本1267页）是浙江平湖人。这是祖籍。他生在天津，青年始赴上海求学，他家移居天津是否有几代？可以查查。但目前生在哪里，便是哪里人。《辞海》说他是“启蒙者”。不管他生在哪里，他是一位可以纪念的人物。

三、叔同先生39岁出家为僧，62岁死。我意似立他青年或中年

【题注】收录贾长华编：《曹禺与天津》，天津社会科学院出版社2006年第1版。

（未出家之前）的便装像，不知对否，请同志商定。这样，便说明他是西方艺术最早的引进者之一。但是否与中国佛教协会谈谈？我以为他的佛教生活早有其他地方纪念了。

四、请找《丰子恺散文选集》一阅，其中183页《怀李叔同先生》，文章中记下叔同先生赴日写的《金缕曲》，最能说明叔同先生的思想与抱负。丰子恺先生说他一生“认真”。“认真”这两个字，很有道理。

五、叔同先生可能遗留一些字画，散落人间。请询问叶圣老的公子叶至善先生（北京东四八条71号），托问华瞻先生（丰子恺先生之子）或径问叶至善或叶圣老（不过他久住北京医院，年事高，且有病，不知能否一谈）。

六、关于著名画家黄永玉向叔同先生学画，必须向他本人询问，我的话不准确。黄先生前住北京南沙沟17楼3门8—9号，但现在可能移居较宽的房子。如找不到他，或未有此事，请一定删去此句。

七、我知道得太少。请多问那些位专门研究李叔同的先生，尤其关于他出家之前从事艺术教育事，介绍西方艺术事项。如有可能，写李叔同传，就更好了。

匆匆，敬候

暑安。

曹禺

1986.8.11

致李尤白

一九八七年一月十日

李尤白同志：

遵嘱写好“唐代梨园遗址”诸字奉上，不知可用否？匆匆顺颂。春节吉祥如意。

曹　禺

一九八七年元月十日

【题注】收录田本相、刘一军主编:《曹禺全集》第6卷，花山文艺出版社1996年第1版。

一九八八年二月二十二日

尤白同志：

得书迟。承邀请参加五月廿日学会成立[1]，不胜荣幸。如无病，定当如期来陕，余事已告陈刚同志，他即复函，兹不赘述。匆匆敬请

大安！

曹　禺

一九八八年二月二十二日

1　函中提“五月廿日学会成立”，是原来确定的日子，后因故推迟到六月十三日成立。——底本注。

致李远荣

一九八八年三月六日

来书敬悉，鄙字劣，嘱书条幅，实感惭愧，爰写李白诗一首以报盛意。梁实秋先生编的辞典，只在寓厦门时，顺口谈及，未料先生见到，俱以手中宝爱寄下，不胜感叹，天下有心人多，生命实可贵也。

【题注】收录贾长华编:《曹禺与天津》，天津社会科学院出版社2006年第1版。

致张瑞芳

一九八八年四月二十三日

瑞芳：

我是湖北潜江人，潜江政府要为我立陈列馆，我身边素无照片，只有介绍他们求你暂借所藏相片。用后立即复印将原相片还你，不知可否?

前聚谈甚欢，诸友都思念您。一年一聚，弥感岁月长温情深难述，无端失却人儿远，俱苍然华发。忆昔畅叙，不思量，自难忘，心如门前西江水，日夜东流君不知。天下唯友谊独高艳；自古诗人多念远友，京中多好友，有暇无妨来此一游，再图围桌高论，不知老暮已至，且看精神长春，请代向尊夫严励再三问候，三十年前豫园之行至今难忘。想朝夕沉浸书画，已忘却故人矣！

书难尽意，敬颂

艺安

家宝

八八.四、二三

【题注】收录张瑞芳:《难以忘怀的昨天》，学林出版社1998年第1版。

一九九〇年十一月十五日

瑞芳：

五十年相识，读了你的信和电报，感慨万端，不知从哪里说起。复信过迟，仅因衰病不能执笔，探病的朋友较多，都很热情，到了晚间每想写信，也动不了了。家乡人鼓励我，搞了个陈列馆以及前一阵子的活动都使我很过意不去。一个人拿得太多给得太少，是说不过去的。我曾想在死前能写一点东西，供老朋友如你演，但逐渐衰弱，想来是梦想而已。

你精神体力都好，不断为人民和祖国服务，行万里路，使我羡慕之极。

即便如你提的，到一趟西湖散散心，恐怕是做不到了。玉茹写了《品子》，你那样留意欣赏，严励每日为你留报，给你回来看，使玉茹及我感动不已。有你这样的热心人、老北京，才会这样爱看《品子》，作者没有浪费心血。

严励是字、画大家，我仍觍着脸写了两句杜诗给你，为了我们半个世纪以上的友情。

我大约还有一段时间才会走，即便走了，老朋友也不要难过。好好活着是最重要的。写不动了，祝您和严励健康长寿。

家宝

1990.11.15

致吴亚芬

一九八八年十月四日

吴亚芬同志：

这两天，我病了，又有事，以致耽误了几天。您嘱写的书题及一点感想《演课本剧好》奉上。写了许多个书名，不知寄哪个好，就都寄出去，请就其中略堪入目的选用吧！

敬请

教安

曹禺

八八年十月四日

【题注】收录贾长华编:《曹禺与天津》，天津社会科学院出版社2006年第1版

致黄佐临

一九八八年十二月二十日

佐临：

两封信都收到。

你一生苦干，成绩巨大。使我感到难过的，今天八十老人，虽雄健如昔，却第一次得到你早就应该得到的荣誉，这就是我们多少年不重视极有成就的导演的大错误。我常感到寂寞，并非无人提起，而是真知道自己，又能与我谈点坦白、真诚的话的朋友太少。

其次，这个社会有热闹，但无热诚（当然，个别人与机构是有的）。陆放翁有一句话，“世味年来薄似纱”，古已如此，目前只认得钱，还说什么赤诚相与，谈点真格的！

人总像是戴着盔甲上阵似的。这大约是多次运动，尤其是“文

【题注】收录李玉茹编、钱亦蕉整理：《没有说完的话》，山东友谊出版社 1998 年第 1 版。

革”黑暗王国遗留下来的恐惧。

年轻人起来了，这确使人大欣慰。黄蜀芹不但在国外得了奖，而且她的许多成功影片在上海开了放映展览会。黄海芹写电影剧本也很好。孩子们实在可爱、可喜，我的佐临，你的事业有人继承了，你教的子女是和爸爸一样，好样的、有出息的、了不起的。请一定为我向蜀芹、海芹深深祝贺，这点心情是热诚，不是凑热闹。

我得了一个比较麻烦的肾病，但最近也见好。

好，佐临，可爱的老朋友，好说实话的老人，祝你一切幸福！看见你给我的相片，你欣欣然的笑容，令人真的高兴起来。

祝

新年愉快、全家都幸福。

曹禺

一九八八年十二月二十日

致俞炜

一九九一年四月八日

俞炜同志：

您好。天津电视台要把《关汉卿剧作选》搞成大型电视系列剧，还要把关汉卿生平事迹编成电视系列剧，搬上屏幕，我感到很高兴。这是一个大的工程，有意义，有价值，是弘扬民族优秀文化的一件好事情。关汉卿是我们中国戏剧史上最早也是最伟大的剧作家，是中国戏曲的奠基人之一。他一生写了很多很多的戏，可惜没有全部留下来。他是一位为老百姓写作品的了不起的文人，他的戏拿到今天来看仍然是动人的，有力量的。关汉卿生活的年代比莎士比亚早三百年，他创作的《窦娥冤》完全可以和世界上最伟大的悲剧媲美。他的创作使中国戏剧登上了一个辉煌的高峰，对后世产生深远的影响。希望《关汉卿杂剧新编》大型系列电视剧，剧本好，片子拍得好，不但让中国观众多看几出好戏，还能够把关汉卿和他的作品介绍给全世界。预祝你们成功。

【题注】载《人艺之友报》1991年5月第46期，题名《曹禺给〈关汉卿杂剧新编〉的贺词》。

致郭启宏

一九九二年五月六日

读了中山大学为《李白》开的学术研讨会的复印件记录，讲得深，讲得有依据。是学者们的见解，确实不凡。《李白》写得真是好，我集杜甫的几句诗，向你表示钦佩之忱。

【题注】载《新剧本》2003年第5期，题名《低飞高翔的鹰——我心目中的曹禺》。

致张君秋

一九九三年一月十二日

尊敬的张君秋同志：

欣值您艺术生活60年之际，我谨向您表示由衷的祝贺和崇高的敬意！

您在60年的艺术生涯中，认真继承传统表演艺术，广收博蓄，取精用宏，锐意创新，创造了无数的光彩夺目的舞台形象，特别是在演唱艺术上取得的成就，达到了一个时代的高峰，卓然成派，脍炙人口，饮誉四海。

您关心后辈，课徒传艺，培养了一批深受群众喜爱的优秀的中青年京剧旦角艺术家和后继者，为弘扬民族优秀文化，振兴京剧艺术，做出了不懈的努力和卓越的贡献。您不愧是我国当代艺高德劭、继往开来的京剧艺术大师和诲人不倦、桃李天下的戏曲教育家。

【题注】载《戏曲艺术》1993年第2期，题名《祝贺信》。

衷心地祝愿您在我国改革开放的历史潮流中，老当益壮，精神矍铄为繁荣社会主义戏曲事业再作建树！

祝您体健身强，艺业常青！

1993年1月12日

致方瑞

译生：

这年已过得差不多，我想或者你会有封信来。果然今天早上我读着了你的信，我从心里高兴。朋友们常见面不觉得，离开了才觉出见面时谈得太少了。我接着你的信时，代代正问着你，她说邓姨呀，赶下水轮船，邓姐姐也赶下水轮船，当然还是不清不楚的江安话。幸而你说你还要来，不然，连代代都要不断地念着你，慢说，你屋里一同喝红茶的人们。

我们的年三十在张二姐家过了前一半，在赵二老爷家过了后一半，搓麻将，以后连着吃连着赌，昏天黑地过了三天，家里还是来客如流水，打牌如放鞭，也没有多少宁静日子。

昨天到郊外走走，阳光好，颇像前次到橘园时那般光景。朋友们都离开了江安，再妙的天气也唤不出以前那样的兴味。春天似乎到了很久，田野里一片黄花菜。晚间在我的矮楼上，听得见城墙外面的青

【题注】收录万方著：《你和我》，北京十月文艺出版社2020年第1版。

蛙已经是成群成片在歌唱。隔壁小孩子提着兔儿灯，远远似乎有些欢乐的人们敲着锣鼓，连狗吠都不像前些日子那么凄凉，我自己也觉得心头漾起了愿望似的。有时自己常觉出年纪的荒唐，仿佛一个中年人的生活中就该没有音乐一般的心情，却有时偏偏无端惹起些哀伤或者忧郁一类的情感，一旦醒来就感到异常的不伦不类，真是说也说不明白。中国话里只有荒唐二字勉强道出那一点莫名其妙的感觉。

我不知道你家里的问题，但我料想你个人的问题恐怕也是家里老人们所常想起的事情。起初我常和宛生谈你，她常希望你到学校读书，总之过公共的生活，使你更高兴一点活下去，我当时亦颇同意，后来我见着你，也和你谈了些话，看见你作的东西，我渐渐变了意思，我想你走的路或许正是你该走的路。一个人的性情不能背谬的，顺着发展你可以成就你的画，你的诗，真使你高谈阔论，当女革命家，恐怕也未见得做得好。说起来我们没有怎么深谈过，似乎你们姐妹二人也很少谈得情投意合，入了机微。我倒常想和你谈谈，却怕说错了，反而断了根苗，于是便缄口不谈。我也想到，找话讲就会没话讲，得到了神助的谈话才有趣味，才可真正明白一个人的肝胆，然而一生能遇着几回呢？杨伯伯知道你最深，似乎他可以想出一条大路。我愿意你能在江津见着他，看他老人家说了什么，我再尽我的力量用心想一想。我劝过你写些散文，我信你的文字，你略用些功夫定能胜任愉快。你所缺的或者是观察人生的本领，能作画作诗到你那步田地的人懂得观察是不成问题的，我想目前还是看你有这种耐性不？

我没有想到你入大学或者做事，那两条路仿佛都对你不甚适合，写文章固然是个吃力的事，但你的力量或者就在这上面看得出来。

希望你早早回到江安来，杨伯能到此地来玩玩最好，他老人家该休息休息，我觉得他奔波得太辛苦了。

宛生的牙想已治好，昨日还和管德谈起。有一天黄昏到他家里，看见微暗的灯油光下，有两个模糊的人影仿佛相对不言不语吃着什么，我走进去，他们还静静地慢吞吞"刨"饭，没有话，没有声音，真是寂寞得很，我喊了一句才看见管德似乎由梦中惊醒起来，三舅娘也像从静止中才看见了什么，说让小妹妹赶快回来吧，真是怪难过的。这里的情形总似缺少了一件魂灵似的，那样昏沉沉地使人苦痛。

请问杨伯伯好，伯父母好。

家宝

二月八日[1]

译生，从你那里走出来，我到学校，到赵家，到小饭馆和吴先生吃饭，到高家唱戏，到赵家看牌，又回到家里来洗脚，预备立刻睡觉。我心里乱得像草，我一刻也站不稳。我只是焦灼，仿佛要立刻解决了这件事我才能宁静。心里眼里都是你的悲哀的面庞，你的倦怠而痛苦的眼睛。我想再到你那里去，又觉得说不了什么话。今晚再见一面不过又使你痛苦一次！译生，我的译生，我想起你整日关在那间小屋子里，想啊，想啊，时时刻刻在等待，希望，而不能立刻获得什么，我真心痛啊！我们必须用工作来把这段时间度过，在我们没有机

1　这是唯一一封注了日期的信。——底本注。

会见面的时间就狠心做一点自己的事情。你也要做你该做的，画你的画。我说了，我不知做到做不到。但是我们互相督促一点。目前的等候真是难挨呀！

天气像秋天，冷得入了心。我是这样说不出的悲哀，惆怅，四周像一片淼淼的湖水，又冷又寂寞。译生，如果不是为了别人，不是为了这点不忍之心，我们为什么不能立刻拔起脚就走！你不催我，你似乎又有些不相信将来是可以幸福的。你从来不提这件事，我始终不知道你是若何看法。其实这都怪我。我已经说得太多了……

从现在到明天早晨仿佛又隔几十年，现在就希望一场梦，又把我带到明天看你。

我这两天任何人的信写不了，似乎一点工夫都没有，有点精神就不由得用着想你，想你我的将来。人不能完全幸福的，有所得必有所失。我能和你在一起，你能和我在一起，我们两个都要失些什么，只看对我们值得不值得，就管不得旁人的议论了。译生，我好哭，有时弱得可怕。我常想躲在你的身旁避避风雨，你该多说我，指点我，多找出你所不满意我的地方，我好改。不要一味顺我，太纵容了我会使你心里有一天感到我的骄纵，我的无礼的，并且最终会使你对我失望。

回到家来念起你待我的种种，心里就难过非常，我不配，我真不配。我比你年纪大，我是大人，你是小孩。我真是欺负你。我为什么凭空搅扰你的安静？我愧恨起来，有时想立刻自己化为乌有，但转瞬我又想，难道你不该将来和我一同去寻觅快乐么？为什么不就是我？不就是我来同你走一条旁人不敢走的路呢。

慢慢走，稳稳走，勇敢地走，相信我，我的译生，尽管一时我会悲哀，苦恼，最终我们一定找到一个平和静穆的境界，我们二人从老远还没有认识的时候就梦想到的境界。

我们将来绝不使二人互相有一丝悔恨，而始终觉得值得，要想到在这一跳之前，日后可能的苦痛，这样才会有真幸福。译生，我始终认为你是个刚强的女子！你来帮助我，给我一把手，我们只要互相地了解，慰藉，我们就不怕别人的揶揄和其他的困难。

译生，你现在确实有点瘦，你该早晨在菜园中散散步透透空气。为我你也该把身体养好，闪在屋子里总不是正常的。你在菜园中一样能看见我来，不是么？追求快乐真要有好体格。每次我看你脸上浮起一丝健康的笑容，你猜不出我会多么快乐。我们两个交换戒约，我以后（不到万不得已）绝不在外面与人饮酒，除了我同你，你也答应我，常在菜园中散散步，每天一定走两三千步（刚一起首无妨少走点），日后每天增加到走三小时的路。我每次到你屋里看见你恹恹地睡在床上，或者低头做着活计，我就觉到惨凄凄的，你一定又在为着什么心里苦痛着呢！

我心跳得厉害，不知为什么。你或者还没有睡或者正有人陪你谈话。我现在羡慕他，因为他比我挨近你的身旁。

今天晚上又是伯的唐诗伴着我。我羡慕伯，他所要的他有了。他不能要的，他也不预备要。他真是个充满人间智慧的灵魂。

等待真是不堪设想的苦，不等待又不可能。一分一秒都像是很长。我说过两年，这要多少根白头发才磨得去这么悠久的年月。你是神仙，你像仙人那样超脱，而我是一只灯蛾，终夜在你这团火旁边焦灼地盘旋，我情愿在火焰中烧化，真不肯这样厌声厌气地等待。我按捺自己的性情，说着不愿意说的话，笑着不自然的笑。一个人果若不能尽情活一次，倒不如立刻停止这一段生存。“做”比“等”容易。等待真需要耐性，毁人灵性的耐性。

我时常要想起你的面目，但是奇怪，总不特别地清晰。而你的性格，你的趣味，你的教养常是很生动地在脑内引起一段段的故事，使我感到温暖，感到一个温厚美丽的灵魂在宇宙中与我共存，因而才不若昔日那般地孤独。我知你的心灵还有无数的角落，我还未望见。虽我已隐隐中觉到在缄默的下面埋着无限的美丽的宝藏，这发掘要时间，也要你给我机会，给我帮助。我求你打开一扇门使我再多看看你的灵性，写信也罢，说话也罢，你总该更使我知道你些。我有时望自己能渗进你的灵魂之内，我这般想更深地知道你！明白你！

今夜月色好，多少天我说一同步步月，总没有做到。有一天我们必每逢好月色相偕散步，补偿今日应该很容易而又很不容易做到的期望。我也想着有一天我们在北海荷叶丛中遥望金鳌玉蛛桥上的灯火，或者在一间小咖啡店里我们静静听着音乐，喝着你爱的浓咖啡，或者在雨天里找一个小菜馆弄两三斤好黄酒，心领神会地品味一下。总之，只过去一段苦日子，各种可能的打击经过以后，我们要把我们的生活好好安排一下，把这段短短的生命充实丰满，使这一对魂灵都不必在天涯海角各自漂泊。忧患时，这一对灵魂能挡；快乐时这一对灵魂能尝。如你有一次说的，懂得享福也要懂得吃苦。最后，让我们在临死以前还能握着手微笑，没有一个感到一丝酸辛，没有一个觉得一丝幻灭。想想上帝造了我们的生命，叫我们活，真正地活着，而我们是真正地活过，幸福地活过。我们就没有糟蹋了我们的生命，我们就都是世上无可比拟的骄子。什么文章，画画，这怕还是身外事。能有成就更好，没有成就，我们已经做了一个真正有灵性的人该做的事，我们还乞求什么？需要什么？

这时你或者还没有睡，你或者也在想着什么。明明知道是句傻话，到了那时，又管不住自己说了又说，问了又问。真的，我要学一个十六七岁孩子说的话，你不会笑话我吧。我明明晓得你明白，你不肯笑人，却我真担心你会忍不住笑我的呆气。人是这样地充满了矛盾，充满了聪明和愚蠢，充满了真挚和伪善，在能真挚的时候，就发发呆气吧。我真是拘束够了，压抑够了。我的人，让我今晚梦到你，梦到你在大笑，在第一次畅快地同我高谈阔论，比一个话匣子还能说，比百灵还响，这梦里是我在点头微笑，一声不哼，费了很大力气，我才肯低低叫一声你的名字，而你是无尽无休地像水似的说，说，说到天明，像只夜莺鸟儿似的。

再谈吧。明天我给你信的时候，我又不知说了些什么了。

这两本唐诗又伴陪着我到天明。

你的根基是厚的，我一直相信你的力量只是潜伏着。我也相信你不肯使它长久蕴藉在心里，春天到了的时候，你的生命的力量会像山洪冲决了堤一般奔流出来。你是一棵大树的根芽，你生命内藏蓄着松柏的素质。说你是一枝幽兰，那是你的现在。我望见你的将来。旁人会惊叹地喊出这样怯生生的人会有这样倔、坚实的性格。然而这是你，这是我的译生，没有任何女子可以比得上的一枝弱茗。

今天我最大的快乐是看出来你决心要调理你的身体。我也答应你我将充实我的。将来是一条充满了奇花异草的幽径，但也是一段荆棘满目的长途。好的身体吃苦容易，享福时也领略得比常人多。请你须备着领略这高低不平的颠簸道，也尝一段长征后歇下脚那点踏实。我们不能在暖屋里过日子，偶尔也冒一冒令人气爽的风雨。我现在又不相信我们吃了千辛万苦后，我们不能相处多久的话。不，我不肯相信，我也不忍相信。我知道我能使你快乐，正如同你也知道你也会使我快乐。那么，肯奋斗，并且能奋斗出来的人哪能会早死？只这一点奋发的精力便使我们相倚一生。天也不会这样像“哀情小说”似的做得那样可笑的凄惨！我们活着，像一个有真性情的人那样地活着。

我时常觉得我像一个卑劣的卖嘴舌的人，天天在欺骗着一个心地宽厚，而又是目光如剑的好汉。今天晚上，我像在热汤中蒸腾，左一件，右一件的回忆刺痛了我的心，我真怀疑我还有否灵性？想起来我真是粗得可怕，自私得可怕，我不知我手里握着的是多难得一颗晶莹的明珠，时常粗鄙地把你的一些美丽的梦境轻轻葬送掉。我自私到竟然看不出你在病，看不出你心里在苦痛。我每一次对你忏悔，便立刻得到你的谅解。你时常用一种悲悯的眼光望着我，你的笑，淡淡的笑，藏蓄着多少了解和宥恕。我现在想起，我临行时你分明是笑着的。只有这一丝仁慈的笑容是我今晚的慰藉。我凭这一点回忆或者还能入睡。

夜静更深了，远远蛙又在叫，月亮已略微偏了西，现在我希望你真是睡熟的。

你的病若何了？我还是那几句话，你的身体和你的饭量。日后的幸福要靠你的健康。人生需要活得尽兴，我们都是想尽兴活着的人。要和人拼一下，就得有一副健壮的体格。勇敢有时和好身体是并存的。不管将来有若何变化，幸或者不幸，我们应该把生命活得比人充实，比人长。记得我说过的那最惨但也最美的那段幻想么？果若必须要候到白头（当然这是下下策）才能相聚，那么到了白头时也不错过这个机缘。我们要活得下去，活得高兴，我们绝不可抑郁不欢地拖着这个生命。

今天有了太阳，你肯自己到学校看看病么？诊病时间上午九点到十一点，下午二点到四点。

我望见你撑着雨伞独自默默在长街上走。我在门口立了一刻，不愿回我的房，又在毕大夫客堂中坐了半天，吸了半支烟，喝了两碗茶，和那赵家太太东拉西扯片刻，才回到这寂寞的楼上，对着一盏油灯，听着纸窗外面的雨声，树叶沙沙声。我想到你回到屋里，扣上门，连忙点起灯，抚在桌上，与我写信。我心如此，客散了，就想和你谈几句话，你也必一样。

现在写信（虽然天天见面的），读还是幸福。第二天我们能见面，第二天你我的信都互相看见。这是在两个月以后想都想不了的。那时，我们的信不知什么时候才能到手，而信上又哪能如现在这样畅快，要谈什么就谈什么。所以现在见面而还要写信应该看作是一种无上的福气。将来不知要苦几年才能有这样的机缘（以后写信注上个号码，我们好容易记起）。

我很多话，我也很多幻想。是否话多与幻想多的人都多少有些说得做不得的毛病。目前我真是一脑子的计划，也想念起各种可能的应有的苦恼！显见觉得我都抵挡得住，因为我相信你一个人在四周都是不快的嘴脸当中，总是有勇气独个支撑，我也应该有陪伴你的勇气。不知你已读了那《筵话篇》不？那上面称颂爱，说爱是提高人的性灵的，使人向上的，美的，勇敢的，我也真相信这句话的真理。这次我的决心，我一直觉得是一个灵性向上的冲动，是真正的人性在觉醒，是再次的生长。我们都要使我们这一段生命美丽起来，高贵起来，并不是为着人家看或赞赏，而为的是：我们就要一个“美”。

今天吃饭遇见一个人，说话的声音蓦一听颇像杨伯伯，我非常高兴，十分想和他多谈几句。态度神气也有一两分相似，你想不出，见不着你，就想见你所爱的人，然而说不到十句话，我才发现他是关外人，渐渐觉出那一口北方口音。于是我又哑然，从头到尾这一顿饭，我就不肯说什么话了。

一会儿我想和老巴写封信，告诉我要离开和他一同旅行的心思。

再谈吧。我要洗澡去，只好搁下笔了。

伯的信要写的。可怜的译生，我知道你心里的苦痛是说不出的，你不肯有一丝伤了伯的心。但是世上有一种不可避免的事，任何人也要在它面前低头，难道伯真舍得你“清操自晶”，在不可及的梦想中过一生？

你平时有一种思想，觉得梦比真美（这话我承认有理），因而以为真既不若梦好，梦完全，梦真，就索性鸵鸟一般钻进梦想的洞里，倒可以快乐一时。这是无可奈何的想头，并且有些“虚弱”，经不住几锤头的诘问。你不是老年人，你有青年的血，你的血该逼你不甘于这样逆着一个青年的本性活着。我们明明知道世上充满了不幸，我们为什么还不去吸鸦片烟，早早预备棺材去死？有的人偏偏整天恓恓惶惶，为着人类请命，为着文化抛弃了生命？这是我们的热血的催促！这是人类的希望。许多事应明知其不可而为之，绝不是从现在就“无为”。生，我一万万而反对这种人生观。伯一定明白这道理，看他办学，交朋友的道理，都是有青年精神的。一个有真性情的人不会让人走了一条狭路而不救的。你的意思得着伯的同意，才使你心安。那也好。我看得太清楚，如果伯是不满意我的，我纵然将来有能和你在一处的一天，你也是不快乐的。你如果不快乐，我又何苦这样逼你走上一条不快乐的路上去呢？下午我要写封信给伯，完了给你看看。

我盼望伯来，我好当面和他谈谈，我要把我为你和我的计划完全讲明白。他知道我把你看得多高，多重，我把我的生命寄托在你身上，我没有犹疑，我不是那样轻浮的浅尝辄止的。这次，这杯酒，我要喝到底，不过苦也罢甜也罢，我们要二人把这杯辛酸或者快愉的酒喝干。

伯他这样了解人性，同情人性的人，如果在我的行为上得到了证明，证明我是死心塌地爱了你，没有第二句话，他也会放下心，他会如他以前对你说过的，他要使你得到幸福。所需要是给他一个深深认识的机会。什么是使你得到幸福的？我不敢我一定就是那个人！然而那个人总该来到你的眼前不是么？我们需要一个朋友去谈，去商量，那么就请伯来演这个难演的角色又何妨呢？

不要说对不起的话吧！事实上是我对不起你，我没有任何脸面来搅扰你的安静！你没有任何过失。天会谅伯对你这十几年的深厚，这是永世稀见的真情感。天会谅鉴的，是伯和我对你的心，也只有这一点配在你面前待下去，做你的朋友。

今天你来后，我一直想叫你到楼上看看我一个人写信时的书房，这书房你来过一次，伯和我长谈过两夜的，你们来时我在楼上叫，多半你们没有真来，是我误听了。我的窗外是桐树，风起来，哗哗作响，居然十分萧索。今夜我不难过。我知道你在我的近旁，真是不过百步之遥。你在床上望着天花板，或者在桌前坐着，凝望纸窗上的灯影。百步的距离……

你知道你今天的信最令我感动是哪一句？也许你已想到，因你知我最切，正如我现在也可以说知道你一样。我读到："家宝，伯，我的时刻不能忘怀的人，我一点都不怕。"我说不上来我心里的感激你的和敬重你的情感。你这样豁达，坦白，在你对伯的诚挚的情感中，我也随着进了一种与秋水一般澄清的境界。我想立刻亲你一下，亲你的美丽的灵性，我愈了解你对伯的情感愈厚，而我也愈加爱你这样深厚坦白的人。我现在不知道若何说起，只希望有一天我能证明我现在所说的是诚实的。

译生，我没有过分估价你，我也不承认因为我在感情的激荡中我看不清楚你的素质，你的素质我早在半年前看了明白。而目前我所发现你的另一方面的性格更使我相信我的眼睛，我毫没有错误。我将继续找你的短处，我要冷静地分析你，也分析自己，我们二人在取任何决定的步骤之前必须想透彻了我们必须相聚的种种理由，但目前我不愿想也不能想，我们要在短促的一两个月内尽情地活一活。我已感到我们不能分开，只随便一想，就有的是理由，我们该在一起。看吧，我们要痛苦来磨炼，时间来保证。这一点真性格早晚要互相得到机会露一露。我想过了几年后朋友们也觉得我们走的路并没有错误。他们将赞赏我们做人的精神。

明天晚上又要在人前见面，多少不自然的笑！多少压抑的话。还是慢慢地来吧，我们学习着冷静，聪明，我也知道能得到了幸福也不是一味凭蛮干的。

好几次我要再看一看你，想和你一同望望月色。却念起那许多麻烦，反不如不去，我和大夫出去又喝了酒，今天一共饮三次，回到家里，孩子睡了觉，孩子的母亲出去打牌，我坐在书房里，坐听着初夏的虫鸣，望见窗外的半弦月，我真感谢天，我是活着，我也找着了和我同样活着的人。

我到剧场中四处找，见不着你，我找了有半点钟，最后以为你没有来，就到你家，没有人。半路上喝了一杯酒，又回到剧场找，还是没有见着你。后来等回头看见你坐在柱子旁边。我觉得四面有人望着，我始终未敢找你，亦没有敢多看你。下了雨，我去找伞。幸亏雨又停了，不然找着伞，我不知找谁交给你。回到家，我就念着天千万别下雨，外面叶子沙沙地响，不是雨！我想做事，但又想立刻看你。我等待不了，只想做一场梦度过这漫长时候。我真羡慕坐在你旁边的人。那个人对你笑着，你也很客气地笑回去。然而我不知为什么那样难过。我希望我能冷静些，看得远些，沉住气，慢慢地进行应该做的事。现在多一个人在你旁边我就苦恼，半天不见面就着急，就想喝酒，这真是不应该的。管束我一点，我的小女儿，叫我略微冷静一点！然而这哪里行，仿佛热在血里流，我不知我该怎样做？在人前我成了个傻瓜，我要喊，我要叫，喊喊叫叫才出一点闷气。

你是今天在场所有人中最洁白，最纯净的，我在背后望着你的背影，我多么骄傲啊！这样一个美丽的灵魂是时时刻刻想着我的，我还需要什么？还想再得什么呢？

回来你的脚没有湿吧？用热水洗了脚没有？

现在已经是深夜了，外屋的人们打着鼾声，你或者早上了床，也许正在做梦了。我想看看你睡着的样子，看你穿着那身雪白的睡衣，像个小孩儿似的睡在床上。也许你还未睡，是睁着一双大眼睛望着帐顶么？雨住了，田里的蛙声酣畅地唱着。这正是想念的好时光！“今夕复何夕，共次灯烛光！”这一盏孤灯照着我的影，静静的，只有笔尖划着纸的声音，我的小女儿，我在为你祈祷，我求天保佑你没有苦恼，没有一丝烦忧。到了明天早晨说不定又是一屋子的阳光，我到你那里，你或者正在晨曦照着的菜园里徘徊呢？小女儿，我感谢你啊！你给我多少希望！你给我活着的勇气！人活着真的就是一次啊！为什么不认真地活下去呢？

风起来了，已经有些山涛的声音了。我又要想想工作了。或者因为我在工作你也没舍得睡吧！思想不是电流，不然我要传给你听，我一点不累，我很快乐地工作着，为你，为我们的将来。我现在多写一部东西，将来我们就多一点精神上的思藉啊！想想，我的译生，日后我们要一同做多少事啊，要一同多多地尝尝人生的酸甜苦辣，活着不为着一点了解，一点真实的同情，还为什么呢？我的小女儿，雨又下大了，屋檐流下一串串的水珠，雨落在地上已经像落在小池里，院子里恐怕成一片水塘了。你真睡着了么？我的小女儿，你梦见了什么？我多么想念你啊！

今天见着宛生，如同见着你一样地快活，虽然你一时不能来，然想再晚也不会过了春天。并且杨伯伯来，这是一件想不到的愉快事情，因为这两天我想杨伯伯或者不能来了。我已经预备一张较软的床绷子，大小想是可用。此地可惜无黄酒，但最近有了沪县大曲，尚能吃。你来前给我一个电报，我好接你和杨伯伯。骏祥走了，此地剩下我这个孤鬼。我一时自然不能离开，于是更想念谈得上来的朋友。据宛生说你在家很闷，也想出来走动走动。客人很多，整日有应酬，不知你如何过日子。我们谈到你都以为你该走写作的路，似乎你读了很多艰难的小说，能读康拉德他们的作品而感觉兴味，这已看出你对小说欣赏的功夫很高了。写小说是件有兴味的事，也是件吃力的事，但是只限于有天才的人才适合这个工作。画对你或者成一条大路，旧诗只能偶尔寄寄兴，不易发展。

我一时不离开江安，暑假后就难说了。此地太枯燥，朋友一个个地走，再待下去还有什么意思。真是剧校把我拖苦了，也累苦了，五年的工夫，人生有几个五年哪？我盼望你早些来。你没有来时，有时也仿佛你在此地似的，因为我们常谈你，你的习惯、口语，最近的种种常在我们口头上盘转，而走到那院子看不见你的影子时，总觉得整个少了些什么。

你在家里做些什么？窗外是黑漆漆的夜，然而田野里浮荡着一片酣畅的蛙鸣，真是冬天已经过去了。

祝

好！

家宝

好，我们低低地谈着，温存着，而那时我的心就挂念着，你为什么没接到我的信，我一点快乐的联想都想不了啦。爱，我想你！真正想你！天！让我们一起吧！谁能晓得世上有这样一双相投相合的灵魂啊！我们怎么能分得这样远啊！奇怪，从昨天知道你没有收到我的信起，心就乱，就烦，连你的信都不敢多看。看你的信的口气，仿佛还不甚急，却我已经看不下去了。

你说不愿看牙，不去也可，实在无办法。唉，我不等吃午饭了，现在就到邮局等你的信去。太急人了。

等了一天半，收到你的信，说二十九日与三十日都收到我才安了心。我快慰万状，几乎要哭。以后信上不谈这些了。太不好。我要回船。明天给你长信，你不要着急！我好极了。昨天发一封短信，你急了吧？……别了，我的爱琪。

收到你三封信了，这两天无味的应酬太多，使人又累又苦。戏演得好，愫方很满意，文清演得最佳，几乎无懈可击，我第一次把我自己的戏连坐四小时看完。没有一个观众走。这是个大成功，我看戏时就想到你，但是我没有流眼泪，我高兴，你所改正的地方都在台上得着证明是好的。我们将来有的是戏可写，我告诉过骏祥你所改的地方，他也认为是好的。

朋友们认为是我最好的戏，有一个女人连来了三天，哭了三天，这正是我们所想的。这两天吃东西吃西，就因为这个戏在此地成了一个可谈的题目。他们还要续演，在下月。

我真想走，我恨不得立刻看见你，和你谈，哪怕二人静静地坐坐，我就得着了幸福了。我这两天又不能走，一则《北京人》的校对（最后的）我要看一两遍，因为以后改不了。我看了印刷局的情形。我们在屋里说改就改，事实上给办事的人太大的困难了。我想以后要少改，但这一次叫他们少出错误，免得日后麻烦。第二，我舅舅要再和我详谈，写了信，我非去不可。三则，我想能……（划去了）

我打听了学画的地方，问了几个人，有办法，但不甚好，回头见着你再说吧。吴老伯送我一个好笔洗，原是为送给你的，我想你会喜欢的。

好人，可怜的爱琪，收到了信，你回来吧！我双手伸出来等你回来，家宝是你的妈，你的爸，你的姐姐，你的妹妹，你的朋友，你的爱人，你的丈夫，是你一切可能温暖的来源，你回来，我远远看见你，跑上来迎接你，抱着你，亲着你，抚慰你，疼我的受了打击的孩子，紧紧抱着我的失望归来的孩子。爸爸的声音如雷鸣，妈妈的声音如绵绵雨，这一切道不出的使人的肉会一块块地落下来的煎熬，痛苦，真是苦了你了，我可怜的。

但是好人，你不傻了，你真说得一点也不错，这就是我朝夕要听的仙音，你开始晓得照护自己，不再呆子似的一味地悬念、烦心、焦灼，你要为你的夫保重自己，保重你爱的肉，你心肝的血，我心上的宝贝。

译生，你知道，家宝身边有火，有温情，有熨帖，有一切所需要的。我这里有海，流不尽的爱向里面流，不会觉得太满，你再无尽无体向外汲取也不会少一丝一毫。译生，你富了我，你使我成了世上最可骄傲的，最可羡慕的，听你说这次归来又带来更稀奇的宝物，爱，更浓，更爱的爱，给你永远像在沙漠中望雨的人，我等待你的赐予，再多些雨露，再多些春风，再多些阳光吧！

又一个孤独的夜晚，心，不是我在你耳边叨叨我的寂寞（我在美国，你并不如此）。我确实有些耐不下。处处使我想着你。今日下午看戏走回来，从华德买完药，在雨中一个人步行，总好像你在后面跟着，如同往常，我们并不说话，我在前你在后。今日觉得异常空虚。落寞之感袭迫我的周身，没有一个毛孔不是空虚。我真是弱者，我离开你就不知自己在哪里。你是我的债，我的冤债，我要拿多少痛苦才能换一点饱满充实。昨日是风，今日是雨，我把窗户关上，Radio开着，听Bizet的交响乐。你在家，我们二人并不如此享受，自然我不好，我要一个人看书，你在那房猫着看书。如今我却享清福，听音乐，一个人享着这“清闲”。我不愿想你现在在做什么。无论你现在如何了，你准是在想念我。好人，我就要折磨你，我要告诉你我多么不快活，使你也难过——我时常觉得有你便可天南地北——只要你有一个好身体。

你现在做什么——九月十八日夜九时半——大概和妈，三原聊天呢，还是看电影去了呢？还是牙痛？你的牙好些没有？这次应该给你一个教训，譬如你身体不好，有了其他的毛病而我们需要离开，你看那不自己惹出来的痛苦么？好人，你有了一副好身体，我们就又自由多了。我多么想你，多么爱你！多么需要你！多么要你在我身边。

Bizet真好听！你如有唱片可选他的Symphont No.1（第一交响乐），同他的Suite No.1，这个作曲家叫Bizet，法国十九世纪人，写卡门歌剧的。他的音乐轻盈快乐，富于颜色，充满了对人生的需求，那样需要享乐，享受，热烈，有时甚至于带了惊张，热闹，只为了感官的享受。他的异国情调很浓厚的。我说了些什么呀，扯到哪儿去了。我翻着音乐书讲给你听，实际上我在想念你。

白锡包我打开了，一点也没有坏，——十一点了，Bizet的音乐完了。

今天是星期日，早晨×××来电话，把我搅醒了，看看报，睡不着，起来不知做什么好。许多事待决定，也不愿意动，你来了，我好一点，却实在也许我还是没有动，我的惰性，真可怕。

今天又热了，坐着都有些汗。外面打着棉被，其声单调，使人急躁，大太阳。

我真气你，看了几遍信，你决定是十月十日回来，看牙自然应该，为何不到后第二天便去看，不是省下五天（你十日走的，十五号才去拔牙）。对你这个又拖又糊涂的人，真没有办法，你活活把我气死！现在好了，我又得一个人在家里挨日子，不只是挨日子，有多少事需要和你商量，我现在想找你决定，你又恰巧不在这里。我烦，烦得不愿写信，我就想蒙头大睡，眼前先把你忘掉！！现在是夜九时，中秋的夜晚，外面爆竹时响时作，大风呼呼如牛吼，犹如在北平的秋夜，墙外小孩子欢呼，街上汽车电车声传来，人们都忙，都像有所忙，我一个人在屋内。蒋妈回屋去了。我知道你也苦，在你家中会想我，与我正相同，我还是气你。气你为何不在夏天和妈一道回去，我几次劝你回去，你不听！你看，现在过节，你不在家，你我过节不在一处。自然，在一处，遇见这种节令生日，也不觉如何起劲，却你不在家，我一个人遇见这样的节令就异常地难耐。我丢不了你，你丢不了我，你我都知互相安好，但不见面，没有一个相熟的声音，相亲的面孔，真是苦透！我实在是气你！我早料定，你这个人毫无办法，到了什么地方便不会再动，惰性之大，无与伦比。你这个人最能吃稳，不慌，不忙，可是把事情耽误，你一点不觉得，觉得也不在乎，下一次也不肯改！我真气你！恨不得攥起两只拳头，抓起你痛打一顿。

好了，由你看牙去吧，我也只好等，耐心地等。那么，你牙是否已该拔了，痛不痛？三原既说可不痛，当然可靠。他说需一个月那就以不催为是，把牙完全治好，换个新人给我看看。

下午在外与毓棠（他由美国回来了）谈天，料猜家中有信，科巴拉我到他家吃饭，也没去，就转回家。读你信，高兴只是一半，还有一半只有你回来才能全。

人家科巴太太到北平庆母寿，说一星期便归，你看，人家大致只有两天就要回来了。爱，你若治牙，需一星期倒也好，但若不治牙，那么就早些回来吧！你的牙非看不可！但要回来就早些回来！不必等到月底。你看着办吧。你家中既无味，那日子自然不好过，我看不如少看，除了为着治自己的病。

今天收到你父亲寄来一个包。里面有衣服与纸烟。整日心不自在，你回来固然也不能解决问题，我心里却安慰多了。我们可以谈谈讲讲，你又能劝我，我也可少为些小事情着急。家内的情形，不要着急，不要太过，凡事太过，会生枝节的。三原说肠胃病得多检查，我现在确是在多检查，已查了三次，还要查一次呢。这两天我吃董药，倒是见效，大便少而不稀了，也许又是碰巧。今天上午见胡子婴，神聊半天，总之我又在游魂！又不知自己的生活该如何摆布了。你大约何时可以回来，哪一天，问问航空公司，回信告诉我，我倒想趁你不在家，到一次南京，看看孩子（自然是一两天），所以你必定告我何时回来，我好打算一下。

你说你想回家，我也是想你立刻回来，就是我不肯说，一天天地候着你，心中烦，也看不下书去。昨晚一个人看电影，到美琪。今晚约科巴听弹词去，他就要来了。还有两天，就过节了，外面日色好，满眼秋色，天气着实凉了。我没有受凉，臂膊似不好，怕要等你回来才能好的，爱，亲……

致李玉茹

一九八一年十二月九日

玉茹：

今天一大早改写一点那个为《上海画报》写的稿子，马上走到会城门邮局，一问，今天的信不能飞寄，今天的信需明晨航班飞寄。不知那封平航信何时到你手中，大约至晚十二号晨可到。

总之为这么个小事，麻烦我一天，而且弄得今晨流鼻血。以后到北京医院检查身体，都不错，血压78~116，正常；身高一米六八，忽然我高起来了，这是个笑话，年已七十二，忽然发育起来，这大概是人参吃多了。

我告你《上海画报》的稿子事，你要电告××，我赶了一夜，要请他在清样上审阅，因为后一段，我提到“负责同志们要继续给艺术

【题注】收录李玉茹编、钱亦蕉整理：《没有说完的话》，山东友谊出版社 1998年第1版。

家以充足的培育与滋养”，这是指的他。他很敏感，不要得罪他，他如不满意，就在清样中，删去此句，你为我加一句别的。如能不须加，更好。你可以说我问他这一句是否要？其实他已经为上海芭蕾舞团加了营养费了。我方才又看了附稿一遍，删去此句，仍能接住，不需要再加另句话。玉茹，不要因为这句话伤害了他的感情，我看，就删去这句话吧。如尚未给《上海画报》，即爽快地在原稿上涂去此句（第三页最后一行）。涂深一点，免得他猜想。如已发出，也请你电告《上海画报》编辑部，删掉此句。我只希望你的环境安安宁宁，不要有任何人、任何事干扰你的安宁。我写一句错话会影响你，再，这句话，也不是必需的。

其次，关于该稿的副题“看芭蕾舞剧《雷雨》有感”，原有“有感”二字，我删了。正题是：“为中国文化争光”，原是我对今后芭蕾舞的愿望，而不是歌颂舞剧《雷雨》。如还是加上“有感”二字，那么，表示愿望的感觉，多一些。没有这二字，仿佛只是称赞舞剧《雷雨》。不知你如何看？要好，不要好？我现在觉得还是加上好。但我方说的什么“负责同志们要继续给艺术家以充足的培育与滋养”，删去为上策。删了吧！

家宝

一九八一年十二月九日晚六时

即去看北京人艺的戏，不复写了。

一九八一年十二月十五日

我最爱的妻子：

我在床上看了几十分钟的书，终于耐不下去，只好起来与你谈话。这还是写信，仍不是谈话。我真不明白为何我这样惦念你，多么想和你讲……讲……讲下去，而目前只有靠写信！但纸与笔远不如“心”与“舌头”，纸笔太硬，也太冷，太不能传达我的心情。你难道在电话中，听不出我的声音之外的声音么？我多么想念你。这两天，回了家，更想念你。尤其看了电影《芙蓉镇》，更使我想念应在一地。其实那一对年轻的夫妻（妻的前夫已死）的经历，跟我们完全不一样，但他们还是使我想和你在一起，现在像是任何事情便使我念起要和你在一起。我有时有点奇怪，甚至于暗暗地埋怨，你的信中语言，只是语言。你是否真想回来，见见我，跟我长期在一起？一切言语都是云，都是烟，都是雾。只有看见你，活生生的你，才是真的。难道你真的听不见，看不见，想不到我目前——一直这多少天的心在跳着、听着、叫着、喊着，要你快些，更快些回来么？你说，我们分别快两个月了。大约是吧，然而这几十天确实很“热闹”，但也真真白白地扔掉了。如在一处，也不会出些什么好，也不会有更多的快乐与幸福。但只有真感到离别的心情的人，才会觉得天给我俩再多的荣耀，也补不上这样真感觉到的离别的心情的不幸啊！

我觉得时间不太多了，你对记者也说，“我们在一块日子不多了，因此，每一天都是珍贵的”。不知道你究竟是真话？还是在应付记者们的话？

我现在卧屋的小桌上，台灯下，写信。头嗡嗡地响，不是病，大约是我幻想中想念你、叫你、喊你的回声吧？也许你安然睡着了，绝对听不见了。听不见，也只好算了。你不要因为我这样想念你而慌忙，又太勉强赶回来。还是按你的意见，能何时回来，便何时回来吧。

夜深了，窗外是零下三度，屋子很暖，我仅仅穿着睡衣，还是热的。枕边只是缺少你，没有你在和我谈，在对我笑。你平常总是不待我睡着，就已经困得不行了，勉强睁开眼说话，倚在我身边臂膀中睡着了！一次，大天亮，我们才发现我们二人就抱着，沉沉地睡了一夜晚。我们很老了，但是那次，我们高兴得像一对刚醒过来的鹿儿，像刚从梦中醒起来的孩子！你不觉得么？你不想念么？

“话”都是无用的，只有存在着的活生生的你和我，才是真的，才是有生命的。最爱的妻子，你不觉得“妻子”对于一个人是多么温暖，多么使人振作，最美的名字。而你，玉茹，就是我最爱的妻子！你真不觉得么！仅仅是个曹夫人么？是万家宝的老婆么？不。不，你没有真感到你是“妻子”，最美的、最动人的“妻子”！难道这不就使你满足么？你还要什么更高的名称、赞美、成功，才算是你的幸福么？我觉得“时间不多了”。只有在一起过，才算生活，才是真活着。有时，我觉得你比我想得太多了，你在其他的一切用的心思也太多了。

我知道这些话是多么不切实际啊！也许你听不进去，因为你是按着你的计划着的时间算着日子，过到了那一定的日子，你说最后是“二十一”“二十二”吧！我确有点按着心跳的次数算着那分开的日子的。

大约我糊涂了，我疯了，老了，白痴了！倒出这许多可笑甚至是最无味的谈话！

那么，就把上面的话都倒进垃圾桶里去吧！

我不应该再写了，也不应该再伤害你了！我的最爱的最心疼的妻子！

不写了，不能再唠叨了。我一点不想睡，但写下去，也不过这几句废话，无聊的、无意味的废话，还是不写吧！

“千言万语”不能变你的“一定之规”！

十五日夜半

吃了安眠药，又看书，突然，听到门叩了两声，我起来，开门，没有人。我常常听见这样的声音！难道是你来叩我的门么？我又躺在床上，我在想，在想，又不想什么，只是念叨你，我的最爱的妻子！

很奇怪，我却想你要打扮起来，但是要像你那种喜欢又适合你神态的美，而不妖形怪状，你从来不会那样。我却想看你的面目，更美又更适合你的聪慧而稚气的面目。你记得么？你常常在枕边上吻我，我那时不稀奇，现在却想不到了。我不知日后如何，但愿同日死去。因为我离不开你，你也许离不开我。我说话可能伤了你，不要见怪吧！一切由天定，谁知四十年后又做夫妻，安知我们下一生，还能自小到老就是夫妻！你听，玉茹，你真是磨我！你不记得，你在香港说过，真后悔来香港，大约是想我吧。然而如两人在香港，我不喜欢那个热闹，因为我们要相对无言，要舒适，要真诚，要无话不谈，而我们的话，不能使任何人明了那是最美的温柔的话。玉茹，你受苦了！你时常受苦！但总从不说自己受苦，我对不起你。你牺牲，我接受，毫无顾忌地接受，我不觉得你我二人有什么区别？仿佛是一个，我们就是一个。请原谅我，我伤害你，说了许多使你伤心的话。你就原谅我的一切吧！

夜更深了，起来写信，远不如二人同在大床上心与心，或幻想其他。我是老人，你也不年轻。你，我要你，多好看，美丽就，像你我都是二十多岁的人。

吴老板[1]的孩子写来信，使我更想你！我更想你，想你，我更想你！假如你就在我身边，那多好。老头与老婆，但是年轻，如小孩，活泼、顽皮的老人，如男孩与女孩，你未想过吧？真老么？不，不，一直不老，只在我死后，你还是快乐、幸福，再嫁一个最好的男人，我就在天上也放心了。

又夜半十二时写

十五日写

1　吴老板即吴性栽先生的儿子吴仲升先生，现居香港。——底本注。

多想你回来了。我要睡了。你来，办完事你就早些回了来。想来想去你说你在哪里？[1]

我奇怪回家你才有两封信，忽然变得冷冷的，这是在开玩笑。

我又醒了，想吃东西，××与你同席，安眠药发作了。几乎跌倒，如有你在身边，就不会了！

十五日又深夜

吃了另一杯牛奶，那是方子给你订的、准备的，你不在，我喝了！

十五日夜一时

一九八七年三月十六日

过了两小时，只三点半，已是十六日，未明的夜，外面是黑夜。安眠药催了我睡了两个小时，你使我又醒。你唤醒了我，我又关上灯，但我不能睡，我还想对你诉说，在你梦中，你的沉梦里，我在低低地对你诉说，请让我再讲吧。大白天，我说不出，只在启明星还未出时，我才能深深地向你，向你流着自己的泪对你诉说。你就在梦中听着吧，我最爱的妻！——

1　此段开始字迹非常模糊。——底本注。

刀刺我的心，
会流出热得烫着你的心的血，
血会讲："我爱你！"
血在流，流，每一滴血
都变成一张嘴，说："我爱我的妻子！"

血在流，如长江那样地流，
流向南，向你，我的妻子！

砍下我的胳臂，
它会动，而且拿着笔，
飞速地写，写，写下："我爱你！"

那只臂像一条美丽的萝卜，
它在写，写出你不认识的字，
但天都会懂，会认识，
天会告诉你："一个男子在想念着一个女人。"
不要怕，温柔的妻子，我这是譬喻，
我没有疯狂，这只是人在夜间的幻想，
但也是，是比幻想还真实的情，
青年人的火一般的情。
燃烧着，燃烧着，
燃烧你身边在昨夜换下的内衣，

内衣感觉痛，它说："醒醒吧，我痛！"
"有人燃烧我，他燃烧我，叫我唤醒你，
"点着我，一寸一寸的丝缕！
"一点一滴的汗沾过的内衣，
"那是你在香港歌唱时流下的汗水，
"浸湿你的头发与全身。
"那时你在欢乐地歌唱，
"但我被你的快乐的汗水和眼泪，
"快乐的眼泪，迎着潮水般的掌声、欢呼，
"浸透我一寸寸、一缕缕的透明的
"贴心、贴肉的内衣。
"火在烤我，在烤我，一个人要我叫醒你，
"我——你的内衣——从发根到脚与你接触的衫与裤，
"又干了，又没有你的汗水和泪。
"我在为那个人叹息，汗水与泪
"是白流的，鼓掌、欢呼的观众
"已忘记了你，真的，真的。
"想着你的，只是那个人！
"他总在温柔地想着你，
"怀念你，如春水灌进兰花、荷花、菊花
"的根，渗入土壤，滋养，催开，怒放
"一朵朵艳丽的花，灿烂的花，
"香的花，有知觉的花，微微颤动的花，

“夜露浸湿的花。

“还有那沁入人灵魂的桂花，

“小得像一丛丛嫩黄的珍珠，

“那每棵嫩黄甜香的珍珠，也在唤着你！——

“醒醒吧！不要藏在好梦里，虚幻的梦，

“骗与慌，阿谀与媚笑

“织成的梦！那是过往的妓女，

“她们对每一个来香港的人都会闪动

“迷人的媚眼，有人会明白，有人便终身在那沉醉的梦里。

“醒不过来，如同吸了毒，眼前会出现最愉快、最惬意的幻景，

“诱你到死地，到地狱，到阴阳河。”

听吧！你的“汗”和“泪”在喊着：——

“醒醒，深夜甜梦中的你，醒醒！

“阳光在花枝外闪着眼，望你，

“森林的鲜凉的气息围绕你，

“从梦中醒来吧！”

“有个人在呼喊：我最爱的女人，

“有个人在呼喊：我最聪明的女人，

“有个人在呼喊：我最贤惠的妻子，

“有个人在呼喊：我最美丽的妻子！”

玉茹，我已写到快天明了。我想躺一下，一会儿就起来，开常委

会去！

以上你就当一个狂热得发了疯的胡话听，不要认真去想吧！

真正对不起你，打搅了你，使你心不安！还是那句话：把一切事情安排好，再回来！

给我写信，我昨日等你一天！到晚上，没有。当然，听了你的电话。你比较冷静，我只有昏话，随你怎样看都好，权当一声昏夜中的梦呓吧。

家宝

一九八七年三月十六日晨四时半

昏昏沉沉，只睡了两小时。又醒了。

不如仍写信。附上一个大夫治伤的报道。国家体育队也有好的伤科，我也许可以想办法。

我的上面的昏话，可以完全置之不理。我只是太想你，才睡不着，才想了又是梦，又是歪诗。只是一片诚心，真心。

我常想，如若换一个女人，不是妻子，不是你，我会这样糊涂么？想来想去，大约不会！

不要当真，这也是笑话，我大早起来，再续几句。你养白猫，她总在陪着你，而且你是那样爱着她。

其实，你我都老了，我常想你一脸皱纹时，背驼如弓时，我是否仍能这样爱你？我想，另是一种爱法，——但还是爱！

人活着太难，仅有个“你”，使我万般苦恼。我怕人再提起你，当然，夸你除外。

有时真愿你永远随我，不是京剧艺术家。你或用×××与其妻来诘问我，但我非那样人，你也许不是。我对你太苛求，请多多原谅。

一切若空、若无、若化互爱，不见时起，便另是一种苦！不过，不是你，就连累不了。

家宝　晨五时

这两天又有北京文联讲话，昨天下午又见了客人。

此信几写了一夜，有空，看一下吧！[1]

这封信务望带回来！这是最真的、发自心坎的话，我要再看看，看我是在梦中，还是应醒来？[2]

一九九二年八月六日

玉妻：

昨晚史叔叔[3]来，说你搭机返沪，很顺利。当时，我和小白[4]在大门口闲坐，我步行两次，一点不累。随时惦念你，真感"心无挂碍"，

1　此信共写了七页，这句话写在第一页上方，估计是完信后所加。——底本注。

2　这句话写在第六页信纸左边。——底本注。

3　史群吉，常年为曹禺工作的司机，关系很好。——底本注。

4　曹禺的护工。——底本注。

很不容易。你在，我充实；你返沪，便孤单。

昨日午后，胡可[1]同志来访，仔细把评选的剧本一一讲了一遍，他极认真、诚恳，这样的老革命确实使我感动。我们的社会需要这样的老人。

小方子[2]也来了，她坐了许久，约后日再来，这两天家中安电话，要等人。我把钥匙交给方子了。

晚间，史叔叔给我你行前写的信，我睡前又读了几遍。我太福气了，你也太心细，太累了。

我一定听你的话，当心身体。你也不要太累，上海酷热，能少出门最好。

我默诵杜甫的诗，居然回忆一两首。

下午，金凤[3]来，烧了鸡翅膀。明天，请她烧猪蹄两只，后天送来。她说会烧好，我说就和你在那位老东家烧的一样。她像一尊总在畅快笑着的老菩萨，真是阿弥陀佛，你把金凤请来帮忙，实在好。

我问她在木樨地没人讲话，闷不闷，她说不闷，听广播。我听她的话不容易，反而小白听她的话都懂，小白真灵。方才，他扑在桌上写什么，一会儿，他把信给我看，原来是他写给你的信。小白已经给金凤打了两次电话。

1　剧作家，原解放军艺术剧院院长，现中国剧协副主席。——底本注。

2　万方，曹禺与方瑞的女儿，现为作家。——底本注。

3　一位浙江湖州老阿姨。——底本注。

如茹、莉莉[1]两姐妹都好，为我问她们好。

妈妈，你这次返沪，候天气凉爽，一定要检查身体。明天立秋。

×××写信谈了关于题字的事。你读了，不要介意。我看无须回信，他的信封，只写邮编号100081，单凭这个也寄不了信，不必生闲气！太不值得。[2]

家宝

一九九二年八月六日

一九九二年八月八日

玉妻：

昨日立秋，立时凉爽，夜间十九度，我睡得很好。念及你在上海蒸笼中，就看见你行路上挥汗，回家又不能沐浴，我二人的环境太悬殊了。你发信不要自己送到邮局，更不要赶取信时间，“疾行军”，万一有闪失，哪怕小小的，也很不好。

下午小方子来，和我闲谈，一直到六时许，她和我一同吃晚饭，

1　李玉茹的女儿。李莉，现为上海电视台的导演；李如茹，现在英国利兹大学执教。——底本注。

2　有上海京剧界一老演员托曹禺先生写字，又不要了，很不礼貌，玉茹很生气。——底本注。

她吃芝麻酱拌面、黄瓜条。金凤早送来你买的鸡翅膀，小方子和我都觉得做得不错。餐后，我、小白、方子到楼下门口，方子回家，我与小白坐到史叔叔来才回去。

史叔叔带来上海大酒店道歉的信，把字邮回。此事，你千万不要生气，更不要理会他们，越讲，越无聊，结果会很不好，更不愉快。此事，想来想去，怪我犯了“贪”字，如再“嗔”下去，就成了大笑话了。你千万别气盛，千万不可回信责问。我们要“宽容”，现在才到“遇事莫恼”的时刻了。

今天下午金凤带来烧好的猪蹄，斩成小块，方便好拿，烧得也不错。小白和方子都说我不能这样吃，这对“食疗”不利。过两天，再告金凤烧“胖头鱼”，但这真得过两天，不然，少说，我会更胖。

医生每天诊治，说我体质尚好，劝我走走路。昨天走两趟，半道，走不动，小白推车子接我。医生说，不要性急，少走走，不要性急。

真希望你在沪，一切都顺利。万不可急于返京，我已经适应，也可说，适应多了。你不必为我担忧，我走路做事，都稳稳当当的，跌不了跤。

方才，医院内部放了邓大姐棺木由医院到八宝山焚化的镜头，看了，很难过，一时不知如何说。

家宝

一九九二年八月八日

小白也写了信，实在难得，附如茹的信，迟到了。[1]

1　此句写在信纸左边。——底本注。

一九九二年八月九日

玉妻：

真是欣喜万分，新房可以到手了。这件事，你辛苦多少年，盼望多少年，终于办成。可见世无难事，只怕不去干。小白和我说了半天，都觉得搬移完了，再回来。晚，再晚些回来，哪怕要迁移到十二月，也不要紧。一次在上海办好，不要心想两地，而且如果我能返沪回家，也得把上海的家收拾差不多了，才好。

祝贺你！我们也自己互相庆贺，我们真能住上新房。

不知是否有暖气？如无，是否夏日就着手弄一些取暖的设备，不要到了冬天，在上海依旧受冻。

昨天小方子带蓬蓬[1]来，小白买了馅饼，大家吃得很高兴，方子和蓬蓬都说问妈妈、问奶奶好。

今晨方子来电话，说电话装好了，号码是4675030，我打了电话，很灵。我们父女又闲扯半天，两个都非常高兴。

今天喜事都一起到了。

过两天，我想请金凤做“胖头鱼”，你走后，我饮食很好，你放心！

只是上海太热，挥汗如雨的日子如何忍下去；也许过两天能适

1　万方的儿子，曹禺的外孙。——底本注。

应，也好一些。为了急送邮局，不多写了。

一切多保重。

家宝

一九九二年八月九日

《摄魂》[1]广播了，杨大姐[2]听了，说很有兴味。我没听，也许今晚试一下。

一九九二年八月十日

玉妻：

小白又写信了，我更应该给你谈两句。

昨天告诉方子，已弄好房子了，她说拿到钥匙没有？意思怕还会出问题。我反复说市委很关怀，房子是决定办成了。她说，房间还得铺地板，现在只有一间有地板。其实，零零碎碎要添补的工料还是不少。

五十七平方米（三室一厅），是否连厨房、卫生间都在五十七平方米以内？还有方向，很重要。

1　专著《摄魂——戏剧大师曹禺》，上海戏剧学院曹树钧与俞健萌著，为广电台转播。——底本注。

2　杨玲，康茂召大使夫人。——底本注。

无论如何，能得新房，即大喜事，不能挑剔。多挑剔，会把一场喜事自己闹成苦恼事，那才不值得呢。

不过，你一定搬好家再回来，一次办好，即大致办好。不要待时机过去，再次回沪料理，又后悔莫及。

我说很容易，你做起来非常难，原谅我吧！原谅我！

你不要再惦念我，我这里一切都好。

金凤送来辣椒炒洋白菜，明日还会送“胖头鱼”来，我要吃傻了！

程世鉴[1]来电话，方子和小蓬蓬在路上，就到了。

昨日，昭昭与唐迎[2]来。唐迎在实习，当了体育用品的售货员，每日八小时站柜台，不许交谈；顾客态度极不好，不但辱骂，还有打人的。是个个体户，因此，很严。我劝他尝尝真正中国社会的实际生活，他说一句老话“钱难挣”。他却从第一月工资里买些东西给老人，给我的是一大堆荔枝。昭昭送来炒泡豇豆。她说刘小达和万黛[3]还把诊所关闭了，买来的器械只好运回放在地下室。他们每月要贴出二千多美金，没有病人，只好关门了。总算得了一次经验！

千万保重！

家宝

一九九二年八月十日

---

1 万方的丈夫。——底本注。

2 昭昭即万昭，曹禺和郑秀的女儿，现为中国艺术研究院音乐所研究员。唐迎，万昭的儿子，曹禺的外孙。——底本注。

3 万黛，曹禺和郑秀的女儿。刘小达，万黛丈夫，医生，全家旅居美国。——底本注。

一九九二年八月二十日

玉伴：

今昨连收两信，你的信那样温存、体贴、仔细，仿佛你就在我身边。我的老伴，多想念你，多感谢你！

房子的方向朝西南，很好，视野开阔，能俯视花园，又听不见车行来往嘈杂。十层以上，更是安静，空气也好。你说放一个佛堂，楼高离天不远，想起来，你日后诵经，更得佛的庇护。

现在你已准备搬家，收拾旧家杂物，还有其他琐事烦心，切望你安步当车，不要性急。万不要累出病来。

今天二十号，想你和孩子们已看了新房，该收拾的地方都已定下计划。

给小白新婚寄些衣物，很是周到。你和如茹都十分细心，自己忙，还为人忙。

莉莉赴承德，定要多备秋天衣服。北京已很凉，承德山地，想必更冷。她来，应先给我一个电话，好略作准备，是否放下你房间的钥匙以备她住？

上海京剧院要为你安排记录你的艺术录像，此事十分重要，我意，你应答应。这是一生的成绩，你劳碌一辈子，青年即上舞台，获得广大观众的赞美。这是辛苦，多年劳累得来的成就，应录下来，保住往日一些风光。可惜，想得晚了一些。然而做比不做强，是否在搬家期间同时举行？或先作录像，再搬家？这确实应该做一个切实的打算，不可匆忙中，把这件事忘了。我一定听你的话，不再多吃，要保住身体，如今这个样儿，已很不容易了。

老伴　家宝

一九九二年八月二十日

金凤来，我告诉她她侄女来看她，她很感激。我几乎又想吃猪脚爪，还是止住了。[1]

金凤说，不要麻烦找她的侄女。她说莉莉来，为她烧菜。[2]

一九九二年八月二十四日

玉伴：

昨日星期天，上午得你的电话，下午又收到你的信，晚间在医院大门口得了警卫的帮助，要通了上海电话[3]，和你又讲了话，真是何等幸福，多么愉快！

1　此句写在信纸左边。——底本注。

2　此句写在信纸右边。——底本注。

3　医院因无电话账号，所以无法打长途电话。曹禺在医院人缘好，照顾他往上海打长途。——底本注。

你和如茹都十分忙碌，整理旧家，要搬进新家。我心目中也是你们辛苦流汗的样子不断地闪来。我随着有一个新想法。为什么不把旧楼中几十年注重的过去，一同扔到遗忘的大海洋里。我们从此，不只有一个新的家，更是有一个新鲜、比过去明亮多少倍的新家庭，新的心情，新的情感环境。这新房是你用难以估计的光阴和心力，多年劳累得来的。我想起你时时刻刻写信，求人，四处托情，想尽方法为了新房费了心思。我以为这不是为摆脱复兴中路旧栖的真实原因，这应该是弃旧图新的起点，是老年中新生的开始。进新屋，有新的心情，你是年轻人了，是复活的人，是一个有生气的人了。

具体讲，一定要有个新气象。那架旧钢琴，弦断木损，该送走。然而进了新屋之前，你心里确实应有美丽动听的音乐，你耳边有美丽新生的精灵（不是“菩萨”）催动着你，为你唱歌。一切旧习惯，时隐时现的虚无的情绪也要必须逐渐消失。新生的你，要寻觅自己的新道路。这是难得的人生转变，我深深盼望你在烦乱、琐碎的事情中，能用沉静的心思好好想想。

我也竭力治病，恢复常人的体态，能如常人饮食、走路。我要和你在我们的小家中，多生活几年，愉快地过一过老年幸福的生活。老伴，我永远离不开的老伴，你说好不好呢？

我十分希望，我能回上海，在新家里住。我们能一起每天在花园里和上海人一块打太极拳，跳舞，学习各种新玩意，成一对十分欢悦的老人。你说，好不好？

我八十二了，你眼看着有些老态。我们二人心里常有那么一种老人的“老”，“衰老”的东西在啮咬我们的血管、肌肉，这真是害死人的老态，不能允许这种心情存在了！

你时刻在劳累，我却在一旁念叨些空话，仿佛你在前方打仗，而我却在后方指东道西，乱出主意，真有些荒谬。

你体重减了三公斤，是太累了，太烦心了。

我突然又有个猜想，你会不会病倒？现在劝你节劳是无用的。我保重，我健康；你一定保重，你健康。我们便诸事都如意了。

问问如茹、莉莉好。

新房，以你和莉莉都各用自己的名字上报户主名义为好。

亲亲你，我的好老伴，最可爱的老伴，最使我心疼的老伴！我的玉伴！

家宝

一九九二年八月二十四日

小白又在给你写信，你不用作复了。金凤又送来炒扁豆，烧得好。一切，你都放心。金凤来了，胖乎乎地走来了，像占满半间屋子！[1]

1　以上两段写在信纸左边。——底本注。

一九九二年八月二十八日

玉伴：

昨（八月二十七日）收到你的信，得知房子事已有些眉目。王先生[1]回国后，即可定个计划如何装修布置，以后，多少事情均托莉莉统为办理。此次她亲自下力，百忙中挪出工夫，颇不简单，我很感动。

你说你每日安排节目，很紧张，很像我们前些年在日本那样忙。只要身体不受损害，你仍能保重，忙一点对人有好处。我们平时自我感觉总是老气，岁月催人，自己也伤害自己，更好说老了。这不好，不健康，这只是我最近的感触。

王金璐[2]先生来电话，说中国戏曲学院要请你教书，我说玉茹已回上海。俟你回来，再和他接头吧。

你现在又在家练习《赠剑》[3]，我佩服你的精神，希望你能找回你从前的剧目，可以录成一套。

回上海，你确实做了不少事，我心中总浮现你满脸满头的汗，不断揩拂的模样。你是说干就干，一边说老，一边还是不停地干活，我

---

1 王先生，李莉朋友。——底本注。

2 王金璐，玉茹戏校同学。——底本注。

3 《赠剑》，玉茹从昆曲中移植成京戏，现已成为京剧保留剧目。——底本注。

真服了你了！

新房弄到手，数十年的计划终于实现。离开那喧闹的旧楼，心境也会有一定的变化。如你信中说的，那座旧楼实不可再居下去，你说元旦前能迁入，这便是最高兴的事。

金凤来了，带来豇豆和苦瓜，烧得不错。史叔叔说她在木樨地住得安心，不大出门。最近小白说有可能来人刷房子，时间尚未定。日后，如收拾家具，小白说会去帮忙，小方子也去。到那时，金凤也许到医院来照顾我。你放心，我把她侄女的信读给她听，她连说："下下，下下！"[1]又说不回信了，待师母[2]回来再说。

二十六日给如茹打个电报贺生日，不知收到没有。

二十七日下午我与小白到小方子家，她准备羊肉片涮锅子，肉足有二十斤。小蓬蓬吃两斤，小白也吃了两斤，我肉不可多吃，吃了粉丝、拌粉皮、真正北京烧饼。我尝了一点豆腐，奇怪，一点也不觉得好吃了。还有拌鸡丝，相当丰富，满满一桌子菜。他们服侍我，我真成了老太爷，只连说可惜妈妈不在北京。八时返医院，一切都很好。

你在友谦、琅琅[3]家吃了一顿好饭，糟肉，糟蹄髈，真让我嘴馋。不能再多吃了，酷暑多吃，会生胃病、肠病。你说上海家阿姨将要离去，现在阿姨十分难找，我们收入不多，现在请保姆费用都有些为难。

1　意即谢谢，谢谢，浙江湖州口音。——底本注。

2　师母即李玉茹。——底本注。

3　杜友谦，玉茹侄子；沈绮琅，友谦爱人，上海京剧院演员。——底本注。

讲讲又想起过日子的事，我多虑，多想无味的烦心的事，自己找罪受。不想了，不想了，听你的话不要想东想西，自己找苦吃。

现在我常读唐诗，小时不用功，老年才体会诵诗的味道，真能投进诗的韵味中，心豁然开朗许多。晚间睡不着，便诵心经，这也是使人静谧起来的好路子。

此地又热起来，不像北京的秋天。街上行人有光脊梁的，夜晚街道小食摊十分热闹，昨晚乘车时瞥见一眼，恨不得下车来溜达溜达。腿还不行，只有现在开始练习走路。

亲亲你，我的最可爱的老伴。

家宝

一九九二年八月二十八日

八月二十六日的《文汇报》有一篇《病中的曹禺先生》，描写你和我，你一定找来看看。[1]

一九九二年九月二日

玉伴：

又几天未通信，时常想念，但也不希望你和如茹即来京。原因是

1　此段写在信纸左边。——底本注。

修理房子时间不巧，恐你们来时，正遇全家物什堆积如山，为刷墙工人让道，你们只好找空隙处搭行军床睡。你们刚从摊得乱哄哄的上海家中来到北京家里，又是满眼的乱糟糟，我实在过意不去。

昨天下午方子从她家骑车到木樨地，找到十层的刷墙工人详问情况：每刷一宅需时七天，他们除地下外，连房顶、油漆窗门、刷墙等等都要时间。住户需早将每屋的东西堆在中间，房顶一次刷完，但每家都在三天前堆好盖好（用报纸），以后再由刷墙工人刷墙。

现在刷到六门，正在十层工作，依层往下刷。工人分两组同时刷，喷屋顶，粉刷墙，客厅贴壁纸。厨房可换小瓷砖（需一千元），白色，据小白说厨房地上也铺上白色瓷砖，又换一个新抽油烟机（三百多元）。方子说为了配合他们工作时间，想先把书房与真真住的房子整理出来，许多小东西都放在大纸盒里。这件事方子会筹划办理，你不必操心。这样办，在你与如茹回来时，就可以有床住。但如时间不巧，他们工人要同时（正在你们回北京时）喷房顶，五间房子都得搬动，那就有点麻烦了。也有可能，你们回家时，喷顶、刷墙已大体办好，但是房间乱，家具还是乱堆着都是可以想到的。

我确实想待你们回家时，一切就绪，进房如到新家，耳目一爽，那多痛快。只能希望如此了。

你回家时切切不要因修理北京房屋事而赶早，你定回家日期是九月二十日，还是看你在上海办事的早晚而定下准确日期。

你在沪吃了两顿美餐，我真为你高兴。在北京太苦了，报上传你每天陪我吃大锅饭，其实，比大锅饭还糟，就是面条、大米饭，连真下口的菜都难得有。真是太难过，我真难过极了。以后，你不能上午就来，吃了午饭再带着金凤做好的饭菜，下午来。你同意吗？

好一点的信纸此地没有，这是小学生做算术的纸，墨痕由纸底透过来。

上海依然热，此地还是三十一度，上海的气候可想而知。

你说我们的信（实际是我的信），有一大纸盒，但是废话连篇，我记得除了互相思念之情外，没有写过什么别的，只能以后留给你回忆了。

想念你，天天想念！

你的老伴　家宝

一九九二年九月二日

我只是气短、疲乏，以后每星期打两针，血色素就上来，你万万不要担心！[1]

一九九二年九月四日

玉伴：

收到你的信，你谈起沪上新居的安排种种，我都同意，真是辛苦老伴了。今天你离京整一个月，你到沪每日劳累，我无法分苦分心，

1　此句写在信纸左边。——底本注。

真是不安至极。

我看了你画的新居图，很好，想再整修后，必然更爽意。我真希望我能来沪与你共享新居之乐，这只能看健康如何，才能作最后决定。我看日后来沪，大约困难。

新居得来很不易，很不易，日后理应十分珍惜。日后恐你在京时多，在沪时较少，新居空了，或有至亲好友偶尔借住，这要嘱咐万万不可应允！[1]因为住一夜，便有下一夜，借住进来欢天喜地，请其出去，便会很不高兴，甚至翻脸交恶。答应亲友暂住一天、两天，就是得罪这个亲友的开始。

我不知道我的想法对不对，我可能过虑，也许是情性狭偏。请你原谅我，老人多心，人老思虑多。但这一层，需要在你离新居时讲得十分明白。千万原谅我，省得日后出无聊的麻烦。

我最近感觉易乏，查了血，血色素降到七克，大夫告我每周打两次促红素，我已感舒适。今天下午，大夫又要给我输血，他们说这不要紧，血色素即会升得如平常那样。我现在很好，玉伴，你千万放心。照常在沪工作，千万放心，更不要影响来京日期。

你说暂定九月二十日来，晚些日子也无妨。昨天史叔叔来，我问起刷京居墙与房顶事，他说按每一层一星期完工，现在是十层，如此速度下去，至少也得九月底才能刷到五层，估计你来后才能刷。他说这样好，你能亲眼看着收拾整理。至于动手搬动，小白和方子、史叔叔等已想好，现在已托小白找刘师傅借纸盒。但你来后，又免不了一

1 加点为原文就有。——底本注。

次大劳累，这真使人无法如意，更感到对不起你。

你能如莉莉说的，找一个好录像，把你练习京剧基本功的方法与动作实拍下来，这是再好不过的事。留下自己一生辛苦得来的艺术真迹，这是件头等大事。

趁你现在身体还有把力气，促成此事，你实际算日期，不要又为我耽误了这样大事。

你算计一下，日后家用可以宽绰一些，你算得好。咱们日子不多，还是放宽心，开朗一下为是。

你是个十分开朗的人，做事也有魄力，有韧性。我的朋友们都赞扬你为我用心用力，费了多年光阴，说我有福气，老来时偏得到你这样的好妻子、好伴侣。我感激你，但也想不出如何报答。我常对你说，这是命运，这叫“命该如此”，但为什么你的“命”偏要如此呢?

你在沪事情多，这真是好事，在北京只是一个木樨地，一个北京医院，早晚两顿不知怎样才能到嘴的饭，还有一个经常处在不安情绪的我。我以后要改，不能闷着，不能总是往死犄角里钻。为了你，为了我们不多的日子，我也要开朗些，学学你，一定要学学你。

小白在我身边溜来溜去，他又忙去写信封，我也烦得不想写下去了！亲亲你，我如玉、白玉那样珍贵的老伴！

家宝

一九九二年九月四日

姐夫来信，说姐姐犯心脏病，回家后养息，大病后决定不吸烟了。[1]

一九九二年九月十三日

玉伴：

收到十日信，知悉房子事已办妥，其实电话（中秋节）已讲清楚了。

这两天，我时时惦念你，尤其想到你的肠病问题。我不同意结果如是良性，你还回京料理一些事，以后再返上海动手术。我不同意你这样办！你应该一直在上海做手术，等待完全治好了，再回北京。要割瘤子，不能拖时间，拖久了，良性也会起病变。你完全放下心，如医生说立刻要做，那当然住院割治。你也不用惦记我，不要想到木樨地房子，以及照护我的问题。我们已分别一个多月，再长，更长的时间，我们俩能够忍耐，我们可以通电话，也可以写信，这比憋在心上的病没有治要好得多。良性瘤，也得立刻动手术，你也不要把北京这些小事想念不已。有方子、小白等，那个胖阿姨也能管事。

最好是现在动手术，天气不热不冷，刚刚初秋，你可以免去在病房中受冷受热的麻烦。别看这是小事，病在床上，没有人照看，再一个人受罪，那是不能想象的。

1　此句写在信纸左边。——底本注。

我真恨，我病在院里四年，不能到上海守着你，这是最使我焦虑的事。是否身边能找到一位长期长日看护你的阿姨，我知道有莉莉，琅琅、友谦夫妇会常来看你，但无论如何，还是身边总有人要好。

你留在上海，如茹想起来还是放心些，一个人来北京办手续回英国。告诉她放心，一百个放心，妈妈的病能治好，多少人都治得很好。

你来信那样谦虚，其实，你很会管家。你是艺术家，今天又弄两个家背在身上，你真是太辛苦、太劳神了，我们两个家都还是井井有条的。一搬家，东西堆起来，自然觉得太多了，太挤了，心烦了！不要心烦吧，玉茹！我的爱妻，一切都会好转！病治好了，手术完了，我们又相聚了，又见面了，又笑嘻嘻地在一起了，这多好啊！

如茹要走，莉莉要到国外当评判，手术前签字如何办？

实在不行，把签字单子快件寄来，我签了字快件寄回，你看如何?!

我这几天，精神好多了，可见多打一针（每周两针），又输血，是有效的。但医生说，还须待抽血检查，看血色素多少，再告知我。目前，应等等，再看结果。

李小红[1]说要我题字。你问究竟是什么字，什么作用，我一定写。现在有力气了!! 你放心。

新居在一号楼，想一切都会有秩序。大门前有垃圾箱，北京的房子也是如此，这件事也真巧。客厅二十一平方米，卧室十五，书房

1　李莉的老同学。——底本注。

十四，吃饭间十二，这太讲究了。现在就看莉莉如何托王先生立忠请人装修了。

如茹为妈妈买了进口空调，此儿是体贴、孝顺妈妈的。我如果能回上海，我也沾了光。如茹来京前，一定给个电报，我请史叔叔接她。问莉莉好！她真是风光极了！

亲亲我的好妻子，我的爱妻！

老伴　家宝

一九九二年九月十三日

（你到苏州日）

动手术，一定要找位好大夫，万不可大意。[1]

一九九二年九月十八日

玉伴：

昨日来电话，知道你下午三时进华东医院，我仍然十分着急。其实就目前病况说，能这样快进院动手术，确是幸运。感谢李小红，能找一位好大夫动手术，我想一切都会好转。你不能急，病来了，只有耐心等医生治，病好了，咱们不是又团聚在一起了么？玉伴，我多想

1　这句写在第二张信纸的上方，现编于末尾。——底本注。

你，多想你，真是没办法。我原想昨晚即打电话问如茹究竟如何，小白劝我不要再急了，老奶奶讲得很明白了。我反复想了一夜，今晨起来，决心不给如茹通电话了。

不知你进院心情如何，我恨我有病，不在上海，不然，可以朝夕伴你。那样至少互相安慰安慰，也是好的。现在更明白，我在北京医院，你为何每天很早来，很晚去了，这真是管不住地那样惦念，那样想念。我们二人真是老人了，然而心情、情感都不老，也许这仍是幼稚，还没有长成。如果这叫幼稚，那我愿我们两个永远这样幼稚下去。玉伴，你在院这两天精神好么，寂寞么？如茹会天天看你，她会想得周到，你在院种种，她都会服侍到。

你要空腹禁食几天，本来，这“饿”难受；对你，平时爱吃的人，更要难受了。愿这十几天快点过去，你这场灾难快些过去吧。

小方子和小白都问你好，都说，这病会平平安安的，耐心住院。我一再祷告，我的玉伴会平安地过这一关。

我一肚子的话，拿起笔来，这样难写，简直一个字也写不出的样子，平时便如此，这时就更难写了。

昨天，方子、程世鉴、小白在木樨地收拾一天，现在房子内家具全部挪放在房中，并盖上纸板，就等刷漆了。

接到你的电话后，我也通电话告诉小方子，她要妈妈安心治病，不要挂念。

“无挂碍故，无有恐怖，远离颠倒梦想。”[1]我的玉茹，菩萨一定保

---

1 《心经》语。——底本注。

佑你，降福给你！

亲亲你，再亲亲你！玉茹，为了快发信，不再写了！

家宝

一九九二年九月十八日晨

小红托写的字，明后天就寄。写好，寄到哪里？告我。[1]

一九九二年九月二十日

玉伴：

这几天，你在院内好么？我天天惦念，都劝我别焦心，现在也许好些了。我很好。今天上午方子来讨论我过生日，我推托半天，还是不行。现在定在星期四下午在医院，昭昭也来，小白说买蛋糕、烤鸭，他们每人都带些菜来。身边没有你在，确实热闹不起来，心绪不好。

方子告诉我，当天如茹来电话，说了你全部病况，是真良性，是息肉，不过仍应早动手术。讲得仔细，我现在放心了。

小白要到木樨地继续收拾房子，二十二日（星期二）就来刷房子，他要先布置，把李阿姨找来了。现在胖阿姨来了，她说问你

1　此段写在第二页信纸的上方。——底本注。

好，一定安心养病，家里事，全好。钞票还有几十元，方子给她九月工资一百二十元，又叫我给她一百元每月菜金，她不要，说还有钱。

昨写了“上海东方航空开发公司”（这个名字对不对？）。写不好，写了一半没有力气，明后天再写。我搞不清楚，这招牌是几个什么字，你再写清楚点，我好写。

如茹来北京，又遇一团乱，真够如茹受的。

北京现在凉了，21℃~15℃，她要多穿暖和衣服。

中国图片社送来一幅放大我们二人的相片，很好，等你回来看吧。

小白要走，催我快写，“写两句就行了”，我这是趁他到木樨地前抓时间写的。

我对不起你，使你病了，是我这场病使你累病的，急病的。

你还要检查几天，才动手术吧！如茹会天天看你，我想琅琅、友谦也都来了，代我一个个问他们好。

不写了，我应该在不累的时间写信的，就是整天乏力。你放心，我确实很好，打针有效，精神缓过来多了！！亲我的爱妻！玉伴，好人！

家宝

一九九二年九月二十日

一九九二年九月二十一日

玉伴：

收到你进院当天写的长信，我已放心。李小红来了，又将你医疗情况仔细讲了一遍，我更安心了。实在感激她，她实实在在帮了我们的忙。

她带来你为我买的菲利浦的按摩器与药枕，她自己还送我许多极好的茶叶。

李莉说得对，手术前要再仔细检查，因为息肉离肛门近。手术要精细、稳当，才不至于留后遗症。所以多等两天或更长一点，为更安全的手术有了保证，这是上策。

我感动极了，你为我买些我所需要的东西，按摩器与药枕，都是我需要的。有一盒西洋参，托小红给你带来。这需要家中人为你做，除了两个好女儿外，是否还有人能做。

小红还为我按摩，她确实有气功，我感觉很好。我精神不错，小红亲眼见的，我有气力了！

我连写几张字，那个题匾也写了，繁、简各写两张，也为她的令尊写了一张。

完了，精神还是很好，又与小红大聊，我很高兴。

问你的同屋傅全香[1]大姐好，祝她安心治疗。你们原是好友，现

1 越剧艺术家。——底本注。

在不寂寞了，谢谢傅大姐。

小红一下飞机即到医院，金凤也来了，两个人说通话了。

我不多吃，但是金凤送些吃的，素菜我很爱吃，有时吃“胖头鱼”。

这两天你受苦了，又饿，又痛。待手术后，一切都会好的，安心吧，我的最好的老伴！

小红明天飞沪，我便中写几个字给你。

亲亲你，亲亲你，我的玉伴。

家宝

一九九二年九月二十一日

一九九二年九月二十三日

玉伴：

收到九月十九日自华东医院寄来的信，这已是进院后的第二封了。大夫的治疗方案很安全，就是用肠镜钩掉息肉，你一定很痛楚。是否能用麻药，尤其是撑开肛门时？医嘱检查妇科，这完全应该。趁此次住院，所有部位都检查一下，这是万全之策。不开腹腔，我放心了，就是住院太苦，幸而如茹每天来，还送来补品（鸭汤么？）。这孩子劳碌命，在上海不断地跑、搬家，搬真如家[1]，还搬复兴中路的

1 李如茹自己的小家。——底本注。

家[1]，还在上海戏剧学院讲课，月前又要为妈妈天天服侍病，实在太劳苦了。

中医伤科检查，她[2]全身韧带都松，这是过度劳损。我不知什么办法可以治这个病，我看只有真正地休息一段。

小红来，送来按摩器，非常好用，我想这就是如茹买来的，真是感谢她！感谢我的好女儿。

木樨地房子正在刷漆，每间屋子都乱七八糟，她[3]不可能住好、吃好。她三十日来，十月二日飞莫斯科，据小白说，刷房子工人说二十八日全部可以完工，就是还乱，但没有生人在我们家做活了。

小白的工资即发，金凤已给了。

我的生日定在医院过，昭昭、小方子带菜，我买烤鸭。都带儿子来，那就很热闹了。我只是想你，很想你！

如茹送的全自动洗衣机的提单已到，待提货单到就可以取来。她买进口货，她什么事都尽心、认真，我很感动。

小白听说如茹来，他十分高兴，尽量收拾一下。

昨天下午市委宣传部的人与鲁刚[4]来，告诉我鲁刚和是之[5]即将退职，但仍职外管人艺的一些事。譬如,《李白》[6]将到江南，鲁刚还当

---

1 复兴中路1462弄3号，李玉茹旧居。——底本注。

2 指李如茹，插队落户10年，有腰伤。——底本注。

3 指李如茹，回伦敦，途经北京。——底本注。

4 鲁刚，人民艺术剧院党委书记。——底本注。

5 即于是之。——底本注。

6 《李白》，“人艺”排的新剧目。——底本注。

演出团团长。我打心里觉得他们做了不少事，真不能离开，但市委已批，已无可奈何。结果我仍当院长，第一副院长是刘锦云[1]，刘还兼书记，下边还有些副院长，那个阵容，依然可行。刘是有经验的，他也热诚，不久是之和他将到医院看我。

小红来后，告我你剪短头发，人年轻了。短发，睡在病床上，方便得多。

复兴中路家请来阿姨，能烧菜，就是大好事。你可以享受一下，回北京，金凤恐怕烧不好菜了。我想起，这几年，你为我病，每天吃得很坏，所以弄成现在这许多病。真是对不起你，我的老伴。只能说天意如此，人老了，要靠老伴，我却完全依靠你，哪是你的老伴，我不过是你的老累赘。

上海京剧院派人来了解你的病情与治疗方案，这使人感到温暖，剧院对你真是好，连我都感到他们对人的情感，对自己的艺术家深厚的情感。这是你多年在上海京剧院的工作，使人们这样关心你，念记你。

告诉如茹，那两本厚书[2]，已寄到木樨地。史叔叔拿来，我放在我的床下，望告我如何处置该书。

亲亲你，再次亲亲你！

耐心些，安心些。

家宝

一九九二年九月二十三日

---

1 刘锦云,《狗二爷涅槃》作者，现任“人艺”院长、书记。——底本注。

2 大约原是曹禺的《牛津大词典》，如茹还给爸爸。——底本注。

旧洗衣机只好处理，小白说，不值什么钱。[1]

一九九二年九月二十四日

玉伴：

今晨收到九月二十一日信。

小莉莉主张很对，要找瑞金医院的专家整个重新检查一遍，严格定下治疗方案，再做手术，或做其他处理。俞老的经过[2]，可谓前车之鉴。我在报上（《健康报》？）见瑞金医院是被表扬的单位，然而必须确实请到那位肛肠专家诊治才行。这样出院、进院，要等很多天，那也是应该的。你不要性急，我们要找到好医院治，误诊的地方不能住。你看，所有人都同意莉莉的主张，你就安心治吧，不想那个草率的在二十五日就动手术的方案。

小红已取回“上海东方航空发展公司”的题字，我便中写了短信，并托她带给你西洋参，嘱她讲说我现在的情况。怎么现在你还没见到她呢？

木樨地粉刷房子，很乱，如茹来，要受点委屈。她给我按摩器，非常舒服，医生护士都拿起看，都羡慕地说，这个女儿好孝顺。你的药枕也用了，气味非常浓，不能成天枕。我叫小白暂时放一放，待味

1　此信共三页，这段写在第二页信纸的左边，现编于末尾。——底本注。

2　俞振飞肠癌，误认盲肠炎，开了两次刀。——底本注。

道少一些，再常用。我枕着，感到玉伴的心，感到你的情感，时时感到玉伴的眼睛在温柔地看着我。

我每每记起你在北京医院，我每次向你说话，你回过头来，总是那个可爱的笑脸。其实，你多么累，多么劳苦。

我已给华东医院南楼317室写了一封信，不知你还能收得到否。

今天我过生，在医院过，昭昭、小方子都带儿子来，一会该热闹了。恰巧昨天江苏文化机关给我一束花，十分灿烂夺目，小白放在红罐子[1]里，更好看。如果算上生日，我已进入八十三岁的年纪了，真叫老了。又是想念你，我的老伴。

你一定安心治病，我们有的是机会见面，你说得好，“吉人自有天相”。菩萨保佑，弥勒佛、如来佛降福给你，给我们！不要急！不要急！

家宝

一九九二年九月二十四日下午

一九九二年九月二十六日

玉伴：

收到九月二十三日信，知你即将到瑞金。这一阵子，我共写了三封信：一、小红带了一封（还有西洋参）；二、寄医院一封；三、寄

1　新加坡的花瓶，是中央戏剧学院带来送给曹禺的。——底本注。

复兴中路一封。

奇怪，你都未收到。我并未着急，妈妈，你找了一个很好的专家郁大夫[1]，我只有高兴。我更安心了。莉莉的顾虑是对的，总之，要万无一失，不出毛病。

我的生日很热闹，你们母女来电报，小欢子[2]来了电话，她和Mike[3]都祝贺生日，小欢子说问妈妈好，何时回来。我告，你在上海动手术。黛黛寄一百元美金，小蓬蓬与小欢子都给我生日卡。我们把书桌搬出来当饭桌，摆了一桌饭菜。还照了相，寄去相片。还有我们与赵老二位[4]照的。

烤鸭吃了三天，还有其他菜。

小白在木樨地干活，还找了木工，大约在国庆后修理家具。

为了早发信，免你着急等我信，就写到这儿。

小方子……[5]

你的老伴　家宝

一九九二年九月二十六日

1　郁宝铭大夫，瑞金医院肠科专家。——底本注。

2　万欢，曹禺与方瑞的女儿，现在美国。——底本注。

3　万欢的丈夫，美国人，医生。——底本注。

4　指赵朴初与其夫人陈邦织女士。——底本注。

5　此处字迹模糊。——底本注。

一九九二年十月一日

玉伴：

今天国庆，又许多天没给你写信，不知你在瑞金医院如何？真是惦念，想念！如茹来了，她瘦了，但精神旺健，她把你的病情详细讲了。这又要全部仔细检查，再定方案，究竟如何，须待以后结果，再定手术与否。我问如果大手术（即开腹）后如何，她说医生要养息四个月。我和如茹讲了，你就在上海休养吧，那里有人侍候你，这次一定养完全，不要再生枝节。你就耐心、安心养吧，我也耐心、安心，一定等你完全好了，再见。

至于在北京种种，小白会与我商量好，办好，你不要担心。小方子与如茹都和小白说过，小白说回家结婚，四十多天准来，一定找个合适的人代他在四十天的假中照顾我。这个你放心，小白为人热情、正直，他说到，准做到的。

这样说，我们二人须旧历年后相会了。真长！但这是必需的，你一定得听我的话，更应听医生的话，我们还有活的年月，一定，一定，在上海养病。我问如茹搬家的事，她说搬家有人干，所以你千万别为搬家劳累，以免又病倒，再住医院。这个，你要冷静、克制，不能跑路。“老太太”就作为闭户修行，念经，拜菩萨，万事不问，这真要克制。你放心，我习惯了，快两个月没见面，再多几个月也是离别。

抽屉里的外币存单是十一张，包括万黛一百的，那笔九千多元的港币也在十一张内，美金存单的存款数目和你信中说的完全一样，都不少。只是兑换券少了四百，只有四百，给如茹一百元兑换券，还余三百。如茹帮我极大的忙，如果不是她，我一个人绝对没力气一遍一遍数清楚，算清楚。此儿厚道、能干、麻利，真是少见的好心肠、好女儿。金凤不知怎么扭了腰，小白为她贴了麝香虎骨膏药，如茹昨天为自己买了最好的伤痛药，又给她贴上一服，这孩子是关心人的。

写到这儿，莉莉来长途，告诉我你在瑞金用肠镜，仔细观察结果，是良性！只是息肉面积较大，用电治的方法，器具不够大，要在肛门撑开后，动刀割治。用麻药，开刀不痛。她说要注意两点，一是要去干净，免得后遗症；二是肛门要保护好，日后，大便安全。这个需要找上海京剧院党委周希文同志再次向瑞金说说。我说我也打电话到家里，拟请党委帮忙。她说，郁大夫经常在你身边观察，用肠镜就是郁大夫看的。这次，莉莉的判断多准确，有个专家如郁大夫这样的人治，我们多放心。莉莉说，十日左右动手术，结果，再给我电话。

这几天都惦念你，现在真放下心了，但是你一定要在上海调养，万不可大意。

昨天九月三十日，仇校长[1]来，送了花（菊花，美极了，很多），还有哈密瓜与香蕉，我们把瓜与香蕉送给医生护士。他们又要了菊花，也分了一半给他们。

如茹送小白的衣物，一大包，小白都穿得上。尤其大毛毯，他特

1 仇春霖，北方工业大学校长。——底本注。

别喜欢，他说谢谢老奶奶。昨日文联孟伟哉[1]等六人来院贺节，谈得很好。胡乔木故去，他们要到家中吊唁，我托他们向胡的夫人表示慰问之意。亲亲你，我的老伴，不再写了。

家宝

一九九二年国庆

如茹吃水果确实惊人，哈密瓜、西瓜一起大吞，实在佩服。我们谈得很好，但明晨她又要飞了。[2]

药枕的味儿，我不行，但如茹十分欣赏那种药味，我请她出国带去。此中有父母二人的爱！[3]

你的气管炎近来如何，是否咳得厉害？念极。[4]

一九九二年十月三日

玉伴：

这两天未收到你的信，我猜想你在瑞金接受各种检查，很不舒

---

1 孟伟哉，文联秘书长。——底本注。

2 此信共三页，这段写在第一页的上方。——底本注。

3 这段写在第二页的上方。——底本注。

4 这段写在第三页的上方。——底本注。

服，无法写信。听如茹说，有专人送饭，也许吃得较好。

昨天（十月二日）如茹飞往莫斯科，一切顺利，行李过重，有朋友帮忙，没有多付款。

这几天，每日有她陪我，颇是欢快，她又走了，我真有些寂寞。她来后，就如你在我身旁，我们谈了很多。她劝我日后要常劝你回上海，免得烦闷，北京远不如上海朋友多、亲戚多，可以放松一些。此地整日来往于家与病院之间，实在单调。她的话不是这样突兀，说得比这婉转得多。她对妈妈情感深厚，有这样的好女儿，真是福气，只是不能常在身边，可见人生无完美的事，只能在人生空隙间寻得少许快乐。若事事满意，则上帝、菩萨便没有了。

隔壁何康[1]同志回家，吴冷西[2]同志病体渐好，也出来坐坐，我似乎精神与精力旺盛了。总之，医院虽然“死”气沉沉，但默默间还是有些变化的。

我能在过道上走两趟，分两次走，当然，走完有些喘，但坐下来，待一会儿就好些了。

昨天晚上就寝前，忽然饿起来，小白为我做一碗鸡蛋西红柿汤，真是好喝。睡前吃东西很不好，这样做，只能一次，不然，更要肥起来了。

你体重减三公斤，是肠内息肉引起，还是进院前事情太多，使得人减重了？你也任何事都用力，给小白的大衣包，如茹说是妈妈装

1　何康，农业部原部长。——底本注。

2　吴冷西，人民日报社原社长。——底本注。

的，可见什么事你总是全付力气在上面。再则为房子事，你东奔西跑，烦心劳神，这也使身体见弱。如茹说，妈妈并不显得瘦，也许她安慰我，也许，你精神还是很好。

如茹和你告别，你大哭了一场，你明年还要为她的博士学位典礼赴英，那不又相会了么？

金凤来了，我问她："如茹在木樨地，你给她什么吃？""买了一只鸡，肥鸡，做了霉干烧肉，和一些鸡蛋一道烧。"如茹说她还能烧菜，当然不是很好。如茹在上海太忙，顾不上吃，也吃不下。在木樨地当然吃不了好的，但吃下了。她爱吃泡饭伴泡菜。你别以为她只是吃泡饭，金凤说她吃了好多菜，好多水果。仇校长送来哈密瓜、香蕉，我叫小白买了葡萄、苹果，她也吃了。我叫小方子代我招待她吃午饭，就在蜀香用了午饭。下午，她与小方子各干各的，小方子准备第二天在家请她的朋友们晚宴，小如茹约好她的朋友李宁[1]大逛王府井，四处买她要的中国药。

昨天（十月二日）下午，如茹走后，我按她写下四位帮助进医院的朋友，有上海京剧院周希文、马博敏、黎中城、徐辛捷、孔小石等领导，瑞金医院党委书记陈淑瑾、李国衡[2]，还有专家郁宝铭大夫（此信托莉莉转）四处，都简单但是诚心地写了谢函。如茹想得周到，怎样写都写明白了。

1　李宁，如茹"上戏"的同学。——底本注。

2　李国衡为瑞金医院专家。——底本注。

巴老[1]来了信，他周身疲乏不堪，一封信写了三天才写完。他说提到后事，便传为重病，要小林[2]出来解释（即接受采访），才说清楚。他说：“我要说真话。”他说他会活到九十岁，待写出全集的代跋，才搁笔。其实，我以为他能活得长久，比九十要长得多，但须要少思虑，少费脑筋，他对读者太负责任了。

昨天下午，方子带蓬蓬、小白买了十分香的肉包子，我也吃了，还喝了点啤酒。

赵寻在“十一”来了，邀我于十月四日参加梅花奖典礼，我拒绝了，我走不动。

小白即出门，便发信，不写了。

家宝

一九九二年十月三日

一九九二年十月五日

玉伴：

收到九月二十九日信，知道你在瑞金医院住院的一切情况。你和病友已熟悉，你已成了温州老女工人家属的朋友，你人诚恳、厚道，

1　作家巴金。——底本注。

2　李小林，巴金的女儿。——底本注。

同屋是愿意和你交上朋友的。

如茹的地址小卡寄上，此卡不多，日后我当写了她的地址寄给你。写完信后，知道不须如此了。

我现在每晨九时许便犯困，常常睡一小时，醒来，精神好多了。每天走两次，坐轮椅上走几次，这就算运动。晚上，北京饭店一带灯火辉煌，特别想念我们二人一起在过道上步行的情绪，真是说不出的味道。多想念，你回来，再一起散步。

天很凉了，我穿了毛衣、线裤，早已不出去，坐大门口。我遇见的朋友都思念你，问你好。钱主任[1]以及几位大夫也问起你，杨大姐托我问你好。

如茹说妈妈太不顾自己了，连乳罩、短裤破了都不买，她为你买了半打，我想两样各半打，还是一打？我记不清了。你说从前家都有人代你管，如茹管上海的家。如今又不同，你要管京沪两个家，太吃力了。

我很担心你咳嗽，气管炎是个麻烦病，不大好治。究竟你咳出痰（如茹说）后，咳嗽好了没有？读你的信十分有趣，也十分为你痛苦。如茹此次离沪，再回来要二三年，母女离别之苦，是很难忍的。你说“人有悲欢离合，月有阴晴圆缺，此事古难全”，苏东坡的话是真理，只好看开。我们二人相别也两个多月了，我想，还有比两个月还要更长的时间别离，不能以为苦，只有自己安慰自己。总之，不久就见面了，也就心宽了。

1　钱贻简，北京医院主任大夫。——底本注。

此信，在灯下写的，我想为了快些寄给你如茹的地址小卡，不能待明天写，你会更急的。

又叫小白翻咖啡包（第一次我自己翻的，只有四五张[1]），小白翻出十几张来，现寄六张，还有几张留在包内。我看包内零碎废纸（如过期的票证，又如一分一角的小票），都拿出来，有的用来早晨买油条，有的撕了。你放心，都是两人检查后，才撕的。

小白问老奶奶好，请你放心，一定把我照顾好。今天下午，他和小周[2]照相，到王府井，医院有金凤陪我。

问李小红好，她摔了一跤，如茹给我仔细讲了，总算不幸中大幸，没有摔重。如茹说仍要养四个星期。

请代我问郁宝铭大夫好，各位护士好。他们送你花，送你水果，你真是有人缘，你和气，待人好，别人就待你好。

小白说过两天，就给我穿毛裤。北京医院十月十五日有暖气。

亲亲你，我的好伴，最好的人。

家宝

一九九二年十月五日灯下

---

1 指地址小卡。——底本注。

2 小白的妻子。——底本注。

一九九二年十月六日

玉伴：

今晨又收到你于十月三日的信，那样多的学生、朋友送给你好吃的，你真享福了。照肠镜，你大叫，引得陪你的人说“就快完了”不止，你真可怜，有病诊治，还要经受这样多的苦难。

那位做红木家具的老师傅十分可爱，这样短的时间已教会你许多关于红木的知识。你曾说他不大说话，看来，一熟了，谁都会讲话。

方子来了，她写了信，说了个人的心事，也谈到小白暂回结婚找替工的事。这自然很难，但总要找到，你常说“船到桥头自然直”，到时候，也会解决。你不要在上海，尤其是在治病时，想得苦恼，又来麻烦自己。待小白回来时（他现在木樨地收拾房子），再和他商量。

关于木樨地的房子，待程世鉴由天津回来，再与小白搬好家具（房子刷漆已毕，只是家具一切乱堆着），再找木工修理破旧物事。书桌、书柜都不中用了，这也是一项工程，事情总得一件一件地办。希望待你回北京时，一切已办定。

上海新家有了，也要整修，住房真不容易，无论新旧，都要人管。我们门单户薄，人少，真感到力不从心。

巴老的《憩园》要拍电视剧，剧本有人写，拍时说请我当文学顾问。我没细看过，须先仔细读小说才行。这件事是由如茹提起，又由小方子接着办的。你不用告巴老，因为你病了，他们也难看。

亲亲你，我的好伴。

家宝

一九九二年十月六日

一九九二年十月七日

玉伴：

祝贺你经过十分精细的手术，你一切良好。尤其是查明息肉是“良性”，这太令我放心了，大家高兴，立刻给方子打了电话。方子说“祝贺手术成功，祝贺妈妈经过顺利”。莉莉电话告我，用了全麻，大约怕你又大叫、大嚷、乱动吧。我问了孙护士长，她说全麻也不要紧，有人也不吐，个人反应不一样。只是全麻后，护理要当心，要及时翻身，早一点放气（即放屁），便知肠里活动了，即能吃东西。我想，割了息肉，是伤口，也得等愈合，才能蠕动，才能吃东西，也许首先（用营养液后）吃流质吧。她说全麻，当天就能醒过来。我希望你不感大痛，在床上，不至于喊叫。

忽然，我回忆起我割胆结石后，那位好说话的护士长老说“一屁值千金”，现在该你放这值千金的宝贝的一屁了！

一切顺利，大家开心，小白也祝贺你！

这次是莉莉的决定好，找了郁大夫，换了医院。虽然麻烦不少，然而对病的治疗是关键性的决断。

昨天莉莉来电话时，我忘了祝贺她的决断，她的主意高、主意好！你代我向她说：“爸爸也祝贺你的大成功，你也是成功！”

孙护士长说：“四公分息肉，电烧不去的，只有割治，这个手术对。”她又说肛肠是外科的一门，“真是愈发展愈专门了”。

听莉莉说，她大约十月二十日就去香港，那时妈妈也回家了（即复兴中路）。我以为在医院会长一点，但如果医生认为可以回家，那在家里也不要多动，长期住下去，这次一定要真正休养一下。

病友吴老、康大使都出来，坐在过道长沙发上，我们三个人在一起，都很高兴。这两天，虽然很冷，今天阳光普照，丽日当空，心里都是暖洋洋的。我和他们两人一起笑谈着，像是在过节。

昨天由西安寄来一个印刻，是一位姓傅的篆刻家送来的，刻得很美，有劲力。还寄来一本他收集的印谱，很讲究。可惜，我一点不懂印刻艺术，是明珠投暗了，然而我还是喜欢看看，学习学习，也许慢慢弄懂了吧。他要我的字，这位同志是书法家，我的字丑极了，怎么能见这位精通书法的人。

要写的字，还有一些，今天下午，趁精神高兴，兴致高，还是胡抹一些。诚心要我字的人，并非因我会写字，只是友情使然，我也就不在意了。我应该每日练练字，但力不足，人又懒，就更荒疏了。

问郁大夫及各位护士好，问书记和院长好。莉莉说，在动手术前，院内专家们又开一次会诊才动手术，他们认真极了，真是感动。我十分感谢，请代我说几句吧。

写着写着，又收到你十月四日的信。你手术前，吃得太好了。排骨、鸡汤、鸡翅膀、牛肉汤、肯德鸡、熏青鱼、蹄髈炖鸡、猪排、油爆虾、白果冬瓜汤……你怎么能吃得了。

你吃三天流质，受得了吗？你说的经过，莉莉都说了。五天特护，以后有护工护理，这太好了。大便的问题有人管，就好一些了。

京剧院同志们真是热情，马博敏、黎中城还要来看你，这是很感人的。代我好好谢谢他们，对自己的同志，对老同志如此热情周到，这也是十分高尚的感情，人与人之间有这样深的感情，使人活得有意味、有意义。

你不要来信，这几天我也不等你写信了。

问你的同屋病友好。你动手术，她也受干扰了吧。问那做红木家具的老师傅好。

问爱莲、韩恺、琅琅、友谦、庞增涵大妹好。

我很放心，你安心养息吧！

一切都安排得很不错了。

亲亲你，我的好老伴。

家宝

一九九二年十月七日

《上海一家人》在香港首演，莉莉参加，祝贺她！她怎么又蹩了脚腕子，真是倒霉，祝她快快养好。

你能戒了烟!!! 你太出色了！决不能再抽，你是英雄!!!

一九九二年十月八日

玉伴：

收到十月五日手术前一天的信。既然免得大出血，才开腹部，那也很好。动得彻底，连根除去。虽息肉是良性，也除净了好。

现在再需两个月，才能回京，这样稳当。我看你应再在上海住长一点，可以养得好些，索性在上海过年吧。不必要跟小白见面商量也好，我这里有办法，小白答应我找一个暂时替工，要找个合适的。他准备十二月二十几号回家，说是四十几天再返京照顾我。不过这个日子不一定准，也许长些，如果找了一个合适的替工，也就不成什么问题了。

你放心吧，人总有办法，我完全能够安心治病。你多住些日子，上海有许多学生、朋友、亲戚，尤其是莉莉在身边。她这次出了好主意，天天送菜，天天侍候你，为你安排特护和长期护工。她真是个可爱、可亲的孝顺女儿，不容易啊。她那么多事，还推三轮车在人行道上走来走去，以至于蹩了脚。她现在好些了么？惦念惦念。

你不能在冬天回北京，这里没有好吃的，只有金凤烧菜。你在北京是孤零零一个人，没有那么多人常来看你，应该说，根本没有人来看你，这太寂寞，太冷了！每天来往于木樨地与北京医院之间，也太辛苦了。不要惦念我，我渐渐习惯了，只接到你的信，犹如你在我身旁。想不到上海电视台的领导们也来看你，你人缘好极了。

西安有一位傅嘉仪先生寄来他为我刻的图章，刻得很美。我是外行，只能说美，说不出什么道道儿来。他还出版过古今印谱，这确大开眼界，不是，是给我上课。篆刻是中国几千年的艺术，居然战国春秋，甚至殷商周朝就开始印玺了。我颇爱白石老人的刻印，印风“泼辣”（傅先生评语），印如其人“奔放”“气势纵横”“险绳天成”这都是评语，再看白石老人的篆刻，稍能体会评语深意。印文有“有衣饭之苦人”“客中月光亦照家山”“心内成灰”“苦手”，词句中见老人一生辛劳坎坷，坚强不屈。大艺术家内心是非常苦的。

写了这些话，傅先生还要我写“红柳室印存”五字送他，我写了两张请他挑选。傅先生是书法家，我的字幼稚且陋，只是为了报答人家的盛意就是了。

你吃三天流食，手术后大约也要较长时间的流食，这真苦了你了。

待你完全好了，你再好好大吃一下。但千万别吃坏肚肠，你刚做完手术，仍须注意。

你万不可再吸烟，病好了，不能再吸，千万，千万！

亲亲我的老伴，安心养息吧！

家宝

一九九二年十月八日

一九九二年十月十日

玉伴：

手术后，疗养情况如何，惦念不已。

今天上午为乔羽[1]同志题书名，并写了信。为西安荐福寺内终南印社傅嘉仪先生写了信，他托书，我写了两份，请他挑选。

又给上海卢湾区档案馆题了词寄去。

如茹托中国出国人员服务公司经营处托运部托运给你一架全自动松下洗衣机，号码（发票）AA0007697。她于九月三日托运到北京木樨地家，至今未见运来，不见到提货单。她有一张托运单，登记号码是No.001411。如茹行前说写信托莉莉（据史叔叔说的）打电话给该运处，查询一下，电话是5483402，不知有否消息？我今日下午给该处写了一信，麻烦他们，请他们查询或催促一下。

昨天上午协和医院毕大夫来会诊我的病，检查结果，我的情况良好，并无变化，请你放心，放心，我很好。

金凤送来猪脚爪，我要她做的，今晚我想吃一只。嘴实在馋了，但我一定不多吃，你放心，平常她送来的，总是素菜。

金主任说毕大夫是专家，他们诊断准确，打针一星期两次，每次4000单位，是对的。这针很贵，我说不用了吧？她说不要想这些，要

1　乔羽，中国国歌院院长，歌词作家。——底本注。

治病。我问她何时才能出院，她说待明年春天天暖和了再商量。这样说，出院问题，很难办。

我担心你何时才能吃东西，这样饿下去，你怎么受得了。流质当然有用，你想吃，你饿，这怎么办？怎么办？

又有不少人来看你，花多了，没有地方放。有那许多人来探望你，这是一大安慰。

昨天颜振奋[1]来，要我为剧本月刊创刊四十周年题词，我当时就写了。

爱莲待你如母，真是难得的人间性情，真是感谢她。

家宝

一九九二年十月十日

一九九二年十月十二日

玉伴：

前天（十月十日）刚发了信，说起洗衣机还未到，望莉莉打电话催催的事，不料当晚由史叔叔送来取货通知书。你看，我性急，多找麻烦。需要“人艺”开个证明信。前晚恰是星期六，第二天是礼拜，不办公。到了今晨，史叔叔去“人艺”取了证明信，才与小白两人由

1　颜振奋，中国剧协《剧本》月刊主编。——底本注。

北京站取回，放在木樨地客厅里了。麻烦莉莉，白打了电话，对不起。

小白连连问你疗养得如何，我怎样惦念想念你，这几天卧床的情况可想而知了。

今天金凤送泡菜来，她又说了，“师母好吃啦？我要去望望伊”。

这两天，我心颇不安定，直想打长途问问莉莉，你养得如何。小白劝我不要打，老奶奶在医院好得很，你别不放心。我想想也许不用打，你本来在医院很好，我要安下心来。虽然时常我要胡思乱想一阵，又自己解慰自己过去了。

你很痛吧？夜晚是否影响睡眠？现在（十月十二日）是否能吃点平常的食物？伤口痊愈了没有？恐怕还要十天二十天，这岂不要你总吃流食？送来的菜，只能看，不能吃了。这多难受！不能直接与你交谈，这是最难过的。如果你能听见我叫一声“妈妈”，我能听见你叫我一声“爸爸”，这多好。在医院打电话不方便，北京与上海都很麻烦。

我如果熬不住了，今天晚上就打长途给莉莉，她知道你最近的消息。我猜想，星期一晚上，莉莉准会在家的。多远呀，北京医院和瑞金医院，距离怎么能这样遥远？

今天上午，马少波同志与其夫人[1]来访，谈起你，也谈到京剧的情况。他说中央很重视京剧的前途，拨了一千万作为京剧基金委员会的基金，请了许多人当名誉会长。他是会长，管理如何用，我说这很重要。他劝我多多养息，不能再出门，静养为是。

他又说到这些天他看到的各种地方戏，川剧、越剧（《红楼梦》）

1　马少波，革命戏曲剧作家，其夫人李惠中担任编辑工作。——底本注。

和川剧作家魏明伦。我说魏明伦很有才，并说魏原是武旦出身，聪明，爱读书，获得今天的成就。

和马同志谈了一阵，觉得这人也颇宽厚，是当今戏剧界的权威人物。

这些天有谁来看你？代我问爱莲、琅琅、友谦等好。我想上京院会不断有人来看你。

问庞增涵好，她送你那黑鱼浓汤和一些用了糟的菜，连我都馋！

希望你不感到十分饿，不然，眼看着好吃的东西不能吃，多难受！

亲亲我的好伴，我的好伴！

家宝

一九九二年十月十二日

一九九二年十月十三日

玉伴：

你手术后不过三天就给我写信，我想象不出，你插了胃管与尿管怎能写信的。

特护与护士都十分体贴，真感谢她们。现在手术及时，没有生变，真是万幸。医生要你今后多吃蔬菜、水果，可吃鱼虾，少吃肉，这些你是比较要克制自己的。就是每半年要照一次肠镜，你说比生小孩还痛，这是大问题，然而不能不做。这次，如不是如茹逼你检查，这个手术你不做，日后是不堪设想的。

你饿了十几天，居然忍过去。肠胃休息了，你不吃东西，够你受的。

你记忆还是很不错，这么久了，还是把兑换券取存的过程想明白。如茹真是有板眼，取出毛衣和戒指，还当了金凤的面，又写了条子，我佩服她办事的办法。

我给她不是那件绣花男睡衣，是一只猫，一黑一黄，两面绣的镜框。我把睡衣忘却了，其实把睡衣给她，她会自己改改穿上的。

史叔叔来，他仔细地问及你的手术前后，我告诉他你插了胃管、尿管，大约月底能返复兴中路休养。小白在旁边听了，他们二人都诚诚恳恳地劝你安心疗养，不要惦记我与木樨地的家。你说感激并钦佩小白的话都念给他听了，他说"不，不，应该的"。

如果不是安排好，小白找不着，我在医院没有这样好的照顾。也是你，才把金凤找来。如今，史叔叔与小白都夸奖她认真负责，坐得住，诚实。小方子也说，这两个人真好。

小白回陕西，他说是阴历年前，即腊月二十几，那就是阳历一月几日。所以，早得很。即便你不来京，我也可以过得去。我现在想，你养好身体，还要照顾一下新房子，最好能住上些日子，那就待一九九三年春末了。你别急，事实上，只有这样，你才能暂时离开上海。上海亲友多，这次手术，你可是尝出有亲友关心而且真帮助的温暖了。

昨天彭真同志九十大寿，四楼客厅堆满了寿字、寿联，放上许多大蛋糕，开眼极了，革命大人物过生就是令人开眼界。可惜，他病在床上，不能一观。

昨午后，刘瑞亭（去年夏天我们下去，在酷热中为大家往地上洒水的花木工师傅）来找我，谈了半天，才说要为人祝新婚志禧的四个字“花好月圆”，我写了。他问起你来，说一定代问你好。

浙江文艺出版社寄来三千五百余人民币，为印了我的《柔蜜欧与幽丽叶》[1]。我告史叔叔取来存定期一年，连余款及单据，等你回来交给你。

亲你，亲我的玉伴，我的好老伴！

家宝

一九九二年十月十三日

一九九二年十月十六日

玉伴：

收到你十月十二日的信，今天是十六日，按你说的日子，你于星期三（十月十四日）出院。收到此信时，你早就回到复兴中路家里了。

上海冷吧？回家也冷吧，你多穿些衣服在家御寒。北京医院有暖气，此地愈暖，愈感到你在家中寒凉。

你回来后，体力如何？伤痕养得如何？出来是否勉强一点？出院

1　即曹禺早年翻译的莎士比亚名剧《罗密欧与朱丽叶》。——底本注。

的日期得了医生同意没有？你十月六日动手术，十四日就走，岂不是太早了么？

这两天我想了许多，反复想，还是电汇一点钱给你。尽管违背你的心愿，还是托史叔叔办了。原谅我吧，我的老伴，我很不好过，心里不好过。我知道你现在不是穷，但更重要的，你富裕，我还是要寄钱给你。这点钱一为疗养，买些好吃的，用我寄的钱买点东西吃。或添些你要用的物事，如茹告诉我，妈妈太亏待自己，连一条整内裤、整乳罩都没有。小白说老奶奶太省了，放久了的饼干，连他吃都嫌苦味，你偏偏吃了。有许多过时的东西，你总怕浪费，还是吃了。钱你千万,千万别退回来！

这次汇钱，你千万不能退回，否则那就太伤了我的心了。新屋需要款子，你准备的钱，今年物价涨了，早不够备料。这点钱虽少，还是可以用来补个亏空，多少是一点。

我还有个心愿，新屋弄成，你有准备，整理房子的钱交莉莉办，我这点钱，也交给她用来办。想想，新屋有我们两人的一点力量，虽我出的数目极微薄，但也是点心意吧。老伴，千万别再退回来，那太伤我了！！！

这是到期的两个存单，就由史叔叔取来寄去的，只有史叔叔代我办，没有别人。

这两天，我看看香港文汇报的图画有一张照片，我和孩子们在前排，你和小白站在后面。我突然想到我那时昏了头，没有安排好，伤了你，这也请原谅我吧。我一生对你太薄，不体贴，你总是十分温暖，厚厚地无微不至地待我，我想起来，苦恼极了，心痛极了。

朋友们个个说，你待我真诚，感人极了。我感激这些朋友，说了真情，我自己，对你，太说不过去了。

小白于阴历腊月初几走，现在还说不上。小白说，他一定找个人来，难找也得找。他说，阴历十二月（腊月）初五（即一九九二年十二月二十八日由北京返陕西）回家，腊月十五日结婚，正月十五六日回北京。

我看，你不要操心了。好好养病，我这里总好办，船到桥头自然直，一定不会错的。

我以为你索性待你能搬进新房，住些日子，再来京。这就是一九九三年春末了，那么，多少事都会安排好了。

你早回来，不行，那是不现实的，不实际的。首先，你必须把身体完全养好，才能动，何况你还要，也一定要照顾新房子。

有一层，你一定注意，回家后，不要即管起新房子的事，那就养不好病了。

我十分想念你，但不想很快就见到你。我还是那句话，明年春末你回来，那许多事都办好了。

其实，你在北京太苦了！太孤单了！

找淑敏[1]不行，鞭长莫及，她难得来一次。这件事，你麻烦人家，是强人所难的，何况，一定办不好。你想的办法种种，都有些“空”，你别着急了！

---

1 周淑敏，玉茹义妹，情同手足。——底本注。

山东张云凤[1]来了，要见我，不能写了。

亲我的好老伴！我的爱妻！

家宝

一九九二年十月十六日

一九九二年十月十七日

玉伴：

收到十月十四日的信，为了迅速发信，不多写，只好一一述说如下：

（一）小白已定阳历十二月二十八日（即阴历腊月初五）离京返陕。结婚在腊月十六日。你说一定要他见着你才走，你约十二月底回北京（为了搬新家事）。小白说差两天，你一定能早些赶到，会见着面的。此事，我看很难说。……最后，小白真好，他说实在赶不回来，只好他推迟两天。

小白是在找人，他可能找个合适的人。小白又讲，两头进行找人，多一处可以有个挑选，他想得很周到。这两天，他着凉，有点不舒服，他服了各种药，已见好。金凤的腰已好了。

她刚来医院，我即付她工资一百二十元，与饭菜费一百元，共

1　张云凤，山东文联或剧协负责人。——底本注。

二百二十元。明天小方子来，她会还给我的。

（二）给瑞金医院字已写好，只是大了一些，不知能用否。如不合适，再写。不要怕我麻烦，写这个字，一点也不累，愿意写的东西，就不累。你的四句话，很好，我愿意。

（三）另给郁大夫感谢信，并写一条幅，不知措辞如何，如不能用，再写。

亲我的老伴，多保重，多吃蔬菜、水果，千万不可再吸烟。重要！重要！

家宝

一九九二年十月十七日

一九九二年十月二十一日

玉伴：

如茹已把极细的项链交给方子。那只手表也交给金凤阿姨了。

这两天总想你是否收到我电汇的款子，我想你突然收到。只怪我十六日信未嘱你收到后打个电话回来，我怕有失误，今天晚上，我想打个长途给你。

收到你十月十七日信，有人邀你演话剧，你以故推辞了。这决定很对，话剧是个费力费神的事，若上座，每天得上台陪着演，太辛苦了。

如演电视剧，你还可以，这个剧种，可以缓来，而且时间长，拍好了，就不用再担心每天上演。

方子刚来，为了给蓬蓬做饭，她说了一阵，只好回家照顾儿子，做人真难。她已完成一电视剧本，五万字，发付了两千元，以后如改动，也可能再添一些，但也加不了多少。文字卖钱是相当苦的，这也看谁，如有些名家，文字很值钱，当然，也要付出心血。总之，知识分子的工作是与体力劳动者同样不简单的。

郁大夫须再写字“妙手回春，造福于人”，我现在即写。

想念你，但不急于见你，请好好养息，亲亲我的老伴。

家宝

一九九二年十月二十一日

另寄如茹来信。

“妙手回春……”八字比较好，前次写的是“大道本无我，青春长与君”，感谢郁大夫主张的奉献精神，不好，如能“妙手回春”，字还是用这幅吧。

一九九二年十一月二日

玉伴：

收到你十月二十九日信，非常高兴。因为天天望信，恨不得一天收到你二十四小时的信。得到信后，我看了一段，就放在信封里，小白问："怎么了?""我不能都看，要留着一会儿再看。看完了，不就没有了吗?"小白都笑了。我假意沉着，上午看了一页，午睡后，接着再看，今天再慢慢一遍一遍地看。

和你一样，我非常想念你，只不愿多讲，多讲，你更要急着回北京了。

上海家中无人，莉莉又病，你这个刚手术完毕的人，怎么能四处跑。能请帮忙的亲友们都麻烦够了，确不好意思再求人家。我这里却有个小白，有史叔叔，比你好过多了。我身体还可以，小白写信告诉你详情，我血色素七克多，输了一次血，人也精神了。就是缺乏力气，所以写信不能多写了。

莉莉真是个人才，拍了许多的戏。怎么，一个好剧本竟被宣传部抢去了，现在腿又不大好，我不知道如何慰抚她。是否动手术，我又不能拿主意，冬天做手术，又是第三次手术，太折磨人了。我看是否再会诊一次，然后定下动不动手术。

上星期，晚餐吃少了，睡前服安眠药，忽感腹饿之极，小白为我做蛋花汤三碗，有西红柿、胡椒面、味精，其味鲜美异常。第二天居然没有事了。这是异常事，不要挂念。

新屋大致收拾一下，不彻底动工修饰，此意甚好，如能早些把煤气、电灯、电话……换过去，也应在你行前搬家，不要定在十二月初回来。

我这是信口开河，你搬迁并不如此容易。你早回来，木樨地家还没有整理，也是不行。

小白以为我咳嗽不算好。小白说："你完全好了，我就找人整理。那房子，说收拾，就找木匠，说干也快。不必着急。"

关于找替工，小白说到本月底就找他所想好的人试一下。

你要保重身体，冷天，把"空调"开到热点，是否稍暖一些。北京家还没有暖气，据说本月十五日可以接上暖气。

你要多穿衣服。保暖要紧，别感冒！至嘱！

"老夫老妻，相念已极。暂时小别，长远匪易。遥遥相望，京沪二地。天长地久，不能久离。终夜不眠，二人相依。时游山水，时游海滨。北戴河滩，二人相栖。携手逛街，同步闹区。你我年老，相互嬉戏（扶持）。浩浩苍天，茫茫大地。天覆地载，永世不离。"

突然，我写上四句对口词一段，作为这封信的结尾吧。

亲亲你，我最可爱的老伴！

家宝

一九九二年十一月二日

一九九二年十一月五日

玉伴：

收到十月二十九日信，我还是盼你信来，你看我多贪。想念你，很想念你，这像是套话，其实大不然。古人说"一日思君十二时"，确是如此。我常以为我们是一对"冤家"，不是"冤家"不碰头，你年纪不小，近古稀之年，我八十三了！还这样缠缠绵绵，岂非怪事。

此外，我对自己十分不满，漫长一生，不知多少错误，逍遥岁月。做事总不得当，一是“懒”，二是“私”，误了自己的韶华。如果再做人应做一个“勤”人、“公”人，今天会快乐得多。

不要再牢骚了，自己心放开点，也就算了。

木樨地已有暖气，金凤说热得很，家中且有热水。我想，你在上海，大冷天，你哪能在家洗澡，如若冻着，那就更不好。

我很怀念我们过去一道游历、出国，许多故事和场合历历如在眼前。除了我经常病以外，往事还是堪回首。我最怀念我们一年夏天，在北戴河游水嬉戏，从海滩回来，有热水冲澡，两人嬉戏不已。每天笑谈，仿佛这是极乐世界，重新变成年轻人，又像刚结了婚似的。

病难倒了我，也难倒了你。你说你是一堆“感情”，“情”也真误了你。你一生演了很多戏，这总是成绩，你的许多观众是明证。

“替工”小白找了一位，明日（星期五，即六日）即来面看，小白也没见过，所以先互相看看、说说。这有点滑稽，又不是收义子，还是得两方满意才行。

又收到你三十一日信。

你说得对，“穷、病、弱”太苦了。

我们在一起拼力渡难关，人总要活下去，更应该充实地活下去。

莉莉的腿如此苦，我同情得不行，请一定代我安慰安慰她。

小欢子又来了信问妈妈好，她还不知你在上海呢。

小方子来了，你别以为我孤单，不要早来，万不要早来。

亲亲你，我的老伴、好伴。

家宝

一九九二年十一月五日

小白说“一定要找个合适的替工”。

一九九二年十一月九日

好伴：

昨天（十一月八日）上午接电话，下午读了你的信，真是大丰收。听到你的声音，真是十分高兴。尽管你讲的事都不大愉快，我也十分愉快。

你应安下心料理家事，照顾莉莉。人放得开朗一点，不要埋怨命苦，想想总有个人，加上许多亲友，还有上海京剧院许多好同志——都在想着你，为你帮忙。只这一份心意，就已够感到满足。

确实，事情总是两面的，有苦就有乐，现在觉得苦恼，过一阵，就不苦恼了。其实，如果你能想开些，再看看比你还苦、还没办法的人，你便释然于怀，不如此心烦了。

你的相片，我看了又看，以为你就在我身边，真是安慰。你剪了长发，显得精神、年轻、好看。全像不够清楚，下边清楚，头欠明晰，然而玉茹还是我的玉茹。老头已八十三了，还有这样的老伴，真是幸福，我幸福，你再别说委屈我了。

方才来了五六位大夫诊视，其实也就是查房。金主任（女）[1]，说我有精神时，应在屋里散步，不要总卧床，叫小白为我揉揉肚皮，人就不太胖了。我现在胖得惊人，几乎走不出房间了。大夫都很好，护士也好，我在这里十分称心，所以你别急于回来。你说本月底归来，那是不现实的，上海有多少事要照料。

小白接电话，原来是刘二姐[2]问我身体如何，她要来看我。小白告她，天气太冷，不能来，他会照管我。你看，有了你做老伴，我有不少亲友关心我，你还不高兴么？

我现在边吃橘子边写信，小白为我买了各种水果，我一天吃两回，目前大便通畅，心气也畅顺了。

方才，看了电视，一个五岁女孩写房间大小的字。走着写着，大笔真是如椽，写得龙飞凤舞。爷爷写个“凤”字，她随写个“龙”字，其神采不亚于其祖。宇宙之灵气，天地之神，钟于此儿笔下，令人惊叹，世上真有天才，此儿是个小书法家。她的母亲每日督教她很严，有才，也要有教，才会如此。

前天看了姓郑的替工，二十一岁，河南人，样子老实也聪明。我、小方子、小白都看中这个青年，待你来时，叫他来试试工。

你说，你有“热锅上的蚂蚁”的感觉，我完全同意。你心情急，多少有些敏感，再遇见目前许多不如意的事，难怪你烦躁了。你说“自己赶落自己”，你有自知之明，是一大好事。

1　北京医院内科主任大夫。——底本注。

2　玉茹干姐，为曹禺跑到北大医学院搞到“促红素”针剂。——底本注。

莉莉不动手术，这样免去意外的麻烦。她既然想又急于拍戏：手术后不知如何，不如采取保守办法，请中医稳稳当当地治。莉莉，别再懊恼了。

金凤的相片，共两张，一坐一立，都是如茹照的。此儿体贴，细心，肯关怀人，你膝下有这样两个好女儿，你该知足了。我们有如茹、莉莉这两个宝贝女儿，确实要知足了。知足常乐，古有明训，今天你我都要理解这个真理。

你身体如何，出门太多，上海又冷，你能保暖么？能少走些路么？我自然希望你能每天做点保健操。

坐公共汽车，太挤，丢了钱，只几十元（我和小白都猜你丢了几百元，你不愿讲，怕我为你着急，才说几十元）。有句老话“舍财免灾”，没有大灾难，丢（是被窃么？）点钱，算什么。

老伴，玉伴，亲亲你，多保重，多保重！

家宝

一九九二年十一月九日

一九九三年一月二十九日

玉伴：

有两天了，你正在忙，我的房间里水仙花已开了几朵，甜香扑鼻。我时时刻刻都在思念你，你去以前，我以为我不会如此思念。不料还是这样，真是奇怪。

我经常坐在轮椅上，在走廊上来回观望。有时想到推我的是你。昨天小方子带蓬蓬来，他母子二人轮换着推我，后来，又坐在门口长沙发上，你不在我身边，颇是寂寞。我们把彦林[1]的父亲博祐先生送的八珍鸡吃了，真好吃，鸡内有许多菜，所以叫八珍。有蓬蓬大吃，还是吃不完，剩下一半，今明两天都有鸡吃，可见此鸡之大。

你说要向复兴中路的家告别，你说一九七八年以后的美好日子多么让人留念。我更想那过去一段的日子，我们有多少事可以回忆。我们的小屋、小书桌，每天挤在一起，还不觉得挤。

现在有新房子了，这又是我们的家，是一个更可爱的家。我想象，新家在冬天有阳光，要暖和得多了。你也许不用穿皮大衣了。你看完了新家，打电话给我说新房子太好、太美了，这真是好极了。收拾，不要急，不要累，别因为急于回京，便赶落[2]自己。

如茹的博士典礼，你应参加。一生难得有此机会，母亲看女儿得了博士，如茹当了大学者，这都是难遇的大喜事，你该去。现在就要托上海京剧院办护照，还有个“签证”（英大使馆）的问题，你最好问一下如茹，要办哪些手续，应怎样办？

新房子装饰得好，莉莉很有功劳，她是否很累？你也别累着，还是稳和点好。

小郑[3]照顾我很用心，很体贴，你就放心吧。我总是疲乏，吸氧

---

1 唐彦林，万昭的丈夫，北影导演。——底本注。

2 北方方言，意思是逼迫。——底本注。

3 新来的替工。——底本注。

时多。这也是平常事，我其他等等都很好。

亲我的老伴！

家宝

一九九三年一月二十九日

一九九三年一月三十日

玉伴：

又是三天，今日三十，你二十七日回沪，这是离别。三天也觉得有些寂寞，这两天读些李商隐的诗，不觉也感伤起来。还是坐轮椅来回在过道上望望看看。有时看见别家的伴儿，却以为你来了。

昨天下午赵炜[1]来了，我们送了贺年卡，她收到了，很高兴，向我们拜晚年了。我们谈了邓大姐，我把邓大姐给我的三封信，都交给她。她说书信方面的事，她也在负责，她正为《邓颖超传》审稿。她把那三封信，拿去复印，以后把原稿退还给我。我记起还有一封更早的信，我对她说等玉茹回来找着了，再给她。

淑敏来，带来一个西瓜。春华[2]已好多了，孙子十分可爱，家事还是较忙。

不知这些天，你睡得如何，还能大吃否？想必很累，仅把家具等

1　邓颖超的秘书。——底本注。

2　翟春华，电影演员，淑敏爱人。——底本注。

等搬进来，就烦心，何况还要摆设停当。望一定心平气和。“瓶子”[1]进新家没有。真是处处时时平平安安的，住在新家，诸事顺遂，心里也沉静下来。事情一点点地办，切莫性急。

《红尘》读完了，又读霍达另一个中篇。她真是有才气，有学识的女作家，对生活了解很深，很了不起。

下午了，待方子，她说今天不来，明日（星期天）准来。那只八珍鸡可以吃一星期。晚间，喝一点啤酒，来一口小块鸡，晚餐十分可口了。

北京天气很好，阳光分外可爱，推开门，新鲜空气进来，和风微微，真是春天到了，听说二月四日立春。春日融融，人间更是充满祥和之气。万黛来信说，她那里在节日（当然是圣诞节）里，有一种神圣、和睦、博爱、和平、高尚的气氛，我以为在春节，我们也有吉祥、欢愉、美丽的感觉。我怀念在元月初一，在木樨地，你为我安排我们全家，昭昭、小方子及孩子他们团聚一晚，那是多么欢喜、温暖、热烈的一晚，尤其是临行前大放鞭炮，真是高兴极了!! 你真是我的好老伴!

家宝

一九九三年一月三十日

剧协有人送来照片，选一张寄给你看。[2]

---

1 “瓶子”是指曹禺在人艺获得的元老杯，叫夫人玉茹带回上海，意平平安安。——底本注。

2 此节写在信纸最上方，估计是写完信后所加，现编于信的末尾。——底本注。

一九九三年二月一日

玉伴：

今日一月三十一日，你走了四天，金凤来，问我："有信哦？"我说至少还有五天。你想必很累，新家收拾得如何？不见你，有时担心你会病。现在华东医院近了，都在一条街上。

今天阳光依然好，只是有风，方才在过道上，开窗，立刻又关上了。

天天看电视《红楼梦》，你不在身旁，不能相互讨论，虽有很多感人场面，没有你相谈，就没有多大意思了。我每天还是九时入寝，约十时进梦乡。梦很多，就是记不得，不然可以写点梦给你看，岂不很有趣。

可能，你睡得香，太累了，不知新家的床你适应不？天气预报，上海有阳光，新家想必比复兴中路暖和一些。

我给元美[1]、德耀[2]寄了一张贺年片，元美有地址，可以收到，德耀只寄上海儿童艺术剧院，大约难以收到。

金凤说，给师母讲，我牙齿蛮好，都蛮好，请伊放心。

现在是二月一日下午，这是第二天了。

昨天方子带蓬蓬来，你来了电话。我非常高兴。你说你很累，这

---

1 指王元美，杨村斌的夫人，与曹禺是几十年的老友。——底本注。

2 指任德耀，上海儿童艺术剧院院长。——底本注。

几天是一关，搬家、收拾都弄好，不知你会累成什么样子。你说十五号才有煤气，新家还是不方便。

旧家具在新房里不相配。我说留着是个往日的纪念，不过是一句话，仅仅为了安慰你。如想换新家具也很好，我赞同，只怕也要费一笔钱，旧的又有人买么？

刚刚午睡后，现在又疲乏了。不想写了，写不动。你的信明天会来的。

亲亲我的老伴

家宝

一九九三年二月一日

昨晚看完《红楼梦》，十二时才睡。不想电视剧的结局拍得那样凄惨！很别扭。[1]

又寄一张相片，给你看看。[2]

一九九三年二月四日

玉伴：

读了你二十九日的信，新家布置得好，文雅，阳光足，敞亮，十

---

1 这段附记在信的最后。——底本注。

2 这句话原写在信首纸的上方，估计是最后加上，现编于末尾。——底本注。

分感谢莉莉，她出了大力，居然能请消防战士为我们搬家。那许多朋友亲戚都出来帮忙，你为我谢谢他们。

你还要整理书籍等事，你不要急，缓缓来。我在医院很好，你放心。

现在收到你的信，高兴极了。

今天是四号，你的信来到。（第二封）

大约你忙了，累了，是否累病了？我真担心。

有时间给我几个字，我很想你。

为许多人，写不完的字，真的累了！

不能写了，我也累了。

亲我的老伴。

家宝

一九九三年二月四日

一九九三年二月九日

玉伴：

昨日通电话，继而得你信，真是快活极了。今晨坐走廊沙发上，也许还来信吧，不料，真来了，我接到手，不自主地说："好，真好，真可爱！"

你忙得有点头绪了，请朋友们——多少位年轻人，可爱的朋友——在红房子吃西餐，谢谢他们，太好了！

我们家的厨房、浴室都那样讲究。不见瓶瓶罐罐，连茶杯都有地方放。你说卧室的布置，我好像已看见了。你躺在床上，哪里都不想去了。一生居然得到一个好房子，舒心、踏实，暮年了得满二十年的心愿，真是一大快事。你能在这房子，我们的新家，朝夕练练身体，读读书，教教戏，常常出去工作，这样也可以真的休息安养的地方。我的心也踏实了。我当然希望能到上海住这个新家，现在体力不足，病体牵挂很多，难望和你住我们的新家，有些美中不足。不过也有可能，我渐渐好起来，我一定到上海住一阵，我梦也梦到这个新家。

现在我们的信，要走四天，此信寄到你手要在十四日，今天才九日。真是憾事，家中无电话，很想听你声音。你在北京时，每晨，总等你来，你一脸欢喜，说起昨日做些什么什么。

这两天，十分想吃豆腐，昨日告金凤，她今天送来一盒炖豆腐，很好吃，我不会吃多，医生说不能吃豆腐的。

这些天，总有些人要我写字，我字极劣，不能不送，我又不练字，愈写愈丑了。

我们新家，你说文雅，也有些豪华，旧家具放在新屋里也别致。你说墙上不能挂字画，这倒很好。四大皆空，心胸敞开，我们进了家门，可以忘记一切，把一切烦苦、尘俗的念头全部丢下，有如墙上的空白，你看多么好！！为何睡得不好，太紧张了！屋子收拾差不多了，应该放下各种念头，好好睡觉，真正休息几天。我意你在上海的新屋里，多休息几天，到了北京，又有各样缠绕，不如在上海！

上京[1]要你拍戏，为了保存你的多年劳动成果，也应定个时间，拍几份。

莉莉的小家也收拾得很好，我很满意。此儿一生辛苦，应有一个较满意的地方休息。她用了心思，装修得好，代我向她祝贺，一为她的装修劳动，二为她有了新家。

如茹来了信，她说妈妈在上海搬家，怕我在京寂寞，写个信来，慰问我，你说这孩子真叫人疼。

你说新家像儿女，既爱又累。说得深极了。梅阡[2]有一个画展，把他的画集送来，请我题字我题了：

生气淋漓　荡动人间

笔下生风　神韵如仙

他的书画，确实不错，很有点道理。

多多保重，一定要睡好，吃好！

亲我的老伴。

家宝

一九九三年二月九日

1　指上海京剧院。——底本注。

2　北京人民艺术剧院著名导演，曾导演《王昭君》。——底本注。

一九九三年二月十一日

玉伴：

二月四日、六日信收到，门须安锁，沙发须做套，在红房子要请客，想办的都差不多了。全家安顿好了，我以为你就在新家安安静静地休息几天，不必急于回京。当然我很想念你，但也不在于早几天。是否你趁这个机会在上京录像，也算了却一件心事。这件事拖不得，要下个狠心，才能办好录像事，我记得上京要你录像已经好多次了。越晚，越困难！身体不饶人，岁数也大了一些，还是及早录像，免得日后后悔。你一定要录像，趁现在心情好，机会好，不可一再耽误，你应该负起责任，上京待你很厚，你也应当报答才是。不要说二十日左右来，还是月底来，在二月里，把录像办了。如这件事不能做，你要等到何时才能了这个心愿？即使二月干不完，到三月也行。

你在上海宾馆吃饭想起我们在一九八〇年住在那里的种种，那时真不知有愁事，真是一晃两人都老了。我们二人一生最大缺点，便是不勤奋、拖延、浪费时间，现在悔恨已迟。

昨日（十日）下午来了许多朋友，有台湾的李行和贡敏两位先生，他们在搞《雷雨》的演出，在四月。他们说已和中国股权公司定好（好像有此事）协议书，我托贡敏先生，以后有我的剧本上演等事宜，请与女儿万欢接洽，万欢的地址已给他了。得到她的允许，才能出演。

他们十分热诚，大约今后的稿酬，不至于告吹。李行先生除导《雷雨》外，又想导《家》，我没有接声，意思是这都交万欢处理。

我给梅阡的题字，经万方删成只有两句“生气淋漓，神韵如仙”。

我为李行他们演出《雷雨》写了“祝《雷雨》在台北演出成功”。这是他们要求的。

我收到你一共四封信，昨今两日，又看了又看。

亲我的老伴玉茹。

家宝

一九九三年二月十一日

如茹来信慰老爸爸，送给你看看！[1]

一九九三年二月十三日

玉伴：

收到你九日信。小白昨日事了，小郑要回家结婚。这样都好，小白跟我们有多年感情，我跟他说好，每晚必须在医院陪我。现在他们要等你来了，再走。仍是小郑走，小白留下。现在等你回来，跟小白谈一次，就最后定下了。

1　此句写在信纸左方。——底本注。

小白带来两只鸡、黑米（可做稀饭）。鸡一只，金凤给我炖汤，另一只，留下给师母吃。

你千万不用着急回来，小白已定下来，住医院，你不要再为这件事急急回来。

别急，多在上海几天，我们可以等待你。

亲我的玉伴，想念你，很想！

家宝

一九九三年二月十三日

一九九三年二月十四日

玉伴：

今天十四日了，你大约是十七日收到此信。

小白带他的爱人小周，一块来京。小周在姑姑家工作，这两天我这里有小白和小郑二人照顾我，我同时请了两位护工。今天上午小白到木樨地整理书，据他讲，书没有归类，需要整理。我们这几天，要付两个人的工钱，你回来，再算吧。

我还是等你的信来，昨天已读了你十九日发来的信，十分有趣，红房子西餐，有五个大菜，我一样一样都报给小方子听。我看了又看你写的菜单，虾仁沙拉、猪排、烤鸡、牛舌、通心粉、红菜汤，还有柠檬派、布丁，领队还送了蛋糕。你们真会打算，十一个人，还有外面买酒与饮料，仅花了数百元，莉莉有本事，你也有本事了。最有意思的，拿回家里又请友谦他们吃了一顿，还没吃完。今天是正月二十四日，我冰箱还有初一做的饺子，没有吃，还有金凤做的烧鲤鱼。昨天下午，我们吃昭昭送来的春卷，很不错，我们又吃了汤团。今晨（星期日）量体重，六十三公斤，添了一公斤，可怕极了。吃得太好了！我胖得吓人!!

我对小白讲过，今后，我每夜须有人，你不能回去睡。小郑走后，就是小白在陪我。

昨下午徐晓钟、马驰[1]与“青艺”院长与导演，谈及要演《雷雨》的事，说要表现诗意来，谈了半天，我都同意，也欣赏他们的想法。

不知煤气装上没有？你该在自己小家里吃几顿饭。并且请莉莉一同在你的家里吃饭。

这次搬家朋友们帮忙，足见你平时待人厚道，会交朋友，不照面的人，提起来，却很可笑。

家里许多帘子、帐幔颜色都很雅致，你真用心了。你说收拾到半夜二时才完，坐着四处看，十分享受，其乐无穷，看来，这次回上海是非常对的。你很累，仅十几天做那样多的事，要休息，多保重！

如果你二十日来京，我们就快见面了！

老伴　家宝

一九九三年二月十四日

1　徐晓钟，中央戏剧学院院长；马驰，中央戏剧学院院长办公室主任。——底本注。

一九九三年二月十六日

玉伴：

你快来了，仍然日日等你的信，真是想你，念你。昨天收到十二日信，很高兴。新家的大门上，怎么能安置玻璃，偷东西打破玻璃就能进来，再好的锁也是无用的。难怪，邻居换了大门。新家的门有玻璃，如果是屋门，也就算了。别人的“豪华”没大意思，我们自有我们的风格。真变成大宾馆，美好愉快的家又在哪里?!

煤气装上没有，要在新家吃几顿自己做的饭。十六层断电，只好在家住，莉莉爬上十六层，真不简单，她的腿病好了？但走了一个多小时，也是急人。

浴室洗澡盆，可以放一盆水，以防断水。没有水比没有电，困难得多。

小三儿（卓立）[1]从罗马托人带来一条披肩，是为你买的。素朴纯黑，是现在时髦色披肩。

我很好，人家都说我精神好，体力好。你放心吧。这封信也许在你来前收到。

亲我的老伴！

家宝

一九九三年二月十六日

1　小三儿，方瑞妹宛生的第三个女儿。——底本注。

一九九三年二月十八日

玉伴：

今天十八日，昨收到你十四日的信。看到卧室客厅相片，客厅很敞亮、大方，有了人物才会显出高雅。卧室很生动、亲切，我都很喜欢，一切你费了大力了。

莉莉的包装机找到了，在书柜中藏书的后面。不知如何处置。

时时刻刻算你到的日期，还有五天才到二十三日，也许你还要拖后两天，你我都未能预知。我心想也许电话装上了，你来了电话，用2526422号码打来的，那才高兴呢。锁不知装上没有？新家的事情多，尽量在上海做完，免得在京家后悔。

此信到，煤气应装成了，你该在我们餐室吃几顿饭了。我总觉来客人，应倒杯茶才合适，我们在复兴中路，从无此礼节。

你工资高了，家用可以稍宽一些。在北京的自奉太薄，这次回来，你一定请阿姨为你烧几样菜，长期准备着。不然，真是，你在饿饭，我很不安，很难过。

在我的工资存款里，也有不少余款，回京管家，不能过于俭节，身体吃亏。我吃胖了，很不好，现在也不能节食，节食也不管用了。等你回了，长谈吧。

亲我的老伴。

家宝

一九九三年二月十八日

一九九三年四月三日

玉伴：

你走了两天，今天才是四月三日，已觉得很长很长了。小白问我："老奶奶走了，你寂寞不？"我点点头，说："不回去，也不行，这是工作。我不能再耽误她了。"

你的气管炎好些否？"坐唱"时有无咳嗽？录像是一件复杂事，盼望你顺畅平安地录一个比较理想的艺术记载。

这两天虽然空，但做事也不少，昨天接待了田本相[1]和天津戏剧界，要办一个话剧发展基金会，有一个年轻的企业家肯赞助。在天津举办的国际座谈会已出了书，这个会你参加了，书上有你的照片。

龚大姐[2]找《中国日报》记者代印一张照片，送来的是一张你在我身后为我持文件看阅的，很有意思。在政协文艺组小组会上照的，很生，但大了点，不便邮寄，待你回来看吧。

我给黛黛、小欢子一人一封信，写了一整天，中间插了一些事。我给李琦与其夫人，写了两张字，他说，一张自己留着，一张由他们的女儿留着。李琦问你好，龚大姐走了，临行，我送到电梯，她也问你好。

---

1 田本相，中国艺术研究院话剧所所长，曹禺研究专家。——底本注。

2 龚彭，乔冠华原夫人。——底本注。

今天吴冷老出院，我的病友又走了一位。

方子，来了两次，一日下午她来了，三日（今天）她来了。她接到美国洛克菲勒基金会的信，答应她赴意大利写作假四十天，自本年十一月七日到十二月十七日为止，来回路费，他们也管。我放了心，你也可以放心。你于今年夏季，或秋季到英国参加如茹的博士授予典礼，你担心怕与方子赴意大利的时间同时，现在好了，不用担心了。其实，我一个人在北京绝没有问题，你为我考虑的，太多了。

金凤每天来，今天为我红烧鲤鱼和鸭子萝卜汤，我吃得太好了。医生说少吃豆腐，偶尔吃也可以。

我一切都好，只是痰多，每日在走廊由小白推着散步，我偶尔下来走一趟。坐在长沙发上，一个人，不能排排坐，真是想你。

小白说今晚老奶奶有长途来。我希望又不希望。我怕你说电话吃力，影响了嗓音。

莉莉身体好吗？很惦念她，为我问她好。史叔叔每天来送报，有时巧了，金凤搭车回去。

向帮你录像的朋友们都问声好。

你多多保重，不要急躁，遇有烦事，也别动火气。谦虚平和，待人和气。

不说了。

你的伴　家宝

一九九三年四月三日

一九九三年四月七日

玉伴：

收到你的信，十分高兴。你在上海似乎都顺利，尤其是录像、录音要有准备。晚些好，你可以先练习，回京晚，不要紧。莉莉为你先收拾房子，你看她多体贴，对妈妈多孝顺，我听她和你一同做饭，你们母女多亲热，这真好，我为你们二人非常欢喜。

每晨吃完早饭，就昏昏然，疲乏不止。方才小白推我在走廊坐轮椅走走，到了西首，我尽量走回来，奇怪，我没有大喘气，看来，体力有点进步。不挂念自己有病，精神体力就好得多。精神起来有作用。

我收到巴老的复信了，他说写字很累，因此没有复信，但友情是忘不了的；他还要写文章，还要冒出生命之花。现在每天为“全集”看清样，这是很费精神和体力的工作。他是个巨人，他的创作力是无法遏止的。八十九岁的老人，辛苦了一生，奋斗了一生，与邪恶、腐败、残酷的世界战斗了一生，这是何等的魄力！他不是“志在千里”的老骥，他是在烈火中奔腾的战马！啊，八十九岁的老作家，老战士！我真幸运，在我的一生中我与许多这样的大人物认识、交往，这是独得的机遇。

今天我们活在一个大（也许不能不说是伟大的）的好时代，各处都在蓬勃发展。尽管有不少使人不愉快的人和事，然而大方向已走向光明，国家安定平稳，一切迅速地向前猛进。少数人富足起来，这就引起更多的人富足。你我有点紧迫，有什么关系。看开了，个人的事确实很小。

金凤每天下午，带些蔬菜，有时带鸡翅膀，带点榨菜，只吃了一次豆腐。史叔叔送报来，她就跟史叔叔车回去。方才金凤又带来藕汤、芹菜胡萝卜丝。

昨天小方子来，我跟她谈起对下一代教育的问题，不只是催促功课，还要教他懂得敬重老人，日后知道孝顺父母，不能大了，只知道照顾自己。她说："小蓬蓬说'大了，我一定要养妈妈！'"

你做了炸酱，我与方子吃了炸酱面；那茴香饺子，我们也吃了，很好吃。

今天下午起大风，窗外呜呜地响，小白为我添一件毛衣，很暖和，你放心吧，我这里很好。

天天如此累，你受得住吗？咳嗽不可能在整日辛苦工作中好起来，惦记得很。你还吸烟么？不吸了吧，不忍对你这样说，你太没有什么爱好了。然而还是戒了吧，不要因气管炎，发展成别的病痛，那多么不好啊！

你的老伴　家宝

一九九三年四月七日下午

一九九三年四月十二日

玉伴：

昨天唐迎来，说黛黛给昭昭打电话，她要从纽约飞京，四月二十五日上午到京，在京住四星期。今天方子来，说小欢子来电话，说五月初来京。我已与方子说好了一切安排。你千万别急，黛黛住昭昭家，迈克与欢子住木樨地。来前由方子安排。你不在家，一切事，我与方子她们都会办的。只怕你不能尽如意。

你五月底才能返京，真是使我想念不已。只要你录像满意，我们晚些见面，也是很好。

你咳嗽如何？在电话中，听你的声音，似乎咳得厉害。为什么不能打针？真是忙到这样么？你还是加意保重。一定治好气管炎，一定！一定！

在上海还是要处得温和、舒服好，不要因一些事生气、烦恼。

为何请不了一位保姆？如果再加价，请一位，好不好。长期自己做饭，这是不行的。你身体受不了。又是紧张的工作，又是不断的家务劳动，你偌大年纪，怎么吃得消！

我很好，一切正常，吃水果、西洋参汤、苹果、西红柿。我告金凤做一小碗海带烧肉，她已经拿来了，味道很好。寄来，报纸上的照片，有你和我，还有金永祁[1]的信。

老伴　家宝

一九九三年四月十二日

金凤问是否找她的外孙女做保姆，速告知，或叫她的外孙女找人。你知道她在上海的地址。

一九九三年四月十六日

玉伴：

连收到二封信，你很辛苦，工作重，院里事，又排戏，家事也多，苦了你了。大家对你很体贴，你待人宽厚、实在，朋友们才对你如此亲切、尽力。现在既然阿姨找来了，做饭事总可放下吧。但是家事做不完的，你还是要量力而为，尽量休息一下。

前天陈丕显同志来，殷殷问起你，他要看你的录像，嘱你在上海也保重，不要太辛苦了。

赵炜也来了，带了西花厅前的海棠几束，花正怒放，放在瓶里，幽香扑鼻，像盛装的少女，偶尔抬头看看，也解了几分寂寞。

1　金永祁，中华戏曲专科学校校长金仲荪长子，系玉茹亲戚，五六十年的友情。——底本注。

然而这花不能代替玉伴，你是我心上最爱、最想念的妻子，任何人、任何东西无法替代。只有你在我的身旁，在我眼前，才能解去我的孤寂。玉茹，你忙得不大明白一个不忙的人多么惦念你！

你不要为我这一番话而着急，人总要经过一点苦恼、寂寞，不然，相处在一起就不那么宝贵了。

今天上午，钱锺书与其夫人杨绛来访，谈起在清华读书时的师友，很欢洽。钱兄也不是一味在书斋中忘记一切的大师，他也喜欢谈一些“闲白儿”，这使人感到大师也是十分可亲的。但是苦了杨绛，她坐在我旁边，锺书的声音不大，我又聋，几乎句句又从她口里转述过来，正像你在我身边为我转述一样。这位女作家十分平易近人，她的喜剧和散文都非常好，我很爱读。钱兄说他要送我《管锥编》，待再版后一定送给我。

有一件事，十分重要。我要送一件东西给如茹，庆贺她得了博士学位。你知道她最喜欢的最需要的，只有在国内才买得到的东西，你务必代我寻觅一件，多高的代价都好。你一定设法买到。在上海，你虽忙，也要想想，时时留心为她买这样一件纪念品。你在赴英时，为我带去做爸爸的一片心意！切记，切记，千万别忘了。

万黛与欢子来京种种，我到时都有安排，都会办得好。只有一件：Mike与欢子同来，住木樨地。你说住在哪里好，来信，提一声。

你说你看的青年演员，真有出色的，有的可以比起杨小楼，我听了很高兴。也和你一样，过后想想，他们生不逢辰，没有观众，没有剧场，这叫什么气候？他们练得苦，终究有大机会，一定有一天可以发展起来。真珠不怕尘土淹没，尘土早晚会被更广大的时代风刮走的。培养观众，还是靠先有出色的演员，演戏才能使京剧活跃起来。我相信京剧总归要大发展，一个伟大的时代不能没有京剧这朵光华四射的文明之花。现在的京剧只是暂时的挫折，有心人、有胆量的人会把它扶持起来的。

要鼓起这股勇气，鼓起这股不可压服、不可摧折的雄风来，这一定有希望的壮风来！

为王芝泉写几句鼓励的话，我很愿意写，她说写“昆坛第一武旦”，这句很实在，很干脆。当然你想的“昔有佳人公孙氏，今有芝泉传芬芳”很文气，也含蓄，也有味道。但似乎有点卖弄学问，不够大众化，并不如王芝泉自己说得爽快，有劲！

我想两个都写了寄去，你挑选一张送给她。我对王芝泉是十分佩服的。

多倒霉，莉莉丢了她的三轮车，这影响她出门。现在怎么办？我很想知道。

你说在上海，你贴近现实了，这很好。我们居住在病房里，如悬在半空，不知世上有任何变化，这很不好。你在上海多做实事，多接近一些世上的人，这确是一大进步，人生如流水，转眼即逝，你能接近现实，我很高兴。我们二人浪费的时间不少了，不能再任其如电逝去。因此，我十分赞同你赴英，这固然为参加如茹的典礼，更重要的，是开开眼界，知道一些国外的现实，从自己亲眼看到、亲身经历到，这会增进生命力，丰富了生活。我望着眼前茂盛的海棠花，更觉得时光易逝，机不可失，今天早晨，已有几朵残花落下来。人能够有多少胜景!! 我愿你多多地体会人生！多多贴近现实！你是一个幻梦太多的人，要现实的冷静，使你更充实些，更明白一些。

说来说去，我仍然十分想念你，这个矛盾，非命运所能解决的。只有淡泊些，宁静些。

北京“人艺”的《鸟人》，演出盛况惊人，票已售到五月里，我这两天读了剧本，确实很有趣。“人艺”说日后你来京，一定请你看看，我想，你会感到这是一出观赏性很强，但内容也有意义的戏。

提到你想出“昔有佳人公孙氏，今有芝泉传芬芳”，我很惊异你的悟性高，记忆力也强，你能这样灵活地运用读的杜诗，你的唐诗没有白读了。

希望你安心在上海住下，工作下去，不要时时因为想念我而着急，我们都是老人了，应该平坦些，自得些了。

想念你，亲你！我的好老伴！

家宝

一九九三年四月十六日

一九九三年四月十七日

玉伴：

寄去贺字两张，似以“昆坛第一武旦”较合适，字也好一点。如你愿意，两张给王芝泉同志，亦无不可。

小方子看了中国“青艺”的《雷雨》，她说还可看，完全是新办法，但还能欣赏，有时也动人，我倒想找一个时间看一下。

你咳嗽如何？时在念中。

真是怀念你，今晨写这两张字，也是为了怀念你时表达一点心情。

天晴，蓝空如洗，微风吹来，身在春风荡漾中，回想幼时春日嬉戏，无忧无虑，似入仙境，不知身在世间也。

玉伴，好好保重。多多休息，一定把咳嗽病治好。

昨日发了一信，今又去一纸，想或同时收到。

向莉莉问好，问家中各位亲友好。

亲亲你！

老伴　家宝

一九九三年四月十七日

小白嘱一再问你好！

金凤也一再问你好！

一九九三年四月二十日

玉伴：

收到四月十五日信，你的膝关节损伤了，怎么还能蹲下去，太苦了，太折磨你了。你幼年练功受苦，到了现在使你还在受苦。我想到你还要录像，还得做许多舞蹈动作，这怎么吃得消。你是个能硬挺的人，能耐苦。我不能想象，你在演唱时，如何做那许多下腰、蹲下、弯腰的动作，这真太苦了。玉茹你吃了苦了。希望给你打封闭，你能较少痛苦，我在为你祈祷！希望会使你减少痛苦，你能痊愈的。

巴老那样老，还那样不休止地工作，真使我感动，使我从心里尊敬。这是视劳动为生命的人。他使我衷心惭愧，我从早到晚在浪费时间。玉茹，你也在不停地工作，都是可佩服的人。

我看了“青艺”的《雷雨》，他们用许多办法，包括京剧的虚拟的无实物的动作，表现戏中人物，很感动人，卖座已到五月中旬，全满。导演[1]讲下半年要到上海演出，这是一个有新意的演出，撤去了“鲁大海”，似乎人物弄得更丰满些，导演有本领。你将来可以看看。

我着急你的护照，究竟办了没有？何时赴英，还要在北京弄签证。不能延迟了，如茹来信，说了准日子没有？

有一件事，你定一下。给如茹的贺礼，你要想想，我一时想不出来，在病房住久了，人都木了，麻木了。

你说送给黛黛、欢子等的礼品，我照办，没有你在我身边，我真感到孤单，不知所措了。

我这里还有存款，在史叔叔手里，还有几百元，不用换美金。你千万别为我担心，我能办好，史叔叔处有九百多元，够用了。

金凤每天来，每次都带点东西来，有时鱼，有时海带，时时都有青菜。你放心吧！

今天是二十日，你已经离开二十天了。真想念你，没有比见着你再宝贵的了。真是想得“疼”！想得痛！

---

1 王晓鹰。——底本注。

新屋环境不好，民工多，人心不齐，你只有耐心些。一件事有好的一面，必有坏的一面。

病房没有暖气，我穿一件衣服已很舒服。北京天气进入暮春，满园都是绿色，前两天，小白推我到楼下门口坐一阵，很有趣。

写信有点吃力，还是疲乏，不多写了。

再写吧！我的亲人！

老伴　家宝

一九九三年四月二十日

一九九三年四月二十二日

玉伴：

得庞增涵的信，嘱为王芝泉写“武旦皇后”。如称王为“昆坛第一武旦”，便有些不妥。

本想回复庞增涵信，我写了“武旦皇后”觉得累了。请你向她道歉，我不复信了。

另写的字，寄来，便中转吴广枢[1]。

老伴　家宝

一九九三年四月二十二日

1　玉茹老友，上海戏校毕业。——底本注。

是否该如此处理，请代斟酌，庞信附寄来，你仔细想想。

一九九三年四月二十七日

玉伴：

收到你二十一日信，这两天事多，延到今天二十七日才能复信。真是不安。好在星期日通了电话，有话也就谈了。你身体较前好转，咳嗽也正常，这是大好事。

黛黛已回京，昨天下午，她和昭昭同来看我，两人一同共提自美带来的东西和在本地买的西瓜，很吃力地从远处来，车挤等了多时，共用两小时，才到医院。我们谈了一个傍晚，她们看我用了晚饭，才走。

当然十分高兴，但最使我高兴的是黛黛，从纽约坐了二十四小时飞机，带给你的一床粉色卧毯，质色俱极上乘。她说玉茹阿姨待爸爸如此厚恩，多年照顾，辛苦极了，无以为报，带一床新麻毯，玉茹阿姨睡时盖身，也是儿女们的一点意思。

细看，黛黛有些老了。精神却很好。她叙述她们在纽约遇暴风雪的经过，风刮得吓人，像是要吹倒房屋，关电，关水，以防不测。雪下得有人高，出门都难。

他们一家都很忙，小达[1]夜班三十六小时，每星期三次，小迈[2]

1　刘小达，万黛的丈夫。——底本注。

2　万黛的独生儿子，曹禺的外孙。——底本注。

终日读书，学校功课紧。学费贵，他们供一部分。每年尚由政府借一万元，毕业后，再从薪金连本加利息扣还。她说，生活还是过得不错，小达送给我一百元美金。这出自他们日夜辛苦的钱，我很过意不去。

平时两个男人（小迈已二十四岁，完全大人了！）忙于工作读书，每天卫生及膳食，都是万黛一个人管，但依然过得很快乐，一家和和睦睦，十分融洽。

×××的题字就送给她吧，不要为此烦恼了。这种事，好人做到底，不要为这类事生闲气。我们要活得快乐，看得开，不要遇事就不开心，尤不必“火冒三丈”。

方子来了，为我买了鸭翅膀。金凤[1]因昨夜有人敲门，她吓得不敢开，她惊恐之极，一夜未睡。今天来到医院，她走到五楼，坐候，遇见冯师傅，他把金凤领下来[2]。金凤觉得发烧，小方子一量温度，三十八度多，小方子出去买退烧药去了。金凤说不是感冒，就是昨夜一夜未睡的缘故。你放心，金凤会好的。

方子因为大姐来，先还我一千元，到了五月初，再还其余三千元。她最近得了一笔稿费，交了房租与其他用款，先还我一千元。

你说Mike与欢子来，就住你卧室[3]，太好了，真是我的好老伴，十

1　金凤是浙江的老阿姨，在北京帮忙。——底本注。

2　老阿姨因昨夜有人敲门，吓昏了，曹禺住医院四楼，她走到五楼去了。——底本注。

3　玉茹不喜外人睡其床。——底本注。

分感谢你。我的玉茹。

老伴　家宝

一九九三年四月二十七日

《新民晚报》信寄上。

一九九三年五月七日

玉伴：

十天没通信，仿佛有半年。我也不等你来信，知你在沪很忙，不是录像，便是应酬，还有其他琐事，也就顾不上写几个字了。我毫无埋怨意，只是想你，多么想你，想得没法说，无言语可表，似有一句古诗："一寸相思一寸灰。"[1]真是说得很透；不说绝了，就道不明白情之深，情之切。耄耋之年还如此颠倒，确实是昏聩已极了。

这几天，有小白在五一节木樨地家中，找来一本《杜甫草堂墨迹选》，各名家写了杜诗多种。字迹多流畅可爱，有的锋利如剑，有的苍茫如山，有的娟秀如小女，每天早晚陪我，觉得意味无穷。这样也过了些日子，但不能胜过恋你之心。即便有杜诗在手，也不能不思念到你。

1　出自李商隐《无题四首》"飒飒东风细雨来"。——底本注。

有时等你电话，不敢到门口散心。电话来了，也是讲了几句，情有未尽，意有不止。

想到你将于二十日来京，虽然喜欢，反思见到你了，又将如何呢？人真是难以说明，情绪是难于说清楚的。

金凤每日来，总带菜、汤不断，蔬菜天天拿来，我很想吃海蜇皮，她也弄来，太辛苦老人家了。

她今日搭公共汽车，某一个人带两包，一包拴进去，另一包留在站上，人已随车去了，金凤尚在车站，看守此包不走，另有人来说这包是他的，金凤不肯交，她找着警察把包交出去了。金凤真是有文化，此举乃文明之举，朴实可敬之举，非城里老少能与之相比的。

五一节款待黛黛、昭昭、方子三家，还有小白、史叔叔，我给她[1]一百元。一桌席（当然也有黛黛、昭昭、方子购买些东西）丰盛异常，今已七日，还有菜未吃完，她天天带来。只用九十元，详账，尽由史叔叔仔细写清，付款及账目、余款，都放在信封里，待你回来看，你看多认真，老人家真细心，很感人的。你交她一百八十元菜钱，为我买菜，还有四十元。我几次问她还有钞票没有，她连说有，有。

周彤华[2]先生及夫人，还有周炳华[3]之公子与儿媳均来看我，又照

---

1 指金凤。——底本注。

2 周炳华之弟，美籍华人。——底本注。

3 如茹生父。——底本注。

了相，他们都很亲切，送来台湾《中央日报》登载《雷雨》演出种种，很热情。

莉莉说录像成绩可给一百分，想必很好。你说“老了”，那是自然的，你近七十，还有气力与功夫如此认真留下亲身经历，是极可自豪的事。

如茹博士典礼你参加，应速办护照，不然，便来不及了。还应问问如茹，何时举行典礼？蒋维国[1]来沪，可以当面问问他。

念你之极，你的老伴家宝

一九九三年五月七日

一九九三年五月七日

方子收到五月三日信，我冤枉你了，那样忙，那样累，且录像中犯了瘙痒症，都来不及看，还给我写信，真是我的好伴，真难为你，苦了你了。

蒋维国来，住木樨地，我已安排好，如恰逢欢子等来京，住木樨地，蒋也能住下。史叔叔会去接他，只是不知他何时到京。我会给方子说好，她会招待他的。你不要为难，一切为了女儿，做父母的应该使女儿心里舒服，还是妈妈女婿好。

1　如茹的丈夫。——底本注。

欢子与Mike来，方子将在木樨地住下，招待他们，他们也不久住，几天就走。蒋维国若恰巧此时来，也能安排下。方子很高兴，接待这位远客。

不写了，史叔叔来了，就发这封信了。

老伴　家宝

一九九三年五月七日下午

一九九四年四月三日

玉妻：

电话通了，然而意犹未尽。最紧要的话，是莉莉必须来北京家中养病。手术后，十分需要养息，上海工作事务太多，来来往往的朋友向她请示，她决不能休息，也许工作事有为难的地方，但一定要她来北京家中养病。

我在医院一切如常，就是太想念你，时时刻刻地想念你。现在还未能适应眼前环境。你走后，竟没有朋友来访，更感寂寞。昨日蓬蓬来，我们买一只扒鸡招待他，他不到六点就走了。

小方子还是很忙，她希望妈妈在上海保重身体，不要太累。你说房子已打扫干净，琅琅帮了大忙，到上海就有很多亲友来看你，这也是一件乐事。

你说上海家中吃饭很好，菜做得香，可惜我不在你身边，不能一同享受。

虽然能听见你的声音，每日看不见你的笑容，真是难受，有时我恍惚中觉得你就在我身边，喂我吃饭，喂我水果，尤其是在晚间，想得痛心。

只有反复读“般若波罗蜜”，背诵佛号，仍难压住这种难以管束的思念。

问莉莉好，找着好的大夫动手术没有？

上午遇见吴蔚然[1]大夫，他问你好、京剧院大家好。

小刘又来了，北京热得异常。

爸爸

一九九四年四月三日

我无力气写了，只有出自心中的几句。[2]

一九九四年四月十二日

好妈妈：

你离我已经十二天了。我们通了两次电话，收到你两封信，按理说，不应该再这样时时刻刻地思念了，但我就是不行，仍然想念你到

1 原北京医院院长，现为名誉院长。——底本注。

2 这句话写在信纸左边。——底本注。

说不明白的地步。随时都惦念你，想你现在正在做什么，见什么人，有什么有趣的事情。希望你不至于到我这般地步。我想了可以解苦的法子，就是背《心经》，反复读“般若波罗蜜”，仿佛这样就有什么亲热的手，熟悉的面孔，来抚摸我，就像你仍在北京，仍在我身旁一样。写着写着，小刘[1]来了，带来她为我做的鸡爪子。我昨天告诉她的，但小白说别天天带好吃的来。小刘还是听我的，除鸡爪子，还有——小刘说“没有了”。小刘也担心给我好的吃多了，对病不好。你真幸福，在上海，居然吃上活炝虾，还有黄泥螺，我羡慕极了。此地连肉都没有。我的好人，别担心，有时也有肉丸子，医院做得不好吃，但聊胜于无。“姑姑”（小白的）还送我们三人，小刘、小白、我，每人一根香肠（河南肉工厂的），也是心好，我很高兴。

我告诉小刘，你叫她别只顾省钱，你们自己也吃好一点，他们都说吃得很不错了。但是小刘未来，没为他们带什么菜，大约还是图省钱，你不在家，她也要做人家了。

你请一位全天的阿姨，可以为莉莉送饭，你来北京，家里总有人看家。如今这位老阿姨很好，爱干净，和你脾气一样，家里更舒服了。

巴金见了你，非常热情，一直握你的手，谈话，说十分想念我，见你如见了我一样。我很感动，巴金真是十分可敬可爱的老朋友，他的真切是世上罕见的。他说等你再来看他，就是说，等我再来看他。你真好，真可爱，你的心境纯洁，你见了他，突发心中的饥渴的情

1　小保姆。——底本注。

感，把我的心也表达出来，因此，他不由得热烈起来。小方子说程世鉴去看他，他毫无动静，一直看电视，不怎么说话。

小如茹来信寄来。她寄来《伦敦佛光》数份，我看很好，现留下我看，细读，以后，邮给你。

有个做乌鸡精的老板，要送两箱乌鸡精，要和我一同照个相，小方子说，他如果要我写什么，别答应。此人还没有来。

张玉凤的弟弟到木樨地家去，无人，说要给我们换新式电话机，他约时间，再来。

写着写着，外科大夫诊视，周身摸索，我这是常规检查，你别担心。

但我很累了，不写了。亲我的好妻子，好人！

宝宝

一九九四年四月十二日

一九九四年四月十七日

好妈：

通了电话，真是快活！但更想念你了。寄上曾菲信一件。电报即发。你再给她写信就很好了。

报文：祝“庆贺赖少其[1]同志从艺六十周年暨作品研讨会”与“赖少其书画回展”大成功衷心祝贺您八旬寿辰与曾菲夫人金婚纪念北京医院曹禺李玉茹

报文系小白抄的，省力多了。

问莉莉好，何时手术？

你一定早些检查身体！

爸爸

一九九四年四月十七日下午

一九九四年

好人，好妻子：

连收到你两封信，昨日又通了两次电话，可谓丰满快乐之极。其实，医院病友很多，吴冷西、赵朴老、荣高棠[2]都来了，就是自己气力不足，不能找他们谈天，所以稍感寂寞。

上星期晏学[3]教授偕一位日本女士来访，这位昭代女士是研究我的，从晏学为师，她给我讲如何为她的学生讲课，十分认真。昭代女

1 老革命、书法家，原华东局宣传部部长。——底本注。

2 曹禺清华大学的同学。——底本注。

3 曹禺的学生，中央戏剧学院教授，曹禺研究专家。——底本注。

士说她很想演蘩漪，她的汉语并不很好，这是她的愿望而已。此君一点不像日本妇女，穿衣化妆，颇像一个中国女高级知识分子，颇有味道，就是言语不通，很是遗憾。

我一面写信，小白一面开乌鸡精给我吸，又拿来热好的参汤，真是补得出奇。

这时史叔叔又来，我告诉他，你问他好，他很高兴，连说李大姐在上海太忙了，要保重身体。……

下午小刘该来，她一定带蒜苗（昨天小白在附近商场买的）与鸡爪子来，同时也推推轮椅车。

莉莉动手术后，身边没有人照护，是否另请个人日夜看护？莉莉动手术把你忙坏了，你不肯多说，我心里知道。不过吃甲鱼，钱够不够？八百元，我想尽能买四次甲鱼，不知道还有另外补品可以代用？

……

我每天读《心经释义》，读了多遍，还有不少地方不能理解，也许我的佛性不高，看起书来很吃力，总是不能明了。只是不断念“般若波罗蜜多”，心才踏实些。我也背《心经》，只是次数不多。

你在上海吃得好，体重加了一公斤。这是警告，不能再加了。胖了，对身体不好，你要十分小心，方能保证有个好身体。

小白在一旁讲：“没什么可说的，打电话，该说的，都说完了。”这有道理。

你的冰箱满满装的是你的学生、亲戚、朋友送的肉、鱼、糯米做的各种甜食，你还是稍加克制。当然，你想吃，还是吃，你是馋猫，我不让你吃足了，你就是受罪，这个爸爸对妈妈太刻薄了！你说是不是？烟一定少抽！！！

你叫我告诉小白、小刘要吃好，我讲了，好几次，他们很受感动，他们现在吃得还不错。

昨天，谢衡与姑姑[1]来看我，我送给他们一盒燕窠。谢衡回家又犯感冒，三十九度四，要进医院，没有房间，只好每天来打针、输液。

亲我的贤妻，我的亲人，我的好妈妈！

爸爸

一九九四年[2]

我体重六十四公斤，像是比以前减了。[3]

一九九四年五月七日

好妈妈：

今晨未醒，便想着该听见你的声音，我们又该通话了。从昨晚就惦念这件喜事，我给小白说："该给上海打长途了！"小白笑了："今天

---

1 谢衡，公安部原副部长；姑姑为小白以前护理人家郭达仁。——底本注。

2 根据小白信上写的，日期为一九九四年四月二十五日。——底本注。

3 此节写在信纸最上方，估计是写完信后所加，现编于信的末尾。——底本注。

是礼拜六!”日子过糊涂了。一心想着你，连日子都颠倒了，心里十分不好过。我多想念你啊！天天总想打个电话，和你讲几句话，只是想听你的活泼喜欣的声音，也没有多少事要讲。

好久以前，淑敏来看我，送来一个大西瓜，我十分不安，手提很重。她每次来总送点东西。最大的安慰，是和她谈你，但老是这个话，也说尽了。

陆正平[1]来了，送许多补养品。他的女儿路鹭唱歌得了冠军，我题了贺词:“春风艺术无限，今天他是初绽。”我写了两遍，用了心思，还是写不好。陆正平说他办大公司，做起生意，还兼广州电视台台长。他仍是那样憨厚、热心。他送了“招财进宝”一个金色小马车，装了一车元宝，送给方子，方子不喜欢，就放在我这儿了。陆正平连声赞美你。

你说一生幸运，到晚年，遇见我。我觉得是我幸运，遇见你。我们结婚十几年，总在和和宽宽的日子里愉快地过着。近几年我病了，你朝夕服侍我，处处为我想得周到。每天小白、小刘、史叔叔总在一处和我谈天，我还是很累，直想你若在我身边，就好多了。我常有烦闷，如果你能听我讲讲，你一定和我解释，安慰我几句，我就好过多了。感激你啊！我的爱妻，你温柔如水，情深如海，我说不完你待我的深情。我感谢上天，待我如此厚，在我老年时，把你赐给我，我才是真福气。

你在上海太忙，太累，每天看戏便是件苦事。……

---

1 陆正平，广州剧协原干部。——底本注。

还有六年，进入二十一世纪，那时我将九十岁，你便七十六岁。真难料，我们还能否仍在一处。我希望你千万别病，健康最重要。上天还要我们快快活活地在一处过。你一定过得好，我你一定还在一处过。

莉莉回家后，疗养得如何？可以吃得好些。她能和你一道到北京的家，那太好了，方子欢迎，大家都欢迎。只是吃恐怕要你亲手弄，才行。

欢子五月二十一日来京，她电告方子，方子说欢迎妹妹住她家。如可能，她住在木樨地也是一样方便。莉莉愿单住也方便，木樨地有三张床。爸爸热烈欢迎莉莉来！欢子来了，木樨地就有我们两个女儿住了。

我想念你，十分想你，这个是说不出道不明的。

爸爸

一九九四年五月七日

欢子先到昆明办事两星期，以后才到北京。[1]

附奉U.S.A.钱先生寄给你的信，并《原野》的广告。[2]

1　这句话写在信纸的左边。——底本注。

2　美籍华人钱俊伟先生，与京剧界很熟。这句话写在信纸的上方，现编于末尾。——底本注。

一九九四年五月二十七日

好妈：

你在医院治疗，我不住地乱想，只担心你得了重病。一直睡不好，方才收到你最近的信，果然，医生说你的病有问题。你心地开阔，不怕谈生死问题。我们两人相处不久，多灾多难。我多病，使你日夜操劳。现在你又病了，我不能伴你，只恐你的病重，如果疼痛，我对你的安慰都没有，你会多难过。我真难过，难过极了。

我想天不会作难我们，你的病再重，也会治好，不会危险。现在任何病都有办法，而且能治好。你放心吧，我也不多想，但总管不住想念你，担心你受罪。你年过七十，有病也是自然。你平日情绪豪放，有病也不会久卧病床，会很快好起来。

你说月底来，这要看医生如何说，别违拗医生的话，你想我，我想你，然而病比我们相思重要，还是治疗要紧。

你想先来京见面，安排一下，再回沪治疗。我们能相见，这当然好，但也要看医生说的情形再定。一切以你的身体为重。

我想你到发痴的地步，好像觉到你已来了，你就要进门来亲我，我醒了，还是梦！但愿一切都是梦，做好梦吧！

方子与欢子都来了，我告诉了她们，这两个孩子，宽慰我半天。我真是太想你，亲亲你，我的最善良的妻子，我亲爱的人。你也放宽心，不要为难自己。再紧紧拥抱我的玉茹，我的爱妻。

家宝、你的丈夫、你的亲人

一九九四年五月二十七日

小慧[1]，因家中收麦，父母来电催她回去一次。一星期再回来。你来京，可能没有她为你做饭。小方子，愿来木樨地做饭。[2]

一九九四年六月二日

好妈妈：

这些天盼信，终于收到你自胸科医院写的信。有了第一把手的好大夫，外、内科都有，我相信如果手术，是万无一失的。我现在踏实多了，只是想念你，时时刻刻地想，这是无法办的事。我只惦记，上海的暑天，你又在医院，如果手术，太热了，太苦了。这次能进这样好的医院，李莉、马博敏、卫生局、市委做了大好事，真是非常非常感谢！你的同屋病友有丈夫、女儿、女婿陪伴，又能自己做饭吃，你一人在病床上，太寂寞，太孤单。你的丈夫远在北京医院，不能安慰你，不能和你相伴，你太苦了。当然，有很多亲友来，领导、同事

1　即小刘。——底本注。

2　此节写在信纸最上方，估计是写完信后所加，现编于信的末尾。——底本注。

来，李莉来，我总觉得不如我在你身旁好。我每天睡前背诵《心经》，求菩萨保佑我的玉茹平安吉祥，欢喜如常，渡过一切苦厄！天天为你祈祷，菩萨会降福给你的，会时时刻刻保佑你。

你的《血缘》写得十分好，我很欣赏，有风格，有趣味，文气一贯，末后那托冲锋枪的大兵凶恶地对你喊："干什么的？"你毫不在意地说："唱戏的！"每天如此，你就这样勇敢地在那种枪炮声如雷的环境中天天唱戏，你真是大无畏的女人！

我有信寄到华山路，这是前些天的事，还有方子、欢子的信在内，你是否托人查一查？我怀疑你没收到，可能半路失落了。

我汇了六千元给你，由莉莉转的。这是我一手办的，从找存单到银行取款，又到邮局汇寄，是我带着史叔叔与小白一道去的。很吃力，走几步，便要歇歇，这真是费了大力办的。你万万别再寄回来，那会伤透我的心！！我会很难过的。我写不动了！你万不可不用我的钱！这是我的心！

亲我的好妻子，爱妻！善良的能干的妻！

你的丈夫家宝

一九九四年六月二日

我写不动了！但今后，我要常给你信，陪伴你，也许短短的信！想念你，亲你，吻你！[1]

1　此节写在信纸最上方，估计是写完信后所加，现编于信的末尾。——底本注。

一九九四年六月四日

好妈妈：

不知你在胸科医院情况如何，我日夜惦念。我不大盼望你的信，在医院你病中写字不方便，我劝慰自己，没有信，不过是不便来信，而不是因病痛。

这两天，接着白尘故去，昨天听说佐临也逝世，我很难过。胡思乱想中，我发了两次唁电，给白尘寄他的夫人，给佐临寄给“海芹、并转蜀芹及弟妹等”，发到上海电视台。我不由念起我们二人都在病中，一旦走了一个，这日子如何过下去。想久了，也转过来，我们一时尚不至于如此惨别。我们只有把病治好，精神振作起来，才会快活地厮守下去，你一直乐观、坚强，我也要豁达起来。

前两天孟伟哉偕好几位文联同志来看我，为的是本年八月要开第三届中国国际民间艺术节，要我写几个字。昨天我写了三张，下午就告他们取去，挑选一张。他们都问及你，盼你病早治好，都很亲切。你的人缘好，在北京也有朋友。

刘二姐[1]来看我，带了些饮料，我很不好意思，请她老人家下次别再带东西来。她的女儿现在离婚了，但为孩子的生活费，还拖拖拉拉难办。二姐望你好好养病，早些回北京。

---

1 刘雪芳，玉茹义姐。——底本注。

昨天万昭来，给我带来她自己做的鱼香肉丝，做了两遍，很好吃，我已吃了两顿。她还带来唐彦林买的猪耳朵，并切得很细，也很好吃。他们都问你好，切盼你安心养病，她想每星期来一次，带些菜来。

欢子走了，在北京一星期，天天来，送我们二人一千元买人参吃，特别说你一定要吃。我又写不动了。

亲我的好人，我的爱妻。

家宝

一九九四年六月四日

最近我把你寄来十六封信看了一遍，有的看几遍，真是好极了！[1]

附如茹的信和名片。[2]

一九九四年六月六日

好妈妈：

又收到你自胸科医院发的信，医院管理较好，你还能安静。昨天与莉莉通了电话，她说病房有空调，每天有人送饭两次，我安心多

1 此节写在信纸最上方，估计是写完信后所加，现编于信的末尾。——底本注。

2 这句话写在信纸的边上。——底本注。

了。只是想念你，没有办法，每得你信，便高兴之极。

小白的工资三百四十元，你行前曾提起要涨工资，现在过了几个月物价涨了，要给他加多少钱？你想想，告诉我，我好办理。

你回上海，把你的存单带回去没有？我前天为了找巴金的信，发现你的皮包在你抽屉里，取了信，顺便看你的存单，一张都没有，是否你带回去？不应该被盗，因为偷走也取不出钱，没有你的身份证。你速回信。

小刘回来了，现在又多一人做饭。我很好，小白、小刘都不错。

我这里用钱很方便，在史叔叔那里，还有活期两千余元，小欢子现款一千元。

程世鉴来说：三百四十元已很高了，程才每月三百元，你看是否加二十元或三十元？还是等等，等你回来，再定。

六月中旬手术，很好。看来，你回来，还要三个月。我安心等待。方才又收到你自胸科医院来信，医生说："都是初期，问题不大。"经仔细检查，如此结论，我放心了。

上面两个问题：一、你的存款单带回上海否？二、小白的工资加不加？加多少？这两点亟待你回信。赶于发信，不写了。

十分想念你，亲你，我的好妻，知心的妻。

家宝

一九九四年六月六日

钱六千元已寄到，你一定用，我的一片心意。你要收下来！方才又收到（六日）你自医院信，前后三封了。[1]

一九九四年六月九日

好妈妈：

收到你六月五日信，每天要爬一百步梯子，这真累。我问曹大夫，她说动肺部手术，需要这样活动，加强肺部力量。就是医院热，你身上（尤其是脸上）的汗如雨淋，太难受了。

我屋也热起来，现在有了空调，也好过了。这两天有些无聊的客人来，幸亏小白挡住，不然麻烦事还要多。

你的相片真好，你多欢实，跷起脚，打电话，满脸笑容。你说现在也好了，住了十天医院，但是你也得留神，不要发胖。那影响心脏。

前天昭昭来，带来炒鱿鱼卷和豆腐干炒酱。她说要到木樨地教小刘做鱼香肉丝。大热天，我对她说，别去了。此儿性格倔，她说出来一定做到。

这两天一连打十几次长途给莉莉，都不在，大约她出差了。我是为问你的存款单带回上海没有，此地遍找不见，我疑心出了什么问题。望你再告我一下。

一会儿方子会来，我告小刘做薄饼、粉丝、豆芽炒菜，小白煮绿

1　此段写在信纸上方，估计是最后所加，现编于末尾。——底本注。

豆小米稀饭。还想买四根巧克力冰棒，大家吃一通。

看报，又见《血缘》，剪下来，给你再看看。

十分想念你，我不断读诵《心经》，心全静下来。

亲我的妻！我的贤妻！

家宝

一九九四年六月九日

如茹说她信中有错话，我猜指的是她的梦，孩子心急，爱胡想，连梦中也怪事！[1]

一九九四年六月十日

好妈妈：

你于七日的信，我今天（十日）收到了。

你要在十三、十四日动手术，我相信一切都会平安吉祥，医生好，他们用心。你每天要爬三百多层梯，你如何受得了？你坚强，再大的困难，你会克服。

这大手术要休养三个月到半年，真要有耐性。你放心，我等得了，再见面，身体全好了，多欢喜。

---

1 此节写在信纸最上方，估计是写完信后所加，现编于信的末尾。——底本注。

那个富婆[1]太讨厌，那样闹，你能忍耐，这也显你坚强。不过你还是要躲到外边，在院里溜达，这也太难了，尤其是阳光下，炎热如蒸，你太苦了。

这两天，昭昭与方子相继来院看我，都带来食物，连猪蹄都买来，我现在不敢大吃，怕肚子又大起来，实际上也大了些。

还有开刀后，你右手不能写信，那就由我写信给你，我们老夫妻不能断了信息的。

今天又得你信，喜出望外。现在只候莉莉打电话告我你的手术经过，听好消息。

我盼你收到我寄胸科医院的信，不知医院接了信，能否送到你手里。前些信封都写的“准”，不是“淮”，不知耽误信否？方子要妈放心，她一定好好照顾爸爸，希望妈妈会照顾自己。你说要请一个好阿姨，单侍候你，小白问是否由他在北京访问？

亲我的爱妻，玉茹。

你的丈夫　家宝

一九九四年六月十日

1　同病房的病人。——底本注。

一九九四年六月十一日

好妈妈：

此信到手，正当你手术完毕，一切顺利吧。但是非常痛，只有忍受，坚强些，更坚强些。读诵《心经》，能除一切苦，真是不虚。多背几遍，自然少一些痛。“放屁”很重要，你记得我动“胆结石”时，你在身旁，你帮我用劲，“千金一屁”！放出来，人便好多了。

周大夫[1]来京开会，那个会报上也登了，当然，不提人名，但说这个会很重要，多少有名胸科大夫参加了。(《健康报》登的)

我在等莉莉的电话。

我怀疑我寄到胸科医院的信，你都没收到，传达室的人不送给病人，那就糟了。

张执一[2]的女儿要我写个广告，我没写，打个电话辞去。

今天我们这里有冷气，十分爽快。我午觉睡得很好，只是反复惦念你，怕你忍痛吃苦，时时醒，我为你念《心经》，使你不痛，菩萨保佑你，“渡过一切苦厄”。

小方子、昭昭、史叔叔、小白都说这手术一定顺利。医生高明，检查仔细。

1　指替玉茹开刀的周允中大夫。——底本注。

2　老干部，与曹禺关系甚好。——底本注。

疗养时期长，但你回家了，总可能避开那富婆一家人。你说你有许多心愿未还，我和你一样，我也是等你回来报答，见面就是幸福。

小白在旁，问老奶奶好。

祝我的爱妻

家宝

一九九四年六月十一日

写得短，为早，为即刻发信。[1]

一九九四年六月十二日

好妈妈：

今天上午通了电话，惜声音太小，我耳聋，一点听不见，只好叫小白代听。微微听见你的声音，也是安慰。……

你一定安心治疗，既然十四日手术，这封信也在你手术后，到你手中。痛极了！我的好妈妈，我也心疼，这个味道很不好受。如果受不了，就喊出来吧，但用力喊，怕不利于伤口。我的好女人、好妻子，怎么受了这个罪！

小方子明天下午来，她说看见我的棉内裤穿久而破了，她已经买

1　此节写在信纸最上方，估计是写完信后所加，现编于信的末尾。——底本注。

了一件新的。玉茹，你放心，我这里有人照顾我。

明天是小刘的发工资日，小白要扣去她去河南回家十天的钱，给一百元。小方子说不要扣，还是给一百三十元。这孩子想得对，对人应该厚道些。她当然没说给一百元不厚道。小方子对加小白工资，说原来工资很多，不必加了。我和她又商量一阵，加十元，给他三百五十元，你看好不好？等你回信，再办。

你离开北京，大小事，你都安排好了，史叔叔说你写好一个单子，说明许多事，该如何办，因此，家中大小事都还有办法，你想得周到。……

希望你很快过了手术后的痛苦关！亲我的好爱人！

家宝

一九九四年六月十二日

一九九四年六月十三日

好妈妈：

收到你六月七日的信。你说我寄钱，受了累，你流下泪，我读你说得那样动情，我又充满泪眼。我终身相爱的老妻，你怎么放得下我，我又如何离得开你！我的善良的妻！

我未想到，你的存款这么少（你信中说的），可怜，你一生台上唱舞，用尽心血，老年只剩下这么一点，太惨了。我比你稍好些，以后我再寄来。寄款是由一张五千八百元定期，提前取出，吃点亏，又添了两百元现金，凑成六千元。如今你肯用，不像以前那样固执退回来，我真高兴。你真是我的好妻子了。

昨晚姑姑送给我一个皮球一般的粽子，她说也给你吃的，你在上海，我就为你多吃一点。你在北京就好了，你喜欢黏的，可惜这是咸的。一会儿小方子、小刘来，我和小白一道吃，四个人吃一个大粽子。过端午节，我们四个向你拜节了，拜端午节！

……

亲我的玉茹！再三亲你！

家宝

一九九四年六月十三日

收到我的信时，正是你手术后第三天了，不知你痛得好一些么，坚强些！看你能爬楼三百梯，又扩胸，你是坚强，能克服苦痛的。[1]

一九九四年六月十四日

好妈妈：

收到六月八日信，今天十四日，正是你动手术的日子，我等着莉

1 此节写在信纸最上方，估计是写完信后所加，现编于信的末尾。——底本注。

莉的电话，一定很顺利，结果都会好的。祝福你，遇难成祥。我记得几十年前，看见在协和一群女秃子，一问才知道是癌病，你说头发短了，大概已成了尼姑吧？你不好意思告诉我，其实，你就是秃子，也是我的好妻子，也是美的。多想你啊！

今天上午昭昭来，带来做的叉烧肉、木耳菜（猪耳朵菜）和泡菜。她说要教小刘做菜，要她到北影家中看昭昭做，她会在车站接小刘，小白说不用了，学会了，就该走了。昨天她[1]叔叔带她到一个饭馆，她看在饭馆做生意工资高，不知她心里是怎么回事。

小方子的公公程玉菁患直肠癌，八十八岁，在同仁医院动手术，两星期就出院，十分顺利。

那个富婆走了，该较清静了。你与她们关系很好，真亏你有耐性。你是厚道人！她用了十八万，我们当文艺干部，没有法比，我们有我们可以自豪的许多优点，我们为人民、为群众做了不少的好事。

医院没邮箱，你每封信都自己出门寻邮箱寄，我心真不安，现在手术了，更不必老写信，你安心休养吧。你一定很痛！菩萨保佑你，少痛一点。你的每封信都用了大力气，我感激你！我的爱妻！

家宝

一九九四年六月十四日

八日信十四日收到，用了六天。[2]

1　指小刘。——底本注。

2　这句话写在信纸的上方，现编于末尾。——底本注。

一九九四年六月十五日

好妈妈：

谢天谢地，手术结果好，良性瘤，未输血（流血不多），太好了！没想到如此圆满。所以打一电报给你，为着你可以给医生护士们看，我万分感谢他们。晚间，小白趁我睡时给小方子、给淑敏通了电话。我原想第二天告诉他们。我惊喜得一时反应不过来，今天上午给小方子通了电话，她非常欣喜，说欢子正巧来电话，也告诉了她，小欢子说“这可要慰问妈妈”，她也高兴得了不得。方子说多巧，真真[1]来电话问你的病状，小方子告诉了结果。她们听了，全家高兴。

我给昭昭电话了，她说要给玉茹阿姨写一封问候信，说即将告万黛，说大姐一直惦念你的病状，写信使她免却心中烦忧。

我猜想这几天，上海的亲友都会来看你，祝贺你。应即刻写信告如茹，叫莉莉写信——如果你能现在写，更好。

今天下午收到首届全国昆剧青年演员交流演出大会的各种邀请信。一、请你出席开幕式并为大会的学术委员会委员。二、演出日程单。三、出席研讨会。邀请单位是北方昆曲剧院，地址是北京陶然亭路十四号，100054。我都寄来了，共四份。一定很好看，可惜你在上海。你也会忙得不堪。

1　真真是曹禺已故第二位夫人方瑞的外甥女。——底本注。

我十分想念你，你必很痛。想知道你一切近况。

亲亲你，我的好妻子！

我还是惦念你，你很痛！

家宝

一九九四年六月十五日

一九九四年六月十六日

好妈妈：

收到你十一日信，可能待你手术后的信要一段时间了。你提我们二人谁先走的问题，很难过。最好谁也不先走，我们再相守几年。现在手术很好，我们可以见面了。

昨天白尘[1]的女儿陈晶来，带来她母亲的谢信，很感人，原想寄给你看，然而找不到了。

今天上午，中央电视台为拍梅兰芳百年纪念大会片，来了七人，他们要我讲话。我原不知，晨八时才想到讲什么，写了一个大纲，共三点，讲了二十分钟。他们很满意。但正式拍成至少要剪去大半，或全无。我提到你从梅学戏曲，你说梅不但艺术高，品德也高。他是中国人民的骄傲，丰富了世界戏剧。

一上午闹得很累，只好吸氧，午觉睡了一小时，又好些了，才俯

1　著名剧作家陈白尘。——底本注。

桌，给你写信。

你说一旦有什么，如茹、莉莉就委托给我了。我也极难过，好在都过去了。今日上午中央电视台的肖导演[1]说他的好朋友周允中来京开会，提到给你开刀事，并说痛不大。我请他见周允中，再表达我的感激。他说本月底到上海，要看你，问我有什么话，我说："你告诉她，我很想念她。"他们都笑了，仿佛老头、老太太，不应这样如此相恋的。你不能写信，很好。我给你写。你不要为我写信而着急，这是需要，精神上的大需要。

再寄聘请书，白尘夫人的信可能已寄给你了。

亲我的爱妻！十分想念你，读"心经"保佑你。

家宝

一九九四年六月十六日

一九九四年六月十七日

好妈妈：

昨天下午黄佐临[2]大女儿蜀芹[3]来，谈及佐临丧事种种，雨中吊唁人不绝，各放一康乃馨于佐临身边。还有一件事，六月一日佐临故

1 北影导演，拍摄梅兰芳纪录片。——底本注。

2 著名导演，曹禺好友。——底本注。

3 黄蜀芹，上影厂导演。——底本注。

去，二日丹尼[1]忽然能笑，平时不识人，连吃饭都要人掰开她的口，此时忽然说出清楚的“真是的”。孩子们说这是两人的魂灵相遇，丹尼笑了两天。以后又不省人事了，现在仍由一护理工侍候她。他们家有五个孩子，四女一男。谈起蜀芹的《画魂》，中宣部麻烦很多，剪了四百英尺，你看，这是多少人的血汗。蜀芹长得像佐临，不大说话。

我读了小方子在《收获》上发表的小说《杀人》，写得很深刻，对农村妇女杀婆婆，有严格的叙述，心理描写很合理。李小林提了三次意见，她改了三遍。

我怀疑你现在还在痛，已有三天了。看你的亲友不少，但仍不能减痛，这如何是好。

王玉蓉[2]去世，定十七日上午举行告别，送花圈已晚。我今天（十七日）下午才收到通知，给你我都有通知。

非常想念你。

寄去两件信，你看看吧。

想念你极了！！！

你的家宝

一九九四年六月十七日

1 黄佐临的妻子，话剧演员。——底本注。

2 京剧演员，京剧大师王瑶卿的学生。——底本注。

一九九四年六月十九日

好妈：

连日寂寞，今日上午却来了我的孙子万伟[1]，到我枕边布道，问我信上帝否？上帝如何灵验，又一次送我小本《圣经》，和其他讲基督教的小书。他说奶奶不在身边，他每月来一次，其实是劝我信教。还介绍一位教徒，也要对我布道。十分古怪，此孙子奇特，有些神魂颠倒模样。还向小白打听，我看佛经否？我把佛经书藏起来，不让他看。

又来一信托我为叶宁[2]的退休老师写字，诗词都好，还寄百元，请你（玉茹老师）为我买新茶。他的信写得恭敬婉转。

又赵炜寄来我给邓大姐《明朗的天》油印稿，还有信件等，她真是好朋友，十分负责。

这些信件待你回来看。

我很累，不多写了。

非常想念你，亲亲你，我的亲人！

话不是没有，就是无力写了，当然，也是闲话。

家宝

一九九四年六月十九日

1　万伟是曹禺侄子万世雄的儿子。——底本注。

2　叶宁是上海为曹禺设计首日封者。——底本注。

你手术后已五天了，想必痛得好些，念你，念你极了！

一九九四年六月二十日

好妈：

刚刚收到十四日你手术前写的信。一会儿，我向王旭东、邓敏[1]打电话致谢。以后两星期接不到你亲笔信，真是没办法！莉莉太辛苦了，还要（做了许多事后）陪伴。

莉莉，爸爸很感动，妈妈这次手术你尽了大力，办得十分周到，又陪伴妈妈，你太辛苦了。不是客气，是真感激你！

今天下午舞蹈协会有人来，为他们到三峡有什么演出，要我写几个字。

你说手术后要痛两星期，太可怜了。菩萨保佑，也许对你慈悲，可以痛得少点。

今天上午谢衡与“姑姑”都来看我，说得很热烈，他们知道你的病详情，也知道手术经过，我又讲了一通。他们说：“你老伴一定好得很快。我们都等着见她。”

我隔壁的白血病人死了，他得了不治之症。医生说尽一切方法，无法治好。我们幸运极了，没有得致命的病，又得到最好的医生。

我一定多多念《心经》，菩萨保佑我一切。

1　邓敏，中国京剧院青年演员；王旭东是她的爱人，也是演员。——底本注。

小如茹为我写信，她真好！真是你的好女儿，你病，我病，她还都记挂。九月她能到上海演莎士比亚的戏，可惜，我一时去不了。我每天走几百步，你放心吧。

亲亲我的好妻子，玉茹爱妻。

家宝

一九九四年六月二十日

一九九四年六月二十一日

好妈妈：

我很耐等待你的信，别烦恼，你暂不能回信。昨天下午，中国“舞协”来人，为了到三峡等地举行全国舞蹈名家演出，要我写字，我写了以下的话：

舞遍大地

弘扬文化

格调高雅

大获成功

祝贺中国舞《三峡之夏》 曹禺一九九四年六月

今天上午又为上海叶宁的退休老师写诗：

小楼一夜听春雨

深巷明朝卖杏花　（［宋］陆游诗）

伟笑同志雅存　曹禺一九九四年六月

叶宁给李玉茹的信也寄上，很有意思，除二百元外，还有一条剪报，写了我、艾青[1]、孔罗荪[2]，可以解闷。不料不久罗荪夫人逝去。

看《北京晚报》，翁偶虹[3]前天故去，八十六岁。

都是朋友去世的消息，但不要消极。我们可以活下去，生死大事，也有幸与不幸。我们是幸尔生者，而且定要生得有感情，有意义。说不定我们都可见到二十一世纪，还做二十一世纪几年的人。亲我的爱妻，最善良的人。

另有人要签名并名片，也办了！你看我多忙。

家宝

一九九四年六月二十一日

问莉莉好，医生及护士们好，来看你的朋友们好。[4]

1　著名诗人。——底本注。

2　文学评论家、编辑家。——底本注。

3　剧作家、戏剧理论家。——底本注。

4　此节写在信纸最上方，估计是写完信后所加，现编于信的末尾。——底本注。

一九九四年六月二十二日

好妈妈：

昨晚莉莉打来电话，知道你已从监测室出来，回到病房，病况无异状。只是咳嗽，伤口痛，我想必然很痛，咳是否连咳，那一定很痛。

我问了曹大夫，她说做肺手术，一般有刺激后咳嗽。莉莉说因吸纸烟，才会咳，是否得了气管炎，问了，又答不是。小白恰巧出去，买东西，由护士王红为我接莉莉电话。我不明不白，又在胡思乱想。菩萨保佑你，少受些罪吧。

我这天一夜都不安心，百思不得解。如果能在你身边，也能稍稍知道你的病情。

我写信，是因为心中郁闷，要和你笔谈，更主要因为可以使你解病中单调。但现在你咳嗽痛甚，不知如何是好。

我每天下午晚饭后小白推我到大门口看看来往行人，外面并不热，也算解一些寂寞。

这两天孩子们没有来，都电话告我这些天忙。

方才接到欢子信，他们有三周假期，准备回美国过。迈克收到我的巧克力一盒，非常高兴，叫欢子告我他每天吃两块。迈克的心思是好的。小欢子问你好，说你的病绝对没有问题，叫我放心。

亲我的爱妻。再亲亲你！

家宝

一九九四年六月二十二日

也许，以后听你的话，少写信，免你反而惦念。

一九九四年六月二十三日

好妈妈：

今天是手术的第九天了（二十三日），不知你咳得如何，痛得如何，闭眼就是在病床上的你。菩萨保佑你，少受点痛苦。这两天总想再电话问莉莉，耳聋，要借别人的耳听你的病情，问不清楚，辗转问答，更弄不明白。今天小昭昭来，我详细问她母的病情，明白你咳嗽不和她母亲一样，你的病痛轻多了。

也许我还要电询莉莉，也许信写完了，就打。不，现在就打。

小白领我到打电话间，半天，上海莉莉电话无人接，大约她还是关了电话机了。

上午昭昭带来苦瓜炒肉丝，很多，还有炒苋菜。明天，小方子说来，我告她别带吃的，大约她还是带菜来的。

昨天下午来的《时装时报》记者，问了些问题，我扯了一阵，小白说："你白费那么多工夫！"记者是夏公[1]女儿沈玲介绍来的。

小白也不主张多见人，有时烦闷，不如来个人瞎扯扯，少一点胡思乱想。

小白说："你写不动，就少写。"他看出我太累了。

亲亲我的贤妻，也许夜晚给莉莉通个电话。

家宝

一九九四年六月二十三日

一九九四年六月二十三日

好妈妈：

连给莉莉长途，她大约把电话关上，没有人接。我一直不知你的病情如何，痛得、咳得如何，没有办法。希望上天保佑你咳得好些。

万黛寄昭昭三百美金，要她换成人民币给我，另取人民币五百元，寄玉茹阿姨，作为营养费用。我交小白寄给莉莉，由她转交。

田本相今天下午，说香港某艺术院聘请我为院士，他带文件来看看。

又白尘夫人寄来第二次谢信，内容有些不同，寄来，你看看。

1 即著名作家、剧作家夏衍。——底本注。

我时常检查我一生的错事，尤其懒惰，不积极工作，十分懊恼。

时间已过去，想也无用，惜不能再活一次，改过前非，这也是无法办的事。

我读了万方写的中篇小说《杀人》，讲农村妇女最后逼得不正常，杀了婆婆的事。很好。

又读一篇讲大文人聂绀弩的生平的纪念文章《鹤》，十分感人。此人坎坷一生，却活得痛快，潇洒如鹤，真可羡慕。想你极了，想你极了！

家宝

一九九四年六月二十三日

一九九四年六月二十五日

好妈妈：

昨天（二十四日）午后四时得你电话，亲聆你的声音，亲切无比，仿佛你就在眼前，喜出望外。你的痛苦仍旧不能稍减，我在千里外，为你痛苦，也不能使你安然。你心情不好，由于最近友人故去较多，就事而言，人有生死，恍若一梦。我们幸而不死，可能再活十年八年，我们还要相处一阵，你就往乐观处想吧！

楼下孙越老[1]还是健康如昔，每晚坐轮椅出来，他常问起你，他说不要着急，还是比较快些好的。他托我问你好。

昭昭今天上午来电话，问起你在上海华山路地址，万黛要知道，她们要写信慰问你。

祖光[2]寄来相片与信，一并寄来。他说请你给他打电话。回头，我代你打，告诉他你我的近况。夏衍也在北京医院，病见好。祖光真福气，身体好，四处游玩，交友遍全球，而且文章多且极动人。朋友中，以他最幸运，也是他最勤快，平易近人。

翁偶虹的生平寄来，他的告别会，我已将李玉茹、曹禺寄去花圈。

来客人了！不写了。

家宝

一九九四年六月二十五日

一九九四年六月二十六日

好妈：

今天二十六日，离你手术后十二天了，一直惦念你的病痛，希望

1 孙越崎，石油之父，活到一百零几岁。——底本注。

2 吴祖光，著名剧作家、戏剧理论家。——底本注。

你感觉较好一些。痛得少一些？惦念极了。

昨日下午，来的客人是魏绍昌[1]，给巴金像上要许多名人题字，夏衍题“仁者寿”，我题“说真话者”，还是魏想的，我简直想不出来。还有许多人题字，我记不得了。魏为我专找宜兴人烧一个宜兴茶壶，上有刘旦宅画家画的狗，是我的本命年，另一面写“雅安”写“甲戌春日绍昌制为曹禺先生寿”，他说巴金从杭州休息回来，精神很旺盛，巴金托他来看我，并向我问好。骏祥[2]耳更聋了，身体还可以。

晚间，我给祖光打了电话，他不在，是凤霞[3]接的，我说你在上海，做了手术，她说不久祖光会来看我，她向你问好。

我现每天多走路，上午不睡，也是为了把身体练得好些。

今天接到莎剧节的信，九月中旬上海举行国际莎剧节，有外国莎剧，我想那时如茹与维国（我突然想不起名字，问小白：“如茹的丈夫叫什么？”小白笑了：“蒋维国呀。”）他二人会带戏到上海，你可以见到如茹，母女会，在上海两人要哭一场，又笑一场的。

亲我的玉茹，真是想念你啊！

家宝

一九九四年六月二十六日

1　魏绍昌，作家。——底本注。

2　张骏祥，著名导演、剧作家、电影评论家。——底本注。

3　新凤霞，著名评剧表演艺术家，吴祖光的妻子。——底本注。

方平[1]来长信，谈论 Cleopatra[2]（你看过“女王”的名字）的译文，又想到蘩漪。他问“李玉茹先生好”。[3]

一九九四年六月二十八日

好妈：

昨天未给你信，客人太多了。

人民文学出版社张小鼎和一位女责任编辑，给我选《原野》的封面设计，我挑了浅色的，还好看。他们要出《雷雨》《日出》《原野》《北京人》《蜕变》五种单行本。《雷雨》出两万册，已预订了六千多册，说完全能销。他（张小鼎）问你好，希望能早些见你。

《人民日报》的女记者采访我，关于北京“人艺”形成的原因，我说有好剧本、好导演、好演员，每人都严肃对待生活，对待艺术，还有许多原因，我不多讲了。

吴祖光来访，他见有记者，就先到夏衍房里去了。过了许久，他回来说：“你方才说话精神极好，像个老顽童。”“夏公的耳音比你好，太瘦了，精神差一些。”又指出我写作的毛病就是“太听话了”。这句话一语中肯。当然，我不刻苦，也是一生的毛病。

---

1 莎士比亚研究者。——底本注。

2 克莉奥佩特拉，莎士比亚戏剧《安东尼和克莉奥佩特拉》中人物。——底本注。

3 此节写在信纸最上方，估计是写完信后所加，现编于信的末尾。——底本注。

当中，陈荒煤[1]来，和祖光一同从夏公那里来。

这一大段时间拍了无数的相。

我这些天，读《邓小平文选》第三卷，读得有味，使我了解了大势和这几年的改革意义。中国一定富强起来，我们的小孩，会看到富强而发达的中国——有中国特色的社会主义的祖国。写多了，头晕，无力，不写了。亲我的玉茹。

家宝

一九九四年六月二十八日

你痛得如何，惦念已极，半夜醒来，想到你可能又在痛，我就想起你，放不下，一直放不下。[2]

一九九四年六月二十八日

好妈妈：

不知你的疗养状况如何？仿佛瞎子在黑夜中闷得不行。只有忍耐，待你好了，你会写信告诉我。

我这里没有什么新鲜事向你讲。昨天下午小方子来了，送来烧

---

1 文艺评论家、作家。——底本注。

2 此节写在信纸最上方，估计是写完信后所加，现编于信的末尾。——底本注。

肉。她买的原料不好烧的，也没有工夫。吃了塞牙她原说回去吃，后来还在我这里吃了两个包子、三碗稀饭回家。她说小欢子为你的病来了两次电话，幸而你好多了，告诉她，才放下心。不然，一旦不测，她要同迈克立刻来中国，安慰我。她说感谢上帝，你的手术顺利，是良性瘤子，盼望妈妈安心疗治。医院的大夫、护士都问及你的病，我一一答复，他们都说这次白担心，还是原来身体好。

寄来一点钱，你不能仅为吃补药用，你的一切开销，都拿来用。寄钱是为你放心放胆用钱找阿姨等等（报上说阿姨有的每月要五百元），做任何用。我这里还有存单，可以汇来，够你养病的。亲爱的人，你要用你亲人的钱，我不是别人。

寄给你佐临的座右铭，“凡事付之一笑”。你放开心，任何事一笑视之，这就让我放心了。

小白的工资不涨，你的道理很对，但小刘也不要添钱。这件事，我也和小方子商量一下。一涨，一不涨工资，不大好，小刘做事也有些不尽责。当然，她一个人在家，也是无事可做。事琐碎，也不值向你谈。好在他们二人相处尚好，你可放心。你对这些小事更要“付之一笑”，不要劳神。亲我的爱妻，真是想念极了！

佐临的座右铭的后面有他的生平，我留下来，不寄了。

家宝

一九九四年六月二十八日

昨夜半二时，小白起来看世界杯足球赛开幕。许多学生、大人都起来看，有个医院（也许不是医院），把电视放在院中，大家都起来看！[1]

一九九四年六月二十九日

好妈妈：

收到你亲笔信，二十三日写的。真吃惊，右肺去了五分之四，你如何受得了？你仍执笔写信，亏你忍耐得住。我心疼极了。

小如茹本月三十日回上海看你，今天已二十九日，明天你便见到她了。真是一大喜事。告诉她，一直在上海看护你，八月不要来北京看我。我很想她，也有些小事希望她当面谈谈，但这无关紧要，一定要她看护你疗养。一定，一定！

朝红[2]代你写的信，同时收到。你没有空调，怎样忍受酷暑。感谢她为你改一件旧衣，薄一点，你可以稍稍好过。但热得皮肤发炎，这又如何办。你太苦了，太受罪了。

她信上说，前两天咳嗽，已吃药治好了，这也使伤口少受些刺激。

看护我的工资事，待你回来，先不增加了。

1　这句话写在信纸的上方，现编于末尾。——底本注。

2　陈朝红，李玉茹的学生。——底本注。

程世鉴的老父[1]经手术后，仅十天（？）便安然回家疗养，决未故去。你想得太多、太乱，我们两个都会比这些人好得多，我们是幸运者。更重要，是菩萨天天保佑我们，我们不会出什么事。开心些，畅快些，不要不开心！

向朝红问好，谢谢她代你写信，告诉我你精神很好，只是十分、万分想念我。亲我的妻子，玉茹。

家宝

一九九四年六月二十九日

一九九四年六月三十日

好妈妈：

关于你的肺（右肺）去掉五分之四的问题，我几次问了大夫，他们都说这不要紧，左肺可以代替右肺呼吸，尽力扩大，取得补偿。但日后不能，决不能，再吸烟。烟的害处不能小看，再起破坏作用，再要手术就与今天不一样，那就出大毛病了。爱妻玉茹，也许你还是不爱听禁烟的话，我一直不提，现在不能不说了！别难过，这次就是个教训，不能再受罪了。

我忘记告你人民文学出版社日后给版税，书价的百分之十，即卖

1　程玉菁，京剧界老前辈，王瑶卿大弟子。——底本注。

价四元一本抽四角作版税。我要他们多送我几本我的书，我好送人作纪念。

小欢子来信劝我耐心等待你休息，这个病需半年才能全好，那就等半年。妈妈有岁数，又有病，不能早回家。妈妈的性情急，躺不住，又要犯病了。这是欢子的话。

昨晚十时，我已睡，莉莉来电话，恰小白在洗澡，是护士代听的。你已完全拆线了，精神很好。万黛寄来的五百元人民币收到了。朝红信上提小女儿寄一百五十美元给你，这个信息不对，是我写信不清楚才出这个错误。

如茹回来了。她可以陪你，照护你，你们可以高兴了吧。母女有很多话可谈，要谈。可惜，我不能在你们身边听听你们的笑谈和故事。亲我的妻子，最爱最爱的玉茹！

家宝

一九九四年六月三十日

小方子送来清炒苦瓜，很好吃。她说要给你写信，慰问妈妈。[1]

1　此节写在信纸最上方，估计是写完信后所加，现编于信的末尾。——底本注。

一九九四年七月二日

好妈妈：

昨天收到你的信，又接到你的电话，幸福极了。你在胸外科医院疗养，不移动，很对。现在病友要走，你可以暂时清爽些。

昨下午北方工业大学仇春霖校长送来五把花束、一箱荔枝。我与小白分送荔枝给赵朴老、夏公、孙越老[1]、护士们、医生们，大家都很高兴。曹大夫今午来，送她一束鲜花，她非常欢喜。昭昭来了，给我送来烤鸡一盒，蓊菜一碗，我给了她两束鲜花，她欢喜得闭不上嘴，原来她一直没有见花束，每天就是苦工作。教音乐课，五十元一月，一月去四次，她太老实，别人教小孩每月一百元，主人说加加吧！她不要，她说不好意思。……她拿了些荔枝，是我再三说，她才收下的。

马驰和晏学带来一个学生为我们照相。晏学说从她学习的日本女生，读我的《家》，感动得大哭。这个女生来过，她很想再来，怕打搅我，还是不敢来了。

如茹来，你会安慰些了。如茹是个非常可爱的好女儿。她来你的身边，我心宽多了。这是大病，莉莉东奔西跑，联系人，出主意，天天来看你，真是让人心疼。

史叔叔拿了荔枝，小方子怕热，不来取荔枝。北京35℃，我每

1　即赵朴初、夏衍、孙越崎。——底本注。

天还是坐轮椅出去两次。小刘天天来，他们都问你，请你好好疗养，他们会好好照顾我，你放心。

亲我的妻子玉茹。再亲亲！

家宝

一九九四年七月二日

昭昭送来黛黛给我的人民币二千五百三十元。[1]

一九九四年七月四日

好妈妈：

久不得你的信息，虽急，还是善于忍耐。我打算你在上海休养半年，到明年一月再回来。我忍耐。不然，你的身体养不好，又出大病，那就不好。小欢子来信也是这个意思，寄给你看看，她是很疼妈妈的。

这两天送吃的太多了。淑敏的茴香包子、烧鸡爪，小方子的烧鸡、炒苋菜，今天又送来红烧宽粉条，程世鉴做的茭白，还有人送来西瓜，冰箱装满许多我说不出的东西。荔枝送淑敏一些。

我读《金刚经的研究》，很吃力，看不懂。仿佛都是哲学，就

1　此节写在信纸最上方，估计是写完信后所加，现编于信的末尾。——底本注。

是……结尾是四句偈：

“一切有为法，

如梦幻泡影，

如雷亦如电，

应做如是想。”

远不及“人环”亲切动人。[1]

今晨醒得早，心极不定，感到非常累。

小方子来，虽高兴，但打不起精神。

我无力，写不动了。

亲玉茹，我的爱妻，好妻子，好妈妈！

家宝

一九九四年七月四日

一会儿还得写“香港话剧选”，田本相托我写的。[2]

你养得好否？你要安心养病！！[3]

---

1 此段有几字辨不清楚。——底本注。

2 此句写在信纸最上方，估计是写完信后所加，现编于信的末尾。——底本注。

3 这句话写在信纸的边上。——底本注。

一九九四年七月五日

好妈妈：

昨天晚间给莉莉电话，知你病情还好，已下床走动，就是痛不止。现在可以用空调，上海38℃，不知你感觉如何？我问如茹来否，她说来了，整日在陪伴你，我叫她告如茹来电话。

今天上午如茹来了电话，手术很大，肺叶有一个切去五分之四。她说月底定来看我，我劝她别来。她想念我，我也想念她。只是还有机会再看她，不要把现在宝贵时间浪费了。她还是要来。

今天下午，收到你的信，你写信太难，伤口痛，以后别写了。看你费力，忍巨痛，写歪歪斜斜的字，我很难过，别写信了。我不盼望你信了。

立刻给昭昭打电话，不想她已出门开会，会完定来看我。你说她们——黛黛与昭昭对你都有真格的，她们大了，为人父母，理解你了，更为你所感动了。

不搬动，定在胸科医院疗治，这对。大家的意见是正确的。

莉莉说如茹有一封信，报告详细病情，我还未收到。其实现在已差不多完全知道了。我很想知道如茹的心情如何，她想妈妈动大手术，一定非常着急。现在已经安全了。她看你在酷暑中受病痛的煎熬，一定难受极了。

亲我的好妈妈，好妻子，安心疗养。

家宝

一九九四年七月五日

北京也是奇热！[1]

一九九四年七月十日

好妈：

读你七月三日信，我也有许多天没给你写信了，我只是成天地疲乏，无力动笔。

我很奇怪，中医为何给你药，使你一天七八次大便。本来手术就大伤元气，如今又连连大便，岂不更伤元气！你说服中药，为了调理，现在治法于调理不合。

到太湖休养，地方好，一个人太寂寞，最好有人伴陪。似乎苏州近些，苏州也有安静的地方。好处离上海近，亲友可以常去看你。

非常对不起如茄，硬要她到邮局取款，还要写一封迫切、详细、关于你的病情及目前状况的信。不知每日要在酷热中给你送两次饭。她没有时间写信，就别写了。我真不是个好爸爸，太不体贴女儿如茄了。

1　此句加在信纸最上方，现编在文末。——底本注。

我实在想念你，时时刻刻地想念你。

我等如茹来，……[1]不想她来京后的次日即返伦敦。

昨天方子带蓬蓬来，我叫小白买烤鸭、饼、葱、酱，全体五个人（加上小白、小刘）吃饱了，还剩下一盘。鸭头等等还没动，鸭架可以做汤。前一次吃烤鸭，吃了六天，这次也可以吃六天。希望你吃名医的药能恢复体力，安心休养!!

亲我的爱妻玉茹。

家宝

一九九四年七月十日

莉莉怎么又伤了脚，真是不幸运。小白说鸭肉还有不少，晚上给你吃！[2]

家中很乱，如茹来住，我告小刘收拾，但还是不会干净、利落。[3]

小方子和程世鉴都给你来信，不知你收到否？[4]

1 此处删去一句。——底本注。

2 这句话写在信纸的左边空处。——底本注。

3 这句话写在信纸的右边空处。——底本注。

4 这句话写在信纸上方，现编于末尾。——底本注。

一九九四年七月十三日

好妈：

收到你和如茹的各一封信，知道你的病情好些。如茹电话中说你将到华东医院治疗，现在病情平安，可以换地疗治。华东条件较好，你可以住单身房，没有人吵闹了。

这两天，我这里没有人来，方子到天津去有事，昭昭过两天再来。你的病痛见好，我精神好多了。虽然想念，但也无法。我预备半年后再见面，现在只有沉住气了。

你添几句话很重要，泻肚是正常效果，不是又有别的病。那天听如茹说，你吃中药一天七八次大便，那不是更伤元气。如是正常该有的现象，我就放心多了。

两天前,《人民日报》易凯来，托写字，为“南通少儿图书馆”，也为黄鹤楼边的“搁笔亭”题诗“楼未起时原有鹤，笔自搁下更会诗”，这两句是清代某人写的，说黄鹤楼后来没有人写诗，因为李、杜写过[1]。但我记得李白、杜甫未曾在黄鹤楼题过诗。

多少次想写信给你，终于无力写。今天努力写，但还是无力气，累得很。

1　传说崔颢写了《黄鹤楼》之后，广为传诵，成为绝唱，后人不敢再题诗。此处可能是曹禺先生记错了。——底本注。

有上海戏剧学院毕业生求为其母亲写一字，她母亲是心理咨询专家，我也写了。

实在沉闷，想念你，非常想念你！亲你，我的好人！

家宝

一九九四年七月十三日

睡前，读你的信多少次，这也是安慰。[1]

一九九四年七月二十日

好妈：

读了十五日信，知道你每日运动，爬梯、深呼吸等等。你是好多了，只是迁居华东还未定下，令我放心不下。到华东，也要遇见一个好病友，不然，也是烦恼。

今天上午程世鉴来，说方子仍在天津改剧本，已一星期，也许本星期可能回家看我。他和我说了半天彗星撞木星的事，在电视上看见美国照的相，很亮，发的力可以毁灭一切木星上的东西。七千万年前彗星是撞了地球一次，地球上的生物全都消失，以后又从单细胞动物发展成人。

1　此句写在信纸最上方，估计是写完信后所加，现编于信的末尾。——底本注。

昭昭也忙，台湾约她写柴可夫斯基传，要二十五万字，明年底交稿，订了约，不能交还要罚款，压力很大，不能常来了。我想，她还是会常来的，你放心，我这里总有人来。我只是时时刻刻地想念你，也就不在乎是否有人来了。你安心养病，我一定安心，你愉快些，我也就愉快了。

我现在天天盼如茹来京，我们父女见见面，……[1]最重要是想她会告我你的健康状况。可惜只能住一天，太少了！太少了！话很多，没时间谈完，但是能见如茹一面，也是幸福。你有话告诉如茹，她也能告诉我，这也是乐事。

多想念你，我的好妈妈！我能等你，半年后再见面，那时已是过大年，到正月十五了。

我写不动了！不写了！

家宝

一九九四年七月二十日

一九九四年七月二十六日

好妈妈：

收到你二十日的信，今天已二十六日了。

1　此处删去一句。——底本注。

我没有想到你的生日，真是不应该，我自小便没有过生的习惯，因此无论谁的生日都不知道。千万原谅我！而你每到我的生日，你总是大做一通，弄得高高兴兴，热热闹闹！真是对不起你！

许久未听到你的消息，我总怕你又病倒了。知道你现在已搬华东，而且“猛睡了两天”，这真好。我今天早晨还给如茹电话，她说你有信寄来，中午到门口取信，果然你的信来了。下午又接到小刘带来如茹的信，她把信寄到木樨地了。

我身体很好，吃睡都正常，现中午睡觉，都不用吃安眠药了，有时能睡一个半小时。

汪大夫[1]夸我是模范病人，因我一直吃麦淀粉，对我每天散步两三次，也十分赞同。

小方子到天津工作两星期，昨天才来看我，带了两个猪蹄，很好吃。现在想吃葱，已叫小刘明天做。

小欢子来信说八月中旬可能因事到北京住十天，这也是一件好事。

所以你别挂念我寂寞，我这里还有人看我。我只是跟你一样，万分想念你，不知如何说出我是多么想念你。想来想去，你还是在上海休息半年再来，不能一出华东就来北京。这是实事求是的话，一定听医生的嘱咐，我们只要常常通信，打个电话，就应该满足了。

家宝

一九九四年七月二十六日

1　汪跃，北京医院主任大夫。——底本注。

我每饭必吃蒜，医生很赞同。小方子做了苦瓜，我早点吃。[1]

如茹在本星期四打电话来，告我飞机航班，现在才星期二。[2]

我这屋空调很好，凉爽如秋，正写信时，陈大姐（赵朴老夫人）送来蜜桃六个。昨天我送一束花给赵朴老，最近，我常读《金刚经的研究》。[3]

一九九四年七月三十一日

好妈妈：

如茹帮了大忙，你与我的单票，都清理，并上了账，清清楚楚，放在我的抽屉里，待你回来看。你的钱还放在木樨地。

如茹劝我们二人少写信，心放开些。

江西省电力系统业余京剧团汤裘来信及相片，会给你看，还寄来一个毛毯给你。另有小纪念册的首页，寄给你看。

给马驰与北京“人艺”的信，明天办。我看问题不大。你太辛苦了，写了许多信。给黛黛的信即寄去，昭昭的信由她来时面交。你太累了，写信使右肋痛，我真不安。

如茹另有信来，我希望你认真考虑。

---

1 这句话写在信纸的左边空处。——底本注。

2 这句话写在信纸的右边空处。——底本注。

3 这段写在信纸上方，现编于末尾。——底本注。

我想你极了，但万不能九月来京，你需长时间疗养。写信也可称之安慰怀念的情怀。

我太累了！不能写了。

想你极了，我的好妻子！好妈妈！

夫家宝

一九九四年七月三十一日

如茹上午十时上飞机场，一切顺利。

一九九四年八月七日

好妈：

今天上午我给淑华[1]长途，闷在心里许多话都问了，都答复了，结果，你的病体很好，精神健旺。不料今天（七号星期天）下午又收到你二号的信，足足两页。真是“佛祖”保佑你，你痛也好些。但每天爬三层，是否动得太多；你的体质原来不错，也许对你，这样运动是可以的。

如茹来京看我，时间利用到家了。你我二人的存单都算了，记了，写下清单，待你回来看。我和她也谈了我心里的话。她临睡前，

1　李玉茹的妹妹。——底本注。

写信给你，我想你已见到。黄泥螺还没有打开，你给我这个菜十分贵重，我还舍不得吃。

我十分想你，我们离别已四个月了。说十分想你，只是太低估这离别的情感，昆仑山也没有它重，太平洋也没有它深。

我最近读《金刚经》，很深，不易了解。想找赵朴老讲讲，他太忙，也未见得愿意和我讲。

多少朋友看你，给你送菜，连福建病友都感动，这是你待人厚道，认真交朋友。非常感谢淑华，她为你做饭，还住咱家，连老董[1]也只好自己做饭，谢谢老董全家。

家宝

一九九四年八月七日

万黛写信给你，是她作为女儿给你写的。她文字也好，表达出了她的情感。

写信时，淑敏又来了，一定带些吃的。[2]

如茹送我贝多芬全部交响乐，激光的，非常好，就像大交响乐团在我耳边演奏一样。她非常可爱，是我们的好女儿。真感谢她。

近来，有些无聊的人要我题字，我不想写，也无力写。[3]

---

1 董开鹤，淑华的丈夫，李玉茹的妹夫，已于一九九六年四月病逝。——底本注。

2 以上两节写在信纸左边。——底本注。

3 以上两节写在信纸上方，现编于末尾。——底本注。

一九九四年八月十四日

好妈：

电话中知道你将“化疗”。这很重要，有备无患，以防万一。据说要落头发，没关系，你成了秃子，还是我最爱的妻、贤妻、爱妻、永远想着的妻子。昨天收到你的信，你一累，就发烧，这是元气伤了，问问中医，是什么原因。你写信也觉得累，那就不写吧。淑敏的电话，明天打，我自己打，今天是礼拜天，她不上班。

北京“人艺”派人看你，慰问你，我即找负责人表示感谢。

你寄来黛黛的信，她写得很恳切，真是个可爱的女儿。

今天晴天，白云蓝天，一碧如洗，我和小白逛了公园。人很多，小白忙着推我回来，他怕红眼病传染我，说现在到处都是红眼病，传染得快极了。

你重了两公斤，这是好事，我轻了一公斤，也是好事，我的肚皮太大了。我六十一公斤。

小欢子来了，今天下午来看我。她一来，问你的病情，我详细告诉她，她说：“化疗，还是需要的，妈妈一定要安心治疗，休息。”

我就要吃午饭，不写了。亲我的玉茹，我的贤妻。

家宝

一九九四年八月十四日上午

北京附近下暴雨成灾，洪水发了，现在市民在防汛防灾。

唐彦林代昭昭来，带来五样素菜，我给他们四盒乌鸡精。方子也送菜，我冰箱内食物多极了。小刘送包子和柿子椒。[1]

报纸误登上海有十级台风，我立刻想打电话问你的情况。后来，想想明白，台风不会进市区，更不会吹进华东医院。

黄泥螺好吃极了，一点不咸，小白还剥了壳，我吃肉，很有宁波人的味道。

今天晚饭招待欢子卷饼、豆芽夹粉条。我们发现附近有卖三鲜饺子的，好吃，待你回来欣赏。[2]

你说九十月看我，这是空想，你要休息半年，哪能这么快就出来？[3]

一九九四年八月十五日

好妈：

今天十五号，收到你十号的信，十分兴奋。

我和医生、小白商量关于“化疗”，还有小欢子，小欢子说“化疗”伤健康细胞，我们都以为“化疗”用的剂量小，宁可慢一点，时间隔得长一点（小欢子意见），对身体好，不至于受损害。我看就这

1　以上两段写在信纸左边。——底本注。

2　以上三段写在信纸右边。——底本注。

3　这句话写在信纸上方，现编于末尾。——底本注。

样定下吧，我们晚一点见面，没关系，剂量大，伤害身体，那损失就太大了。总之，再问两院的内外科医生，做最后决定。

我这两天忽发奇想，想到上海看你，问了文化部与中国文联他们的意见，但他们都打电话问北京医院，医生都反对，说出去有问题，没法治。我也有些犹豫，主要是腿走不动，万一躺倒，岂不使你病上加病，多一个病人，虽在面前，也不是件愉快事。小白坚决不主张去，他的理由，你也病，照管我，添了麻烦。小欢子说："坚决反对，一折腾，前功尽弃，更叫妈妈着急。好容易养成这样，能走几步路，但全身依然有病，怎么能出此奇想？"

欢子来了，今天晚餐，请她吃三鲜饺子。

家宝　亲我的玉茹

一九九四年八月十五日

一九九四年八月二十一日

好妈妈：

收到你的信，因事因累，未能复信，深感不安。

你叫莉莉来京，与文化部刘部长忠德商量保存我的资料，我以为千万不要做，这种事日后我死，也许有人注意，就能收集各种资料。这才是追念，读者的追念。我们自己先做这件事，就显得有点太好名了[1]。我确实不以为自己是什么了不起的人物。

小欢子本星期赴沪办事，只住一夜就返京，她会来看你的。

这两天有台湾与中电两家采访，我穷于应付，也只好应付了。

我十分想念你，你想我，流眼泪。我想你，就念《心经》祝福你，为你修福。

昭昭与彦林和他的父亲来看我，八十六岁，走路笔挺，他上大学，习画，每天散步。他说："我有自得其乐，助人为乐，天伦之乐，自立之乐，四乐。"说着笑起来了。他带来一只烧鸡，滚热，刚由店里买的。他要看我吃，他说了半天，下了雨，候了雨住才回家。

亲我的爱妻，亲我的玉茹。

家宝

一九九四年八月二十一日

你安心养病，我急于知道你现在怎样化疗？[2]

下午三时，小欢子要来，她在北京很忙，难以天天来。方子也忙，为了生活，赶写东西。

小白说问老奶奶好。

昨天，如茹来信，她一切都好。你能否把她的地址给我？如茹的

1　加点为原文就有。——底本注。

2　这句话写在信纸左边。——底本注。

信也寄来，你看完寄还给我。[1]

一九九四年八月二十八日

好妈：

你在化疗，用时间较多，不可少化疗。你说少治一次，这不可以，还是听周大夫的话，彻底治好。不要想早回来。我们见面的机会多，时间也有，不可因急于见面，一定彻底治。

小欢子回来，说你见她十分高兴，送她下楼，精神好极了，叫我千万放心，妈妈的健康有保证。梅先生的节日[2]你不要勉强去，尤其是不可参加演戏，弄得前功尽弃。

我寄来一剪报，上面有讲上海戏剧节的事，有如茹与维国的戏，你给如茹看一下。你也有个底，不知九月你能出院看他们的戏否？我看困难，你正在化疗，而夜晚出医院也不方便。

现在有电话可打，我一定听你的话，不到非打不可的时候不打。电话号码，我已告诉小白了。

你的照片，如茹寄来了，就是你过生时照的。今天中央电视台肖导演又送来许多照片，有一张是你与如茹一起照的，他们用很漂亮的镜框刊登，特别好看，你照得非常美，亲切，抱着如茹，极其亲切、亲热。

1　以上几段写在信纸上方，估计是最后所加，现编于末尾。——底本注。

2　指梅兰芳、周信芳100周年纪念。——底本注。

你说羊毛裤、绒线衣都在医院，西洋参、人参也在医院。李小林看你，我写信给巴金，向他致谢，并告他，你也很感谢、很感动。

亲我的爱人，我的爱妻，玉茹！你安心吧！我很好！

家宝

一九九四年八月二十八日

一九九四年九月二日

好妈妈：

昨晚莉莉来电话，吓了我一跳，我以为你又有什么病，不料是你怕我有病，只是长久没得我的信。其实，我给你写信了，不知是何原因，你没有收到，我不过不像从前，一天一封，大约每周有一封信。你不要胡思乱想！

这两天中央电视台访问我，是胡可[1]的女儿胡健作为主持人采访我，讲了足有二十分钟，内容丰富，我讲得还可以。前天，中央台一天放了四遍，我原想打电话告诉你，后来，想你定知道播放日期，莉莉在上海电视台，她得了消息会告诉你，就没有打。我不料你并不知道，不然，你见我在电视中很神气，你就不会急得以为我有病了。

1　剧作家。——底本注。

现在有个曹禺剧本奖，每年一次。昨天胡可与齐致翔[1]、颜振奋来谈精神，说大家觉得用“曹禺剧本奖”号召力大，果然，很多人说一定要争取曹禺剧本奖。得此奖后，有各种方便，如升级、生活种种都有好处。此奖包括京剧、越剧各种地方戏，对戏剧开放有极大利益。

我时时刻刻地想念你，你在化疗，难过，我也难过。现在经过一个疗程，你说休息多少天，但愿你能养得好。我看你和如茹的相片，你精神旺，脸圆圆的，一点不像动过手术。客人们看了，都说好，说你们母女二人真好看。我也得意非凡。

我现在就是馋，想吃好东西，小白总是劝我少吃不能吃的食物。我几乎每顿都有一点荤菜，鱼——你吃过的煎黄鱼，还有吃包子、鸡翅膀、种种蔬菜。我吃得很好。

昭昭与方子每周来一次，必带东西，方子带猪蹄子，非常好吃。但也不能常带，肉太多了，还是不利于治病。

今后，每两天给你信，就是常无事可谈，拿起笔总是那几句话。你的字写得不如以前，看得出，你写信也吃力，一天几小时点滴，真累死人。

收到你给我如茹的“地址片”，我现在还是写不动给她的信。

亲我的玉茹，亲亲你，抱着你亲亲！

家宝

一九九四年九月二日

1 剧作家，剧协领导人之一。——底本注。

马驰说小白工资加钱，无问题，北京“人艺”也成。自九月份发。[1]

一九九四年九月三日

好妈妈：

今天上午收到你八月二十九日的信，知道你已化疗了五次，身体软，走不大动，连下楼都不做了。我担心你的白血球怎么会少，会死？这对于你的身体究竟有何影响？今后，化疗是否有不好的影响？我不明白。真怕你以后会有别的毛病。见不着，我不能与你当面说话，真是苦恼，不知如何是好。我一连诵读心经，拜求“般若波罗蜜多咒”保佑你，降福给你、给我，让我们都把病养好，早些见着面。

巴金回信给我了，我没想到这么快。他说，他也想念我，他的身边有我的相片、我的书、我的录像，就如同见着我一样。他只想叫他愉快的事，他望“玉茹早些养好病”。他说现在就是无力写字，写一封信，要费很大的力。他说他还能“拖几年”，他想在最近两年内，还写一本小书。他真是大人物，一生奋斗，九十岁了，还是孜孜不息，又要动笔。

我被他的信感动，真想也拿起笔，写些东西。我对小方子讲，她十分赞同，她说，我很有东西可写，哪怕一天写一点点，也会写出干劲来。我就是愁一病几年，与社会、与人群隔离，不知现在人的生活，

1　此节写在信纸最上方，估计是写完信后所加，现编于信的末尾。——底本注。

能写出什么呢？这使我很苦恼。我多年如此，一提写作，但无勇气。不知写什么，觉得肚里空空，脑子里空空，能写出什么东西来呀？

我过生，你说你不能来，我对方子讲，我不过了，方子说不好。妈妈不在北京，这里几个人还能凑凑。原想到方子家，或到木樨地过，都觉得没有意思，妈妈不在一块，就少许多热闹气氛。最后，还是拟定在医院，方子家三口，昭昭家三口，我，小白，小刘，一共九人，抬开病房大书桌，作为餐桌，九个人围起来。至于吃什么，孩子们要自己弄，不要我操心。我说要大鱼大肉，蓬蓬和小唐迎，大小伙子，都是能吃的大户，我们喝一点啤酒。妈妈，你看这样好不好？

最后，我告诉你，小欢子走以前，留了八百元“为着爸爸过生的”，你看，多么有意思。欢子真是个大人了。昨天写信给你，不知你收到没有？

亲我的爱妻！我的好玉茹！

家宝

一九九四年九月三日

欢子走了，她说妈妈很精神，对她特别热爱，送她到楼下。她走了，也没有办法！[1]

姐姐从泰安来上海，坐火车，很累，那么大年纪，到上海太辛苦，

---

1 这句话写在信纸左边。——底本注。

不要弄病了，还是不来为是，你说得很对。[1]

一九九四年九月四日

好妈：

你猜我口里含着什么？是“橄榄”（就是“青果”）！这东西我多少年没吃过，仿佛二十几岁时吃过，在天津大街上买的。这次是陈大姐——赵朴老的老伴送来的，连月饼四块和桂圆（即“龙眼”），说是中秋节了。我不在屋，还没有去道谢，但青果连吃两天，快吃完了。青果好，含着它，津液可以自然地吞下，不流口水了。我恨不得给你送两个，这只能在梦中实现了。多快！八月节！该团圆了，我们俩却分居两地，这也只能在梦中相会，吃这上海来的净素斋做的好月饼了。你怎么过的？有人送中秋的吃食么？

我昨天给你信了，你收到没有，是九月三号的信。

这两天我从中央戏剧学院借了《巴金传》，徐开垒写的，读了真是痛快，也明白巴金一生是多么深厚，看的事物太多了，而他的奋斗、反抗精神尤使人兴奋。我不知你能借到这本书么？你会觉得亲切动人，提精神，使人振奋，这真是人中的巨人，世界上的大观。我很奇怪，为何不早点读他的传？现在读了，也不算太晚。读人物传是个好习惯，遇着好作品，千万不可错过。

---

1 这段写在信纸上方，估计是最后所加，现编于末尾。——底本注。

昨晚饭前，韩素音这位写中国多少本书的英语女作家来看我，送了花，谈了西藏、香港等几个问题。她为祖国开了几次辩论会，说得人哑口无言。她挂了一张中国大地图，那种说西藏该是独立的种种怪人，叫他们对地图指西藏在哪块地方，没有一个指出来，大家都笑了，羞得这些人逃走了。

半夜醒了，就想你，想你，又睡不着了。

家宝

一九九四年九月四日

我奇怪我信寄华东医院，你像是都没收到，现在寄给莉莉，让她转给你。[1]

一九九四年九月六日

好妈：

今天九月六日，收到你九月二日下午的信，信很慢。你接到我八月二十九日的信，在华东医院接的。华东医院，可以寄信，不知对不对?

你说要做三个疗程化疗，到十月底，十一月中下旬才能回上海家。大约十一月要大大在医院检查，并休息。这也是喜事，治病是痛

1 这段写在信纸上方，估计是最后所加，现编于末尾。——底本注。

苦，能治病就是好事。汪大夫说化疗是为杀死手术后漏网的癌细胞，但同时也损害了白细胞，白细胞是身体的保护者，可以抵抗各种病菌，白细胞少了，人就疲软了。但白细胞会再生，人就强壮起来。因为每人身体不同，癌细胞被损害后，是否也再生，那看个人的体质不同，那要看检查的结果。我记得不准确，你再问问医生。

我们俩只能安心等待，你说得对，“不能自说自话”。

茹的戏，你不能看了。梅兰芳的纪念日，你也不一定参加。医生到时是否允许你出院参加活动，还是问题。

昨天下午上海戏剧学院办上海国际莎士比亚戏剧节的负责人，来了四位。详细给我谈准备的情况，十分周到，想得有办法，为了普及，票价很低。《威尼斯商人》为儿童们看，有的免费，有的是低价票。对如茹的戏颇寄希望。

如茹既到上海，一定会来看你。告诉她在《莎士比亚研究》第四期学术刊物，把她的名字李如茹，写成李玉茹。你成了研究莎士比亚的专家了！哈哈！

这四个人送我杏花楼做的八块月饼，好吃极了。你在上海未必吃着，我在北京，却因为莎士比亚的关系，吃着最新鲜的刚出炉的杏花楼月饼了。我现在早点再次吃半块，小白、小刘也吃着了。待昭昭、小方子来，每人也吃一块，品尝上海的美味。有豆沙、莲蓉、五仁的，以豆沙的最好，奇香甜。遗憾是他们再来取字时，我忘记谢谢他们。这次为了莎节写了五张字，用一上午，累得不行。

巴金回了信，又祝你快好。真是感人。

小白、小刘、史叔叔都问你好，昭昭和方子更向你请安！

亲我的爱妻！亲！亲！

家宝

一九九四年九月六日

如茹的戏叫《马克白》。你也尝到手软无力了，这个滋味不好受，你少写信吧，我只要知道，我写的信，你收到了，就成了。[1]

一九九四年九月八日

好妈妈：

有两天没给你写信，时时刻刻惦念你，要取纸笔写信，总因为无气力，拖下去，使你惦念我，想看我的信。

写什么呢？除了经常的几句话，没有什么新的东西可写。真要又放下笔，我不能拖了！你在医院，等我的信。

今天六时三十分护士来抽血检查，昨天留了一天的尿，一想，再过一个月又该周身检查了。我仍六十一公斤，每天吃得很好，中午吃不多，晚餐吃得好，鸡爪子、拌粉皮，还有“豆豉鲮鱼”（罐头的）。主食多半稀饭，有时加一个小包子。此外还有医院给的菜，荤素都有。我总怕吃得太多，肚子更大，但我最近很馋，胃口奇好。

1　这段写在信纸上方，估计是最后所加，现编于末尾。——底本注。

晚饭后，到大门口看大街，来往行人，我都看熟了。中午不吃安眠药，也能睡，有时睡一个半小时。一天总散步几次，尽量动动。我还常到医院后边花园走走[1]。今天上午荣高棠和夫人来看我，就在后院走了半天。荣高棠上楼看别的病人，我便与小白到大门口取今天的报，心里盼着得到你的信。小白知道，有时故意不给我看，却说《收获》来了，他高高拿起你的信，对我逗弄，我笑喊着，把你的信接过来。

应云卫[2]的子女送我一张旧照片，共五人，有吕复、熊佛西[3]、应云卫、黄佐临和我。四个人都故去，我立当中，却活着，笑容可掬。她说，大约是一九四五年或一九四六年照的。这张照片保留到今日，实可珍贵。她们要我写“应云卫中国戏剧电影艺术家作品研讨会”和“应云卫纪念文集”，我都写了。

我这里中秋月饼多得很，荤素两种都有，都很好吃。不知你如何过八月节，我这里有吃的，但没有人来，拜八月节。

多想念你！一日思君十二时（古人一时是现在两小时），真是挂念，思念，不可言传地思念。

李莉每天能来看你么？淑华还住在你家，每天给你送饭么？一切日常事情望你写一些来。

亲我的爱妻，玉茹！

1　医院后有一小花园，是警卫班驻地。——底本注。

2　应云卫，电影导演、戏剧家。——底本注。

3　熊佛西，话剧工作者，原上海戏剧学院院长。——底本注。

再亲我的贤妻玉茹！

家宝

一九九四年九月八日

一九九四年九月十日

好妈妈：

今日九号，收到你四日的信。

我问你许多次，请你告诉我我寄到华东医院的信你收到没有？实在奇怪，问你多少次，你总是不答复，仿佛我的信你都没有收到。请你立刻告诉我。

黛黛的信，寄还给你。她写得很好。

我想起一件错事，我忘记八月给我的照片，现在寄来，共五张，每张后面都有题字，看一下，便明白了。

昨日昭昭来，带来炸肉片及苦瓜。我给她带回四块月饼。

小白说，他现在为我买粉皮，明天给你写信。他很感谢你对他的信任，你说他是我们家中的成员，他很受感动。他以后要更好地做事。

我想念你到心痛的地步，你真能十一月下旬回来，那就太好了。我不知这样还有两个月如何过，真是不知足。

我想每天化疗，人难受不？能多有几天休息不，养息一阵不？

这次还是寄到华东医院，希望菩萨保佑你收到这信与照片。多想念你！但这两天，没有什么可讲的。

小方子感冒了，所以她现在不能来。过两天，好了，她再来。

家中有一些小事也是麻烦，不多说，也解决了。你一切放心吧！我一切都好！

亲我的好玉茹。

家宝

一九九四年九月十日

一九九四年九月十二日

好妈：

提笔，不知写什么，日子过得如止水，没有一丝波纹，单调、平淡，仿佛每日三餐之外，没有什么可以向你讲的。这两天吃中午饭总吃昭昭送来的鲊肉（用盐和红油腌，又蒸过的肉），味道奇怪，但还好吃，早点吃热好的苦瓜、稀饭、酸奶，有时加一点点月饼。月饼快吃完了，昨天送给小方子夏公给我的月饼一块。

前信我说的麻烦事，现在说了吧。小刘家里来加急电报，要她和弟弟速回，她原先说走了，可以找个替工来，程世鉴说不成，家中无主人，怎么来一个新人替。原先劝她别走，她说家有急事要他们回去，最后说两星期后一定回来。我与小方子和她讲了半天，小白也出了些主意，但她仍急于回家，后来说十天回来，如可能，更早些来。她走了，没带她的多少东西，看样子，还是准备回来。小刘是你在家时训练过的，我不愿意换人。她每天下午三时三十分来医院，七时三十分回家，同时也为程世鉴做晚饭，九时半吃，程常工作到夜半一两点。程给她一百元菜金，她做得很高兴。临行前我给她五十元，作为回来的路费。她回来，可能要加工资。

淑敏来了，送来包子、白肉、虾仁、胡萝卜以及鸡翅膀，我告诉她，你的病情见好，她说姐姐一定要安心养病。后来谈到小保姆问题，她用了一个，每月管吃穿、鞋子、牙刷等，月薪一百五十元，她还想走。现在用人难极了，物价涨，钱不值钱。看样子，我们家的小刘必须涨钱哦，准备每月多给二十元，即每月一百五十元。我想待她回来便这样办，你看如何？

这是从现在（今天十二日）写的，补叙昨天的事。

我说“日子如止水，无一丝波纹”完全错了，昨天下午，连淑敏一共来了四拨客人，有吉林省作协的，要相片，我没有，告他找苏德新[1]；有万伟，就是那个基督教的狂人、我的侄孙。他从前告小白把佛教的书都拿开，别给我看，还找一个教婆，来劝我向上帝祈祷，而且拿出祈祷文，要我照着念，我没有理她。这次我告诉万伟，你死了这条心吧，我决不相信基督教。他说你是我叔祖父，你病了，我来看你，此后，还要来看你。看样子，他还会来传教，向我传上帝的灵验的。

1　北京人民艺术剧院的摄影师。——底本注。

他们都走了，我正继续写信，不想小白在我身后说“客人，有客”！我回头一望，这是第四次回头，一看是贵客王致远[1]和他的夫人刘荫芳。先说了半天《金刚经》《心经》，以后拿出你《小女人》[2]的校样，厚厚的一摞，蝇头小字，密密麻麻，有不少红笔改的、校的文字，真是惊人，出奇的耐心。王说，这是一个作家的夫人用了四个月的劳动，一直干的。又问了我几个问题，我只答出一个“小老抖”的意思。他们走后，我想，我只说有钱的人，这不完全。“老抖”是捧角的人，我当时想不起来。他要的原稿在你手里，我便告诉他们你的电话。我先给你打一个，不想很快，你立时出来说话。我先叫你有个准备，不知王后来给你打了没有。你声音洪亮欢喜，看来你身体好极了。哦，王拿出出书的合同，我就签了“李玉茹（曹禺代）”，一共两份，待书店签好，给你一份。

今天十二号收到你三页的长信，七日发的。非常高兴，我一定给周允中大夫写“大道本无我”，就怕裱装，来不及了。

还有很多话，我写不动了，明天再写吧。

亲我的爱妻！好玉茹。

家宝

一九九四年九月十二日

1　研究佛学的学者。——底本注。

2　李玉茹所写的小说，请王致远帮忙设法出版。——底本注。

一九九四年九月十七日

好妈妈：

这两天一连喜事盈门，收到你两封信，今天上午又收到你的长途电话，这得感谢淑华的姑爷，送来他的大哥大，为中秋节和我的生日，他的心太周密了。

二十一日又要化疗，五天难过，手软，写不了信。这也好，你该休息休息。落发不要紧，据说，休息后还会再生，临时要出门，可以借用小庞[1]的黑发套。总之不担心，人有病，总要好起来的。

王致远以后没给你电话，有两个可能：一是又有了问题（不知出于什么？是否因我写“李玉茹（曹禺代）”，而没有干干净净地只写你的名字三个字），他又不好办；二是他太忙，一件事总要长长的时间。关于谢那位修改者，是否我写个字送她？或者你写后记，也重重地提起她的帮忙，表示感谢。

关于给周允中大夫的字，我费了半天的脑筋，我写在下面，你看合适否？我是竖写的：

大道无我　德厚流光

1　庞增涵，李玉茹友，上海京剧院编剧。——底本注。

（好事做得多，品格也厚重，绩多了，写为“厚”，“流光”就是放出光彩，大家都知道。这句话不要讲给他听，因我也不太准，再有了裱好的条幅，再讲，也合适），末了，我写：

允中大夫，探病深邃，妙手如神，感恩多方，书以报德。

曹禺　李玉茹敬署　一九九四年十月

我寄来草稿，涂满词句，足见当时用心，这是上半夜及第二天早晨写的。上午用毛笔写的，下午小白拿去裱，说九月二十七日取来。

亲我的爱妻玉茹。

家宝

一九九四年九月十七日

收到欢子的贺生日卡，她问妈妈好，说妈妈豁达、心宽、乐观。[1]

另剪报，“切除两叶肺，也能登泰山”。[2]

1　这句话写在信纸上方。——底本注。

2　这句话写在信纸右边。——底本注。

一九九四年九月十八日

好妈妈：

今天（星期日）又收到你的信，一连三天，每天有信来。你的兴致、身体都好极了。你讲到朋友送你的菜，丰富而又有特色，仅吴广枢送你的蹄筋、腰花、海参、火腿炖的汤，这一只菜就美得惊人。你说上海物价涨，看你的朋友送的饮食，你一点不感到物价涨了。家里送蒸鸽子，你在医院有蚝油牛肉，而月饼送得如山堆，你吃起来怎么不胖！但是你消化不好，拉肚子，是否吃东西惹起的？你还得注意，要吃得合适，不能太多、太杂。

你也题字了，这使我十分高兴，你想得好，用《王昭君》的一句话“淡淡妆天然样，我就是这样一个汉家姑娘”。挑得好，这句写得好，也是我得意的句子。你送人，作为一个京剧女演员，再合适没有了。

上海家还算宽余，是否你有点手紧，钱不够用了。阿姨工资高，物价高，是否月用也有点拮据，你只是还算宽余，你用个“算”字，可见你日子还不大好过。你在养病，我希望你过得真宽余，不要用心算计过日子。十月要发一千元工资了，我这里还没有消息，但是一定会多发一点钱，我们都会好过的。

中秋节，没有什么过头。如果，你在我身边，那就大不相同，至少我们两个可分吃一个团圆的月饼了。我这里的月饼，仅靠客人来，每人吃一块。

前天小方子来，那个高个子，好说话不休的 ××× 女士来，聊了半天，我大半听不见。到晚饭时，留她们吃饺子，煮少了，她们每人吃八个，我吃四个，问她们都说饱了。我昨天打电话问方子，她说她们又在前门一带小铺子里，吃一碗炒饼、豆腐汤，两人共用四十元，小方子请客。这真是笑话！留客吃饭，还要饿着肚子出去，在外边再补一顿。这可真够这位女士说笑的。管他的，小白说，她们先说要走，不吃，所以煮少了。

我等你写的贺生日诗。亲我的爱妻，玉茹。

家宝

一九九四年九月十八日

后天就是中秋节，远远地向你拜节。我们共看团圆的月亮，如同见面一样！[1]

一九九四年九月二十一日

好妈妈：

昨天上午高占祥[2]来，他代林默涵[3]当中国文联党委书记，送我他

---

1 这段写在信纸上方，估计是最后所加，现编于末尾。——底本注。

2 高占祥，文化部原常务副部长，现任文联党组书记。——底本注。

3 林默涵，文联党组书记，老宣传部副部长，文艺界老领导。——底本注。

的字帖和道德歌诀。谈了些闲话，就走了。下午林默涵偕孟伟哉[1]、梁光弟[2]来。林是我的老相识，谈了许多话，他神情兴奋，并说要开一个欢送、欢迎的大会，从此，他就不再是党委书记。

本来说写信，又拖了一两天，实在乏力。今天午觉，竟睡两个半小时，十二点睡，两点半才醒。上午便困乏，下午起来还是疲乏。

我过生日的安排，大约是这样：我们大家都在小方子家附近一个东北人开的馆子吃饭。她说味道好，价钱合理，我也想吃东北酸菜、粉条等菜。昭昭一家三口先到方子家，我和小白、史叔叔三口也到方子家，四点到（下午），在她家坐一会，再到东北馆子去。方子说要她们两家花钱，我不能花钱，是她们为我过生。我的意思，三家花钱，小欢子留下八百元为我过生，可用这个钱。但方子不肯，说那八百元是为爸爸日常添菜用的，不能作生日礼。她又要订大蛋糕，我反对。我愿意我这次用钱，她们坚决不肯。昭昭他们一家也没有什么钱。总之，这件事大致如此，不在医院，太闹，而且还要她们做菜送来，不如在馆子吃，大家吃个痛快，可以不准备菜饭。现在本星期天做最后决定，我看就这样办，大家省事，只是多花点钱。

胡健[3]托方子送来她的小说，写得不错，颇有作家气魄。苏雷[4]运气，又遇见一个好妻子。

---

1 孟伟哉，文联原秘书长。——底本注。

2 梁光弟，文联原党组副书记。——底本注。

3 胡健，胡可女儿。——底本注。

4 苏雷，胡健爱人，解放军剧作家，方子前夫。——底本注。

那天，我给你长途后，王致远打给你长途没有？是怎么个结果？

亲我的爱妻玉茹，我写不动了。但我立刻要为周允中写字，为有个时间去裱。□[1]钟是否来看我？一定么？

家宝

一九九四年九月二十一日

汪大夫说你白细胞下降到五千，那是好事，一般健康人白细胞是四千到一万个。[2]

一九九四年九月二十三日

好妈：

我天天等你的信，其实前些天你已给了我许多信了。我很累，天天想给你写信，没有力气，只好不写。今天小白写了一大张，说了一大堆事，我就不重复了。

怕你担心我，我写个字，表明我身体还好，只是写不了信，太累，无力多写。

1 此处字迹不清。——底本注。

2 这段写在信纸上方，估计是最后所加，现编于末尾。——底本注。

亲我的贤妻爱妻玉茹。

家宝

一九九四年九月二十三日

不要生气，不要伤心，不要因为信这样短，像是没有真想念你的感情而难过！！

一九九四年九月二十八日

好妈妈：

又是许久没给你写信，小白说快一星期了，你大约又着急，又胡猜了吧。我很好，就是累、懒，不想拿起笔。可是时时想着你，你又在忍受化疗的痛苦，你也疲乏吧？来看你的人多不多？我以为你现在六十九公斤，太重了，应该稍稍节制饮食，什么东西发胖，就少吃一点。我每天吃拌粉皮、拌海带，时时有鱼和鸡爪子。我总觉得我吃得多了，最近六十二公斤，原来六十一公斤。小白每顿都给我煮骨头汤。上次过生吃馆子，带回两个鱼头，我就喝了两顿鱼头汤，炖肉我几乎不吃的。

你寄给我的寿诗，我带到生日宴会上给他们看，小方子和昭昭两家人都说很好，小方子说想不到妈妈还会写七言诗，程世鉴说：“七言体诗！真不简单。”昭昭和唐彦林都赞美不止，两个外孙，也说很好。我问“养怡之福”出自谁的古诗，他们一个也不知道，其实蓬蓬会背曹操的诗，但这首诗，却没有见过。

生日那天，小欢子从印尼打电话向我祝生日快乐，说他们就要到澳洲过假日。黛黛托昭昭在宴会上带生日礼，一百美金，即八百四十元人民币。我们对东北菜都欣赏，尤其是酸菜白肉，那汤汁奇鲜，我想你那些讲究各种鲜食炖的汤未见得这样好喝，我究竟是北方口味。那炖蹄髈做得很有味道，我吃了一大块，那真是开斋了。昭昭参加这个宴会很不容易，她的小腿跌断了，我叫她别来，她偏要来，架着拐杖跛着脚来，上楼由唐迎背着。现在家中饭由唐彦林做，昭昭就得了这点便宜。

二十四日，生日的早一天，中央戏剧学院的徐晓钟院长和马驰，带着全院师生的代表共九人来祝寿。有各系的代表，有也门的、阿拉伯的，以及新疆的维吾尔人的代表。他们都带了花，灿烂鲜艳的各种颜色的花，挤满一屋子。大家又不断照相，集体的，个人的。大家说说笑笑，激动非常，其中有中央电视台的五个人也照相。他们一起走了，我累得只好躺下吸氧。

仿佛他们一走，这几天又没人来。哦，来了张景荪——北方工业大学的党委书记，说要我做一个大学什么基金机构名誉董事长，另外一个是王光英，并送来两箱苹果。

你和院长商量十一月返京的日期，他叫你不着急，我看这很对，你还要安心养病，先别想何时来。你打算明年初回来，但这样行不行？方才，小白说看样子老奶奶一时回不来，他回家成问题了，我说小周能来吗？但又有个孩子的问题。这件事确实是个问题。现在小刘还没回来，看势头她不会回来了。

我提这件事，你先别着急，只是先算算，有什么办法，最坏，你一时半会不能来，我还不是要过。反正小白不能走，他一走，我一天都过不了。

小白说姑姑送给我一个台湾味道的猪蹄子，不知道怎样吃，这是开荤，晚上蒸来吃。小白又把昨日剩下的海带丝汤热好了送给我吃。我放下笔，连吃带喝，十分好，奇鲜，只有点咸。

不写了，亲我的爱妻玉茹。

家宝

一九九四年九月二十八日

一九九四年十月三日

好妈妈：

国庆节你回家给我打电话，出我意外，我高兴极了。你的声音还是那样兴奋高扬，你做完了化疗，你在休养。这次你吃苦了，以后，真要事事当心，别再生病，我以为你应根据医生意见，按时回上海检查。还是搭飞机，虽贵一些，但总是有限的几次。不能大意，只有问问医生，你现在的肺部情况是否允许你坐飞机。

下午陆正平自广州来，住五星级饭店，我以为他是广州电视台台长，才这样大手大脚。后来看了他的小传，他是台里文艺部副主任，写了一些文章及剧作。他和他的夫人一道来的，穿的衣服很朴素，说话还老实。他送给我很好的野山参、水果及燕窝等，他要求为他写字。他的传记，被编入《中国文艺家传集》，他很高兴，请我写个字纪念一下，我写：“功成名就，如花著作见人心。”他自己写了一个，我未选。实在，应按他自己写的题的。这也是个经验。

前天小方子来，刘锦云与于是之、王宏韬[1]来，谈了很多，他们都问你好，要你好好养病。北京“人艺”演出一个新戏《蝴蝶梦》，是庄周与田氏的故事，即京戏中的《大劈棺》故事，是一个台湾作家写的。

以上是前两天写的。

今天（三号）连接你两封信，二十六日、二十九日写的，我非常喜欢。但你的白血球未上来，人仍疲乏，这只有长期休养才行。请人在北京请，是对的。用人很难，北京也不便宜。淑敏家里用的，要一百五十元，还嫌不足。这个钱是非用不可的，再贵，极贵，也得用，只要你能省心。你现在需要人服侍，又要人什么都做，卫生、饮食、洗衣服都做，这很难找，碰运气吧。小白过年多半要回乡，看是否能像往年一样，找个暂时替工？你稍累，便气喘，但仍要适当地锻炼，不然，生活很难。你说十一月能回来，未见得，还是看实际情况。头发落，没关系，我是永远爱你的，你为人好，也很肯干，这使你好看多了。亲亲你，我的爱妻！玉茹！

家宝

一九九四年十月三日

1　王宏韬，“人艺”干部。——底本注。

小白提醒我送淑敏一盒水果，由史叔叔送去的。过国庆节，天上火花璀璨，美丽极了，我穿冬天大衣去外面看的。看了三次，实有四次，我看多了，累，就先睡了。

今天下午电话说历慧良来，不知有什么事。方子也来，在我这里吃晚饭。我们有买□□[1]、饺子。刚来电话说她今天不舒服，又不来了。[2]

很多话要说，就是写信太困难，也哆嗦，我无力多写，只好不写。

问莉莉好，如茹好！维国好！[3]

一九九四年十月六日

好妈妈：

收到你的信，你国庆节坐三轮回了家，孩子们和淑华一家人都来，做了许多菜，大家一道吃了饭，热热闹闹。我很高兴。

昨天下午刘二姐来了，又带来水果，我劝她别来，她还是来了。有一对夫妻，是要在日本留学考博士，研究我的戏剧，我们没有什么话谈，就是照了几张相。

王致远也来了，送我几本佛学书。有一本《金刚经说什么》，我

---

1 此处字迹模糊。——底本注。

2 以上写在信纸右边。——底本注。

3 以上两段写在信纸上方，现编于末尾。——底本注。

读了一点，很有兴趣。关于你的小说，就差主编签字，签了字，就可以复印。我问他如何感谢那位费了神修改稿子的女同志，他说不用想，意思无须考虑这个问题。

昭昭电话说有安徽女人，可以来。我说这件事等你回来，再定吧，小白也这样看。就是你回来，家里没有保姆，乱七八糟，请个生人也是问题。

小方子、昭昭都有家，离不开。本来，想请她们中一个来木樨地住，收拾一下，你来，还有个眉目。实在无办法，我想叫小白回去两天，收拾木樨地的家，史叔叔到医院陪我白天，晚上小白就回医院陪我。这都是无办法中的办法。不如有一个老实的阿姨，在木樨地先住下，但是家中无主人，也成问题。

一切等你回来再定。你究竟何时能归来，这不能急，必须由你看自己的病完全治好了，才能定。

我一切都好，睡、食、散步都行。

就是一天到晚疲乏，没有精神。

董老[1]说我脉象很好，平稳，西医也说好，只是仍累，不能写字。

不写了，亲我的爱妻玉茹。

家宝

一九九四年十月六日

1 董建华，中医专家。——底本注。

一九九四年十月八日

好妈：

我只是很想念你，但也不是急于见你。

你不要因为我们早见面，就匆忙地来了。重要的是你身体完全好了，再来。不然，带病来京，结果都会后悔。

你一定养好身体!!

不多写了。

家宝

一九九四年十月八日

我无力多写。

一九九四年十月

好妈：

收到十月六日的信，还有如茹告别的信。

阿姨事确麻烦。昭昭说有个安徽阿姨在老家，如果要，可以电报或信告她，叫她来京。我说先不要请，等妈妈来，再说。再者，安徽人也不好办，还是在北京找，不能用，也好辞去。工资是个问题，给高了，如二百五十元，在木樨地必然引起许多闲话。小白说还是小刘那样的价钱一百三十元，就请得着。小白说如不管好坏，很容易找。我以为四五十岁的阿姨，比较好，比年轻的，容易调排些。

此事，只要你先告知何时来京，咱们再找。就是家里没有主人，早请来，如何安排。

淑华能陪你来，当然好。我们先定下一个阿姨，待你们回来，就请她当天到家里，你看如何？这自然是自己的如意算盘，事实能否做到成问题。

小白走了，你说你照顾我，那是不可能的。我一天到晚要人，你哪能受得了，何况，你大病初愈，自己还要人照料。过年前，找一个人，由小白训练，先这么办。如能找到去年那样的旧人，就好了。然而工资少了，也不成。

我万分想念你，恨不得立刻见着你，就是必须医生应允了，你才能来。不然，为了见面，有再病的错误，那就很不好。

你来还是坐飞机，和淑华一道坐飞机。你要问医生，以目前肺的情况，能不能坐飞机？如不能航空，便坐软卧来京。淑华和你一块坐软卧。淑华能陪你来太好了，感谢她，她做了一件大好事。这次你病，她牺牲了很多时间，家事没管，真是难得。

我们这一对老夫老妻，真是命中多难。只有爱，才能补报这些不足。万分想念你，亲我的爱妻玉茹。

家宝

一九九四年十月[1]

---

1 估计是10月十几日的信。——底本注。

小周有小孩，她不能离开不管，小白母亲开刀，正有病。[1]

你胖了，很好，比瘦好。仇校长来看你，太好了。

林瑞康[2]把你给他的信寄来，我看写得很好，难怪，林又寄给我看。[3]

刚收到十月九日的信，你定十一月下旬来，那太好了。但还是养病要紧，如万一医生又有新的计划改变，也不要紧，总之，一切听医生的话。[4]

一九九四年十月十八日

好妈妈：

收到你九日的信，想立刻复，又因事、因客、因累，耽误了几天，真对不起。有一件事很重要，你来京的日期一定要准确，我是指你和医院商量清楚你真能来京的日期，不是你“自说自话”，想定什么时候就定什么时候来。实际，要改日期，我们在京不好安排，许多事要是你真到了，才能安排。定个准确的来京日期，不可任意定了。

到我这里来的客人，都问你好否，连素不相识的都打听，可见你

---

1 这段写在信纸的左边。——底本注。

2 林瑞康，中国京剧艺术委员会负责人之一。——底本注。

3 以上写在信纸右边。——底本注。

4 这段写在信纸上方。——底本注。

病的消息，传得如此广泛。小方子、昭昭，连远在美国的黛黛，都经常打听你的病状。听说好了，大家都非常高兴。

这两天常来客人，×××来了，说了许多你的戏演得如何好。你演《秋江》[1]上船，演得细致入微,《小放牛》[2]演小姑娘，就非常天真烂漫。她连唱带比画，我仿佛看上你的演出了。

梅兰芳一百周年纪念演出，我以为你不必彩唱。你病了许久，精神、体力都不足，万一台上失手，你太犯不上，自己也会难过。你出去清唱一段可以，但也得多练几遍，免得唱不出味道来。不是你个人在唱，是梅兰芳的弟子在唱，观众希望比较高。

×××要求我亲笔写封给出版署领导的信，为了通过她要办的艺术报，我没有答应。她一再请求，我还是不答应。她又送我一篇她写你的文章，讲如何佩服你，如何从你学习，我也没答话。此女士有些太聪明，以为夸你我必喜欢，必然答应为她写给出版署的信了。多么有意思。不过她说你表演如何好，那是真心话，我并没有觉出假来。因为她说得有道理，很有道理。她送你、送我一本她的论演出的书。

有一天上午，我写了五张字，很高兴，写完，却累起来了。

昭昭的脚，还有三个星期，才能照相，拆下石膏。但她还是买一个蹄髈教唐彦林做（昭昭自己站不住），做好，叫小唐迎送来。你看我有肉吃了。

---

1 《秋江》，折子戏，有船上动作。——底本注。

2 《小放牛》，京剧传统折子戏，舞蹈性强。——底本注。

给林瑞康写的字，有为周信芳一百年诞辰纪念的，我写了：“开辟麒派大道，灿烂艺术永存。”给林的字是：“满目青山夕照明。”他说明天来取。

小白说告诉老奶奶，我们的日子过得很好，我的身体也很正常。

亲我的爱妻，玉茹，拥抱你，玉茹！

家宝

一九九四年十月十八日

小欢子说：“听说妈妈的病见好，我放下心了，希望妈妈安心养病。”[1]

一九九四年十月二十二日

好妈妈：

连收到你两封信，我因疲乏未立即作复，你会谅解我的。你以为我的病有发展变化，完全不对，你猜想错了。我告小白，再写信告诉你我日常情况。我没有落七八公斤，你记错了，我仅落一公斤，六十公斤，这两天多吃了，可能又回到六十一公斤。倒是你体重太高了，长了七八斤，医生说这是虚胖，白血球不到标准。你现在是脂肪太多

1　这段写在信纸右边，估计是最后所加，现编于末尾。——底本注。

了，这对于心脏不好，易发心脏病，也易发别的毛病。你应该少吃肥肉等食物，要吃得清淡些。这个食物你真要重视，别以为体重增长，人胖了，就是健康现象。能稍微动作一点，到白血球的适量为度。

今天程世鉴来，送来《北京人》拍电视剧的稿费，两万元。我留下四千元准备寄给你，一万六千元存一年。我寄钱，你不要大惊小怪，又怪我寄钱。我只愿你手头宽裕些，长期卧病，要用许多钱的。我只愁莉莉脚又“蹩”了，不知能否取钱，据她说邮局离家很远。

昨晚武汉电视台来访，我谈话大意，可能有不合适的话，然而已经说出去，也没办法。亲我的爱妻，玉茹，真想热烈地拥抱你。

家宝

一九九四年十月二十二日

晚餐，我吃一片面包，抹上麦其林，又加上果酱，烤好了吃。

给周大夫的字，如何送到你手里？由你给他？你看如何？真没想到他不能来看我，放着给他的字，不如托人送给你转他。[1]

你的年轻时的相片太好看了，像是只有二十岁照的。这是宝贵的相片，我要好好保存它。

你给赵炜的信写得很好，我告小白找到了赵炜家的地址，现已发出。你写信很热情亲切，这是由于你的性情豪放。

程世鉴带来小方子给你的信，我看了。关于请阿姨的事，她说有

1　以上两段写在信纸左边。——底本注。

两个办法，其中一个办法就是你来以前，先找好一个保姆，由她或程世鉴带几天。这个办法，我看比较好。

一切以你养好病，恢复健康为准。你于十二月出席梅、周一百年纪念，讲一次话，这个很好。[1]

一九九四年十月二十七日

好妈：

收到你二十日的信（十月的）已有几天，只因疲乏，不能立刻回信，请原谅。今天（二十六日）[2]上午得你的长途，与你谈话，真是欣喜非凡。你定好十二月十五日来北京，与淑华一起坐飞机来，这真是好消息。可惜我耳音不清，仍由小白听出来的。

我们正通电话时，高占祥来了，我一时认不出他，到了房内才想起这是高占祥，已谈了一会儿。他说即搭飞机赴沪（先到深圳，一天后即到沪），问我有什么东西带给你，他说到了上海，会看你去，我说有一卷条幅请他带给你，你好当面交给周允中大夫。打开看后，他说字好，要我为他写一幅，他写了给梅、周二人的诗，准备写给我。此事真巧，我一直等个什么人到沪，带此字，不想倒由高占祥带去了。

1　以上写在信纸右边。——底本注。

2　这里写的是26日，可结尾写的是27日，估计信是分两天完成的。——底本注。

昨天下午，方子来，带了红烧鸡爪与成块的鸡。她问你病况如何，何时来京？当时，没有你的准信来复，现在可以给她打电话告诉她了。我想待你回来前两天，托小白收拾一下木樨地的家，就是他不能多些时间收拾，我这里需要人。你来后，千万别嫌家里脏。

家宝

一九九四年十月二十七日

一九九四年十月二十九日

好妈：

收到你十月二十三日的信。我立刻给你回信，因为你把巴金老人的生日日期搞错了，不是十一月十五日，而是十一月二十五日。你用我俩人的名义送一个大花篮，当天有可能，你打一个电话给李小林表示我们的祝贺。他是九十岁生日，诞辰九十周年大庆。这件事要办好。

昨天胡可同志和剧协二人来议“曹禺戏剧文学奖”的剧本及编剧，他讲得非常热心、仔细。我拒绝出席发奖大会，在人民大会堂××厅[1]举行。本来，请他们代为我作书面发言，今天我又想到这个发言很不好写，又给胡可通电话，根本不要代我写书面发言。他很爽快，

1　此处原文就用“××”。——底本注。

尊重我的意见，不写书面发言了。

孙浩然与张骏祥[1]也住医院，你若能看他们，为我问他们好，希望他们早日痊愈。

芷苓[2]得此病，已是晚期，无法动手术，太不幸了。

你更要安心养病，化疗要及时，不可延误。

胡芝风[3]与常州的文化局局长为洪深一百周年纪念，来找我题字，我按他们题的词“剧坛先驱”写了。

亲亲你，我的玉茹。

家宝

一九九四年十月二十九日

巴老的生日问的是作协的吴殿西同志，不会错的。

《夏衍六十五年文》是大作，全国大庆，北京医院，放了无数的大花篮。[4]

---

1 孙浩然，上海戏剧学院副院长，舞美专家，与张骏祥均和万家宝是清华同学。——底本注。

2 董芷苓，患癌扩散。——底本注。

3 胡芝风，京剧演员。——底本注。

4 以上两段写在信纸左边，现编于末尾。——底本注。

一九九四年十一月一日

好妈：

收到你十月二十六的信，你说十二月十五日来京，我太高兴了。但回京后，即在二十日参加纪念梅兰芳、周信芳的开幕式，以后，还有其他活动，不知你是否做得到。

昨日仇校长托人来告我，他已看了你，说你身体很好，要我放心。他又送了花和一大箱的广柑。仇校长真好，他忙，自己不能来，还是托人来看我。

这两天，为了夏公九十五诞辰，北京医院很热闹，我于前一天向他拜了寿。当天，还到喜堂（摆满了花、大寿字、蜡烛等）坐一坐，那时电影界的朋友们已经走了。

小方子来了，带来素什锦、酸菜炒粉丝，及熏熟的鹌鹑蛋，很好吃，而且营养丰富。

客人来了，暂停。客人是四川来的几个记者，不知有何名堂。你说要一个四五十岁、会做饭的阿姨，这件事真够淑敏办的。若找得着，是你我二人运气好，但工资不会少的。不说了，亲亲我的爱妻，玉茹！

家宝

一九九四年十一月一日

寄钱的原因，你猜着一点点，主要还是为你在上海、在医院用钱。钱，我信中说寄四千元，实际上寄去四千五百元。你看看对不对？

我每天散步两次，一次走二三百步。

客人去了，是成都《蜀报》的记者，照了很多相，还有一位中央戏剧学院的毕业生，正在创作。[1]

他们带来有两篇文章，一篇写我，一篇写你我二人。

小白问你好，他说一切平安，就不写信了。[2]

一九九四年十一月四日

好妈妈：

收到你两封信，十分高兴。我没想到你那样喜爱我给周大夫的字，还以字和高占祥、马博敏和你照了相，我颇引以为荣。仇校长带了市委副书记，院长、主任来看你，仇校长热情极了。我这两天没有什么人来，很寂寞，但想到十二月十五日就看见你，我又兴奋起来。你体重七十一公斤，实在胖，只要对你健康无妨碍，胖一点，也很好，我异常欢迎，单等见面热烈地拥抱。只怕一样，就怕搂不住你，问题不单是你胖，我的肚子也大得可以。真是，不是“冤家”不成双，

1　以上三段写在信纸左边。——底本注。

2　以上两段写在信纸右边。——底本注。

有你胖，我也不能示弱于你。

如茹来了信，还有一张莉莉骑三轮、你坐后边的相，非常活泼、喜庆。寄给你，我的心也同相片一并寄给你。

你做新衣服，很好，莉莉为你挑选的衣服必然不错。我以为，你先不管价钱昂贵，你应在这个购衣机会时，多做几件。因为以后会更贵，再者，没有这兴致添衣服。尤其是因为现在我寄了一笔钱（四千五百元），你大可以做衣服，连平常在家穿的衣服也做，不要等以后再想着添衣服。我很好，一切都好，你不要担心。

亲我的爱妻玉茹。

家宝

一九九四年十一月四日

给万黛的信，即代发，但我也不明白她的地址，我能写得清楚？[1]

一九九四年十一月九日

好妈：

几天没有你的信，非常想你，你明天（十日）开始化疗。这是第三次，这次完了，你于十二月十五日回京，我们就要见面了，真是高兴

1　此段写在信纸的左边，现编于末尾。——底本注。

啊！你要我转给黛黛的信，现在还没有寄，我也拿不准她的地址，我给她的信，到今天未得回音。方才给昭昭电话，托她打印黛黛的地址，贴在信封上，就不会送不到了。昭昭一再问你的病况如何，非常惦念，我告她你十二月十五日回京，她说到时候她要特别热烈地欢迎你。

有一件事告诉你，香港要把《雷雨》再拍成电影，周采茨（采芹的妹妹）[1]管理此事，我说五万港币可拍，昨晚方子已与她回电，她在香港，还犹疑未决，过了半天，她由港来电话说可以就五万。万方要她订合同，这样就把牢一点。

有位卢敦先生，八十四岁了，他用广东话，排了《雷雨》，演了十九场。

你的新衣做得如何？我劝你多做几件，目前还有点现钱。我几次想打电话给你，但一想没有什么可说的，就是想听听你的声音，真是想念啊！但还是没有打。亲我的玉茹。

家宝

一九九四年十一月九日

乘史叔叔来，写这个信，家里……[2]小白说的。

台湾来了两人要写字，我写了。[3]

---

1 周采茨、周采芹系周信芳的女儿。——底本注。

2 此处字迹模糊。——底本注。

3 此句写在信纸左边。——底本注。

一九九四年十一月十一日

好妈：

收到你十一月八日的信，知道你即将化疗，最近不会写信来。我只求菩萨保佑你一切安好，白血球早些上去。

关于叫小白找替工的事，小秦[1]不知在哪里，章大姐[2]的小王早走了，也不知在何处。我天天盼望小白找着替工，他总说还早得很，一点也不急。看样子，他是想等你回来再办。小白的工资是少了，物价高，此地的护工用的都是女人，每月高到六百，有到四百五十元的。总之，小白心中不言，他似乎觉得工资涨高了，就有人来，也好找。我心中很急，但事情是他在办，自己毫无办法。方子没有办法，我想托托昭昭看，也许她有一点办法。事实也是，早办，找着了，对找来的人怎么说，除非现在就给工资。但小白在我这儿，来个新人，来了，是没事可做。小白又说可以给小秦写信，这样说，他是知道小秦地址的。

你托淑敏找保姆，她也是写信找人的。

不久昭昭要叫唐迎送鳝鱼来，我劝她别做，她说脚还是不好，但她能想出办法做。

1　曾代小白做护工。——底本注。

2　章大姐即章蕴，北京医院病友，已故。——底本注。

亲我的玉茹。

家宝

一九九四年十一月十一日

小白问你好。

一九九四年十一月十三日

好妈：

昨天傍晚小唐迎送来昭昭做的炒鳝鱼丝，好吃，就是有点骨刺，不易吞吃。昭昭问你好，我都一一告诉唐迎，叫他转告妈妈放心。唐彦林用打字机打下万黛的地址若干片，以后贴在信封上就行了，我送你一张，你要一个一个裁成小块。李济生[1]托马绍弥[2]带来一小册，上面有巴金题字，也求我题一个。我今晨写了，抄在下面：

生命要经过多少艰难、磨炼与痛苦，凡是阻挡我们前进的势力，我们必将战胜之。

生命是智慧与拼搏，我们是勇敢的战胜者。

1　李济生，巴金弟。——底本注。

2　马绍弥，马宗融之子。——底本注。

书奉　　济生老友

曹禺　　一九九四年十一月十三日于北京医院卧稿

你给的邮局说明，我交唐迎转昭昭。她的脚还需要一个月，才能拆夹板，现在还是靠夹棍走路。

小白另写信，说没有人替他，他不会走的。他这句话使你放心，我也放了心。

希望你少受点罪，这次一定在医院养好，才能出来，一定一定！

亲我的妻玉茹。

家宝

一九九四年十一月十三日

一九九四年十一月十七日

好妈妈：

今天十七日，你应该化疗完毕了，希望你一切顺利，一切都好。你有福气，每天有人给你送吃的，淑华、吴广枢，还有莉莉的阿姨也送菜，难怪你重到七十二公斤，你还是听其自然，能略加节制，日后重八十二公斤，那怎么办?！我总是六十公斤，我还是节制饮食，怕也重起来。我每天吃白菜粉丝、肉骨头汤，晚餐才吃点荤菜。我当然也馋，但早点、中饭都是素食。我想吃点蒜肠、大粉肠，小白总是不愿多买，怕我胖了。今天洗澡，他说我肚子都小些了，可见管制饮食对重量、体型有多少好处。

薏仁米，今天小白买了二斤，还有陕西大红枣，每天早点吃，还买了江米。上海没有什么东西可买，北京什么东西都有，小方子说她不要什么，谢谢妈妈常惦记着她。其实你到巴老那儿拜生，都要出租车，买东西还不是要出租车，你病体怎么受得了买东西这种又累又烦的事。我非常想念你，算算见面，不到一个月，更想念你，更想见你了。看你穿上新衣服是什么样子？你说想想以后的境遇都不太好，孩子也不能常来看，哪个生命的不存才是真正可怜！

亲我的爱妻。

家宝

一九九四年十一月十七日

小方子上次来，因忙于写作，没有带吃的来，她没有精神做。

我很恨，恨我自己老了，写不出东西来，每天想写一二百字，但是拿起笔，一个字也写不出。脑子空了，对自己不满意极了！报刊上记载多少老作家到老年写东西。[1]

小白说他买了两个猪蹄子，四斤多，他还买了三斤富士苹果。[2]

1　以上两段写在信纸左边。——底本注。

2　这句写在信纸右边。——底本注。

一九九四年十一月二十一日

好妈：

收到你十六日的信，今天已二十一日了。你三次化疗已做毕，要真恢复了，白血球真的上升，人也就有劲了，再出院。不能急于出院，甚至于影响十五日来京事，都不重要，问题在你的身体完全复原了才行。别忘了，你到京后，十二月二十日，还得出席梅、周开幕式，接着还要出席研讨会，看戏等事。身体不结实，你受不了这种种累人烦人的事。再，你总得做身"出客"的衣服，不然，怎能出席这种会和戏。你再做一身新的衣服吧！

我寄了二千六百元，原为你和淑华乘飞机来京用，现在可以用一部分做一身出客的衣服。

莉莉忙，真不好意思麻烦她到邮局取款，没有办法。她说本星期内来京办事，我不能留她在木樨地住，因为无人做饭。你替我向她说些好话，请她原谅。

《雷雨》，是要再拍电影，合同事，小方子已提到，周[1]也答应了。

现在又有河南出版社要印《曹禺全集》，我托小方子商谈条件，如何报酬，须商量好再定。这件事，我办不了，我不会办事，不如交给方子代理、办事。见面在即，想念至深，盼十五日早早到来。

1　指周采茨。——底本注。

亲我的爱妻，我的胖子爱妻！

家宝

一九九四年十一月二十一日

前两天杨绛来看我，说早想来，因钱锺书在院有病已两三月。因不知……[1]就没来。经打听知道你的病，才上来看我。第二天，我下楼看望钱锺书，他病卧床上两个多月，正烧到三十七度四。我谈了几句，就出来了。一会儿，杨绛送她的散文一本，是我要的，她亲自送来。我看了，写得很深刻，很好。[2]

一九九四年十一月二十四日

好妈妈：

方才给你通了电话，话没有说尽，又匆匆放下，真是可惜。我想告诉你，现在取来现款一千五百元，完全是为你回来时在家里时用。我们手中还有许多积蓄呢。我就是实实在在地想念你，恨不得还能和你说点闲话，多听一点你的声音。你仿佛不高兴我，是否我的信中有些话使你生气了？告诉我，真的！

1　此处有一句话看不清。——底本注。

2　此段写在信纸左边。——底本注。

昨天舒同的儿子王振来，带来王元美的信，她住了医院一段时间，现在又回家养病。她也是摔跤、骨折，多怪，许多朋友，都犯骨折。你我都得小心，走路要慢而稳，别小跑。

舒同是书法家协会主席，一九四九年曾在烟台接我，我从香港搭海轮赴北方，经过烟台，他接过我。现在他卧病难起，希望我写个字做他的九十岁生日纪念。我写了，他儿子王振写的稿，我连写了两幅，也是一时高兴，都送给舒同。

今天中午给巴金一个电报，祝贺他九十岁生日，并写“不料你骨折卧病，更加悬念，深望你安心静养，早早康复，曹禺与玉茹”。

亲我的玉茹，我的好妻子！

家宝

一九九四年十一月二十四日下午

我怕你回家，上海很冷，你身体受得了么？

收到你十八日的信，你夸奖小白的话，包括提高工资的话，我都念给他听了，他非常高兴。北京下了两次雪，外面很冷，医院里很暖，二十六度，穿夹衣很合适。

送你两张相片，我都不笑，不好看。真是想念你，我的爱妻！！[1]

1　以上三段写在信纸左边。——底本注。

一九九四年十一月二十七日

好妈妈：

今天二十七日，上午由小白到车站接莉莉，她和那位小董[1]女士一道坐硬卧来的。我问莉莉你的精神如何？她说妈妈好极了，有说有笑，还看了巴老，和小董一道送去花篮。我很高兴，我们神谈一阵。她把你交给她的信给我，我正看信时，不料，小白又从邮局送来一封你的信，我一下看你两封信，真是乐不可支。我请她们吃饺子，茴香、韭菜的，她们都说好吃。中午，我吃午饭，她们走了。我送她们到电梯，莉莉回木樨地。昨天下午，由小白整个收拾一下午，算是洁净了。只有你的屋子没打开，等你回来前，再收拾。莉莉也说要看刘忠德，她大约四日或五日回上海。她们都说我很精神。

巴老的生日，有许多记者拍照，不顾他难过，真没道理。所以，被人崇拜，也不好。你去，他自然高兴，还跟你说话，我非常愉快。他那样硬生生地躺在床上，太苦了，你我躺了不多时，就十分难过，他要硬卧着三个月，这太苦了！太苦了！莉莉送我镇江咸菜，是我在电话中要的。她还送小白一块衣料，可以给小周用。

1 李莉的朋友，陪李莉到北京。——底本注。

亲你，亲我的爱妻，我的好妈妈。

家宝

一九九四年十一月二十七日

昨天下午，程世鉴来陪我，谈了半天你的身体，他也高兴你现在好多了。小方子托他问你好，仍请完全弄好，再出院。

中央电视台要拍《北京人》的电视剧，要真搭一座北京人的大四合院，规模和真的一样。计划用六十万，整个拍费一百万，但都未开始。[1]

我很想吃上海老半斋的肴肉，你记得我们在扬州找了一天没找到。[2]

小白问你好，他很高兴，听你那样夸他。我们这里一切挺好！不要挂念。[3]

一九九四年十二月二日

好妈妈：

方才我们通电话（今天是三号[4]），听你的声音，底气很足，声音

1 以上两段写在信纸左边。——底本注。

2 这句话写在信纸右边。——底本注。

3 此段写在信纸上方，现编于末尾。——底本注。

4 对照末尾所署日期，可能有一处写错。——底本注。

洪亮，我的耳聋病居然为你开戒，听得清清楚楚。莉莉到北京，已看我三次，每次都带东西给我吃。第一次是煎带鱼，接着是蒸鸡煮鸭，今天是油菜炒虾仁。我说小方子没有你那样多的馈赠，她说：“我难得来京，这次集中来，所以每次要带东西来。”随她来的小董，十分亲切。我说话，她总是高兴地大笑，仿佛我出语必幽默，自然我也是有些故意使她发笑。莉莉说好明天下午来，行前的一次，不知又带什么吃的东西。我发现我肚子这两天大了，大约是吃了她送来许多东西。不巧，明天下午胡芝风也来，不知为什么，小白已推延了她几天，她还是说要来汇报什么，小白只好让她来了。

我每天还是散步，穿着鞋[1]，可以避免摔跤。因为走路，精神好多了，人也鼓起劲来。我真想写点东西，但苦于无生活，几年住医院，太没有材料可写了。

我等你四日回家，晚间来电话，听你的声音。

你一切都要当心。

家宝

一九九四年十二月二日下午

莉莉回去，我托她带给李济生托写几个字的纪念册。为赶写于下午四点钟前送去，写得草草，请原谅。

1　原总穿拖鞋，现走路穿上布鞋。——底本注。

你现在是否也运动，你那“郭林功”[1]还在练否，我日后要你教我。

一九九五年三月二十五日

妈妈：

昨晨你走，今天在上海。我这两天不时地忽然要打电话到木樨地，立刻又想到你不在家，不能听到你的声音。昨晚，又坐轮椅到过道走来走去，仿佛又送你到电梯处。不料收到你的电话，上海你的声音好远，听不大清。非常高兴，来不及说话，千言万语，又说不出来，只会反复说：“我想你！”昭昭来了，说黛黛又托人带钱来，我多次叫昭昭告她不要送钱。“爸爸有钱”，昭昭说：“大姐一定要送钱，叫爸爸可以随心用，买吃的、用的。她说今年九月准来北京看爸爸，要爸爸等我，我来给爸爸过生日。”

写信，字越写越小，而且歪歪的，管不住笔，自己也不认识了。

我惦念你今天上午拍像[2]的结果，我也许打电话给你，问你的情况。

昨天上下飞机，都顺利，我也开心，因而晚上睡得好，我在笑，闭上眼就睡着了，仿佛你就在我身边。

今天上午，我在过道上走了一趟，回来时见着孙越老坐在长椅

1　一种气功。——底本注。

2　拍像即做CT。——底本注。

上，我也坐在旁边，他紧紧握我的手，他笑眯眯地说："你有李玉茹，你有福；李玉茹有你也有福，两个人都有福!!"我猜他的意思，我们二人都活得长，要跟他一样长寿。他说了这两句话，得意非凡，摇摇头，又笑起来。

小白看我写信："那么小呵!"我说"越写越小"，头乱哄哄的，不知要讲什么。小白说昨天李文[1]来电话说要来，小白说如有客就不来吧，果然有客，李文也就不来了。……[2]我想，她是来送照片的，早晚还是要来。

你要保重！多保重！不能再累了。在北京，我对不起你，你太累了。

笔拿不住，不写了!

喝西瓜水了。

爸爸

一九九五年三月二十五日下午

一九九五年四月三日

好妈：

奉杨士彭、田本相的信共二封。

1 李文（雯），玉茹表妹。——底本注。

2 此处删去一句。——底本注。

收到你的信两封，内有采茨的传真三页。

你要认真治疗，我想念之极，无言可喻，你会理解的。

我一切都好，只是写信困难，拿不住笔。

你现在的饭菜好了，你能多吃，我放心了。

亲亲你。

好爸

一九九五年四月三日

一九九五年四月三日

好妈：

方才寄去杨士彭、田本相的信，你看完，都不要回寄，我们要相信我们委托的人。……[1]

我又在唠叨了。

对不起，原谅我！

好爸

一九九五年四月三日[2]

1　此处删去两句。——底本注。

2　这是当天寄出的第二封信。——底本注。

一九九五年四月十一日

好妈：

这几天，时时刻刻想念你，尤其今天，一连收到你两封信，信里充溢着你对我的感情。我想给你电话，只有听见你的声音，我的心才舒服一点。

我的身体，天天有大夫看，都说很好。董老大夫说平稳，放心疗养。你放心，我确实很好。方才给你电话，听见你的声音，我高兴极了。

我的手又写不成字，真是奇怪。说话没有问题，一拿起笔来就成问题。不知要说什么，只能说想念你，爱你极了。

我担心你在华东医院孤单，也烦闷。我打电话，只是想问你，信寄到医院，来得及么？你说能收到写到医院的信，我就放心了。一并寄上黄大海大夫的证明和殷大夫写的简单病历，大约可以用了吧。

你叫我别写信，但我想来想去，还是写几个字给你看，说我一切都正常。

我以为你应该在上海认真疗养，不必早出院，在医院疗养，更合适。有医生常看你，我更放心。小白也认为不要想早些回北京，我们见面的时间很多，还是有时间用来看病，把病完全治好。你气喘好了，我放了心。说你是“老慢支”，这可要耐心，在上海有好大夫给你看病。

王蒙同志来看我，送我许多他写的书，有功夫，写得好。他真有才，也真下功夫写小说。

巴老昏厥两次，我十分担心。一切保佑他早早养好，能上杭州。我不写了，很累，亲亲你，我的爱妻！

你的好爸　家宝

一九九五年四月十一日

一九九五年四月十八日

好妈：

打完电话，十分愉快。即重写一幅，望交叶君[1]。

五月底，你能来京，太好了。仍盼你多在华东医院治疗，我才放心。

你来京，必须有一保姆，不然，你又累垮，很不合适。

切望你此次听话，大意些，不多挑剔，体力可以支持。

亲我的好人，爱妻！

家宝

一九九五年四月十八日

1　老干部活动室一友人。——底本注。

一九九五年四月二十三日

玉妹、好妈、爱妻、好老伴：

我叫都叫不够了。你不能猜出，我是多么想你，多么爱你，我仿佛跟你刚刚结完婚，还没有进新房，你对我还是新娘子，一个最美、最温柔的新媳妇——多可笑！我还是那样热烈地想念你！我等你信，三天了，今天才收到。你谈了许多事，就是没有谈你想我不想。我渴望收到你一封热情的信，把你的笑容又让我看到。我恨我写不出我对你的情爱，道不出一丝一毫来。

你回家后给我电话，我听到你的声音，好听极了，比什么音乐都美。

昨天，上海有线电视台来了人，录了我对他们办戏剧台的祝词，说不定，有一天你会在电视里看见我。临行，他们送我一点西洋参，一块全丝绸料。这件料子，我当然给你用，也许太花了，但是你只要能用，当什么都行。这是我的劳动换来的成果，正好给老伴用。有一天，一个和尚来访问我，他说他是个剧作家，现在少林寺当和尚，送我一本佛教徒写的禅诗，都是法号、佛号堆出来的俗词，偶有自然本色，还可以。

你说老知识分子情况苦、惨，我也同意，但我实在写不出呼吁的话。我连信都写不出，写文章更难了。

笔太重，不写了。亲我的玉茹，我的爱妻！

家宝

一九九五年四月二十三日

小白给我半棵生黄瓜，我一面吃黄瓜，一面给你写信。写完了信，好长时间，几乎吃了一整条黄瓜！附照片三张。[1]

一九九五年四月二十五日

好妈：

姐姐、姐夫来看你，千里迢迢，甚为感动，请代问两位老人好，并致诚恳的谢意。

为莉莉介绍人，此意甚好。但该干部，丧偶不久，即愿结婚，不知能成事否。我看先问问莉莉是否愿意，她也忙，心中也有个打算。

诸浩君[2]的字，也写上名字，并寄上。

我万分挂念你，愿你一切保重。不要记挂我，我一切都好。

亲亲你，我的爱妻玉茹。

家宝

一九九五年四月二十五日

1　这段写在信纸上方，估计是最后所加，现编于末尾。——底本注。

2　诸浩，老干部活动室友人。——底本注。

一九九五年四月二十七日

好妈：

长信收到，爱意不尽。即着纸写二幅，奉霜霜、星阶及叶维忠[1]。话极多，为早付邮，不写了。

亲我的爱妻玉茹。

家宝

一九九五年四月二十七日下午四时

一九九五年五月二日

好妈：

这两天，大丰收，三天内收到你四封信。知道你准时来京，一面非常高兴，一面担心。你到木樨地，一不干净二无保姆。你又要操劳又要起急，会增加病情。矛盾之极，矛盾之极。

你一出华东医院，就要忙上京周年，和每晚看戏，还要天天照顾

1　霜霜，庞增涵的女儿；秦星阶，霜霜爱人；叶维忠，老干部活动室友人。他们都托曹禺写字。——底本注。

姐姐、姐夫，你更加累，而且饭菜大不如在医院，这如何是好。

你来京，又要忙我的事，说到底，还是长住华东为是。安静，有医生看，吃药方便，饭菜也好。

其实，我们分别才一个多月，为何这样想不开？去年，离别半年也过了，所以，今后还是应长住上海，这对养病大有好处。我动笔实在困难，写出字，自己也认不得。

我在医院，确实寂寞，想念你，惦念你，时时刻刻地想着你。但想到你回京，你又要添病，我就不愿多想你，又要劝你别来了。

我想此次你来看我十天，就回上海住华东，虽花些旅费，也算略安慰相思之苦。

欢子在五一节走了，方子到西南访问，不便回京，我还算好。你放心，我能忍耐。

今天已走了过道一趟，昨天走两趟，有点累！

亲我的爱妻，拥抱你，玉茹。

家宝

一九九五年五月二日

一九九五年十月二十六日

玉妹：

太想念你了！

在北京医院，时时是你，处处是你。

天天盼望得到你一点信息，甚至于来个电话。

你就医如何？咳嗽如何？看病的结果如何？

半夜醒了，就想你，睡不好。

手抖，写不下去。

看你的老相片，仿佛你就在我身后。

家宝

妈妈：

我不知怎样安排好。

孩子仍来看我，也无用，只有你一声叫唤，我就好多了。

天天想给电话，我们小白说你才走了三天，已经忍不住了。

爸爸

十月二十六日

亲亲你，再亲亲你！

你的好人

奉上如茹的信。

一九九五年十一月三日

好妈：

连读你的三封信，非常高兴。你说方子为你理行李，待你如母亲，你很感动，她说对母亲，应该如此。

姐姐来信、查长生[1]信、黛儿的信以及其他信件，都寄去。

今天文化部方采波来，托我写字，我还有神，就写了。

你胃口如何？走路太多，还是叫个“面的”好，到医院，别图省钱，伤身体，气喘。如你非走路，你用一拐杖，比较安全些。

我想念你，常失眠，但不多吃安眠药，白天不舒服，今后一定少吃安眠药，听你的话。

你看病结果都好，我很高兴。常想打电话给你，想说思念你的话。

你多保重！亲亲你，我的妻子，老伴。

家宝

一九九五年十一月三日

---

1 查长生，玉茹琴师，在美国。——底本注。

一九九六年五月二十二日

玉：

你回上海，我孤单极了，我总觉得你没有出门，仿佛一开门，你就俨然在我面前。这是幻想，然而幻想也是一种安慰，总之我想你，惦念你，时时刻刻想念你，不知如何是好。

昨天你来电话，你在瑞金医院动手术，我更是想念你，怕你的手术有问题，更放心不下。

我沏了一杯茶，浓浓的，提起精神，给你写信。平时，我在床上，一直想写信，总没有力气。一个人更感到乏力，如果你在身旁，我肯定不是这个样子，我有精神了，也有体力了。

我还好，两个小伙子很得力。小张[1]十分温雅、体贴，有他在一边，我便舒服，不那样没力气了。

你手术如何，顺当否？我平常好胡思乱想，想入非非，这次我却平平静静的，是因你一定很好，你性格强，有什么困难，都顶得住。我倒放心了。

莉莉怎样了，她还感到不舒服么？她太累，工作忙，又强勉干，那是不行的。她需要休息，不能太好强。

小方子来看我，带一包素什锦，我说要吃要吃，待晚餐时，我又

---

1 张志国，曹禺护工。——底本注。

忘了。这是我的毛病，太随意，不是办法，总要改改才行。

你饭食如何？保姆做饭合口否，一一都在念中。

小张在我一边写什么，他要我问你好，他也在写信。

我的浓茶很有作用，我一点都不困了。小方子要我问你何时回来，她也想你，你不在我身边，她也不习惯。

你究竟何时来看我，多想你啊！

宝

一九九六年五月二十二日

一九九六年五月二十六日

好妈：

收到你的信，知道由瑞金医院肠科主任为你看肠病，是一个小腺瘤，那好极了，我原来很不放心，怕万一是癌瘤，现在我放心了。这是件大喜事。

你家中保姆，很得用，又会烧饭，你吃得好，称心如意，我也高兴、欣慰。

我一切都好，有时睡得少些，可能因为想念你，半夜寂寥，格外惦记你。

你何时回京？有点消息么？

我总想梦见你，奇怪，我越想你，越不能梦见你。你梦见我么？

我几乎每晚喝片儿汤，今天，那个小张来，送排骨汤。我这里有酸菜，放一些，会很好吃。酸菜排骨汤，味道好得很，你想吃么？

我手发抖，写不成字，你看潦潦草草的，我想你猜得出我的意思。

白玉薇[1]有信来，附寄来。

你们是幼年的朋友，提起许多旧事，我看了，也感动。

她的地址是外文的，你回信，请人代写外文吧。

我要做腹透[2]了，不写了。

你保重，千万保重！

家宝

一九九六年五月二十六日

一九九六年六月九日

好妈：

你的来信读了两遍，十分感动。你非常想念我，我何尝不如是。千里迢迢，离别太远了，也太长了。我时时刻刻想念你，惦记你，不知你低烧退了没有？心情如何？但愿天如人愿，你一切都好。

1　玉茹戏校同学，现在美国。——底本注。

2　腹透是一种治疗方法，每日做4次，早6点，中午10点30分，下午4点，晚10点30分。——底本注。

写到此处，又收到你的信，你担心我等不及。七月来京，固然晚一点，我还是有耐心等待你。你说把身体养好，完全健康了，再来。这想法我赞同，此地没有你熟悉的大夫和朋友，回来后，又病倒，我只是干着急没有办法，远不如养好病再离开上海。

你说要教史敏[1]《醉酒》[2]，那是件好事，你性格强，又负责任，教徒弟是对的。我相信你，你会量力而为，不会太累。你的想法很好，我们有菩萨保佑，不会出错。我常听你话，经常念“喃无大慈大悲观世音菩萨”，她会呵护我们一切顺利。

这几天，我常喝啤酒，因为想你，不免常喝。“酒入愁肠化作相思泪”，更想念你了。

莉莉来，我很高兴，她办事很痛快，但中央电视台很麻烦，她不是很高兴。昨天，我听你电话，立刻电话问她，我准备了钱，她说她有很多，不要送钱了。

昨天按你的意见，我要了糟熘鱼片，很好吃，今天还能吃一顿。晚上再买烩鸭腰。真感谢你的关心，我又有些好菜吃。

不多写了，我写字困难。

你多保重，养好，再来。

祝你万事如意。

家宝

一九九六年六月九日

---

1 史敏，上海京剧院优秀青年演员。——底本注。

2 《醉酒》，京戏传统剧目。——底本注。

一九九六年六月二十九日

好妈：

外面落着雨，我想念你，惦记你。不知说什么好。这些日子，异常想你，现在是六月二十七日，到七月中旬，那要等多久！我恨不能每天给你打电话，听听你的声音，那声音多温柔，多亲切，多安慰人。

你好么？你在上海，朋友多，亲戚多，我在北京是个孤鬼，没有任何人看我，连一个陌生面孔都看不见，孤单极了，寂寞极了。眼前只有两个小伙子，从早到晚，就是那几句话，单调极了。

现在又要做腹透了，下午再写吧！

人没来，再写几句话。

我手打抖，写字难，一肚子的话，都写不出来，闷死了。

你在上海，有人请你吃饭菜十分香，十分美。这让我很高兴。

我在北京，只能喝酒，连吃饭都不香。现在没有酒，外面下暴雨，不能出去买，因此吃饭也没有意思。如果你在身边，我们一道用餐，那也好过多了。

我想哭一场，但这有什么道理。我在流口水，毛巾都用不上。

一个闪，一阵大雷，雨下得更大了。上海有雨么？

天暗下来，屋子也暗得需灯才能写信。

我想你极了，你何时回来？想得发疯，你快回来吧！

史叔叔来了，乘他之便发信。

不多写了。

祝

万事如意！

好爸爸

一九九六年六月二十九日[1]

1　玉茹于1996年返沪开直肠息肉，7月14日返京，这是曹禺的最后一封信。——底本注。

致万黛

一九七四年十二月十四日

听二姐[1]说你已来北京，今天（14）等了一下午，不见你来。方才给东松树胡同打电话，又无法传呼。明天下午，你能来否？十分想念你，你和小达、小刘迈[2]一同来吧！

最近身体还是不大好，又在开创作会议（明日上午听报告）。几天都不大舒服，想给你写信，又无多大力气。只盼望你来看看爸爸。

一九七四年十二月三十日

昨晚临睡前接到袁大夫电话，于是小达大忙，忙赶到北大医院门

【题注】收录李玉茹编、钱亦蕉整理：《没有说完的话》，山东友谊出版社 1998年第 1版。收录田本相、阿鹰编著：《曹禺年谱长编》，上海交通大学出版社2017年第1版。

1 此指曹禺二女儿万昭。——底本注。

2 小达系指刘小达，万黛的丈夫；刘迈系指万黛之子，曹禺的外孙。——底本注。

口，拿回刚宰好的鸡两只，大鲤鱼一条。接着又把大一点的鸡送到西石槽，又赶回来睡。今晚我将和小达两人共享你送来的鸡与鱼：炖鸡汤，酸辣鱼半只，半只红烧。我又请孙阿姨[1]共享，因为她也实在辛苦，连新年也没有假期。这算提前过元旦前夕。

昨晚间小达提到你的梦，不知为什么，我也很难过。夜半兴起，就想给你写信，一则爸爸无论如何不会过早死去，要多活几年为党再做点工作，更怕使你们失了父亲，你们是我的四个好女儿，真是一个我也舍不得离开。……

一九七四年十二月三十一日

收到你二十九日信，得悉一个优秀医务工作者故去，连我这从未见过他（付大夫）的人都悲痛。做一个高尚的人，一个脱离低级趣味的人，一个有益于人民的人，这位从未谋面的大夫是做到了的。你的信，我连读了几遍，最使我感动、使我受教育的是，这样一位伟大的做着普通医务工作，彻底为人民服务的人物！让我们共同学习他吧。

方才发了信，又给你寄去一些小日历卡，你留一份，其余应给谁便给谁。

我一定按你的话做，要恢复健康，并且要为党做一点工作，我将

1　此指曹禺家保姆。——底本注。

尽力而为，想革命的心绝不会死的。我的四个好女儿，爸爸是多么想你们哟。放心吧，我身体似逐渐好转起来！明天下午，小迈、小达会来，二姐、彦林[1]他们也许会来吧。

一九七四年十二月三十一日

不知为什么还想写给你一两个字。昨晚我和小达还请孙阿姨一道共享你送来的鲜鱼、活鸡。鲜鱼特别好吃，吃个精光，我认为这几年来还没有吃过这样新鲜的好鱼，不过下次你千万别买了。一则影响问题，二则你也没有多少钱。今晨我托老察[2]给你寄来一些小日历卡，不知你能及早收到否？送给一些贫下中农与同事，很好玩的。

今晚（三十一日）正是元旦前夕，可能老察来，二姐也可能来和我一道吃饭，我不会太寂寞的。晚八时又要听元旦社论，明晨九时，要到剧团谈体会，开座谈会，所以就更高兴了。

希望你今夜过得十分愉快。明晨元旦或许下午小达将带小刘迈来，我已给他准备了橘水与糖。小本子、画笔等已由小达交小刘迈了。

---

1 此指万昭丈夫。——底本注。

2 老察系指察世玺，时在新华书店工作，经常关心曹禺的一位年轻朋友，给予曹禺很多帮助。——底本注。

一九七五年三月二十六日

你要的《内科手册》已由老察同志觅来寄往卫生院（共两本）。《中国通史》正由老察同志寻觅，不久即可寄来。

你走后刘大哥又来陪我一夜。现在我身体比较好，万勿挂念。还是和往常一样，努力为人民服务。这是我们共同的目标。

爸爸时常想念你。如有工夫，一定给我来封信。欢子明天即到京，她来信说电告苏雷[1]，到车站接她，仿佛苏雷已成了我家中成员。此事爸爸也不想多管。方子对苏雷印象颇好，这只好随她了。你来信不必提及此事，因为你和我二人都不大认识苏雷，希望方子对日后的终身大事看得很准，不要弄错，爸爸也就放心了。……

林兆华同志已办好介绍信，四月初即可去镶牙。我是否能出去远行，这要看党委决定我能否去担任一定的创作工作。

今日下午林兆华同志将到我家，他说要和欢子一道再去跑跑关于房子的事。林同志总是很乐观，他说一定弄到手，"老头"不要亲自去跑了。

寄去的《内科手册》你自用一册，其他一本，你如愿送人，也是件好事。因为这两本书根本是买不到的。如果我能先到密云招待所或交际处住一阵，便带欢子一同来。但现在欢子又有一个职业问题，这

1　万方的前夫。——底本注。

也需要马上解决的。

一九七五年四月十日

久不得来信，十分惦念。想必工作太忙，无时间来信。前两天去镶牙，不料五诊室老大夫又病了，只好再等十天去诊，那时想必你已回来了。这两天，我想在我那个存煤块的小花坛中，种一些中药材，你是否可弄一些常见中药的种子或移植枝干？并打听一下每种药名与培育方法。种种这些，可以增长中药物的知识，也可以解闷。前曾向党委请示，可否在全国范围内旅行，疗养，并多看看祖国的建设与大好形势，党委说我的病还未见好，如中途恶化，就不如在京疗养为是，此想，大概“吹”了。但密云招待所之行或可成功。新房子是毫无消息，想已石沉大海了！

一九七五年五月十七日

方子约在本月十九日来京（为了学习调演节目），大约在月底又和她的同伴战友返沈阳。不知你何时返京休假？如能早些，在方子尚留北京的时刻归来，我们父女五人或与小达、彦林及小迈、唐迎一同照张相，那将是多么有兴味的事。

一九七五年六月十一日

前信谅收到。已打听出欢子的人民医院（在白塔寺）系北京医学院属管，但最近又有消息，宽街中医院中药研究所可能进去（不是搞政工）。我已电告欢子，令其来电话，将告知她详情，嘱她即返京。一切见面再谈，你不必为她现在急办了。

一九七五年七月十二日

收到你的信。欢子不久即归来。宽街中医研究所的事大约不会有问题。此乃一大好事（不搞政工）。七月十三日是方瑞阿姨的周年忌日，我已叫了小车。明日（十三）到她骨灰堂去哀悼一次。想起来真没意思，她死去又过一年了!! 我不准备到不老屯，但或剧团是要去的。如他们有病，你一定去看。想起方瑞阿姨丧事，真得感谢你！真正忙了一星期，而爸爸那时简直不知身在何处。于今又是一年了！唉！

一九七七年三月八日

今天是三八劳动妇女节，热烈地祝贺你和你的战友们，光荣、愉快地过好这个伟大的节日。祝贺你们更好地完成，在无产阶级专政下继续革命的条件下，各条战线上的战斗任务。尤其在今天，正在防震期间，你们这个在劳动人民当中、全心全意地为人民服务的医疗队，一定会更好地完成这个艰巨而光荣的任务。

听说十月要有4~5级地震，想到你们正在紧张地准备各项战斗的防震工作，希望你和你的战友们一定会光荣地完成党交给你们这项在无产阶级革命专政下继续革命的医疗任务。

我相信，你——万黛会成为一个成功的带头人！无产阶级的大公无私的模范！

一九七九年八月

我的恢复组织生活，党内外都无意见，现呈上级批，如无其他变化，想必批准的。

我很想写戏，但身体相当萎弱，连上楼都困难，强上楼，便更是闷，以致引起心绞痛。我出院此事，很想和你商量一下。

一九七九年九月二十六日

我不久将赴瑞士，忙得异常。九月底即归来。

一九八〇年五月三日

王希琰[1]大夫送你一本最新出版的 "*Diseases of the Chest*"（即《胸科疾病》）。此书既贵且重，持书上下飞机，十分费劲，望你仔细阅读，以报老父与希琰大夫之意。

一九八〇年五月六日

冰（箱一事），务（请转）告老杜，万不要退还，更无须为此烦恼。此事与老杜丝毫无关……万不要再多麻烦。爸爸老了，多一事不如少一事。老杜是个好人，不要使他为难，我就更不安了，你一定说到。……你的护照事究竟如何，十分惦念。如需帮忙，□通知我。

1　系曹禺在清华大学读书时的恩师王文显教授的女儿，美国密执安大学医学院的儿科医生。——底本注。

不要着急，办一件事总不是那样容易解决。因此万不要烦恼！……

一九八一年二月一日

似乎很久，很久没有给你写信了。我收到你两封信，我在这几个月中时刻想到你，同时就要写信。但一肚子的话，总是无从说起，而且这几个月到南方去讲学，写点小文章，治疗，谈话，看戏……忙得不知如何是好。回到北京，又要处理三月来积压的书信与事件，又见外宾，又开会，既忙且累。提笔便放下，直到今天夜深，才定下心给你写几个字。……

此次我去南方到杭州大学、浙江大学一共讲学十天，到温州讲演一次。祖国的山水与人民是可爱的。但祖国与人民还在困难时期。物价涨，生活困苦，虽比起以前，农民工人有比较优裕的生活，然而赤字多，各种改造与体制改革都还是问题。

只有一件尚堪告慰，政府与党中央似乎明白过去的错误，知道目前如再不努力，离山穷水尽的时候便不远了。因此，人民有觉悟，领导人也认识，不改不行。

看吧！我们这一辈人是尝过历史种种艰难与罪孽，我想，这也到“物极必反”的时候了。……

以上是我在一个月前写的，这个月到天津开会讲话，办事，接待各方客人，还是忙。

但，孩子，我将在最近三月内停止这些活动。我要写戏！我已是七十一岁了！

今天已1981年2月1日了，过两天便是春节，很想在旧年前给你写信，但是晚了，这封信，你收到时已过了春节。

最近党中央又发了文件，主要是大家鼓革命精神，树正气，打歪风，安定团结，为四化建设尽力。形势比以前是好的，整个看，将来有希望，但团结还不足，物价大约可以刹住。总之一切，政治、经济、文化、教育都要大大整顿一下了！

一九八一年九月六日

读了你给欢子的信，我非常高兴，也有些难过。这一年多住异地之苦，与各种困难、艰辛，你尝得差不多了。当然，你耐心刻苦，这使你能够逐渐适应美国的各种环境。……

说来说去，我希望你永远保持中国人的民族自尊心！中国人的“脊梁骨”！对一切异国人的来往，不卑不亢，有礼有节，充分表现中国人的高尚品格与文化修养，这就是祖国的好女儿，也是爸爸的好女儿！

……

我应该讲讲我自己了，现在正召开人大常委会，听了许多好报告，参加非常有意义的小组讨论。我曾到北戴河休息，我在那里虽然游泳两天，但连续被召回开中宣部和文化部以及文联的两次关于思想战线问题的座谈会。这个会很重要，我都发了言，这是党内的会。现在文化各方面的领导，党中央说“涣散软弱”，对于思想十分错误的作品、言论、文章不能理直气壮地批评，而自我批评尤其难！这会是对中国全局，即，各机构、各组织、各文化、教育……事业，就要整顿的开始，我想这个思想整顿至少需两年。思想领先。目前中国事情复杂……

可惜我在京事情太忙，开会，外事活动，看戏，开人大常委会，许多记者的访问，有中有外，还有必须写的文章，如序、介绍等非写不可。我的字拙劣万状，却还要题书签，你看可笑不！又推不却！只好每日被琐事拖着。

但我想，在今年秋末冬初要坚决辞却这一切琐事。专门写戏，或编《曹禺戏剧集》，应该补遗的文章。我已是七十几岁，不能再荒废时间。我到八十几岁时，这十年间，定要写出一点像样的剧本，多看点好书（我一生读书太少！）。这是非做不可的。人生百年，为时不多。我的心思是急如星火的。

一九八一年九月二十一日

我最近一天三班，几乎每日招待从国外来的友人，昨天*News Weekly*（《每周新闻》）的三位记者来家中访问，虽在美未识，但见着美国朋友，不由得心里热乎乎的。我觉得美国人直爽，聪明，勤奋，有时天真得可爱之极，有时，他们不自觉地显露出他们深沉的见解与学识，简直是惊人。一句话，我十分爱美国人，美国的人民，美国的知识分子，他们是认真，严肃，勤奋，完全不是有些人乱说的那样！我不知你已经有此意否？

我现在身体不大行了。事太多，到晚心闷，且胸痛，靠药能解决一点问题，但长此以往，总非良策。周扬、赵寻等同志与医生都劝我要休息一段，不能长在北京。要外出一段。现在国庆节即将举行，外国朋友来得多，我已支持不住。……

你现在也感到，在外国千好万好，不如祖国的一滴水好！但多少人，朋友，同学亲戚，和我在盼望你学成归国。然而，这确是一个关口过去，又一个关口。只看你如何征服了，但我真正相信，你有一种特殊的毅力会克服任何困难，学得到最先进的医学知识。你的才能也得保证这一点。

不要担心，我虽不健康，然还能度过，在我来说，是比较困难的日子。我不大相信“唯意志论”的人，那些人是骗子，我们在十年浩劫领教过了。但我们这种普通人有点意志能力，而不是过分夸张它，这种意志，是能帮助我们克服眼前那种不太大的困难的。

一九八二年七月二十六日

最近我身体逐渐好转，每日练操，游泳，已是常态，还是不必忧虑的。

……

我在京事多，开会见外宾，听报告，主持一定的工作，写短文，见记者等等。由晨七时到夜十二时才可入寝。

为了避免这些事，我出院后即由京飞沪。京中事均托人办理。

我在沪已养了三个多月。此地朋友虽多，均未访问，我只见了巴金老友一人。探望我的人极少。我现在定下心，专力写作。过去三十余年多浪费过去，今日定将有生之年，做自己力所能及的创作。同时整理旧稿，预定至晚明年底，或后年初，出一个全集（戏剧）。上海天气今年较凉爽，伏案久了，便立起休息。尽管年事看高，我已七十二，然体力尚能支持。工作进行比较缓慢，总在日日进行。龟步虽缓，想终能走到目的地的。

希望再能活十年，若能写出一二好东西，对祖国、人民和党稍有贡献；我深深爱着我的国家和人民，那么，我在“死”终于来临之前刻，我也许不会感到那样惭愧，那样内疚。

因此，北京人艺三十周年纪念会，及各种会议我都未返京参加。我的工作只是搞一点创作，其他事情都不是我的能力所及。

……

日本戏剧界与日中文化交流协会过去请我赴日，我都未成行，今秋又来邀请。是否赴日？仍不能下决心。赴日十天访问，但前后总需一月。目前常感时日不多，屈指可数。除非组织决定要我赴日，我不能推辞。不然，似仍以不去为宜。

前两天金山同志晚七时脑出血，翌晨四时故去。他是一个极好的同志，他不知如何安排工作，终于未能竟其愿。我很悲痛，也为国家痛惜失去这样的人才。

你们夫妻到华盛顿一游，如见着柴大使，请为我问候。你们都应注意健康，万不可疏忽大意。你们是医生，当比我了解得多。

一九八三年一月二十二日

我到了一趟日本，比较累，回国后又开会，就病倒。先是一夜脸肿了半边，看了医生，睡个午觉，起来脸肿成个西瓜，住了院，抢治了三天，高烧退了，后来医生才告诉我面上三角危险区生了痈疽，幸而早入医院，不然会成急性脑膜炎，就很危险。不久，玉茹阿姨赶来，看护一个多月，中间又喉痛不止，查无病源又疑为喉癌，经会诊与活体检查，终有结论，不是癌，是慢性喉炎。我已出院，二十五日（八三年一月）即飞沪疗养。上海影片厂等我商量《雷雨》拍摄电影，由孙道临同志任编导，他已写出二稿，我必须去沪，他今年将赴美，行前计划将此片拍制成功。

一九八四年一月二十九日

你决定回国是完全对的！你这样的决心是应该的，在目前盲目崇拜国外的世界的空气中，你表现一个中国人，真正中国人的精神。你挑选了一个崇高的、有良心的中国人的道路！回来吧，我的孩子！我为你有这样的决心与爱国的精神而自豪。我想，你的母亲和孩子也为你这样的决心自豪。你这样决定，准备回国贡献知识与才能，真是暖和我们这些老人的心。你的朋友、同学、同事与时常想念你的老师们总在想念你，希望你早早回来，下定决心回来为医学事业贡献力量。把你学的新知识——尤其是你使用计算机为医疗、为医学研究服务的高级学问，早一些介绍到祖国来！

一九八四年十月三日

这一段在北医内科整日看病，并和同事们讲谈你在美的心得，不知你身体吃得消否？从你说的每日锻炼、学习、工作情况，似乎你还能胜任。仅仅听听古典音乐便足以休息身心，这是最好的习惯。我猜你的事情多，任务重。我曾对你说过，国内生活还是清苦，只有心爱祖国的知识分子，才能受得住目前种种困难与阻力。建设中，你有所贡献，这便是幸福！我目前是不安的，我回想一生，懒散与胡混，加上我那些极无兴趣的工作，使我浪费几十年，悔恨莫及。然而想来想去，来日无多，也只有在夕阳西落的年岁中，还是尽把力，写点东西，才能说稍稍对得起国家和孩子们。然经常写不出，其痛苦，难于形容。我只有下决心再干几年，即便无所成，也没白度这即将逝去的晚年。这一点，我是万分羡慕你的。你的信给我力量。你的大量工作，激发我摒弃疲劳、消极的坏情绪，要振作，再振作，要鼓把劲，再鼓把劲。我不愿耗费今天的光阴。这是多么伟大的时代，今天空气中有一种激动人心的电火，我们的社会即便背上昆仑山那样的旧包袱，也被那电火点燃，冲奋前进。当然有不少阻力，但你会感到奋发勇猛的精力将会冲倒一切。我们有希望，有使全世界震惊的将来。但看阅兵队伍时，小平同志立在车上那样镇静、威武的气势。我并不崇拜个人，我却以为我从他得来的印象，是领导有信心、国家能办好。我们将以我们的能力、智慧、韧性，使将来的中国能称雄于全世界。这个文明世界，黛儿，你会看到的，你也贡献了自己的力量。

……

我曾为贝满女中写过他们要我题的纪念校庆的话，已挂号寄去两次了，终未复信，不知是否我把地址记错了。你说你以“六十年代的大学生”的称呼自豪。这是值得我与所有老人重视的青年精神，是立志远大充满活力的精神。我非常爱你这样的态度。

我身体只能说不太坏，有时心闷痛，有时咳嗽，有时犯一种莫名其妙的烦厌忧郁症。……你不要耽心，我会保重的。

一九八五年五月二十八日

收到你的信，十分高兴。你能到福州讲学，在儿童时候受教育的地方，把你的学问传授给当地的医学界，这是极大的幸福。此外还能游览孩提时玩过的地方，回顾儿童世界的心情，这真是最好的机会。我羡慕还能出去开阔眼界的人，因为我已经担负不起精神和体力的劳顿。最近作协请我与玉茹阿姨和文学界人士到香港，我就辞去。身边虽有人照顾我，但我也不堪烦扰。你青年、中年都过得奋发有为，到今天为了成就，在国内多跑跑，多望几眼祖国的山河，祖国今日的成就（当然，也看出今天改革中许多不足，有待于改善的缺点），将会激发你更大的爱祖国的心胸，对祖国的情感才是最高、最深的情感。人生如梦，为祖国献出自己的点滴心血，这样的人才是可敬的人。我是不大赞成把祖国忘在脑后的人物，即便他是爱因斯坦。

……

我一生所作不多，到了晚年，才明白不只学识不足，修养不够，连笔都拿不动了。当然，还是想有所作为，不甘于赖在人民与国家身上，成为累赘。但努力情况，大不如前，心有余，力不足，事倍功半，究竟能否在生前写点什么，都不得而知了。

那旧书柜你不用还给我，当作一点纪念物你就用下去吧。……我目前心绪不太好，总希望安静一点，不要“折腾”。

一九八六年一月五日

你的信我离广州返京前夕才收到。到京已三日下午，听说，你已知我三日返京。等你的电话，未得。……

订书事即办，只不知如何写法，才望你能来，当面告诉。

一九八六年一月二十三日

从你生下来到今天，这几十年的经历确给人以足够的深深的想念，深深的思索。也许这封信你收不到，你已离开中国探亲去了，我希望你仍旧能读这几个字，我很思念你，七十六岁的父亲，想起头生子，总免不了有各种的感情，当然我很爱你。你也应当把你的感情分给许多与你有密切关系的人。我们分别很久了。你我都是比较成熟的人。我记得最近有一次送给我北京大鸭儿梨的时候，我给你谈了很长的话，几乎不允许你有一刻插嘴的工夫，然而我是发自内心说给你听的话，你未置可否，我猜不出你究竟如何想法，但这也不关重要。“心”愿意关着，任何钥匙也是打不开的。

……

本来可以早给你写信，但开会，见人，琐事太多，终于不能及时给你写封信。

父亲毕竟是父亲，这句话的含义很多，只有你这样敏感的孩子会充分理解这句话。

人是复杂的。但人也有一点人性，大约这就是作为人可贵的地方。

还是那句话，很想念你，遗憾是不能都敞开“父”与“女”的心长谈，这不责怪你，似乎也不能完全责怪我。

可能这是我给你最后的一封信，因为你在美的地址，我如果得不到也就无法多给你谈谈心了。

我老一点，但是不甘心就匆匆地死去，希望能写一点东西，哪怕非常不像样，也没有关系。人不是为“名”活着，而是为做一个真正的人活着。

一九八七年一月五日

读了一九八六年末的信，我十分高兴，也很激动。反复读几遍，我确实觉得你的生活过得充实，有意义。在你艰难、复杂、辛苦却又充满了人生乐意的工作中，你体会到相当深刻的，人生的道理。譬如你把学问用在实践中，悟到融会贯通，把学到的东西变为自己的东西，而且无论在业务、学术中有一定“得心应手”的感觉；譬如“只做自己愿意做的事情，不勉强自己做自己不愿意做的事情”；又譬如“我更体会到一个人在工作，在学术中的地位只有通过自己奋斗来获得”。

……

上海也很冷……我住上海主要是为少开会，少应付一些“勉强自己做不愿意做的事”，北京从早到晚胡忙乱忙，读了你的信，我十分惭愧，你已找到生活的道理，我至今还在混，也就是应“官差”，自己也觉得一身“官气”，十分讨厌。

我七十七了，但仍想找个清净的地方，“做自己愿意做的事”，我的时间大约不多，颇有点紧迫感，我已经浪费几十年的光阴，很想补补失去的好时光。

我最近写了两句话来促迫自己：“知过犹未晚，求实正中天。”

一九八八年六月十日

黛黛爱女：

已读你寄的两封信，知道你有了家，而且想出去做事。你身体如何？受得了这样辛苦？我觉你很幸福，身边有丈夫与儿子，他们都能干而善良，你是一个好妻子，好母亲。在美国，一切都方便，我以为你是最幸福的人。

我闹肠胃病，现在已好。事情多，每日疲乏不堪，常常坐坐就打盹，睡着了，但晚上仍得吃安眠药。

物价飞涨，日子不若以前，但总能过得去。一切大改革，因此大家都在冒险。但如果中国人不再冒一次风险，闯过关去，将来会更穷，更落后，我们子孙就成世界上最劣的民族。幸而，在一切贪污、腐化、堕落、罪恶当中，还有些人正经干，看吧！我们正生活在大风大浪中的船里，只有拼命划，才能脱胎换骨，成为新中国人。

告诉小达：永远记住自己是中国人，你们的儿子那样好强，那性格是中国好传统。我看你们都那样苦干，拼命竞争，实可羡慕。黛，你还能有收入，请美国客人吃中国饭么？你千万当心身体，你离开我时，很瘦，现在可能结实多了。不要难过，爸爸似乎还能活几年。

明天上午飞西安，为了中国唐朝梨园纪念馆开土事，全国戏剧界去得多，我不得不去。大约五天须回京。也许今年冬天应邀到四川江安县，要多住一阵。爸爸有点点衰，很怕出门，但许多要紧事又不能不管，只得出门。但我已快八十岁了。老阿哥如何？老四如何？他们在香港的生活一定过得不错！香港自由些，只要有钱，便予百惠。目前，大家都认为我精神面貌比以前大好，因此，你可以放心，说不定，我们还能见面。

爸爸

一九八八年六月十日

一九八八年七月二十三日

已见小迈，他非常可爱，简直是个大人了。我非常高兴，你们夫妇有这样一个大有前途的好孩子。

我曾写好一封信，放了半年，只因找不到你最近地址，一直发不出，现在我托他带给你。问小达好，读你最近的信，希望你们多保重。

一九八八年十一月二十七日

黛黛，我的好女儿：

我的肾病只是肾功能不全，没有其他的病。现在用营养疗法，目前国内没有其他方法可治。但我的体力已逐渐恢复，你千万放心。我一定听话，好好养病。现在吃中药，一位很高明的中医，董老为我开的药。医院医护，都十分用心。玉茹阿姨昼夜伴陪，已经一个多月了。因此，你可以放心，她会照顾我。你每次写信都问到玉茹阿姨，她也常提起你，问你好，全家好。

你说得对，我几十年未能写出东西，大部分原因是这些年的文艺政策。也怪我不独立思考，社会活动搞得太多。现在明白了，也晚了，但正如你所期望的，也不必难过。还是打起精神活下去，要乐观起来，一切都会好起来。

我的病历摘要寄给你，只是私下托一个很好的小大夫为我抄的。她是个好大夫，待我很好。此地的规矩大，病人的病历，不能外传。当然，这是他们的规矩。

你寄来100元美金，我一定存起来，日后需要，我定会用。你的孝心，使爸爸心痛。因为你们的日子过得不会很宽裕。要为迈迈存钱上大学，这笔开销是可观的。你还要为小达买些好营养，给他补身体，他十分辛苦，我深深明白。你们过得想必很简单，但你一定要照顾自己的身体。爸爸老了，想起你们都远在万里外，有时念记起来，不觉有些难过。但你不要怕，爸爸的病会好起来，我一定高高兴兴地活下去。我们终有一天会见面的。

我很想迈迈，他是极可爱的孩子，肯用功。一定好好读书，身体要锻炼，各方面都好，要在异乡为中国争光。我在国外住几天，便想我们这个国家，尽管，我们的一切都落后，不能使人满意。当然，还要使迈迈学点中文，能读点中国的文学书籍。

方子回来了。她说美国孩子，都自我中心，无法无天的，我想得出那是什么样儿。我们中国孩子，要知道自己是中国人，有我们传统的道德文化。迈迈在我眼里，是个很有品格与文化修养的孩子，这一点，你和小达要经常如此教养他。

玉茹阿姨问你好，常提到你开朗，明白道理，能干。爸爸远不及你开朗。

送你两张照片，日后有大一点的再寄给你。

爸爸

一九八八年十一月二十七日

不要买什么对症药品寄来。在美国药物太贵，买回来，北京医院医生也未见得同意用。[1]

谢谢小达，这钱中也有你的辛苦和感情！[2]

一九八九年二月十二日

黛黛：

收到你的信，知悉你们全家都紧张地工作。□□[3]先生又请你们

---

1 此节写在第一页信纸上方。——底本注。

2 此句写在第二页信纸上方。——底本注。

3 外文名，不清晰。——底本注。

看了许多好戏。这些戏，我听说很好，但没有机会看了。

我的身体，比前一阵好，“肌酐”由五点几落到三点几，胃口也好，睡眠好，安眠药服得很少了。

小迈为了考医学院，只有奋发用功，我听了很高兴。这个孩子，定然比他的父亲还要强，我相信，他会为中国人争光，为医疗事业做出贡献。但身体第一，万不可把孩子逼得太紧了。读书重要，但不给他时间好好地玩一下，他也读不进去。

你们生活过得不宽裕，你们的收入，是多少血汗换来的，以后万不可再寄钱来，我还能过。快八十了，人虽老一些，但精神还支持得下去。放心吧，我的最爱的长女，我的小黛黛。

你不要为看我而回来，路费太贵，但母亲[1]的病，确是需要你在宽裕的时光来看看。听方子说，她近来还比较好，我想你会更清楚的。

我信我还能活几年，你不要惦记我。我们早晚还能相见的。问小达、小迈好，玉茹阿姨问你好，她还是早晚陪伴我。你写信感谢她，她听了很高兴，叫我一再问你们全家好。

我应小林嘱，写了一个条幅，寄到她的新家，未回信，想邮递中失落了。

黛黛，你的身体也要注意，还有小达，这样拼命工作，人到中年，怎么吃得消！祝一切好。

爸爸

一九八九年二月十二日

---

1 指郑秀，现已故。——底本注。

一九八九年七月三十日

我的血色素最近又是八克，三天前输血，仍感疲劳，幸而食量未减，仍按医院配好的东西吃下去。我目前手抖，执笔困难，不多写了。

一九九三年四月一日

黛黛：

我收到你三月七日的信，知道你打算今年回国探望亲友，看视爸爸、昭昭、妹妹等，我十分高兴。玉茹阿姨说："黛黛来了，你多有福气，小欢子也定于今年五月来京，这一家可团圆了！"

不知你能何时来京，是否都能在一个时间会面，这不太重要，反正早晚我可以看见你们。黛黛，你是我的长女，我经常怀念你，仿佛你还是两三岁时在江安的样子，常常想到你在中学、大学，以及后来在北大医院当医生的种种神态。我似乎就看见了你，觉得你就在我的身旁。你是多么善良可亲的好女儿，我不自觉地在熟朋友面前谈起你。你能来北京，太好了。你说为了见可爱的故土，心情急迫，有点can't wait的情绪。不用急，已经有几年不见，再等些时间，也无关重要。

看了你给小刘迈用的书房，可惜不见刘迈，他大约是很大了。圣诞节和新年的装饰很好看，真是一片欣荣气象。你们招待朋友宴会的相片，我也见到了。你和刘小达都很健康，一点不瘦。

这阵子，开政治协商委员会，我乘轮椅参加两次,《中国日报》刊载了相片，看看爸爸现在是什么样子。我疲乏，实在走不动了。见了些熟朋友，很高兴。

玉茹阿姨读了你的信，你写到她日夜为我操劳，“这份耐心、长性、真情”，她读了，很感动，叫我问你好，问全家好，特别问小刘迈好。

北京天气好，春天到了，一切都绿了，生芽，有的长花了，看来，这些都在欢迎我的长女的到来。

问刘小达好！

爸爸

一九九三年四月一日

一九九三年四月二十四日

欢迎你归来。

爸爸很想念你，一路上辛苦了，休息一阵，等时差感过了，再来看我。

一九九三年十月二日

黛黛：

连收到你的信，你和小迈到耶鲁大学参观，想必很有意思。我过生，你和小达又寄来美金一百元，我很过意不去。好像我过生，你们寄钱祝贺，成了惯例，我只好收下，道声谢谢了。

生日那天，昭昭、方方、欢欢、玉茹阿姨、史叔叔、小白都在附近一个饭店，吃各种肉食火锅，很热闹。还有小蓬蓬、小唐迎，就是没有你们，美中不足。人老了，又有病，何时能与你们团聚，不能想象。总希望能见你们一面，尤其是你，黛黛，我最爱的长女。

回家仍要与在医院一样吃许多药、打针，每星期至少两次到大夫那里看病。大夫说身体正常，要小心，别感冒。

我每天最大的苦恼，是终日疲乏，起床后不一时，就累，又要吸氧气。客人来或有什么事情，我仍能支持一阵，但来完了，我便须躺在床上吸氧，这真是没有办法。

因此，给你复信，也感困难，多次说给你寄信，然终于没有精神，只好放下。

小达就来了，很高兴，见了他，可能知道你们的生活、工作种种。万里迢迢，只有长日地想念你们，尤其是你。

你的照片我看了，你很欢快，又像是丰满一些，不感到你有疲乏的样子。你还那样忙么？工作、家务、招待亲友，多少事集在一起，想必很累的。

阳光洒满一地，窗外树叶微微地抖动，秋风起了，北京的天蓝得透明，如果你们在北京，我们一同到香山走走多好。

可惜，我走不了，还是坐轮椅，但也可以推出去，享受明媚秋光。可能纽约的秋天与北京差不多，我就更怀念你们。

写了几句，就乏力写下去。

不行，还是用力写。写信，好比见着你一样。我思念过去，时常忆念你和昭昭来看我的情形，在那痛苦的“文化大革命”时期，我在铁狮子胡同躲着，你们姐妹俩来看我，硬拉我出门，看大字报。冬天的夜晚，走了半条街，我就不想走了。在一个馄饨铺前，你们请我吃一碗热馄饨，还喝了一杯啤酒，那是最美的一顿饭。你们的笑声，和高兴的神气，我记得清清楚楚。

还有好多次，我们在铁狮子胡同一块吃饭，带着小刘迈和小唐迎。现在孩子们都大了，小迈魁梧得像棵结实的树（从相片里看），小唐迎工作很累，有点瘦，他和我说了许多今天社会黑暗的故事，他已经成一个很精明的人了。

我病卧五年，外边的事可以说一点不知道，希望我们的中国，摆脱过去的黑暗，种种丑恶，能逐渐变为一个光明的国家。现在改革开放，是有进步的，人富起来，生活好起来，但一种只是爱钱的社会风气，使人感到气闷。

我总希望，我能活到看国家富强起来，人们相互之间文明起来。我一生经过的古老的中国，使我更渴望，我们的愿望早些实现。

欢子生活得很好，颇有进步。昭昭工作很累，维持生活，很辛苦，她最近小脚趾受伤，现在已好了。你放心。

问全家好，你多保重！

爸爸

一九九三年十月二日

一九九四年三月十九日

我的最爱的女儿黛黛：

不知还有力气写几个字给你不？我尽力地写，我想我要等你，等小刘迈，等你们来中国看我。无论如何，我会等你们，见你们一面。

剪下报纸一角，讲我在医院的情况。你看完了，再寄回来，方子、昭昭还没有看呢。

我心思很乱，周身乏力，更感到是个老而无用的病人了。这里也有春天，明媚的春光，照进来，还是十分喜人的。

我想念你们，想念孩子们，想念你和在外国的小欢子。我还有力气可鼓，别以为爸爸不成了，爸爸还成，还能活几年！活几年！

你一定保重身体，人老了，易失健康，对你很不好。

问小达、小迈好。

爸爸

一九九四年三月十九日

一九九四年七月二十九日

黛黛：

连接你来信，我非常高兴，尤其是小迈的考试都通过，已进入医生的阶段，更使我这个老头欢喜非常。你们在他身上用的心力都得到结果，他知道父母的心如何疼爱他。这都使我兴奋。祝贺他已取得医生的位置，说外公引他为荣，我很骄傲有这样一个外孙，一个很出色的青年医生！

你寄来三百元美金，昭昭已换成人民币送来。我寄五百元人民币给玉茹阿姨，她很感谢你。

你们对玉茹的关心、体贴，她十分感动，我的四个女儿都对她的病有深切的慰问，她体会很深。

黛黛，以后你再不要寄钱给我了，你在美辛苦，赚钱不易，我和昭昭常谈起，你寄钱来，我心很不安。

我的病体仍不见好转，终日疲乏，来友谈一次话，我就很累。我写信很困难，挥笔无力，时时忘记字。我不能写了。

我很想念你，我的长女，我的爱女。老病的人尤其想你。你说明年能来，你能来看，是我最高兴的事。

希望我见到你，还是高高兴兴的父女的会面。

问小达好，及刘家全家人好。

爸爸

一九九四年七月二十九日

一九九四年十二月二十日

黛黛：

我的爱女，你从瑞士回来了，真是到了仙境，一定有不少美妙的回忆。可惜我不在你身旁，听你亲口的叙述。我真是想念你，我的长女，时常望你来到北京来看我。我经常回忆你年轻时、年幼时的种种可爱的情景，觉得自己真是老了，只有忆旧是个安慰。我八十五岁了，不知何时能见着你，再见你？想起来，心酸。

我过生那天，还算热闹，有昭昭一家三口，小方子一家三口，加上小白和史叔叔，我们一道到一家东北口味的餐馆，颇新鲜。最使我感动的，是你给我的生日礼，昭昭说："这是大姐托我换成的现款，大姐说，要爸爸日后天天用来买自己想吃的东西，别舍不得用。"黛黛，你想得真周到，这是贴心的话。万里遥远的地方的女儿寄来的孝心，我欢喜得不知说什么好。

我十分欣喜，小迈早已知道用功，成绩好，考上医院的大夫职称。各种病能看，而且又准备大考，想试最后一关。他一定能成功，将来一定成为一个卓越的好医生。

他明年能来么？你明年能来么？衷心想见见你们，我以为我们有好多年没有见面了，真想你们，实在想念你们！

玉茹阿姨的病好多了，现在正在化疗，要八个疗程。化疗之后体弱无力，一时不能来。大约明年一月中旬才能来，这一段长长的时间，离别得太久了，很难耐住这寂寞。玉茹阿姨非常感谢你对她的关心。她向你问好。

我一切正常，就是一天到晚疲乏，没有气力，因此，给你回信已耽误多时了，希望你能谅解。

昭昭与方子每星期来，独没有你来，我见不到你，真是很大的遗憾。恨不得，病立刻好了，我能到纽约见你一次，但这是办不到的事。这更是遗憾了！问小达好，小刘迈好。

爸爸

一九九四年十二月二十日

你的信写得好，读它如读一篇优美的散文，希望你常来信，以慰怀念，更是使老父亲少一点思念。

今晚有朋友送我一只螃蟹，一只很大的螃蟹，你看我多美，你想不想吃螃蟹?![1]

你信封上的印好的地址纸片，可否给我寄几张，我总怕写错了地址，你收不到我的信。有了地址片，我就贴在信封上，不会遗失了。[2]

---

1 以上两段写在信纸左边。——底本注。

2 此段写在信纸右边。——底本注。

致万黛、刘小达

一九八八年八月十五日

小达、黛儿：

小迈来辞行，不久，你们又团聚了。此儿之可爱，实难言喻，他是个道地的有教养、有文化的中国孩子，今天北京就很少见到这样的青年。我的感觉，他会在医学道路上飞奋前进，而且必然是一个十分出色的医学研究者，或如小达所望，是一位与其父有同样成就的外科专家。但我更希望他干干医学设备与实验，献出世界前所未有的发明，他的成就将有益于人类直到永远。小迈身体好，有志气，我看是可能的。这应该感谢你们两个做父母给他的爱、诚实、热情、文化修养。尤其黛儿的热诚，他会承袭下来。

我祝贺你们！我真正相信小迈会有这样光明的前途，而且为祖国

【题注】收录李玉茹编、钱亦蕉整理：《没有说完的话》，山东友谊出版社 1998年第1版。

争得荣誉。你们身体如何？我很惦念，尤其是小达，想必每天太累，要适可而止，要劳逸结合，黛儿也是如此。我健康尚好，不必惦念。但年近八十，体质已大不如前，但放心，一时不会大归的。

不要过分节俭，身体要紧，有了健康，才有一切。自然，供给小迈读书，需要钱。

你们可能见到妹妹方子与欢子，不要招待。你们辛苦的钱，不要为她们破费。你们应待自己的一切都要好一点。

真是说不完的话，我一生不好写信，请你们多多谅解。欢子，我也许久不给她写信了。一切都当心，开汽车、走路，都要小心！

玉茹阿姨问你们好，她非常喜欢小迈！

爸爸

一九八八年八月十五日

致万黛、刘小达、刘小迈

一九九二年七月二十九日

黛黛、小达、小迈：

时时想念你们。体弱，易倦，不能长时执笔。人在北京，心常在你们家中，眼睛也望见你们，听着你们，真是万里遥远，恨不能飞往纽约，见你们一面。

因此，更羡慕老阿哥与四弟及明月和你们欢聚异域。使我艳羡的，小迈开车，和他们伴游华盛顿、Niagara Fall等地，精彩极了！

老人心里舒畅，老阿哥会活得长久。我们医院有百岁老人，耳聪目明，且健谈，老阿哥也如此长寿，请代我向他祝福。

昭昭告我你原有一瘤子，经极严格的检查，证明确是良性瘤，这是我们大家的福气！你健康了，远远的老父，也心安些。但我觉得你

【题注】收录李玉茹编、钱亦蕉整理：《没有说完的话》，山东友谊出版社 1998年第1版。

太劳累，我怕你是老了一些，虽然才五十多岁。今后，你要知道节劳，尽量使自己过得舒展一些。我看小达也应如此。在美国，还有周末休息。看来，你们连周末度假，也不是经常的。

我明白，我说这些，也是无用。在美国社会里，大家都忙，何况，你们还有个诊所，待周末为病人看病。

前一阵，因北京“人艺”四十周年大庆，我出去三次，便累得整天吸氧。

玉茹阿姨托问你们好，她整日在医院陪伴我，十分辛苦。她说感谢你们问她好，转慰问之意。

方子每星期总来两次，昭昭也和唐迎来看我。小欢子从印尼来看我，住了两星期。

北京时热时雨，盛暑的天气已近末尾。北京秋天，再过二十天，就要到了。

收到你寄来一百元，很谢谢，也过意不去，你们赚钱太不容易了！以后，别再惦念我，别再寄钱了。

寄一张照片，是本年照的，把我照得太年轻了。

祝一切如意！

爸爸

一九九二年七月二十九日

致万昭

一九七二年九月三十日

久不见你们，十分想念。前小达来医院，又未见到。我现已由医院回家疗治。有工夫，务请你们来一聚。

小达、彦林和孩子们都请来玩。日前，曾通公用电话，未知收到否？让我们共同庆祝社会主义祖国二十三周年！

一九八〇年十月六日

来信、稿件收到。我的意见记录[2]也看见，你所说的三种意见，我都同意。电影化与缩短剧本尤其重要。

【题注】收录李玉茹编、钱亦蕉整理:《没有说完的话》，山东友谊出版社 1998年第 1版。收录田本相、阿鹰编著:《曹禺年谱长编》，上海交通大学出版社2017年第1版。

2　1979年12月29日，曹禺对女儿万昭、女婿唐彦林详谈了对他们改编《日出》电影剧本初稿的意见。事后，万昭将谈话整理成书面材料请父亲审订，曹禺在其后页写道："此意见稿，不一定都对，仍以我最近写的一些想法作参考好些。爸爸"——底本注。

戏能跳出旅馆，分割大段对话，变动结构都应该。只怕六万多字，仍嫌长了。

我不大主张一定忠实于原作，大致不差就很好。我对上海的《王昭君电影剧本》就是这样讲过，因此，我自己就提出要更改许多原编的思想、结构、感情。王炼、谢晋等同志颇能领会我的意见，加以发挥。集思广益，改正你自己的不正确的东西，我觉得这一年来，我是受益的。

一九八〇年十月十七日

昭昭：

这两天，还不舒服，但因已答应杭州大学讲话，我想在讲话前，看看你们的《日出》电影文学剧本，边看，边在稿子的边沿上写了我的意见，意在使你们早日知道我的看法。

此次修改很见功夫。你们用了心，已经有些电影化，但仍感你们舍不得改动剧本。忠于原作，要在精神，不在词句用了多少。若能形象化多一些，多删一些过长的篇落，稍加变化也许能破去一些单调乏味的地方。

此剧本应以陈白露为主角。她不只是贯穿事件的引线者，也是旧社会的见证者，她又是人海浮沉中的旧社会人物。她是有良心的，软弱而又倔强，她的死，不是为钱逼的。是个年轻的女人还不大懂旧社会，怀着一腔热情，尚未看明白旧社会，便由于各种个人、历史与周围情况的原因，以为自己不能改变旧社会为她定下的桎梏，不如在最美、最年轻的茂盛时期死去。这是幼稚的想法，但也是一个罕见的勇敢的女子的念头。不想在枯萎时期，为人轻蔑地死去，愿在人生的高潮中离弃人间，不忍继续受各难堪的污辱和损害。她已看见旧社会中，地狱之下还有地狱。她看不见任何希望与理想，她不是前进的青年，她是堕落的，但她明确地知道自己不能再长此生于混沌世界里。她的“死”是消极的，但她仍是经过一番折磨、痛苦、灾难，终为社会逼得看不见生路。即便有达生或比达生有魄力的朋友，也是救不活的。她在短短的二十三岁，已经沉溺得够深的了，是当时世界残酷形势使她陷入泥坑，思想境界愈过愈趋绝望。然而，有一点，她不是苟且偷生的，在这一点，她与那得过且过的人大不相同。因此，我十分赞同你们把方达生与她最后的对话放在最后，放在她死前一刻。那是十分有力的改动的。拍电影，也许难，但只要有好演员，懂得透，她便能支撑住这个场面，甚至为整个电影添了光彩。她这个人物应写得有发展、有层次、有变化，要演得深刻一些。她对一切人都有估价的。交易所这场添得很有必要，其他各种人在家里的场面很好。

但仍有舞台味，必须完全电影化。你们如有精力，再在这个基础上（好的，千万不要改动，如我以上提过，或稿本上提过的种种，都不要动），再做提高。但你们必须每个地方想透了，再动笔，古人说“意在笔先”，这是规律。

很高兴，你们有毅力，一次比一次改得好！你可大改动，忠于原作在精神，不是在结构，或在章句。

接到昭昭的第二封信，知道你非常忙，且很疲乏，切望保重身体，不可“死命”工作，这不利于健康，并不利于文思。有时急不来；有一定的休息，才能文思活跃，流动纸上。

我们都非“懒”人，大可不必以为趴在桌上冥思苦想，才是用功！李阿姨问你好。

问老爷子、老太太好，唐彦林好，妹妹好，小外孙好！

祝

你一切顺利！

爸爸

一九八〇年十月十七日

一九八三年五月二十四日

星期六（二十八日）《推销员之死》不演出，休息。望挑好日子速告550091张学礼同志，他将票放在传达室。

一九八三年十二月四日

来信□悉，关于《日出》，陈怀凯同志曾来信，征求我是否同意北影拍摄该剧本。我告以三月间可来沪一谈，再做最后决定。

现在上影孙道临同志正与我讨论拍《雷雨》事，已有他的改编本。

北影究竟准备得如何？我不知道。负责人看来是很积极的。你们想必比我知道得多。我尚未接到陈怀凯的复信。

一九九〇年二月五日

昭昭：

唐迎来，送来花和钱。我很难受，你和彦林日子想不会很好过，送这些来，徒徒使我着急。何况昭昭有肝病，正在休养；仅迎迎的饭费每月又所费不赀。你们的心意使我十分感动，然这样，真是叫老人十分不安。

你的病究竟如何？你身体素来弱孱，小时候便神经衰弱，平时太用功，你的健康仅靠你的毅力支撑。真想见见你们，问问你们最近的情况。

妈妈故去，我内疚很深。你们——你和黛黛小时我都未能照护，只依妈妈苦苦照顾，才使你们成材。想起这些，我非常愧疚。事已过去，无法补过。人事复杂，不能尽述。希望你们暇中能来一次医院，让我看看你们。

医院一、三、五、七下午三时至六时可探视。非常惦念。

爸爸

一九九〇年二月五日

致万方

一九七〇年[1]

在毛泽东思想指导下，在具体问题上有“真知灼见”，不是“人云亦云”。要下功夫丰富自己的词汇，词汇与口语不同，在描写时有时需要非常准确、生动的字，这时口语就不够用了。“字”“句”的含义是非常丰富的，在一定的时候非用那一个字不可。

我引用《杰克·伦敦传》里的话：“杰克觉得最伟大的东西是文字，美丽的文字，好听的字，有力的尖锐的锋利的文字。他时常带着一部字典，读沉重的渊博的大部书，把书中的字写在一片片纸上，插在梳妆台镜缝里，以便他在刮脸和穿衣时记咏，他每个衣袋里都盛有一串串的字，当他去图书馆和马贝尔家时，他便加以咏读，当他吃饭和临睡时他也念叨它们，当一篇小说需要一个正确的字时，于是含有

【题注】收录李玉茹编、钱亦蕉整理：《没有说完的话》，山东友谊出版社 1998年第 1 版。部分信件据万方提供文字稿排印。

1　70年代，万方当兵时，把自己写的小歌剧《果树园》和《妈妈来队》寄给爸爸，爸爸的回信。——底本注。

正确意义的字就从成百串中跳出，使他感动得入骨。”

当然，最伟大的东西是马列主义与毛泽东思想，其次是充满三大革命运动与阶级斗争的生活，再其次才是表达思想与生活的能力，即“话”与“文字”。

另外我还抄一段：“他对他所读的一切东西都做了详细的笔记，也订出一种卡片索引制。便于取得所需要的材料。他潜心于他所谓‘三大天才’：莎士比亚，歌德和巴尔扎克……”我写这些仅为你们学一个人用功的态度，杰克·伦敦的有些思想和行为决不能学的。

又读方子9月11日信，昨夜读到半宵。台灯妈妈给你买了，但我怕你触电，电灯放在被子里看书我怕危险得很，我想最好裹一层胶布，在开关与经常触的地方，不然万一触电那真不堪设想。

一九七四年[1]

你们四个姐妹我都疼，当然最疼爱的还是你们这两个最小的。你们这两个小姐妹呀，你们量不出一个父亲如何疼爱两个没有妈妈的孩子的心啊！

妈妈于1974年7月13日故去，快五个多月了。我整整哭了两个多月，泪像是哭干了，然有时也还哭一两次。其实她死了，也一无所知，哭也无益，但终于要流不少的眼泪，我想无产阶级不会像我这样

1　1974年，妈妈方瑞去世后，爸爸给万方、万欢的信。——底本注。

没完没了地想念着她，而想念着比她的死亡更重大的更艰难的事业。最近我倒是不大感觉寂寞了，但总是想念她对我的好处，其他一些关于她的琐碎的事就都不想了。十分可怜的妈妈哟！从明天（元旦）起，我要振作起来，以此来纪念我的亡妻！你们的母亲！

一九七四年十二月[1]

方子，我的爱方子，千万不要犯错误，多向领导与群众听取意见，这是年老的父亲的话，我也知道这是保守的，不成大事，但我真愁你如何写下去。你真能写出不犯错误的剧本么？我担心极了。你担的责任重大，你这样的小肩膀能承得住么？向我谈谈你究竟如何办呢？我觉得我在拉你的后腿，但是做一个父亲我就管不住这样那样地为你着急。

一九七五年一月二十六日[2]

我今天咳嗽一整天，十分累，但我一点不发烧，才36.8度。我头疼，我是多么想你们！也许我们住一段时间又大吵起来，那自然更

1　万方告诉爸爸自己想写“文化大革命”题材。——底本注。

2　写于去开四届人代会之后。——底本注。

痛苦，但我真想念你们。孙阿姨不断提醒我，要给你们在春节前寄点吃的东西，不然两个没妈妈的孩子，春节时没有家里寄来的东西那是多么可怜哪！我写到这里，我的眼泪夺眶而出，古人说人可以痛断肝肠，原来是真有这种感觉。孩子，我的俩最小的女儿，“每逢佳节倍思亲”，第一想到你们的妈妈，第二便想到你们失去妈妈是多可怜，尽管咱们有党会教育我们，使我们感到温暖，但如何把妈妈再找回来，这真是万万不可能做到的事情。一念到此地，我忽然气短起来，似乎不能再做出什么来了。我体会到为什么方子一连三次在一天里给我打电话，我听到你的声音就像你在我身边。我也不知道你如何发展，但你说你同我说话，就像你们还在幼儿园时候似的，这句话说得对。你的心情我多么懂得呀，有个健康的妈活着时候我是多么不感到自己还年青，而现在却真有些感到老了。

不谈这些吧，你们要好好保重自己的前途，要改造世界观，使自己成为一个坚强的人，万不可像我这个旧知识分子，入了党，没有改造好自己，还会伤感起来，这真不好啊！

…………

我记得不知为什么是我动手打了方子，方子就嚷叫：“共产党员还打人！”一面用小脚丫踹我。你们小时许多事使我怀念。方子好用小手打开脸盆上的水龙头，玩弄水，李大姐涂上红药水在水龙头上，你就不敢再弄水玩了。欢子刚生下来，从医院进家头发已乌黑黑，平常刚生的小孩都是秃子。还有可怜的小方子，在西湖边上不知道为什么惹气了我们，我们就不理你，一直走，你在屁股后面紧紧跟着追，说什么也不离开我们。我的小丑孩，现在想起来多么怀念啊！还有小欢子的诗，在青岛，在广东，写得那是多么好啊！

……欢子，我的小欢子，我总觉得你像吃奶的小婴儿，何时你能叫我放心呢？上午我看见放在桌子上的欢子最近的相片，我不知为什么哭泣起来，我喊我的孩子，我的亲骨肉啊！什么时候才能看见你们哪？有时忽然觉得自己很老了，真不知何时才能看见你们。

一九八二年七月三日

方子：

得来信，以事多，几乎天天在访问，整理访问材料，想结构，改旧作，忙得不亦乐乎，很晚给你复信，望谅。

但给妹妹信中无时不问到你，与你的工作、生活情况。

我最近又问了小林，她希望你最后一次把小说按《收获》编辑的意见再修改一遍，定可登载。要删改那些“自我叙述、感情不恰当的地方”，我听不明白，大约你会明白的。

不怕改！不怕两遍三遍地改，十几遍地改。美国一作家拿出一部小说之前，他改了二十四遍。到了二十五遍才拿出，他还要在校样上大改。耐心与韧性，百折不回的精神对你万分需要。我相信你的才华，但一定要不怕折磨。“大器晚成”！万不能丧气。偶有挫折便感到一无是处，自己一生都完了，这是软弱的人，没有出息的人的脆弱表现。天下事只有干到九十九分，还差一分时，还得拼命攀上这一“分”。这一“分”往往比登天还难，比过去九十九分时用的劲还要多得多，还要苦得多。这就需要坚强！需要信心！需要无限量的自信。你是有前途的，我的孩子，我的好方子！

你的毛病就是浮，不重！不要图轻省，不要图快，你真是作家，读者、编辑就承认你。爸爸认为你是有才能的，文字掌握得比较好，连李伯伯[1]都说你“有才能”。他这样忙，大约看了你的稿子才对我说这句话。你要苦干哪！

见着小蓬蓬没有？和苏雷相处得如何？你的身体如何，均极念念。你如缺钱用，可告我和妈妈，我们想办法。问你好，祝你把那部歌剧写出来！

爸爸

1982.7.3

你还应常到剧协去，问问什么事需要做？不要杳如黄鹤，一去不返！妈妈太忙，她在我身边，要我告你珍重身体，精神愉快！

我很惦念苏雷的创作，他写出什么了？告我!!

一九八二年七月十三日

方子，爱女：

收到你的信，我很感动。我今后应注意身体，劳逸结合，绝不能

1 李小林的父亲，巴金。——底本注。

“乱折腾”，把有限生命“折腾”得更短了。

金山同志[1]逝世，我非常痛心。他是个好同志，一生为革命工作，他可能有一点缺点，但比起他的大贡献，那是不足道的。他为人宽厚、忠实、诚挚可信，有艺术家的风格，也有实干家的精神。他去后，当然有人接班，但这样的艺术家，在文艺界是很不多的。他有革命热情，有艺术境界中的气魄与壮志。他虽有不少成就，但比起他若不死，可能多做、做得更好的文艺成绩，则他生前的灿烂成绩还是微乎其微的。他的潜力很大，只因身体耗损殚尽，又不能自制，一味猛干，忘记年龄与体质均非昔比，终于早死！真！我觉得他死得太早了，太早了，没有完成他的可能做到的成就的一半，真是太可惜，太可悲了！

你的信，我与妈妈反复读了几遍。现在仍放手边，置抽屉中。一旦头脑发热时，再次读两遍。

感谢你，我的爱儿。你是诚心诚意关怀我们两个老人的。

你已完成《牧马人》，确实可贺！望你即着手速改你的小说，再莫迟延！

闻北京奇热，然而写作时入了神，便不大觉得。“心静自然凉。”其实，心专也自然凉。

方子，你一定要认真地干，用心用力地写！天才是“牛劲”，是日以继夜的苦干精神。

然而我也为你担心，你的身体很不好。你几次小产，是伤人的。

---

1 著名电影演员，曹禺好友。——底本注。

加以最近多忧，多痛苦，为一些不值得为之痛苦的爱情琐事，斫丧体质，实是很不值得。现在追，现在补，还来得及。要有一定的作息时间，每天必运动若干时刻，一定吃一些滋养品。你若缺钱买补品，妈妈与爸爸，还是可以寄给你的。你不要自寻苦吃。每天吃鸡蛋与肉干，行吗？要大量吃素与蔬菜。万不可再寻烦恼！那就吃什么，都不济事。记住，没有一副好体格，你的写作生活，便无从谈起。

大作家，都有“牛”一样的体格。鲁迅是个例外，但他有“牛”一样的性格，忠于所事，才能奋斗终生。

苏雷已写了两篇小说，更是可喜。劝他投稿。但事前，必作充分准备：一、再改它十几遍，给人看，再改；改得自己也无可挑剔了，再发出去。二、不怕退稿。Jack London（杰克·伦敦）的勇气、志气与冲天干劲，百折不回的“牛劲”是大可学习的。你与苏雷比起Jack London是小毛虫，你们若还不知苦苦修改，还不知退稿，再写，再改，再改；再退了，又写别的，写，写，写不完地写，那怎么成！三、你们还要观察，体会身边一切事物，人物，写出他们！完全无误，写出他们的神态、风趣和生动的语言。不断看见、察觉出来那些崇高的灵魂在文字间怎样闪光的。你们必须有一个高贵的灵魂！卑污的魂灵，是写不出真正的人全称赞的东西的。

我的话，请你们留下来，经常拿出来，用心读一下，揣摩一下，体会一下，看看自己相差多远。我的话，绝不是给木头人，木头脑袋写的。

千万保重身体，更重要是提高教养，使自己逐渐高贵，甚至有点不同一般庸俗人的一些想法！一些思想！一些作风！

多珍重吧！方子与苏雷！

爸爸

一九八二年七月十三日

妈妈再问你们二人好！她又去排戏，刚从医院回来，终于诊断出她没有癌症。

一九八二年十月六日

小方子，我的爱女：

一见早，妈妈高举一封信，蓦地一跳，跳到我的身前（这完全是京戏的武功！），说：“方子，我们的女儿来信了！”

我们二人抢着看，最后妈妈只好让我先看。

我非常高兴！你真是有出息的孩子。你说：“我自信，我的东西是应该被理解的，被允许的。反正我要再试，再写！”

特别是“再写！”二字，使我充满了喜悦，你给我勇气，不愧是这个时代的好女儿。第一，你可以继续投此稿，第二，你必须赶紧写别的！小说、戏、诗、散文，无一不写，就是“不怕退稿”，世上多少名家，不知被多少编辑看不上。杰克·伦敦（Jack London）写了几部长篇小说，连送多少杂志与出版社，自己附上退回的邮票，日日夜夜等回信答应刊载或出版，终于都一部一部退回，某编辑说：“你这文章不受读者欢迎，抱歉!”待到他一旦出了名，过去那些退回的稿子又被那些人发急电或电话要去发表。方子，你看看，这自然是美国书贾的生意经，但世上“伯乐”究竟难觅。因此，刘勰的《文心雕龙》上说:“音实难知，知实难逢，逢其知音，千载其一乎!”

不过，我的儿，你要发奋多写，写得好上加好，也应稍合时宜。不然，孤芳自赏，会耽误你的光阴，挫折你的勇气!

我确实觉得，小方子，这句话对，即挫折和坎坷能磨成不屈不挠的性格!

以上的话，是自相矛盾的。父女之情，既怕你碰着，又怕你跌着，不自觉地说出要劝你“稍合时宜”的话。

孩子，你不老，不要因为看电视中一个镜头，就觉得容颜变了。这是自然的规律。现在爸爸上楼必经人扶着加上拐杖才行，这是生理的“老”。我不是唯意志论者，但我仍以为人要有一股劲，一股令敌人丧胆、令亲人奋起的那股勇气。我抄一句摘自小说上的话给你看:

“雄心不取决于年岁，正如同青春不限于黑发，也不忍随着白发而消失。”

这不是过去的“豪言壮语”，骗人的鬼话！这是发自衷心的强音！只有今天才说得出来的！瑙威的Nora[1]电视剧，在巴老家中，个个说好！一气看到底，精神一振！不料个别一般青年的欣赏能力如此低下，真是气人！这还是中国剧协的青年！太可气了。你便将我的看

1　即挪威的娜拉。——底本注。

法对风子阿姨吹一吹，顺便托她告诉赵寻[1]同志，要提高中国剧协青年的欣赏水平。

你那几个小朋友，孙波、老袁、周强（他是否仍练仰卧起坐二百次？）我都记得，包括他们的性格与模样。你们高谈阔论，古今中外，天南地北，议论风生，我想得出你们是如何开心啊！可惜爸爸不在旁边，我已多年无此谈笑机缘，毕竟是“老”了。虽然见着你们，还是那个滑稽可笑的丑爸爸！高兴得能跳、能唱的爸爸！

莉莉与如茹姐姐都想念你，因为我已经把你吹得有些神化了。她们想看看到底这个聪明懂事的女儿是什么样儿！

“十一”你又病了，我以为你有个坏毛病：不管东西腐坏得变了味，你也吃。我看见你爱吃，我总是高兴的。但你太不挑拣（虽然也是“美德”吧！），生了病，实不值得。

世上就是有“为理想，为信念”的人!！多数人是浑浑噩噩的，混日子，自私自利，不好不坏的普通动物。再有，就是你们这几个“小家伙”，自以为懂得今日社会的某些黑暗，与一些可鄙可悲的小人，自以为这个社会，再变得好，也不过如此，因为“人”就是那么一种不可救药的无耻魂类。

我看你们这种想法是错了的！甚至是大错！只要想想你们这三个可爱的小朋友能如此畅谈心腹，你们就不相信有好人？推而广之，就是不相信世上有种雄心壮志的人么？你觉得你的“知音”少，难道后一种人，就会跟你们一样无知音，无朋友，无一群想共同改造世界的

---

1 风子、赵寻都是剧协领导人。——底本注。

人么？你们遇不着，只因为你们视野太窄！而且真有傻瓜似的真英雄一不善于言论，二即便能雄辩，你们也难碰得着。

奥……[1]剧本是哪一个？我需你细看，并读关于他的书，尤其所选的剧本的评论，我才能这样做，才有益于青年。

你先问问，如何？

小样等等，不着急！

你一定注意身体！要注意饮食！

问苏雷好！

急等他的小说《八戒》看。必须写好！！帮助他！

爸爸

十月六日[2]

一九八四年九月二十九日

小方子：

收到你的信，你的亲切的语言满藏着温馨的感情，我与妈妈多么感动，多么想念你。你大了！你懂了许多人性与世情。在你的心里蕴蓄着多少美好的回忆。在纪念二十五周年国庆筹备活动中的欢呼与雷

1 原文不清。——底本注。

2 估计是1982年。——底本注。

鸣一般的炮花时，你想起“文革”前，你在彩车上做少先队队员的喜悦，晚上我带你们到天安门看焰火。往事如烟，但你一提起，我也有了精神，当时的欢悦、笑声，我又听见了。

人毕竟是壮丽的，尤其是我们又有了信心，祖国在前进。不管前途有多少风波与许多卑微、险恶的小人在挡道。人是伟大的，是在土地上生根结实的，是任何眼前与将来的恶魔阻止不了的。

让我们花一次钱，庆祝一下，道出我们这三十几年的折磨与辛苦吧。我们还是有一伟大的民族和祖国，我们有成绩，但更重要的是我们这些普普通通的老百姓胸中永不失去信心的勇敢、力量。

共产党是历经黑暗与挫折，终于学会领导中国的党，虽然眼前有不少党员是有罪的，是不会再在党中留什么位置的。

我与你都在伟大的时代中，忘记那些荒唐的历史，创造新历史吧。

小方子，我与妈妈（尤其是妈妈）一定听你的话，回北京从事一点写作，并休息。我未能拿出最后一点东西，我是有愧的，对不住祖国与孩子们的。妈也决不再演戏。但日子要拖到本年底。十一月初旬来北京，一切详情见面再谈。我每接你的信，总像一阵新鲜的雨后风，从林中吹来，熨帖我与妈妈的心。你是热的，孩子，你是关心人的。

写你的电影剧本，再写你的小说吧。我期望你很大，但必须有张贤亮、邓友梅一般的生活，这是你的难处，你有美满的家庭生活与比较顺利的经历（与张、邓比而言），你就困难一些。但每人都有自己独特的道路，看你能否善用，有勇气与否？

上海已处处显出热烘烘的国庆气氛：满街彩灯，人如潮水，邻居已开始放火炮，虽还是稀稀的，已说出人要欢乐，要生活，要幸福！我与妈也被请参加各种前夕庆祝会，我想去，要尽量在有限的日子里笑几声，叫几声！

爸爸　妈妈

一九八四年九月二十九日

一九八五年二月二十六日

我只恨把时光错过三十余年，我误自己的好时间，你不能学我，但至今我不服老，我仍要写，只要写，只有艺术才是我的生命。

兴趣是从实践出来，若事事只图个人快乐与幸福便事事苦恼，因为个人的快乐享受是无止境的。我不是说你要做个苦行僧，但必须自己有志气，再你的打算目的要适合实际。看准了就要坚持。我等你的信，谈谈你现在难于决定的困难，具体一点详细一点。任何人不能为你选择，只有自己看清楚，自己选择。有了自己的决心，有了自己的选择，才能找到机会，但“机会”总多少有些碰大运，主要在于自己下决心为自己选择的道路去奋斗。整日在盘算，而不能下决心，多半因为看不远，怕困难怕吃苦，自己有了到了这山又望那山高的思虑，那就永无宁日。

一九八五年六月二十日

小方子：

读了你的信，很多感慨。你怎么会觉得老呢？你能对人热心就是不老。人老，私心重，脾气乖张，还有其他种种毛病，你说老，还属于“少年不识愁滋味”那种浮泛感情。有一天，你到了我这样年纪，才感流水年华，匆匆逝去的悲哀。

我十分想听戏剧文学座谈会上的录音，一因急需为剧协办事，二因自己孤僻，必须听一些青年人的呼声。青年有责任感，且从实际斗争中折磨出来的，他们的话就更应该听。希望回京即见你，听听录音，但主要的是看看你，和你谈谈。

你也不小了，一晃眼便是四十——中年人，中年是思想、感情、意志、理想都到了成熟时期，不能感伤，感伤消灭人的生命力。

你改编《原野》，要放开拘束，要富于想象与奔放的感情。不要被原本束缚住，要有所创造。

你劝我关于年老注意健康，我定会注意。这一阵，身体不是太好。我不怕死，只是死前没有做出些贡献，使我不安。

《红旗》来长途电话，约我写一篇关于《四世同堂》的电视剧。此电影，我仅看了很少的几部，但已觉得非凡，我答应他们回京后再看几部，即写。你见过这个连续剧否，北京电视台放的你若看过，盼望你能谈谈你的意见。很对不起世鉴[1]，把他的姓写错了。老年昏聩，到了若何地步。

爸爸

一九八五年六月二十日

1 程世鉴，万方丈夫。——底本注。

致万方、万欢

一九八二年三月八日

方子、欢子：

我在上海生活很好，安静，偶尔散步。吃得十分滋养，一连吃甲鱼与各种鱼、蔬菜，主食吃得少。虽然步履仍不强健，然比前月，已好多了。你们放心！妈妈很想念你们，屡次催我写信给你们两个小姊妹。你们素知爸爸最懒于写信，何况现在有时间，还要再次修改《日出》旧本，似略有进展。

我确实对你们惦念备至。就担心你们两个不听话。爸爸临行一再嘱咐你们的话，你们又当耳边风，完全忘记。

一、方、欢二女要保重身体。正在用功，正在苦修时，必须得养体质，以便日后长期用功。每天须练体操，各种运动。

【题注】收录李玉茹编、钱亦蕉整理：《没有说完的话》，山东友谊出版社 1998 年第 1 版。部分信件据万方提供文字稿排印。

二、一定要胸怀大志！在学问上、事业上，要有真成就。这就要能吃苦，不要贪图享受，舒服。要善于排解眼前的苦恼。欢子的心要放在学业上，方子的心就要放在写作上。成大事的人，无不昼夜专心致志于自己的功绩上的。这才能稍有益于别人，稍有益于人类。你们思虑的，经常是“自己”，而不是整个人的生活大事。这是致命的弱点！一个人短短百年倏忽即逝，不要到老年，后悔万状，那才不值得，白白浪费一生光阴！

三、不要把自己的幸福观放在什么“爱人”、什么“丈夫”上，更不要放在“结婚”与“结婚后的美好生活”上。这都是幻影，偶有幸福，也是短暂的，也是可遇而不可求的。自己挑选朋友，必须慎重。女儿清白一生，不可轻与人交往。

四、欢子，不要自卑！你虽有许多缺点，如小姐气，不做家事劳动，不善于看见别人的优点等等，但你有一个很大的长处：你很肯钻，在求学上肯下功夫，大体上说得上是能吃苦的。一定要有自信心！你中学未上，苦心孤诣地下大功夫，考上大学，而且继续用心学医，这就是坚韧不拔的精神，是战胜一切困难、一切折磨的有力武器。你考虑太多，犹豫不止，都缘于自己的“得失心”重，无大志的缘故。树大志，立一个崇高的目标。这是你们俩姊妹必须做到，而且一定能够做到的。你们是有勇气的。

五、家中一切要有秩序。待阿姨，要平等，要有礼貌，不要挑剔。家中不能留客人（任何人都不允许）住下。

六、我非常爱你们！你们有一点好处，我高兴非常；有一弱缺点、错误，你们就伤了爸爸的心。……[1]欢子，你有大困难，便写信给我；小事，要与姐姐商量。

现在爸爸仍到华东医院，继续治疗。

妈妈原有许多话，因立刻发信，我劝她不写了。

永远盼你们日日奋斗！健康！

爸爸

一九八二年三月八日

一九八五年二月十九日

方子、欢子二女：

此时正是除夕的黎明，今晚将是牛年[2]最后一夜了。想着你们两个和你们所爱的人，愿你们在除夕之夜享受欢乐、幸福、和谐的家庭之乐。也许欢子与 × × 又在方子家过年三十，这样最好，姐妹团聚，听着黑夜中喜庆的爆竹，望着闪烁的光亮的焰火，想想你们童年时提着红纸灯笼在旧院子里，和许多孩子又跳又跑又叫，这又是几十年了。

这时在上海正落着湿冷的雨，街上行人打着伞，买东西过年，送

1　此处删去一段。——底本注。

2　据信尾署“甲子”，应是鼠年。——底本注。

礼，我与妈妈住在旅馆，茹茹、莉莉昨日来说家里预备好年夜饭。……家里无火，是冰冷的，但心总是温暖的。看着南方的家人，想着你们的笑脸，十分想念你们。欢子许久不来信，好像许久没有见着你的小脸，听你的孩子一般的声音了。

方子，你大概是最快乐的，你不要忘记在春节中读于本正一的镜头本。你须细读，注上你的意见，早些寄来。我想在旅馆中与于君谈，即三月一日前，一定把你我的意见婉转告诉他。听不听，随他。但我们必须说透，说明白。你看如何，务请听我的话！

问菲菲、世鉴好。

爸爸

甲子除夕晨[1]

1　1985年。——底本注。

致万欢

一九八〇年十月三日

小欢子，我的爱女，庆贺你的生日，妈妈[2]和姐姐们都说如果你在上海，要好好为你作生。我说我们家从未有过生日的习惯。

方才得到你的信，看见你给爸爸做起十大寿卡片，使我想起你和姐姐，小方子，小时候也给爸爸做过生日卡片。一晃，已二十余年，爸爸老了，你们也成大人，想起来这几十年过得真不容易，心里难过。但也觉得你们两个姐妹都肯干，坚强，有上进心，我也安慰许多。

欢子，我非常想念你，你的幼儿似的声音和笑脸常在我凝思中出现。

【题注】收录李玉茹编、钱亦蕉整理:《没有说完的话》，山东友谊出版社 1998 年第 1 版。部分信件据万方提供文字稿排印。

2 李玉茹。——底本注。

一九八〇年十月六日

小欢子：

又好像许久没收到你的信，其实不到半个月的时间，你现在还是每星期回两次家吗？我十分想知道你的近况。××是否来了北京或来了信？我每日惦念这件事。但，我的小欢子，此事终归是“小”事，发愤图强，独立自主，在感情上也不依靠人，把学习医学的终身事业当作最大的目的，这才是大事。我的爱女，也许你觉爸爸还是老一套，只会念这一部经。

但爸爸七十年的经验便是如此。妇女如果想得到幸福，只有等到那合适的伴侣来寻你，到你面前求你，而且你看他乜不错，二人真相知，相配，相得，相谅，再谈结合的问题。不要急，好闺女总是有人抢的。再不能看上那种忽冷忽热，胸无点墨，只有一脑袋金钱算盘的人。我实实不爱那种浮夸、自以为是的轻浮子弟。……你看你过去的几个同学，虽然不算多了不起，至少没有一脑子的美钞、港币、合同，那堆东西的味道。

好欢子，小女儿，你只有读书，将来到医院吃苦耐劳，由实习大夫到驻院大夫一步一步地实践，成为一位真正的好科学家！欢子，千万相信自己的能力！学问是一点一点积累而成的，经验也是如此。你完全可以成为真正的科学家，或者是一位妙手回春的好大夫。宝贝女儿，我相信你。

你身体好否？念极！自己在用功与休息要适当。妈妈也想念你，总说：我的小欢子，为了她我也得回北京。保证她吃点好东西。安心读书。

爸爸

1980年10月6日

一九八一年十一月二十九日

欢子：

上次电话，和你谈话不多，还是十分想念你。我因病请假，12月份一切会议，均不能到。如有电话与信，要我开会，望你拆开，并告诉他们我因犯心脏病在沪疗养，不能来京，只好请假。

电话后，我与妈妈念起你“在家太闷”确是难过。我说12月底回家过年，这是确实的。欢子，我的爱女，你再忍一个月。我不愿再惹一些不必要的烦恼，搅乱我的写作的心情，也耽误我治疗心脏病。

你现在究竟收到寄给你的挂号信没有？来信告知。

最近，我十分认识到一切事情要办好，无论求学与工作，都需要愉快的心情，不要以为“心情”本来就“坏”，怎么就会好起来？我的经验（最近得来）是愉快的心情，可以由自己争取得的。大约，必须钻进工作或学问中去，不要皱着眉，总以为是苦差事，自己非做不可。你要创造兴趣，对学问上的兴趣。不要钻牛角尖，死死地认定学医治病很困难，很苦，这是与自己故意为难，越过越苦恼。你总以为自己可以学文学，学语文，这就有出路，有闲工夫？闲工夫干什么？难道只为做些自己认为有兴趣的事，或者好玩的事情么？万不可太着重“兴趣”，怕吃苦。没有一点抱负是不成大事的。日后会痛苦。欢子，我的好孩子，你一定要在科学的路上争取一定高度的成就。要苦干！干，干！就会从中得到兴味，对学问的爱好，对工作的感情。不可听些懒人，或者那种文艺味道、浅薄而自觉十分神气的人的话。孩子，我的欢子，你是科学家！你就是科学家！你不愿意在医院看病，这是可以的，但研究医学这个天地十分广阔，够你发展。你要有志气，有理想，有荣誉感。你要把自己看得高，不要看低自己。要有学问有成就，这是苦的，累的，但是苦中有乐，干下去就会有浓厚的兴趣的。

爱因斯坦说：“热爱是最好的老师。”他说自己一生的成就便从这句话得益最多。我要加一句：“着迷是最好的朋友。”孩子，好孩子，我这方面说得太多了，只希望你认真读两遍，真正想一下。

……

昨日吴雪由京来，看了我。我今晨也去看了他。他看了《雷雨》的Ballet，认为很好，很高兴。他想明年要邀请他们在北京上演，那时你可以看。

关于你赴美留学，待爸爸回来，欢子，我们俩再仔细研究一下，其次你日后学医学的哪一门学问，咱们也研究。也许我领你去看一两位医学科学家，替你想出一个道理，一个怎样争取赴美留学的办法。

孩子，刚收到你的信知道你在想我。你的车子坏了，闸不好，一定不能骑。孩子，你设法买一个新车，爸爸给你钱。妈妈也赞同极了，现在只是车票问题。……

你的车没有修好闸，万不可骑。想想高潮的死，你一定得小心，小心，加倍小心。

爸爸

81年11月29日

一九八二年五月十三日

小欢子：

前信想已见到，久不得回音，心中很是焦灼。你最近如何？家中安排是否妥帖？你的功课如何？是否过于劳累？或是累病了？各种梦想，萦怀不止。星期六如再不来信当电话询问。老父远念，欢儿当牢记在心，速给我几个字。告方子也要来信。勿以我不在身边，姐妹二人又忘记写信了。

前日李致同志[1]来说你曾信询峨眉山之游，暑期畅游四川仍在你思虑中，可知你尚不至于病痛。虽从客人得知你的一点消息，我也宽慰不少。

我在沪仍每日修改旧作，天气渐热，未理好，颇觉惋惜。妈妈为

1 四川人民出版社编辑。——底本注。

我每日做补品吃，鱼，甲鱼，素菜。且为我挡住一些无谓的来访者，因此工作环境是好的，独你们常未来信，惦念不已，耿耿于心。

……

姐姐最近如何？稿子修改完毕否？据小林说她最近也未收到她的信，是何缘故？

欢子这些日子又有什么考试，有工夫玩否？最重要的你与××感情如何？常常相见么？家中有什么事情，大大小小的事情，都望你在读书的空隙中告知爸爸。

妈妈为公事很忙，更忙是照护爸爸，陪爸爸到华东医院看常规的检查等。不多写了，想快快见到你们的信。

爸爸

1982年5月13日

一九八三年一月

小欢子：

收到除夕的信，我在除夕晨也给你与方子写信，但寄到方子家里去了。你的想念使我更惦念你，你一个人在北京，又不想读书，什么事都做不成，如何得了。

我仍住在饭店，家里太冷，只偶尔会去吃饭。我只恨把时光错过三十余年，我误自己的好时间，你不能学我。但至今我不服老，我仍要写，只要写，只有艺术，才是我的生命。

最近读《贝多芬传》，这位伟大的人，激励我不得不写作，即便写成废纸一堆，我也是得写，不然，便不是个活人。

我总觉得必须自己在拼命工作，才是活人，不然等于死了！

工作第一，知识第一，知识中有无限幸福，到了一点年龄便知这是真理。

上海正在下雪，一片白，白皑皑的雪花中有无数人在奔忙，这就是人生。

欢子，不要只为家庭生活而活着，你要的是生命。爱情只是生命的一部分，只有学知识，干事业，才是生命的最重要的大部分。我至晚三月二十五日回京，我总是想着你一个人在孤寂的环境中而焦急，你一定得跳出来。跳出孤寂与愚蠢的圈子，欢子，我的爱女，爸爸相信你将有所成就。

爸爸

1983.1.

一九八三年一月十一日

小欢子：

得你信，欣喜非常，我的儿居然学得“不埋怨”，要自己打开一条道路，我一生从你口里，听到这样话，真是第一次。

只有辛苦工作，保持信心，才有前途。任何有点事业心，而且稍有成绩者，都是经过困难折磨，永不失去上进能干的人，目前医务制度，将有改革，其目的，是增加青年人才，使青年人有发展，有前途可盼，到你在今后的机构里，多干两年的时候，那情况会和现在大不相同。人会变时代变，医院状况也会变。

我很高兴，你回到家中，有汪阿姨照顾你。她做事，井井有条，你当然愉快得多。我很想你，只希望你在春节中能够过得快活些。姐姐应该带着阿囡来和你玩。好好吃一顿。

我和妈准备除夕在华东医院陪巴金过，李伯伯至今未完全好，但能起坐，走路很困难，而且痛得很。他是我最敬重的朋友，一生操劳，至老也未曾休息，这一个伟大的老人！我们对他是没有足够的估计的。

你说寄贺年片事，我与妈妈立刻办了。偏□上海文具店，都卖光了，仅在外国人开的小卖部，买了两张，每张一元五，都是苏州绣的花，叫“鹊雀登梅”，航空寄。与崔、李二位同志了。

我们一定听你的话，使我不吃黄油，妈妈少抽烟，而且不致少冻着。你放心吧。

我大约一时不会死，我今写一二部剧本再归西。我舍不得你们！我的孩子们！

新春快乐！

爸爸

一九八三、一、十一

□，□你与方子好好过节！一定要向汪阿姨春节问好！

一九八三年一月三十日

欢子：

这几天沪上天气奇暖，如在早春。想起北京正严寒，你晨起床，正冬月料□天，早上风很冷，你又瑟瑟缩缩地跑出到食堂，奔入病房。确实念念。然不如此苦学，怎能成为一个科学工作者。一切都如此，无苦功，便不见成绩。你不要多牵记琐事，事情只有大路上才看见光明。

我正在读本《傅雷家书》，他真是善于爱儿女的。我住在静安宾馆（上海华山路）二〇九号。与华东医院不远，常去看巴金伯伯，他已能坐藤椅上，自己吃饭。二人扶他。可走几步，我们见面谈得很高兴的。

如此在零上五度室中苦读书，日夜不停，然昨又伤腰，不能动，只能躺着读书，边治边读，十分感人！

方子如何？让她给我写信，目前，我正与孙道临同志谈《雷雨》的编事，也很忙！匆，下次谈。你一定要注意身体！

爸爸

一九八三、一、卅

（妈，教你多穿衣服，别感冒！要好好地注意营养。）

一九八三年二月五日

欢子爱儿：

久未见你信，时常想念你。今晚星期六想给你通电话，听听你的声音。不知你最近忙得如何，是否还如往时那样无昼无夜？

我在此地《雷雨》事，即将完毕，曾在前一阵与他们到苏州，无锡看外景，为期三天，却累得可以。

同时我每天晨至晚六时起赶写《桥》，实际又重想结构，有时半夜二时起搞到十时，或十一时，便头昏，心闷，只得放弃。仅目前想得有些眉目，然而离完全的大纲，还远。真是老了！

我的儿啊，很想念你。给我几个字，关于你分配事，现在是否进行？如何进行？要怎样帮助，望你早些告诉我。

这里天气仍有些冷，大约不久就搬回复兴中路，一六四二弄三号家。你回信寄家。

你的生活与饮食如何？姐姐来了两封信，我未复，今晚即给她信。

问姐姐好菲菲好，汪阿姨好。

爸：八三、二、五日

一九八三年二月九日

小欢子：

这两天我每日总在讨论《雷雨》拍片的事，现仍住在静安宾馆209号，将在此地春节。希望快点弄完《雷雨》，我好搬回复兴中路家中。

此前给你写信寄到医院[1]，不知收到否？春节到了，十分想念你。家里情形如何，我十分担心你的休息与饮食，回了家能否有比较好的饮食，自己也要善于照顾自己。

我最近看了《人到中年》，很受感动。医生是个崇高的职业，只有高贵的灵魂才能在从事医务中得到幸福，安慰。现在中年大夫真是辛苦，制度不健全，待遇低。目前正在改革，也许到了你成大夫的时候一切会变得好些。……我以为人活着总有一点理想，有个比较可以自豪的内在的理想。如果只比地位与日后的舒适，则今后的日子即便比往日好些，自己也会不满足的。其实说说你不知是否听得进去？我总想在你大有可为的时候对你多讲讲，不然真到了中年，自己还在埋怨这个行业如何辛苦，而看不见工作中的光明与理想，岂不更苦。

欢子，我常常不由得想念你，仿佛目前你只见到惨淡，而看不见光明，我担心你这样下去太苦恼了，整日抱怨是不解决问题的。必须

1　万欢在友谊医院实习。——底本注。

自己想开了，打破现在忧心忡忡的心理。

欢子，我多么希望你快活一点，许多事情要自己想得通。你是一个坚强的孩子，你偏认为自己是软弱的。你是一个很聪明的孩子，你偏认为自己是笨的，你不大看得见你的长处。别人的成就都是自己有信心有干劲才获得的。

……告诉姐姐，我看见吴泰昌，他说姐姐有才能，那篇小说写得好，只希望她能继续写下去。

爸爸

1983.2.9

一九八三年三月六日

欢子：

方才通了电话，听了你的声音，欣慰万分。你说分配问题，我也在考虑，你如真不想当医生，那就只好找与医生有关的业务。你正考虑是否参加大内科？我看，也可以。但任何事，得都先要有个终生的打算才好。第二，你要有兴趣，真有兴趣。有兴趣，先从自己肯下苦功夫，才行。兴趣是从实际出来。如只图个人的快乐与幸福，便事事苦恼，因为个人的快乐，享受是无止境的。我不是说你要做个苦行僧，但必须自己有志气，再你的打算、目的，要适合实际。不要拿别人的环境，尤其自己认为比自己优越的环境来比，那就越比越苦恼，一个人先要想着奋斗，不怕单调的工作，你喜欢干的事，看准了，就要坚持下去，前一阵，你还想干医学研究的工作，不知你最近如何想法。是否和崔伯伯商量一下？但最好，先有个想法，不能一味靠他想。他只能在实际的事情上帮忙。你如有个目标，再去找他谈，那便易有结果，反复考虑，首先要反复调查，实意要调查清楚自己可能的出路，这只有自己去调查。这一点，方子摸出的路，是可以想想的。她看清楚，就做去。只有在实践中才摸出道理来。这当然是我的想法。你的脾气我知道一点，反复犹豫，总在想挑着比已选择的道路更优越的路，而不想，选择的路子，若不深入下去，总是找不到幸福的。任何事情总有好与坏的两面，看你从哪方看。

我等你的信，谈谈你现在难于决定的困难。具体一点详细一点。任何人不能为你选择！只有自己看清楚，自己选择。这是古往今来，多少有成就的人物，总结出的经验。

有了自己的决心，有了自己的选择，才能找到机会，但“机会”总多多少少有些碰大运。主要在于自己下决心为自己选择了的道路去奋斗。整日在盘算，而不能下决心，多半因为看不远，怕困难，怕吃苦！自己有了到了这山又望了那山高的各种思虑。那就永无宁日。我目前以为干研究工作更有前途。但如若你认为自己没有研究的兴趣，那再图他路，大约一个人总要找着有兴趣的工作。但每人有自己的道路。不可只看人家有成就，便贬低自己已经苦干多年的成绩，不要把自己看得太无能，那不合乎事实。

欢子，你是能干的，有你自己的才能，我的女儿欢欢“不要见异思迁”。总是不安于自己正在做着的事。你怕、你嫌，你看当医生，那是不能勉强的。

那么，只有找着一个自己觉得有兴趣的道路，选择走了，不要干了一阵，又觉得环境或工作，单调或感到又没有前途。什么是前途？前途是自己真正在工作中，有实干的精神，才能找得到。我爱你，欢子，只有认真活，才是真爱你，等你的信。

爸爸：八三、三、六

一九八三年三月九日

小欢子：

读你最近的信，你提到自己已能在急病室算一个角色，应付许多病症，自己觉得这五年的学习苦功夫没有白干，我看这是你的真心话，你感到自信，从自信中也得到些安慰。我确是为你感到欣慰。尽管你不想当医生，我还是希望你不要离开这个行业，但这不能勉强的。只有自己选择。

我当然尽量赶回来帮助你，做一个顾问，也尽量实际上对你有所帮助，有些好处。目前我一定得把《桥》通盘结构与思想弄明白弄透，不然太对不起巴金伯伯与四川人民出版社，还有许多读者，须做的广告已宣布出去，今年六月前，一定写出草稿来，这样，当然晚一些，然今年年底可以搞出来。人老，就怕懒，怕丧失对自己写作的信心。

家中请的阿姨，实在不易找，我以后回家也要靠她来服侍，一切望你看远一点，使我安心。使一位相当有能力的阿姨能做下去，这几年，我要追回已逝的时间，再写点东西。不然我情愿不活下去。爸爸仅靠年轻时写了一点东西维持精神上的生活，实在不行。我要有一段相当长的时间在北京住下去，妈妈也有放不下的事，上海的多年同事要她去做，我将在北京写作，她也许在全国各地演唱，到时，我在北京家中需要一个得力的阿姨帮我。我看汪阿姨还是比较得力的，你要使爸爸能安心写作，你个人也能安心做事，你看看如何？望来信告我。

至晚，我六月中旬回家，也许早些，看我的写作进展如何。今后，我的生活，也要靠写作来维持。

我知道你很为难，一个婚姻问题一个分配问题，我都能做你的参谋，而不能为你做决定，一切还是自己走出将来，别人从旁指路，你不相信，你不喜欢别人指出的路，也是枉然。还是那句话，不要离开医道远，不要白白荒废了自己五年的辛苦工夫。

欢子，如果这半年，你比往日多些时间，你也要预备统考，必须有好成绩，才能得好的分配职务。欢子，你逐渐成个大人了，今天，无论在何种岗位，只有能力强，不辞辛苦，有耐心的人，才站得住脚。

我耽心你的身体，希望你身体好，更耽心你的犹豫不决，总想抄近路，走小道，无志成大大材！你的几个好同学我看，都是肯下功夫想干一番事业。我怕你总看不起自己，看轻自己，自卑感太多，使你缺乏信心，凡事多番考虑是对的。但如果总是从日后小家庭的幸福考虑，今日后的舒服日子考虑，则日后必不得幸福与舒服。因为你眼光近了，心地狭小了，你怎样也不会满足。只有在工作中获得成功与快乐，下了大功夫，你才能真尝着愉快与幸福，即便小如卓明理那样的幸福，那也是苦干出来的。一定自己有真货、真学识，才会有真机会来。只见人幸福、有各种舒适的条件，不见人如何奋斗得来？其实舒适与幸福，或者好的工作条件，也是一步一步地干出来的。你要实际一点，看看我们目前，只有这样的条件，你说永远干不出名堂来，就如何大夫，一生也不过如此，难道自己就不能把眼光、决心、干劲、能力、耐心提得比何大夫这样的人高得多么？

我说的，可能一点你都听不进去，“空中楼阁”！但是谁不是先有一个“空中楼阁”，然后从实际实践中，一点点建造起来。时刻想到你，才不知不觉说了许多，真正幸福不能从天上落下，只有自己有信心，下苦功，才能获得幸福。

目前尽管在医院，你是很累的，但如真想做出点事，哪个人不是昼夜不停地干出来的？万不可自视太轻，要把眼光放远，立个大志向，你先想到什么香港什么国外，而忽视眼前，实际这不是空想出，你必须要从眼前实际上看问题，下决心，从实际出发，若从舒适与快乐顺心的环境与人比，自己将会永远痛苦，我真是爱你啊，小欢子。

冬八三、三、九

一九八三年四月五日

欢子：

许久想给你写信，我想的是你究竟毕业后做何打算。研究？学中医？我以为在大百科工作是不能搞研究或续学医的。不知你认为如何？你决定，需要我帮助，我必尽力促其成，然决定干什么，需你自己多想，自己决定。

我非常想念你，担心你日后的工作问题。我可能在五月间返京，许多话，可以当面谈。家中琐事请你劳神，我回家，一要忙外面的事，二要忙写作，要努力利用我暮年这短短的几年工夫。

尤其因为最近每夜起早写作，着凉，小病一场，体质又见弱衰。更感身体不行，又不得不努力写作，怕万一长逝，一点东西都没留下，真是矛盾异常。欢子，我最小的爱女，我不知如何是好，非常悔恨往日把时间虚度浪费。思之痛心！

我近来觉你与姐姐都知上进，且逐渐走上正道，使我提起兴奋，有了信心。我给姐姐的信，你要读读。人生只此一次，若不战胜私念，决心想为人做点有益事，则日后必感痛苦。无论学医、治学、写作，都是一个道理，不悟出自己活着的使命，则将一事无成，且必痛悔为何早不觉悟。爸爸近来，异常奋发，又万分苦恼，即以早未觉悟，早未明白，在私念中浪费大半生命。

莉莉与如茹姐姐都问你和方子妹妹好。她们都给你们写了信，不知收到没有？

妈妈也想你们，我与妈妈经常谈起方子、欢子的将来，妈妈总说：孩子们太辛苦了！我的观点是，如不趁年轻有作为时大大劳力劳心，有所收获，则日后就不堪苦恼。

我们都是在青年时，真正辛苦过来的，然至今仍不应懈怠，你说是不？我的欢子！

爸爸

一九八三年四月五日

一九八三年四月十二日

欢子爱女：

这两天果然因为写作太急，终于不得不卧床息养。前几天，胸口整日闷痛，尚不想告知妈妈，□忽然早晨有些不同，颤胸并痛。且□脉搏不匀，周身无力，妈叫车陪我到华东医院看病，血压60~90，早搏每分钟九次，医生坚持我绝对休息，开了药。这两天服药、休息，稍微见好。务望你不要惦记。目前，已经血压正常90~110。今天妈仍叫车陪我去看病。

病中看见你的信，一时动不了笔。你勤忙于工作考试，日夜不息。我也耽心你的健康和精神，又真是喜欢，爱你的干劲，你的朝气，爱你在学问上肯下功夫，逐渐有了兴趣。

你说你已能做下一些手术，参加过不少的大手术。自然是劳累，如果你一天□地能成为一个好大夫，那就是你劳力劳心，不辞辛苦，一点一滴积累成功的。

你说要□一个外科大夫，才能立见成效，这也要具体分析。你不想你的身体，你的小小的手，你怎么能熬得住一连五六小时手术工作。各科□□，许多科，你都要尽力想想与人多多商量。定下将来的计划，以便有个方向去努力。

爸爸最近才省悟到，没有一□工作的方向，随遇而安，浪费青春与中年时间，这是最可惜，想起来甚至觉得惨痛。只有在暮年猛追一阵，补去已逝的时间。

我还是等略为见好，便继续实干拼命——但创作只是极艰苦的劳作，时常□日日夜夜的时间写的那一点东西。一遇那走不通，想不通的关，又得翻工重写。一部稿子不知改多少遍。现在爸爸连一个草稿下，一个真正的大纲，都没有搞成。当然，真有一个结实的大纲与思想写下去，只是费时间。倒不会气馁的。

目前，我都有些气馁。但我终不认输，只能向前干，向前干。

放心，我的爱儿，爸爸不会死，我会照顾身体，妈妈在身边，有病她常整夜陪伴着，怕爸爸发重病。其实，医生已嘱告，不要着急，只要稍稍养息，就会全好。

我一定在五月间回来，看我欢子，爸爸想念冷饮，不能不想念你，你是我最爱的好孩子。

爸爸

四月十二日

如茹，初试已通过，正准备复试，考试很难，她平均分数是七十□点九分，已是这次参加考试的学生中的第一个人了。

妈妈和如茹都惦念你，问你好，说实在太忙，不能汇□给你寄信。□□

一九八三年八月十五日

小欢子：

离京前曾向你道别，你睡觉，就没惊动你。

路上以及到北戴河种种一如妈妈信中所说。在北京工作酷热，到了此地忽然想起我们三个人——你，方子与我，曾在海滩游戏，顿感老态。我十分想念你和方子，望你们来信，告诉近况，使我放心。如无别的急信，候我21日归来处理。

爸

1983.8.15

一九八三年八月十五日

欢子，我的小爱女：

收到你的信异常高兴，恭喜你正式毕业，成了医科学士。这个头衔得来太不容易。你下了苦功夫，你表现你的才能与毅力，你迈进了社会，走上正规的道路，我万分盼望你能本着一向的“吃苦”“求实”精神，日后在真正的人生大道上步步走稳走好。

我看你很能办事，而且有独立精神，我为有你这样的女儿而自豪。

我与妈妈每天想念你和姐姐，姐姐不告而飞往甘肃，使我有些难过。也许是太急促，无暇告知我。我与妈妈二十日返京，相见不远了。真是高兴！

所有别人寄给我的信都不要再寄转北戴河，我们即将返京相见了。有工夫可即书二字，晚了，我们就收不到了。

想念你，我的爱女小欢子。

爸爸　妈妈

1983.8.15

一九八五年八月九日[1]

小欢子，我的爱女：

前天（7日）上午送你上飞机，看着看着，你就没入人群中，怎样踮起脚望你也见不着你了，我想飞机是准时起飞的。妈妈与姐姐拉我到程世鉴家，见程老太太，主要是怕我直接回家想起你已飞美，空空的家，没有你，太难过。事实上，这是不解决问题的。姐姐、妈妈

1　万欢赴美留学后爸爸给她的信。——底本注。

和我都说不出话，有几句就谈起你在飞机上如何，随着，讲你在飞机上一定睡着了，太累了，而且会黑得早；要不小欢子这时满心想着看见的都是新鲜事物，也许正想我们，但总不能如我们在家里想念你的那样深。我发现姐姐哭了，她拿出你藏的童年你的糖纸，各种小证书、小玩意，给我看。我真觉得你简直不是大人，你不过是十五岁的小女孩儿。到了当天晚十一时，大家都想：小欢子到了旧金山，见着林登伯伯，大约林伯伯带你逛金门大桥，大约已订好第二天飞Atlanta的机票了。从昨天你走了后我在家里几乎时时刻刻念着你，我坐在客厅里，有时姐姐从门边走过，我就以为是你，只想再听你喊一声。屋子空洞极了，只想听你的欢呼声，与姐姐闹着玩的声音。

真想不到今日（9号）中午后便收到你的电报，Arrive Atlanta WanHuan。太高兴了。我想立刻告诉斐斐[1]，不料斐斐过了一会就来了电话，姐姐接的，我又亲自把电文给斐斐读了一遍。我叫他回来，他说回来就回来。他来了，我们吃了顿拌凉面，姐姐，妈妈，斐斐和我。斐斐说他的出国事办得差不多了，大约不是月底就是九月初飞美，我想快去吧，你就可以有人安慰了。他现在正写信给你，我要斐斐今晚住我们家，他愿意住，我觉得有了他在身边也会有一半你在我身边。斐斐不像你在家时那样话多，当然他也因为想念你不愿多聊天了。

今天上午到医院看病，医生说血色素很低，容易治好，现在除服中药补血，又打1000M.GB12，每周二次，两个月会好，下星期一二仍需照相验血，一定查出病因来。你放心吧，爸爸一定听你的话，把

1　万方当时的男友。——底本注。

身体养好，好日后在飞机场接你。

……

午睡后，我坐在客厅里问妈妈：“那个小鬼呢?”妈妈不知问的是谁，我到书房看见姐姐躺在竹席醒着，她因为想你，睡不着。我望着姐姐：“现在你升级了，你就是那个小鬼了。”

老实说，这两天全家都有点强为欢笑，都在心里念记着你。我想，不久，过一两个月就会好些的。我只是有点疲乏，但是精神还是很好。我要写点东西，这在以后再说。你一定要安心读书，保养身体，我相信你会成功，读得好，工作得好，与人相处得好。我只是惦记你，其实你没什么使我不放心的地方。你不要忙于写信，有工夫写一封你在Emory大学的情况，就可以了。不要天天写信！你要用功，还得保养你的科学脑袋瓜子！多少朋友与学院的人要复信，就留在后几个月逐渐写吧。

Georgia想必是美丽的，人也是美丽的，都会欢喜我的小欢子的。小欢子，千万别怕吃苦，慢慢把午觉的习惯取消了，设想闭眼十分钟，集中意志静下心来，那就等于睡个好午觉。你在营养上要注意，吃得好，刚刚好，别把自己喂得胖起来，也不要把自己饿出病来。

你看，斐斐都写完信了，要发信了。我只好不写，姐姐说：“就到此吧。”我也想留日后再给你长谈吧。我的小欢儿，小爱欢儿。

爸爸

1985.8.9　晚十时

现在可能你刚刚在大学床上起来，是么？

一九八五年八月十八日

小欢子：

收到你两封信，一自旧金山，一自亚特兰大。我收到第一封信，即想给你复信，后来，因为到医院看病，家中不断来客，再想等到你由大学来信，再写。今天（八月十八日）读你的第二封家书，知道你一切安排就绪，我与妈妈方才真放下心。艾玛□如此美，人们如此亲热，汤□如此善良，那样热心帮助你，我感谢一切帮你的朋友，老师。我的小欢，有福气，遇见的都是好人。寂寞在国外是难免的，欢子，你要利用寂寞，使它变为快意的读书时间，学习英文时间，那位十分热情的Gangarosa教授，说你的英文好，那是好心的鼓励，你的英文字的拼写应该打一个0分。“Your English is very impresse me or is beautiful.”这怎么能够得上研究生的写的英文呢。他只能说Your English is beautiful.（不是beautiful）或说I'm very much impressed by your English.（不是“is very impresse me”。再impresse，不能加e，除非他说“Your English impresses me.”也许这也不idiomatic，可能他说Your English is very impressive.）我的英文也只是中国式的，以后，你写英文试卷，或论文，必须勤查字典，最好向一位英文好的外友——外国人不一定英文写得好），请他们帮你修改，然后自己查验一下，自己究竟错在哪里，这才有进步！至于夏天（原是Summer）写成summur，厨房kitchen写成“kitch”大约是美国口语是如此。如写成文字，还是kitchen好。我以为你在美国除了正式功课外，必须写准确，写通顺，字得善于表现感情与逻辑的好英文。字很重要，这是信生人未见着你面，先见着你的精神与学力或文化的第一个印象。再你中、英文字体还要讲究。你的中文字写得快，却常常难认。英文字一样，不能仅靠打字机。英若诚的文字本来好，但写的英文字体异常好看，异常美。我的小欢欢，你今后一定要注意，不要使洋人一看你写的信或文章，觉得可笑、浅陋，那才丢中国人的脸呢。

我最爱的小欢欢，一写家信便唠叨许多你的英文问题。爸爸后悔过去太不教你，现在想弥补我对女儿失教的过失，已经几万里之遥，不可能了，今后一切要靠自己下决心，在各方面都努力。我相信，你有毅力与科学头脑，你会不断敲打自己。你一定在各方面都会显出优异的成绩。

你的房间不少，如有人同住似也不算太贵。一百多元一月，也许能支付下去。但如若找得一小房间，一厨房，一洗澡间，在七八十元之内，那自然好。一个人住，要当心生人敲门，就不能使他进来。多交几个熟识的美国正派的女同学，如能常参加（自然在学习之余）各种小茶会，多习惯于美国风俗，那就好了。我赞同你找一个美国家庭做房客，但找恰当，不容易。最好是老夫妻嫌寂寞，愿请中国学生一同住的人家，但吃的问题如何解决，你不要和房主共一个厨房，那会生麻烦。一家两个厨房的人家恐怕很少。不可与房主共餐，一则贵，二则吃得不方便。读书人只有自己吃，自己弄，最方便。

你每天能下楼游泳太好了。两星期的饭菜都准备好，这也是快事，离上课地方近，先生你也可能常去问。但你一定记着，访问任何外人，都要先电话约好，不可随时就去，像你在国内和小学的方老师那样不行。“独在异乡为异客”，你的抵触感我完全能明白，妈妈说如短短在欧洲数月，都有此感。但时间会使你适应，少想念家，我也和妈妈有时二人在客厅对坐，便常念起我们一同看电视，你在我身边，我就不知不觉伸出手来，你说笑着说，“又摸手，没有别的，你呀，就是摸手！”你就捏紧我的手指，爸爸的手痛就好多了。如今不要说一同看电视，我与妈妈总像在家廊门外听见你叫爸爸爸爸的声音，其实明知道不是你，但总想探探头。想得太多了，有些作怪呢。现在我在书房写信，但你的小书桌空着，只放了几本书，你的小小的黄色折叠椅，放在桌子里面。你睡的钢丝折叠床，孤零地靠在窗口，只有……妈不久，大约月底，重回上海，作对照检查，这是非去不可的，妈说办完了就回北京。明天，姐姐来，程世鉴已归，他们二人同时来住，妈大放心远赴上海，有姐姐来照顾爸爸了，爸爸经过极详细的检查，又一次查了血，钡灌肠照影，医生等都说毫无问题，只是营养不对，贫血、缺铁质。妈妈问了多次，医生都如此说，现在只好天天吃瘦肉、牛奶、鸡、鸡蛋、蔬菜，我想不久就好的，你一定放心吧。我想念你妈妈，总是从旁劝我，把身体弄好，早晚找个机会来看你。你想得多有意思，你存钱叫姐姐来探视看你，你真是大呆瓜，她如何能舍下程世鉴啊？我觉得你用心读书，考奖学金吧。小欢子我真奇怪，难道那个录音机带Radio的小玩意，你没带去？可我明明在机场上看见你带着的。

你不要老写信，应该写信的人太多，不要因写信而耽误了学习，不要哭了，好孩子，我读到你收拾箱子，想起姐姐为你整箱子，你就眼泪止不住地流，我看到此处也难过极了，孩子，有工夫，记得照照相，挑那最好的寄一张回来，寄相片，用航空，太贵，保重吧，我的爱儿。

爸爸

一九八五、八、十八

一九八五年十月十四日

小欢子，我的乖女儿，我的最小的好女儿：

收到你10月6号的信，我与姐姐读后都哭了，我总觉得你孤单寂寞，想着你便难过。但是为了读书，在美国学得真正有关“公共卫生”的，有益于国家的好学问，我们每年虽然远隔万里，也觉得这是应该做的事。女儿志在四方，我们只应喜悦，欢喜。不过，看你这样辛苦读书，兼赚钱工作，当Baby sitter，心里有些酸楚。小欢子，你成熟了，大了，不再是小孩子了。

你把我的信放在枕下，一看便哭，我明白你在国外的心情，我很难过。一想到你放假时还读书，有些空便为生活忙，为生活赚钱，养活自己，你真是好孩子，乖孩子。

看见你的相片，我们准备买一个好照相本，单放你在美的相片，到了你毕业时可能有一本了。

你的同屋同学在我们国庆节请你吃饭，想她对你还是能相处的。一定与南韩国同学友好相处，常住一处最好能做好朋友。不要为小事有了不愉快的感觉。对人，多帮忙。她有事就要多照顾。你代表祖国，一定要人知道，你是个有很高文化修养的人。

一想起你，我很自豪，你是国家派出求学的好学生，一定要争气，一定要功课好。所谓“品学兼优”这是老话，但在今天就有特殊意义。因为不管听到什么小道消息，那总是小道，中国是日趋好转，各方面都见好。自然有不正之风，这在改革中是不可避免的，有些无言官的属狗之辈早已忘记自己是中国人，只知道赚钱，非法弄钱，这是狗“彘”(“猪”的意思)不若的东西，毫无价值。幸而这些人不算太多，而且有些已经法办了。孩子，我们国家开始讲法治，这当然还不完全，但毕竟讲法治了。

小欢子，你真不该买“按摩机”，你说要它代替你给我捏手，我觉得难过。好孩子，你为什么花这许多钱买这些东西，还托人带来，承朋友的情。

你又给姐姐买“录音机”这是妹妹的心，妹妹对姐姐的心，你想，姐姐一听就哭了。我们在国内，父女二人相对落泪。你以后再也不许这样花钱。难道你不明白我与姐姐用你辛苦劳动赚来的钱买的东西，心里不难过么？好孩子，千万不再买了。姐姐好过，爸爸也好过。现在世鉴与姐姐都住在木樨地，他们照护我，姐姐对我非常“孝顺”，这两个字是老话，但这是中国的文化教养，不是美国人所能理解的。

尤其是世鉴，我渐渐发现他为人厚道，有才能，而且有头脑，善于思索。他待爸爸特别体贴，我很感动。他们二人到晚上，爸爸睡着了，还进屋来看几遍，给我盖被。你知道爸有个坏习惯，好踢被。

你看了我的信，下了决心，先不到纽约看斐斐，这是对的。想想，你去一次要费多少时间，这些时间可以用来读书，自修，与美国好女学生交朋友，熟悉美国人的生活。我以为你应该交些美国朋友，不限老小，只要他与她真对中国友好，有真正的文化修养，便可以相识来往。与同国朋友“扎堆”，当然可以抒发思乡的情绪，但同来的朋友，祖国的朋友，虽待你非常好，但将来有的是谈话的时间，回国自然会依然亲热。熟悉美国人的生活与他们的思想、习惯、文化、优缺点，只有和美国好同学多来往，才有可能真正认识美国。当然不能曲意来往，你要保持中国人的自尊心。美国人中却有令人讨厌的“优越感”，甚至于无知，你只要功课超过他们，这些人就会尊敬你。你看贝聿铭，杨振宁，丁肇中，等等，你看我们祖国的知识分子多么了不起，你要争气！我最爱的小欢儿。你是中国人，你要为祖国在你所学的范围当一个“杨振宁”。这必须勤奋，不能太多的私情，太多的斐斐。少写点家书、给朋友的信，要用时间读书，也许要亲身访问探寻实在的现实知识，不能只在讲堂上用功。

我住了一个星期的医院，只因伤风未去，终于治好顽固的感冒。

我现在血色素已经11点5，已经不是贫血，你放心，我的儿，我现在身体、精神都好。有方子夫妻日夜照顾我，晚上都来盖被。家用由方子管，她还写小说，偶尔出去办事。她很辛苦，世鉴也很辛苦。我觉得很好，并不孤独，只是想你，太想你，想听听你的笑声，想听你叫一声“爸爸！”你好为我掏耳朵。现在方子替你掏了，她掏得不重，不痛，而且掏出两大块“耳屎”。你看多好玩！方子还为爸爸剪指甲，帮我洗澡，一直看到我睡觉上床。

妈妈在上海患病，刚从医院回复兴中路1462弄3号的家，体弱，气不足，偏有许多事，许多人来找她做。还要在十一月中旬参加上海广播电台的中老年会演，她也要演一出“说亲”，她在办许多事情外还在排练。她是个强者。我以为我们家的人都很有志气，年轻的很用功，老的不服老，做事、演戏，还要写戏。小欢子，如果我还能写出戏来，那总算身体不差，尤其是我希望在你回国之前我能写出来，才好见我的好女儿，乖女儿，不然用什么才能见我这个学成归国的最可爱的小欢子呢？我有点老了，不敢说一定做得，但我一定用心，下大功夫，而且要写得相当好才对得起读者，对得起祖国，对得起我的孩子们，对得起妈妈！

再说一声，你有空一定要写信给妈妈（上海复兴中路1462弄3号李玉茹），她总在惦念着你，来信总提起你，问你在美国究竟如何了？她说很对不起你，你飞美时，她在上海医院病着，不能送你。但她一定待你回归时在北京接你。

我要在十一月二十一日与方子一同飞往重庆，参加他们邀请我们去的“雾季戏剧节”。在重庆几天，我可能飞上海看妈妈，我和她分别已两月了，小方子可能飞回北京。休息一下。

天津为我办个“曹禺戏剧学术讨论会”，小方子陪我去了三天，我与她都很累。这次还是找她，爸爸现在已经无人陪伴走不了远路。写信代我问斐斐好，要他保重，不要开车闯祸。

爸爸

1985.10.14中午

一九八五年十一月五日

小欢子：

读你给姐姐的信。我现在在上海，妈妈和我时时惦记你，怕你又孤单又累，怕你病了，果然，接到你的信，你的体重减轻，90斤重，怎么成？你太不会照顾自己，你离开我与妈妈已三个月了，简直像半年。真是想念你，想极了。也许还没有习惯，见到别人从美国回来便想问问你的消息，一想，这些人怎么会在Atlanta，真是胡思乱想。

我总觉得你的功课不会考得坏，你会获得奖学金的。快一点告诉我。

我和妈妈要到十一月二十五日，或月底回京。妈妈不得已，还得唱一次戏，还得教戏。因光拿工资不做事是绝对不行的，但现在物价涨，工资已大不如以前的价值。

我和妈妈身体还好，只是上海冷，又无暖气，真够人受。大约把一切事搞完就回北京木樨地家，早有暖气了。

看你给姐姐的信，草得不成字，可见你是多忙，没有工夫就别写信吧。

上影拍的《日出》还可以，大家都说好。听说还要送到法国戛纳去展览呢。

最近我还是写不出东西，但身体却比以前好。妈妈比我差些，但精神也很足的。如茹M.A.的答辩已通过，她已经是个M.A.了。

在上海有一个英国朋友请我们吃一顿新西兰牛扒，很好吃。平时我们有很多白菜、豆腐、牛奶，也有肉，东西虽贵，我们也设法弄来吃，不然身体更支不住。不过我和妈妈还是那样胖，体重不减轻。

本来我要到法国去，现在人大常委怕我到外国犯心脏病，变成华罗庚。不去最好，因为爸爸已经老了，而且衰弱了。

小欢子，我的好孩子，也许你已经变了许多，在外国总会沾点洋气，然而无论如何你是中国的儿女，你处处要有自尊心，我们学先进的东西，但不能忘了我们伟大的祖国将有更高的文明，富裕的未来。而且我们的人民是好的，最勇敢，最能抗击敌人侵略的。国家的历史上有坏政府，有万恶的掌权者，但人民是既善良聪明，又有志气的。因此千万不要与外国人在友好、平等、尊重、有礼貌地来往时，有一丝一毫的卑微、谄媚、贪小的心理和表现。不能忘记，你是代表伟大的中国，崭新的中国的学生。两国文化交流，各有所长也各有所短。目前中国的社会也是有不少的不正之风，但任何国家也同样有，你要打心眼里重新认识祖国的伟大、深刻、庄严。在国外，更易看见祖国的光辉。哪个敢侮辱祖国你回敬他几句。当然，美国的许多可取的精神文明你应学习。择其善而从之，其不善者而攻之。这就是对于外国人的适当的文明态度。你要有一双明亮的眼睛，万不可向美国人盲目地崇拜，爸爸最不爱那种屈膝媚外的人。一句话，你必须有一双明辨是非的眼睛，一颗热爱祖国母亲的心。

我绝不是要你傲慢起来，或不与外人友好，中国人从来愿与外国人和平友好相处，但也从不受人欺负。我的欢子，你仅到美国数月，要多看多听，多用心观察，多用心思索。美国不是一切都好，也不是一切都坏。你在读书时也要读社会。我的儿，你听明白爸爸的话么？多多想了么？当然我更希望我的小欢子有钢铁一般的好身体，更勤奋，善于学习，不怕吃苦受累。你要常常运动，越忙越要有适当的运动。

寄给你最近的两种邮票。

爸爸

1985.11.5　上海

一九八六年六月二十六日

小欢子：

几乎有半年，没有通信了，我与妈妈现住上海，我们身体都不太好，我是心脏病，妈患神经痛，夜来辄痛醒。幸而，都不算是大病，你放心吧。许久不得你的信息，前两天，听黄宗江谈起，你到纽约，曾住在他女儿家。这大约也是许久以前的事。现在你在做什么？奖学金弄到手没有。每日仍忙于研究，还是又为生活苦干？工读对你是十分需要的。依靠自己，谋生存，求学问，养成独立自主的好习惯。这种精神使你可以有进取心，有光明的前途。我在上海，时常想到你，我的小欢子爸爸十分耽心你的感情太重，一个女子生活要有能力，感情上千万不可依赖在丈夫身上。小欢子，你到美国是求学问的，确实不必过于分散精神，把精力放在丈夫身上，一定要独立自主，你要奋发求学，要有成就，一定做出一番事业。××自然会更爱你的。太近，便会太远。首先，你应有自己的见解，自己的天地，决不能因为××时而闹些别扭，自己便痛苦。那徒徒苦了自己。小欢子，你必须有自强不息的精神，使朋友、亲人们以你为荣。小欢子，夫妻之间，有合有分；白首偕老，恰恰在于分合，相别、相聚之间，处理得当。有一句话给你："活着，也让别人活着。"其中颇有可思考之处。小欢子，是不是？

我十分想念你，眼看不见我的小女儿将近一年了。我最近常感四肢乏力。每开一次会，谈一次长话，就疲乏不堪，偶尔心跳或早跳，或跳得不均，到华东医院的主任，遍查一气，也发现不出什么毛病。大约上海气压低，我时而喘不过气来。

你在学校干些什么？还住在那个地方？还是那位丰满的美国姑娘（即你过生时请你吃中国饭的）和你一块住么？要交几个真正有学识，对中国人有真诚友情的朋友。你是一个会交朋友的人，不是那样不开朗的人。累极时，也要玩玩。当然，不能姑息自己，做好功课，扩大眼界，为自己拓开知识的大门，这是更重要的。

天气反常，北京奇热。有人说户外到42度，最近才较凉快，然也有三十四度，姐姐与世鉴，热昏了，不知苏蓬是否考上景山？她有时也做不下事心乱如麻。他们二人相处很好，姐姐只是忧愁今后创作难搞，爸也如是。其实父女二人都是一个病，足不出户，不能在四化建设，或大千世界中再闹个龙腾虎跃。生活不足，不，是根本没有。如何写得出东西来。许多人劝我过一日是一日，只求其心安便得了。这我干不了，我虽七十六，心里跳跃着还是一个青年的心。一想，所写不多，今后，又能如三四十的中青年，那样扎根于人民生活中，身体太弱，讲出□下去生活，自己也觉可笑可悲。因此我就想到了你，小欢子“少壮不努力，老大徒伤悲”。你在朝气勃勃的环境中，有许多要竞争的人与你竞赛。看看无论是聪明、研究以及与日日变化的环境斗争中，你都是佼佼者，优胜者。你需要切实的一套有系统又能适用于中国土地的学问，即便你在美学4年，总有一天你要返祖国，效劳于用鲜血，用奶汁哺育你的中国土地上。小欢子，不知你在整个计划中作何打算，我与你们夫妻相隔万里，信息渺茫，不知二人究竟是如何想法。小欢子，你写几字，告诉爸爸，我喜欢听你讲讲你在美国的各种遭遇，更要听你谈谈你的心里话！你总是因为忙，写了几个字，“我太累，我要睡了，就写到这里为止吧”，以下署上一个“欢”就完了。

其实你什么也没有讲，一句真诚、抓着要害的话都不讲。你叫远在万里外的爸爸怎能放心得下？小欢子，你说盼爸爸和方子的信，但你从不肯，写几句心里的、有点要领的话，爸爸不能嫌你写得太短，我完全体会得出你是如何匆促忙迫，然而只要你静下心来，好好地想一下，再写，按我问你的，你来答，爸爸会如何高兴啊。

上海前两天有地震的传说，妈妈只劝我七月初飞返北京。她留下看病。我坚决不肯，你记在三里屯时，也闹了地震，我觉得很好，不会有大问题。果然，如我说。但竟被大姐说说劝劝，硬要我在广州憋了一个月，烦恼之极。这次我决不想回北京。北京闲事多，不得休息。在上海，我还能保持想想我想写的愿望，回北京，寂寞万状。只有姐姐与世鉴，他们有时又常出门，爸爸一个人在家，不知每日又苦恼些什么。妈妈现在已为我开了凉气，她出去办事，屋内很舒服。而心里乱得异常。你亚特兰大，环境也美但愿你心里万不可乱糟糟的。你应干的事情很多，不要自己苦恼自己。

听说亚特兰大有中国京剧节，有美国最高的旅馆，城里热闹非凡，你去看过么？

这半年，许多会议，我都辞去，一是身体不行，二是个个会都答应，则连锁反应，更像你说的，爸爸是个新会活动家了。

我的苦恼是写不出东西来，但打杂的事却干了不少。看许多莎士比亚的戏，又主持一阵莎士比亚戏剧节的大会。英首相撒切尔夫人给我一封贺在中国大陆举行莎剧节的信，由英国文化大臣Luce来上海宣读，她也致了答词。最近，收文化大臣回国后寄来一封谢信，我也未□回信，报纸并未怎样重视这件事，我也就算了。

爸爸

一九八六、六、廿六。

一九八六年十二月二十一日

小欢子：

昨晚看见你给莉莉、如茹的贺年片，我很高兴。但我也难过，为你孤身一个在异乡过圣诞节与新年。美国人都在欢乐地过节，而我的小欢子不知有人请你去热闹一下否。真是十分为你着急。也许你有人陪你，也许有什么好人家找你去过节。

真希望你最近过得快乐些，看得远一些。中国的老话：“塞翁失马，安知非福。”斐斐与你分离了，即便如此，你还是一个好强、无论在情感在生活上都能自立的万欢。你认人要准确些，凡一厢情愿的事都不会有好结果。

我现在在上海，天气较冷，卧室有个空调器，还算好。我原为黄佐临伯伯八十周年会来沪，但住在上海比较安定，稍稍可以做自己的工作，然而老了，脑子不好用，到现在不知写什么好。妈妈要到香港演戏，我大约一月二十日左右即返京。妈妈赴港唱半个月，返沪后再来京。

我不知你现在生活究竟如何？是否考试得好？你一时别想回来，得到博士学位再回来。

Lisa现住在巴黎，她与一法国人结婚，日前送一格明信片给我，我尚未复信。据说每个留学生都有个旧汽车，你开车的本领如何？油价高，你能用它长途旅行么？我不可能再到美国去，我跑不动，而且也没有合适的机会。妈妈倒想到美国“讲学”，因中国在美的票友们愿意听她讲京戏，但也只是说说而已。时间过得快，转瞬即逝，更老，更无体力走远途了。

你写信还是寄到北京，姐姐看了就会寄来。

我身体好，许多朋友都说我气色精神都比往常好。大约妈妈这一年来给我吃人参，才有如此效果。

姐姐与世鉴在北京相处得很好。姐姐写小说，世鉴天天上班，二人很忙。只是蓬蓬每月只许姐姐见一次，妈妈心中最大苦痛便是不能见自己的儿子。做母亲，真可怜，有了孩子就把自己的身子与心都拴住，即便想干一番事业，也要打折扣的。有工夫写信来。

又收到你给我与妈妈的贺年片，非常高兴。想不到你还知道我在上海，你常常记住我们二老，爸爸真是欣喜非常。

你说写完paper便去Florida玩一周，那是美国南部十分暖和又在海滨可以游泳的地方，你是否去Miame？一定要有一个朋友一同去才好，美国南方依然有种族歧视，不只是对黑人，即便黄种人也是。也许现在好多了。祝你玩得痛快，回来用心学习。

Mike与我、姐姐都见到，我们一同在家中喝"五粮液"，我送他一本书，是英文的《北京人》。当时有乔羽（注：时任中国歌剧院院长）在座，他看见我与Mike聊得很好，便问：看样子别是你的女婿吧？我翻译给Mike听了，他笑而不言，说他在亚特兰大的家很大，欢迎我们到他家去住，他说他到过非洲，在泰国住过，又到过日本，可能还有菲律宾，仿佛他去的地方很多，是流行病专家。他不像一般美国人，说话很斟酌，心里有数，不浮躁，是个绅士模样的人。我感到他经历很广，颇懂东方人的性情。我问他是否信教，是否是神父，他说不是，看了他的名片，他是个流行病学者。他虽比我年轻，但他的举止谈吐比我庄重多了。他说你告诉他，爸爸是个好客、十分好相处的人，他又说你有三美，"人美，心美，脑美"。小欢子，你只有长与人相处，才能看出人的性格，不要轻信，也不要随便失去机会，你要自重，自重才能使人尊重你。我愿你与Mike商量考博士的事，尽量多学习，在美真正深造，你所想在联合国做事，那也得自己现有真本领。要掌握社会中最需要的学问，不要当一个书呆子。你必须自食其力，要有独立思考能力，不要一味听人话，而不深加思考，便贸然行事，那一定会碰壁的。小欢子，一错，不可再错，你是中国的新妇女，是有头脑，有学问，能思考，不糊涂的。你要小心啊，爸爸真不放心，你要谨慎，要识人。你也不小了，也要考虑今后结合的事。想来想去，即便你在我身边，也是靠你自己，你如任性，不肯独立拿主意，认真考虑，爸爸有什么用处。好在爸爸身体好，你放心。一定你看得见爸爸。你只要把自己的一切都想得周到，也做得妥当，我们，妈妈，姐姐，我，都会真放心了。

信到时想必新年已过，只好祝你今天快乐。

爸爸

1986.12.21

一九八七年一月一日

欢子：

我实在想念你。今天是一九八七年元旦，一出门看见一个小孩随着她的妈妈蹒蹒跚跚地走，一摇一摆，像个不倒翁。我突然想起你婴儿时在冬天的模样，穿得像个胖雪人，也直走不了道，要人扶，要人抚爱。我一直跟随这对母子，又赶到她们面前问：“她几岁了？”“两岁半。”那个小丫头立刻叫了我“爷爷”，太可爱了。我真想抱她起来亲亲，可是看她的妈妈非常宝贝那个孩子，我就一直遥望着她们走远，直等妈妈抱起孩子在街头远远离开我，走进我看不清楚的人群里。儿童，青年，中年，老年，就在我心中转来转去，缠绵不止。欢子，迢迢万里之外的小欢子，我多么想过去你小时候的小模样，你那时口里说不清楚，把钟表说成“七八”，“七八七八”地来回叫着，多少人喜爱你，抚爱你。记得我到广东（一九六二年在广东我告妈妈带你来穗），我们和老舍一群伯伯们，坐汽车从广东游到福建吗？你念了诗，我忘记不了你那红扑扑的脸。

你送给我与妈妈的贺年片，一个年老的妇女为装扮圣诞老人的父亲缝扣子，实在太喜人了。我看个不已。妈妈也说小欢子真好，挑了这样一个叫人心疼的贺年片。

你怎样了？是否还是忙？还是不愉快？你要振作精神，乐观一些。我觉得你是有些贪玩，此时不读书，不学得非常好，不能做到一个自食其力、非常有能力、非常有见解、十分识人的女子，你会再吃亏的。一定要学得真出色，这才能行走四方。有工夫给爸爸写信。

爸爸

1987.1.1

一九八七年三月十九日

小欢子：

听了你的声音，我是多欢喜，也爱听你连连打哈欠，这是困得不行，还在讲话给爸爸、姐姐听。我完全赞同好姨的意见，要稳当，不急于什么……我倒想看你再过几年苦读书，下功夫取得最好成绩，戴上博士帽，给我照张相来。那我喜欢得不行，不是因为你有学问，而是因为你有了自立的本领。女子必须自立，无论在贡献上、情感上，都要有自己的真认识。一个女子不能专靠别人活着。

你说美国人做起工作真是玩命，自早晨到晚上11时才算干完，这是美国人所以成为大国的一个重大原因。懒散，只懂得玩乐的人，不肯工作，只求舒适的，那就流浪，做一个无家可归的浪荡汉，那是极可耻的。人生很短，不苦干，不对人类有所贡献，那怎么称得起“万物的主宰”呢？你肯苦学，做工养活自己，交学费。你进步极大，你很真诚，勇于竞争，你是我引以为自豪的好孩子。

你不要今年9月回来，你应继续学习，争取博士学位。我虽77岁，身体健康，精神充足，我想念你，我会到美看你去。姐姐想你，也会想办法去看你。

听你谈到Mike[1]，我看他很正派，有本领，不乱搞。待父母很有感情，这是在一些美国人中最难得的。我敬重他这一点。你应向他学许多本领，尤其是劳动技术的本领。开汽车好玩，车坏了你会修理吗？你会如他一样做木工活吗？何况他还有多年在异国生活的经验，这不就是你应该多知道多学习的知识吗？他的眼界比你开阔，经过生死之关，死里得生（注：参加过越战），凡是九死一生还能活下去，且有勇气认真活下去，不气馁，不丧气，这就是一个可敬的人。这样的

1　万欢的丈夫。——底本注。

人，对于如何做人，活着怎样有意义，才不枉活一生，会有些真理解的。我与Mike仅有一面之缘，而且正在酒酣耳热，我在请一个朋友吃晚饭的时候，没有与他深谈，当然不能懂得他。他严肃、认真，不像现在一些年轻的美国人，有的轻佻，不知人生的艰苦面，不知美国创国立业以及经国内战美国终于统一的时日，不知美国开国时许多开拓者在困苦中奋斗不止的精神。美国也有许多困难，但他们有独自的做法。Mike想必在一生奋斗中深有体会。

至于你的感情问题，你说斐斐在电话中对你流眼泪，哭出声来，我以为没有什么值得提的。他忽而电话要求离婚，使你痛苦多日，尤其在你一面要用功一面还要求糊口的艰难时刻。现在忽而又这样，这是男人自私又软弱的表现。你念十年的情感，还在想念过去的好日子，你是个忠厚人，但细想，对这个终于对你负心的人还有什么可想的呢?！我不是说见面不理睬，这也不必，但你必须认识人，认识这种十分自我中心的薄情的人。

关于你现在的情感问题，除非Mike真正爱你，你也真正爱他，你不必再进一步谈些什么。一个女子要自立。我感到有些美国人他们以其富有、物质发达、生活优裕自傲，自以为高人一等。当然他们有文化，但他们看一切事物，尤其是美国以外的事物和人，有君临天下的心理。……男与女相互间需要真正的认识，而且应当用一段较长的时间，才能真正认识。小欢子，你是三十二岁的人，是成年人，对人有比较明白的认识，爸爸希望你谨慎。你可能是运气的，你的这位Mike可能就是较“深沉”（你的形容词）又是爱你的人。不要忘记“深沉”的浪涛中有漩涡，人落进去卷进去就再起不来。我赞同你应多看多等（如Mike说的）。你们才认识两个月，这算什么认识，更谈不上深刻的认识了。不要怕没人理，女子有自立的能力，又有中国妇女的美德，必会有人与你结合。要自尊，但不是不可亲近，更不是傲慢。你很讨人喜欢，但必须自尊自爱。

因此还是那句话，要学一身好本领，好学问，叫人们都尊重你。你苦读，养活自己，又不断地求学，求真实的学问，这是争取到幸福的必要之路。必须依靠自己，不能仰人鼻息，哪怕是最亲爱的丈夫（对男人说便是妻子），也不要依靠人。一个温柔敦厚的女子，应同时是自食其力的强者。你不懒，从前你读书一点也不懒，硬是凭自己苦用功考上大学，又考取留美。做人也是如此。小欢子，我的小女儿，你要保重身体，要结结实实的。但万不可睡懒觉，要学美国人的优点，勤快，争取优胜，要事事在竞争中得到成功，而不是靠感情，又是男女间的感情活着。

Mike主张结婚后不离婚，大约是他看见美国社会中太易离婚了，说不定他是父母离婚的受害者。子女遇到父母离婚总感到不幸，而离婚者总易痛苦一阵子的，无论是男方或女方。但如在美国那种快速结婚快速离婚的社会，人的幸福也许会减弱的。我也反对中国坚决不离婚，都是痛苦，都是不幸。中国的旧话，夫妻讲缘分。缘分是天定的。它说明旧时夫妻不恋爱就结成夫妻，好，是二人有缘，不好，成了冤家，也是命中注定。不知今天世界有否关于夫妻组成幸福家庭、白头到老的调查数字？总之，二人无论男女，都应真理解，互相体谅，互相帮助，才能谈到结合。嘻嘻哈哈地成了夫妻没有不失败的。然而你与斐斐原很认真，二人或闹一通，哭一通，又好一通，结了婚，还是个悲剧。也许你们叫“友谊”的终止吧。但是这样的恋爱，这样的结婚和离婚，浪费了多少光阴！幸而你们曾有一次在祖国的大地旅行，这倒是可以纪念的。

我现在胖了，我要减肥。日后要运动，散步，游泳。这都要靠妈妈陪着。我77岁了，有时需要人扶持，妈妈待我极好，我与她时常提起你，想你一个人在异国，纵然或时有趣，总非故土，还是孤单的。我对她提起Mike，她也觉得此人很不错。你们二人如果结合，需要看一段时间，认真相识、相谅才好。我已给方瑞，你的生母的竹画题了字，共三张，已交荣宝斋裱去，日后姐姐、你和我各有一张。妈妈与你生母四十年前来往，她异常敬重方瑞，十分喜爱她。方瑞也觉得玉茹很真挚、厚道。姐姐与世鉴当然照顾我，日后与我相处、斯守的还是妈妈。你来信要多向妈妈问候。妈妈是个心胸宽阔的人，并不在意这种事，但我以为你在信中问她、关心她，这是人情，是常情。我仅提醒你。妈妈叫我问你好，要你关心身体。

以上是小事，随便你，你很忙，不能听爸爸的建议也无关紧要的。

你说爸爸不写信，一写便很长，现在我听你的，每月给你一封短信，告诉你一切近况。我忘了姐姐会提醒我，妈妈会提醒我的。

你见过Mike的父母么？十分有趣，Mike能待离婚的父母如此有感情，这在美国人中很少见。他却是一个十分忠厚的人，这些话都是我的想象，只有你，经常见他，和他来往，才能有个准确的认识。美国东西很贵，我看你给姐姐买的录音带价钱并不便宜。目前中国的录音带、录像带与胶片（彩色的）都过关了，可以用了。只是用洋货惯了的人，还是买洋货。转变这种“东西只有洋的好的”观点，要中国的东西真在外国畅销，并为外国人购用，才能改。

妈妈和我嘱你多珍重身体，爱惜自己。

爸爸

1987.3.19

一九八七年

小欢子，爸爸错怪你了，姐姐提醒我，你写信常问妈妈好，而且在1986年新年前你寄给上海那样美丽的贺年片，祝贺我和妈妈，上面的诗是多么温暖亲热啊！爸爸最近记忆逐渐不好，昨天的事今天竟然想不起来。我错埋怨你，请多原谅吧。

关于1页英文，是出自莎士比亚的*Hamlet*第二幕第二场，原文如下：

…………

这段文字较难解，你可以问问Mike，我想他会解释。中国有很好的莎士比亚译本。我不想抄了，你尽量自己理解吧，我在1页仅写：“……（英文）”中文意为：“宇宙的精华，万物的灵长！”译得非常好，是从诗人卞之琳译*Hamlet*的本子摘录下的。

一九八七年五月十八日

欢子，我的小女儿：

收到你给姐姐的信，姐姐到上海修改稿子，我拆开看了。

前日与妈妈一同到二院取你的分数单，昨日又托剧协复印了两份，现寄给你一份。方才我又与妈妈一同到邮局发装着你的二院分数单的信，按你打好的地址，贴上寄去。问邮局，他们说寄挂号要慢得多，只好寄平信。他们说寄平信一般是不会丢的。

你的信我大致看了，我以为你应该更了解Mike一些，他究竟干什么职业？他四处奔走是做治疗流行病的专业，还是兼做其他？既然准备做一生的伴侣，就该互相彻底了解，再谈结婚。

他主张你自立，你依靠任何人，尤其是男人，这一点他是好的。我与他无接触，是不了解。你必须了解他，不能一味感情用事。斐斐是你的前车之鉴，应该有个教训。

我不赞同你同Mike到台湾去。现在台湾与大陆的关系还没有统一，你是大陆去的留学生，你的名字很容易惹是非，不要弄得家人在国内不好处。小欢子，你应该有点政治头脑，并懂得社会情况十分复杂的道理。

…………

我最近身体很好，偶犯心脏病，不足虑。我在北京很忙，不多说了。

爸爸

1987.5.18

一九八八年二月二十六日

小欢子：

收到你的贺年卡，你说听见我的话，声音响，中气足，我确是太高兴了。听见你的小孩子一般的小声音，我似乎又回到几十年前，你刚从幼儿园大班回家时叫我“爸爸”的那种嫩嫩的小而甜的声音，我怎么不大声叫你啊！我的小欢子，听见你声音，你还像从前那样小！那样可爱，永远是我小血缘，小小的，只懂得喉咙里发出“七八七八”的小婴儿啊。

你的卡片上的英文词很好，原来美国人也讲孝道，想念父母一生对孩子时时刻刻的照顾，抚养，教育。有了这几句话爸爸心里是多么“贴肉”（上海话）啊！

…………

我身体现在逐渐好起来，我说可以再活十五年，这句话并没有夸张。你晚些回来你一定看得到爸爸的。妈妈看你在贺年片上提到“谢谢妈妈替我照顾爸爸”，妈妈读了心里十分温暖。她说：“欢子一句话使我的心都暖和起来了。”妈妈看了相片，说你瘦了，我才发现你的小脸都露出颧骨了，大概写paper和答辩太累。孩子，你真是吃苦了，我心痛，真是可怜。

我在此地，坚决不能感冒，总在室内的长廊中散步，有时总有些朋友亲戚带许多水果、花来，妈妈把那些花全好好地布置在屋子里，屋子里像个花棚，时而静静地透出清香。

我天天吃一位老大夫的中药，很见效，他说现在还清理一下内脏，待清理完毕再补。现在一补就误事了。这位董建华大夫是国内有名的大夫，也74岁了。前两天做了一次“骨髓穿刺”，结果正常。爸爸自己能造血，不用输血了。

我画了一张“父亲想女儿图”，你看好不好（爸爸在信纸上画了一个戴眼镜的老头，和一个长头发、大脚丫的女人，在旁边附了几句话）。爸爸看着在美国的欢子向教授读paper，欢子的鼻子高起来，大约美国面包与牛肉吃得太多，补在鼻子上了。怎么脸也长起来，欢子的大脚丫。

我只担心你开车太快，你一定要安全稳当地开车。

我写了一些诗，姐姐看了，说“还可以！”

爸爸

1988.2.26

一九八九年一月二十一日

小欢子：

你们结婚了，我、妈、姐、莉莉在医院403室都万分高兴，庆贺你们二人以后永远和好，互相体贴。我听小欢子的声音，你是快乐的。Mike严肃、稳重、不轻易允诺。但这样的人仍是可靠的。我已收到你的简便信两封。知道你丢了车，你会排遣自己，以为灾星去了，可是你一点不是“弱女子”。不要自我怜悯，只有自己坚强起来，你们的前途才会好。“弱女子”，没有丈夫会喜欢的。

你既然想得周到，可以回国，并为博士论文收集资料，那也好。难怪，考博士又三四年不能相见，那确实长一点。待你来京时，说不定，我已完全好了。不过医生讲，我以后永不能累，累倒了，还是犯病的。

我现在不能多写字，寄给你几张相片。过两天，我手不软时，再多写信给你。

你说来，爸爸确实盼望你回来了。

过来年□□，我的小欢子就回家了！真高兴！

爸爸

1989.1.21

一九八九年七月二十九日

小欢子：

收到你的信，有好几次了，然而我周身疲乏，拿不起笔。其实，尤其是这些天，我经常想到你，想到Mike，想到你们两个互相恩爱，我是很放心的。你过的生活想必很舒适，但最重要还是能在艰苦中得到相互的理解与帮助，永不向困难投降，这样得到的快乐，才真是幸福。我觉得Mike是个甘苦与共的丈夫，我替你感到幸福。欢子，你真运气好！你告诉Mike，你寄信，他常在信后，寄几句话，使我感到很亲切。你有了他，无论在什么环境，都会有可信赖的人，他会始终忠实于你，爱你的。

在病院太久了，已经十个月以上，日日夜夜由妈妈陪伴照顾，我心很不安。真觉得她太苦了。我的老伴心肠好，她从无一句怨言，我经常烦恼，妈妈总在劝解我，不然这个日子是无法过的。小欢子，你那样体贴妈妈，你的话使妈妈十分感动，她说，你是个大人了，真懂人心了。她说这也是Mike给你的精神。

你在学印尼文，这样可以方便些。但更重要是要找一个工作，要靠自己奋发有为。你给□生日卡上的话很对。万不能娇惯自己。贪图安逸，不能放弃工作，并且真正做个好妻子，这不太容易，但只有这样，才能得到快乐。

我现在血色素只八克，所以要输血，低烧不止，做过许多许多的检查，却查不出什么原因。医院对我十分负责，请了很多专家来会诊，结果还是说肾脏不大好，老化了。

你的家想必很宽敞，你一定利用好时间，一定要赶写博士论文，万不可松懈，这一点，你以我□□，Mike□□你，爱你，可能也因为你是能自强不息的妻子。

你说来日可能到深圳来看我，这是后话，待我真能出院再说了。

你不要再寄钱来，我现在还□□，不要担心我。我现在需要是，心境开阔，什么能放得下，过得快活些。我每天上午会在外面走廊过，□□的天，阳光（不热）与凉风，精神还是十分好的。

许久不拿笔了。写不动了，问Mike好，我想象不出你在远方□□过日子。寄给我你的最近照片，你家中生活的照片。

爸爸

1989.7.29

一九八九年十二月五日

小欢子，爸爸非常想念你，每次收到你的信既高兴又难过。相隔万里，几年不见，我并不想你回来，愿你在外平安愉快，和迈克处得和谐美满。就是一想到你小时种种情形，感到自己老了，有点伤感。不要为爸爸多着急，这是老年难治的病，不可能痊愈，只能长住医院，保持平稳，不恶化就是上策。

姐姐为你的公证书十分辛苦，夜半起来领牌，才能进去办事，一时到北大托人写证明，一时到公证处等候签证，而办事奇慢，且拖。领公证书的人一大群，且办公期限时，有时过了日期算白去，又重新定期再去。

好容易取来，她立刻寄给你了，家中尚留一份，怕万一邮政失落。

你一定要找工作，自己应该靠自己生活，不可偷闲懒惰。你与迈克住了高级公寓，且有人侍候[1]，这样生活过久了，你易求苟安，不能

1　万欢与迈克结婚后去印尼工作。——底本注。

做苦一点工作，过苦一点日子。迈克终日辛劳，工作极忙，又能锻炼身体，这是你的好榜样。

不知你是否能读书？能否写论文？你的印尼文迈克说学得好，这就便于工作和生活。感谢你和迈克送我的美丽的生日卡，上面说感谢父亲的话尤其动人，还有迈克写的中国字，颇不错。他写了几行英文信，亲切动人，可惜我不能用英文复信了。

妈妈回沪检查身体，发现也有病，是甲状腺瘤子，原来温性，现在变成冷性，需动手术。一般说良性的可能大。她急于来京看我，上海医生专家和组织都劝她在华东医院切除，不要误了。

小方子很忙，一是小蓬蓬的事，二是爸爸的病，三是自己要写东西，维持生活。她正写一篇关于爸爸的文章，是上海《文汇月刊》约她写的。她已写好一个十集电视剧的大纲，看看各地电视台是否要拍。

北京今年冬天不算太冷，但你在热带生活仍难以想象北京凛冽的严冬。

你还能回忆你幼年时的事。记得有一天，爸爸看错钟，天不明就爬起来为你做早点，乒乒乓乓把你吵醒了，你跟我大闹，我也发了脾气，从此不给你做早饭，叫你在医院吃。你小时非常好玩，我记得你刚生不久，我把你放在小方子怀里（其实她还很小），给你们照相，真是梦一般。

爸爸

1989.12.5

一九九〇年八月十七日

我最爱的小欢子：

我托妈妈为我写信，说出我心里的话，妈妈是最懂我的。

我执笔很困难，但仍想写几句话。

你一连写几封信，写给妈妈，姐姐和我，你很忙，写这样多，太难为你了。

我必须再给你嘱咐我说过的话：

我一旦逝去，你要认真孝敬妈妈，待她，侍奉她如你的亲妈妈一样。这样你就真是我的好女儿。

最近我常想，这十几年，我病了很久，是妈妈给我说不尽的爱护，体贴，真正的感情。小欢子，你如能真听我的话，那我就真放心了。

Mike来信写得很好，我很高兴，他是一位十分热情、认真的人。你遇见他，和他共处，是很幸福的。

Mike说你在五里云雾中，希望你早出来，实际上这是他真爱你，由衷爱你，才说出的话。你要向他学习，学他拼命工作的精神，这我也放心。

不能多写了，我的小爱女，重视你的时间，善用你的时间。莫等闲白了少年头。

爸爸

1990.8.17

你两大叠相片及附在信中的个别相片都收到，看了更想你，想你得很！

一九九一年九月五日

小欢子：

今天是九月五日，我突然想起你的生日，十一快到了，我想念你和迈克，不知你们这些日子怎样过的？小欢子，你办的研讨会，来了各国家人，你真会安排得很顺利吗？客人喜欢我的小欢子吗？我不明白你怎么会那样能干，优秀，还是你的老师，你的亲爱的丈夫与朋友指点你，为你想到十分周到，你才办得好这件难办的大会吧？你现在还是早晨八时不肯起来的，我不相信我的女儿是个赖在床上，好睡的孩子，你不但有事业，有经验，有能力，而且是一个三十六岁的大姑娘了！

我衷心祝贺你36岁的生日！

妈妈在我身旁，在说："祝孩子生日快乐！"

我现在还不能离开医院，我经常想到你，和妈妈念叨你，姐姐来时，更要打听你的任何信息。妈妈接到你托京朋友给姐姐衣服的电话，恰巧，程世鉴来，便告他去取了。

Happy Birthday! My child,my huanhuan!

问Mike好，我们想念他。

爸爸

1991.9.5

一九九二年一月八日

小欢子：

收到你的长信和相片，我十分高兴，尤其是你和Mike在贺年寄的短礼，我更想念你们两个。妈妈也高兴，Mike和你都提到她，想见她，问候她，叫她不要太辛苦，千万保重。妈妈乐得不行。姐姐这次赴美，Visa与机票事太烦人，够她忙的，也够你和Mike忙的。临走前，赴东京的票还是Mike办理，使我感动。谢谢Mike。

上次给我买的□□□（Mike挑选的），十分管用，你不要再买。

你一定多替亲人，尤其是Mike想，你是我的娇宝宝，是你小时爸爸把你宠坏了。

你是个非常可爱、十分诚实、十分聪明的女儿。我看见你为姐姐寄的，如何在东京机场找到你，你写得周到，仔细，我放心了，觉得你究竟长大了，是个大人了。

姐姐在美人地生疏，你要好好照顾她，听姐姐的话，做一个最能干好妹妹。

我现在精神很好，就是容易累。Mike如何劝我别多吃好的，别多吃太有营养的东西，我现在不再添吃分外的食物，不会使在医院时（三年了！）前功尽弃的。想我的小幺女！我的爱欢子。

爸爸

1992.1.8

姐姐亲手交给小欢子

爸爸

一九九三年四月一日

小欢子：

收到你的信，十分欢喜，在病中得到你的亲笔字迹，好像就看见你一样。我的小女儿，爸爸多想念你，这是难以形容的，我没有梦见过你，但时常望见你的身影，听见你的笑声。也许你真的来了，我不会这样的发痴。老了，有病，就不免如此呆气。

你说五月你和Mike一同来京，住10天或两周，这可能么？你们的工作是否定下来，还是住在印尼？我想不动比较好。这样，你也可以偶尔来京，我们可以相聚，爸爸，姐姐，小欢子和妈妈，这才是中国几千年的文化啊！你常说“血缘”，我现在回顾一下，又回忆多少年你在幼年、童年、少年、青年的种种可爱又可笑的样子，我不觉笑了起来，小欢子，我的小欢子！我们就要见面了。

台湾有人要演出我的剧本，我告诉他们找你接头，把你的地址告诉他们了。但是昨天才想起，有一些地方已经和我接上头，并且订了合同，你看爸爸多糊涂，完全忘记了。妈妈提醒我，我才明白。不过多说一声，也好。你在姐姐的《原野》歌剧在台湾演出出了力，终了没有吃亏，这该感谢Mike，他有经验，出了好“点子”。我也得了好处。

Mike到欧洲开会，他带你到柏林，有机会，还可能到丹麦一游，那太好了。你也开开眼界，二人同行，兴味更浓，多走几个地方，可以使眼光放远一点。

你们两个现在一天比一天更相投，夫妻间最重要是体贴、忍让、原谅。Mike对工作极认真，待你很诚挚，他真是个好伴侣，难得的好丈夫。

就见面了，还想写信给你，这就是爸爸！

看见你在海滩上的相片，你真快活。

妈妈问你好，等待你回来。

爸爸 1993.4.1

我参加政协（全国政治协商会议）两次，《中国日报》登了照片，你们看看。

致万欢、Mike

一九九二年二月十日

小欢子、Mike：

收到你的信，谈起你与姐姐在华盛顿种种活动。你也和姐一同在focus中得到观众起立鼓掌（你不是做姐姐的“翻译官”么？此地报纸也报导，你说你被姐姐自印尼邀请来做“翻译官”）。

不想你在美京城遇寒冬，下大雪，你感冒了，你真成了娇滴滴的一位小姐了。

难得你这样陪伴姐姐，你真是可爱的小欢子！妈妈与我问Mike好，我们很念记他。

那天除夕夜你从印尼来电话，我想不到你还记住“春节”而且打来电话，我和妈妈、二姐、彦林、小唐迎、史叔叔与他老伴，还有小白。满桌子的菜，妈妈做了暖锅、烤鸭、许多鸡翅膀，为爸吃的，二

【题注】据万方提供文字稿排印。

姐带来许多菜，到木樨地厨房做，有海参、□鱼、胖头鱼。单为我和妈每人一个烹得香极了的大虾。

姐姐在你家，你能陪她游海岛。真好。我现在身体很好，指标都正常，血色素都十一点多，“肌酐”三点五，医生们说红血球可以由自己造，不用输血了。

爸爸

一九九二.二月十日

送你与迈克我与妈妈的照片，还有爸爸的。

致李莉

一九七九年七月十四日

莉莉：

衷心感谢你，你写了一篇十分好的文章《永不凋谢的红花》。这篇文章激起千百万人的干劲、思想与感情，衷心祝贺你！

我希望你继续写下去！一篇一篇写下去，还要比这篇好！

好文章无止境。你下功夫□深，你的文笔便更好！肯下力的人，总会有更大成就的。这次赴东北，你的收获真是令人羡慕的。我要向你认真学习，要实实在在的，学□□新同志的革命精神。

我等待你们的□□好，大约早搞过了，而我□疏忽过去。但你一定告诉再搞□的时间，我要听。

万伯伯

1979.7.14

【题注】收录李玉茹编、钱亦蕉整理：《没有说完的话》，山东友谊出版社 1998年第 1版。部分信件据万方提供文字稿排印。

一九七九年八月十二日

莉莉：

你的信放了很久。读你的信，我是异常愉快、兴奋。因为你是一个相当成熟的姑娘。你保持一副清静的头脑，不为一时的喝彩所迷惑。你谦逊、平和、沉得住气。这是成大器的样子。我就不行，一生多次被一点小小成功冲昏头脑。有时，就说出不恰当的话，其实，就是人内心充满了骄傲、自满。我希望你继续写下去。也还有磨折甚至失败在等待你。人生总是上上下下的、如在大海中航行，有时平静，也有时风暴，人也有多种面孔，他有时对你笑，也会忽然对你冷冰冰的。不容易啊，孩子！你要有毅力、有思想！

妈快回来了。你们会很快乐的。尤其见到你们两个如胶姐妹如此要好，向上，她会很高兴的。妈妈是个十分可爱的好妈妈。你们是幸运的。你们的成功和妈妈对你们的辛苦培育有难以形容的道理啊！我要推迟，因为忙□□，而且病了一阵。

有一封给妈妈的信，请务必放抽屉里，留给妈妈。

万伯伯

1979.8.12

一九八五年六月十一日

莉莉：

从头看完《激流》电视剧本，我以为这部稿子可以用作电视剧的稿本。我随读，随写几点意见，但都不充分。

有两点，请注意：一、觉慧的“我控诉”稿件（当然，不必写出此稿的内容）可作为基调，也可作为主题歌，这是《激流》中贯串的情感，它在悲痛场面可用，在有积极兴奋场面（如淑英终于逃出家）可用。觉慧是控诉旧社会反人性、反理智的压迫人、毁灭人的代言者。

此意对每个不幸的女子的毁灭，也可用。用这个“我控诉”的“歌”“画面”“文字”，来传达原作者热情的呐喊。但每次“控诉”应有不同的表现方法。我有个莽撞的想法，甚至可以稍加改动电视剧本的“情节”或“言语”，使“控诉”有变化，一场比一场更有力，有悲愤的，有惊激的，有愤怒的，有抒情的，有含蓄的……种种“控诉”。

“我控诉”的高潮当然在觉新的自杀，即在《激流》最末一场的结尾。这是全部戏的理智与情感的总结。戏中大起大落，到此已达高峰。“我控诉”，不只是呐喊，而且是在死一般的沉寂中，忽然出现一片杀伐之声。鲁迅先生说：“心事浩茫连广宇，于无声处听惊雷。”我愿你们编、导这个《激流》影片，要充满这种气氛。虽然鲁迅指的是蒋氏专政下的劳动人民，而《激流》写的是旧礼教家庭终于在毁灭无数男女后，被“我控诉”的雷一般的声音震碎、毁灭。《激流》应有积极、热烈、惊天动地的反响，它绝不是沉寂、毁灭、衰败、低沉的影片，不是想引出许多人的眼泪与叹息。它一定要感动、唤起亿万人民的觉醒，使《激流》成为战斗的号角，而不是“蜡炬成灰泪始干”的哀弦。《激流》这部书之所以激起“五四”以来千万青年走向革命，其根本原因在于它是积极的；在金鼓动天的讨伐中，立志要造成有春天的社会，唤出希望中的将来。

当然，这样的改动，需要你们深沉地思索，反复把这二十集长卷反复读，用这个观点反复对照一遍两遍，甚至三遍。斟酌如何取舍，如何改动，如何压缩。

我一气读完这个《激流》电视剧本，觉得其中处处有黄金，但也时而看出渣滓。有地方应重写，有地方应大删。

整个来说，《激流》这部二十集的剧本是一个好剧本，是一个英雄有用武之地的好剧本。每一部（《家》《春》《秋》），都有可取之处。但我更喜欢十八集。沈氏是愚蠢、庸俗的妇人，然而她的悲哀、苦痛，并不比“梅”等人少，她的遭遇更使人同情。她的变化幅度大，其可悲处在于“愚昧”，而这“愚昧”恰是旧礼教在毁灭人性中挤轧出来的。在往日，女子无才，当然痛苦；有才，有感情，也有痛苦。封建礼教中有几个女子过得幸福？……[1]愚昧如沈氏，都写得如此令人同情；更不用说，其他在旧礼教中或挣扎，或终生忍耐，或苟且

1　此处删除一句。——底本注。

偷生的妇女。《激流》是抗议，是呐喊，是最终取得胜利的书。因此，你们要把整个戏如此排演，如此改动。

写剧本从来要有一个基调，有一个主要的动机或主要的思想。激流可以山崩地裂，但流到平原上，它确存一种不可抗拒的暗流在波涛底层涌动前进，其力量比形之于外的风浪要有力得多。其内在的思想动力，也比形之于外种种情节、人物、言语，要有力得多！我不知道讲清楚这个道理没有，附录鲁迅先生原诗，请你们细细读，沉思一下：

万家墨面没蒿莱，
敢有歌吟动地哀。
心事浩茫连广宇，
于无声处听惊雷。

其二，我以为觉新这个人物不可写得过于重复。他的犹疑不决，安于旧礼（或不安于）教训淫威下讨生活，甚至拉着别人下水，应描写，应在适当时刻，着重描画，但不可一味写他那种忧郁、妥协，以至于害了人又害了自己的那种怯弱、糊涂，写到使人不可忍耐的地步。觉新这个人物写得十分真实（在原书中），但剧本要有变化，要有突变（当然不是乱变，要根据他的性格、本性，使其变化多彩）。

当觉新终于明白自己的错误，明白自己沉溺于旧礼教的淫威中，忍气吞声，百事迁就，犯下滔天的罪恶（至少是杀人者的从犯！）时，他突然转向，不但答应淑英逃走，而且决心帮助淑英勇敢地踏进社会，成为一个新女性时，我们是多么高兴！这便是“惊雷”！当然还是“心事浩莽连广宇”的时期，然而这一声“惊雷”多么可贵，它唤起希望，唤醒斗志，唤起革命的声音！这才是“激流”啊！

我十分希望这部戏可以排成为惊动今天青年的号角。今天广大农村与城市中仍有类似的悲剧，但已不用克明（三老爷）的话来教训青年，而是用八十年代的语言，来阻止青年向往春天，向往幸福，向往与整个社会同步前进的梦想。梦想是前进的一种动力，一个人没有梦想或者幻想，便是死人。

这部戏应该使青年人奋发，使他们激动，使他们勇猛前进，感觉到前途不仅有希望，而且充满光明。这样，这部戏就有意义，有理想，有你们可以为之奋斗一年的劲头了。

因此，整理剧本，尤其整理剧本的思想与情调（当然不能置原书于不顾）是当前紧迫的事。要耐心，要锲而不舍，反复颠倒修改，要有个与前些次《激流》的拍摄有独立不同的见解，这是立足点。

我有个怪念头，我以为“淑英”与“觉慧”应出现在最后的当口中。如何具体写，我一点想不出。但他们代表胜利，他们身上带着“惊雷”的气息，他们是“我控诉”在原作者一声呐喊中第一声控诉后的胜利者！因此，“我控诉”应随时在适当时候，适当情节以不同面目出现，而又不使人觉得厌烦、单调。这是你们可以大大运用匠心的地方。

我的意见可能都不对！请留作参考吧。

爸爸

一九八五年六月十一日

一九八五年九月十五日

莉莉，我的好女儿：

庆贺你拍的电视剧《镶玻璃的小伙儿》大成功。

我看了，有的地方感动得想哭。你把辛福强拍活了，十分真实、自然、朴素，令人相信，他的实在劲、善良、谦敬，都十分亲切，他自己一点不觉是劳模。你把他的种种受骗、受气的事写了，又把他对无靠的老人（譬如那个用塑料纸糊窗户的老太太，辛福强带了他的帮手为她嵌镶了玻璃）的来自真心的体贴，他没有要钱，因为老太太确实无钱，老太太说："政府给镶的？"他笑说："是啊！"这拍得自然极了。末了，老太太在那报机上的背影上说等你吃饺子，尤其动人。但应说："饺子，已经包好了，热腾腾的，就等你来吃！"不必说饺子好了，你不能来吃了，大约这是要快结束，不能拖着拍下去。

你选的人，真是辛福强，这是十分有表演才能的好演员。他演得太真切了，太感人了！整个戏，一点不复杂。那个父亲好，母亲在辛福强临死的床上说的那段心酸的话，非常好。这也是一个好演员。她的话说得有真感情。那个记者开头结尾都好，听了电话，便坐飞机到了辛福强床边。多少人在等待着他啊！这一段也不错。

辛福强答复记者提问："如你再活一遍，你要干什么？"辛说："我还干这个！"当然这句话意义深，含蓄多。但如若实一点儿，辛如果只说这三个字："镶玻璃！"我以为这样反比原来的话更有味些。我只瞎说，不知对否？

这个戏，剧本很好，拍摄也好，我看最好是你的导演，你选的角色太对了！庆贺你，庆贺剧作者的成功！整个演出的人都出了力气，才能拍成这样。你的风格朴素、真实、诚恳、含蓄，这是一个好导演必备的条件！再次庆贺你！

爸爸

一九八五年九月十五日

一九八九年十一月六日

十日好，十日好，
十日生下我们的小宝。
宝宝乖，不好吵，不好闹，
一年到头做编导。
拍戏累，可导演得好，
全国数上咱们莉莉小宝宝。
妈妈爸爸哈哈笑，
观众个个拍手叫：
这是谁家的娇娇女？
妈姓李，爸姓曹！
真聪明，真灵巧，

有才干，有头脑，

莉莉原是咱们的好宝宝！

十日好，十日好，

十日生下我们的小宝宝……

祝爱女莉莉十一月十日寿诞！

爸爸

一九八九年十一月六日

致李莉、李如茹

一九八一年十二月五日

小莉莉、小如茹：

我很难过，离开上海的家。这两个月，在上海，我过了一生从未享受过那样温暖的家庭生活。苏州多次买来螃蟹和鱼，还有那话梅糖，姐姐买东、买西，妹妹也给我多次□□东西。昨夜，疲劳极了，吃了如茹买的“三明治”，如茹真细心，每块都插上了牙签，怕走了样。我和欢子、老史吃了话梅糖。说起我这两个月在上海的种种生活，他们听得津津有味。

莉莉：娃娃亲是有才能的导演！一定发展这个才能，要自己找机会！我看《孔乙己》《离婚》都十分好！要把心放在工作上，放在自□能施展才能的工作上。

如茹，你是极难得能学习、善于学习的好孩子，你的剧情既然由

【题注】部分信件据万方提供文字稿排印。

业余剧团演出，你要听导演、演员的意见，让他们修改。这个剧本发表问题，我还是追问下去，设法找个地方发展，不要着急，你需要的是写下个剧本，更需要生活。难道你不能在你周围环境中找出可写的人物？不一定当青年，写妈妈身边的许多人物。但抓着意义很难。先要看出了道理来，为什么要写他们？再仔仔细细地观察，详详细细地记录他们的话、动作、心眼、思想、关系故事。多记、多写。不停收集材料，更要经常翻这些材料，用心想，想出个见解，就记下去。有一段可写的先写一段，你才能摸出个道理。要多起几个头，或者剧本的人物与大纲。然后再挑有典故、有把握的写。不着急，写独幕剧不一定容易。我以为你先写个多幕剧，放下一两年工夫，与小□，小贾那些有点道的青年作家谈谈。不要只看学校中的生活，即确实没什么可写的。

莉莉，别忘了《丹青恨》，和人□□，看整个的材料，是否能用？我的话，不一定对。即便也□专家话的，也看对自己能适用否？因此，看不□。就想别的。我觉得，你也应该写电视剧本，这个行当，能独自操作。不太依靠人。导演，你是有才能的，我看写剧本，你不定就没有才能。要试试！先找篇东西试着改编，发展出来。如能□□，不改编，那就更好。

两个小女儿，不多说了，我要出去发信，怕妈妈等信等急了！这信还是用挂号，是你就□□，但保证不会遗失。

爸爸

1981.12.5

一九八四年十二月二十四日

莉莉、如茹：

分别月余，真是想念你们两个姐妹。我与妈妈遍走川鄂二地，大开眼界。唯不能一同享受祖国山水风光，真是大憾事！我虽非你们的亲生父亲，但血肉之情，不知为什么这样深。你们是一对极可爱的女儿。待我至厚。我常想如果没有妈妈，没有你们在我心头，我不知孤寂到什么地步，人老应发奋，我却每感伤流光易逝。和你们在一处，不知宝贵，分开后才感到你们如何亲，如何重！

爸爸

一九八四.十二.廿四

逆料只能去北京过元旦快乐快乐吧！

一九八七年二月十七日

莉莉、如茹：

二女：昨日得妈妈自港来的电话，说21日即到上海，搭火车。

上海京剧院会通知你们！

你们的信都收到。我身体很好，现在也有了保姆，今天刚来，前星期游泳两次，每次500米。只觉筋骨痛，但心脏无碍。

你们姐妹都应十分珍重身体!!!

希望莉莉的《激流》顺利拍摄。如此能早日出国求学。

我在京大忙，与在上海时不一样。

匆匆，问

你们姐妹们好，我的两个好女儿好！并问

维国好!

爸爸

1987.2.17

羽绒衣很合适，尚未穿，等转凉时。

致李如茹

一九七九年四月二十八日

小如茹：

昨日发了一封信，忽想起，我不久将回家疗养，日后写信，你寄北京北三里屯北二十四楼三门四号曹禺。即使我仍在医院，总会有人为我捎来的。

你说，你像“一颗圆滚滚、胖乎乎的小绿豆”，这使我想起你是一位相当高、相当结实的小姑娘，但是千万不要太胖了。太胖，对身体不好。你要多走路，多锻炼，你说你要当一个“编剧”，你看世界上的“编剧”年轻时，胖的是不多的。胖也容易睡，也好睡。睡多了，书便读不进，甚至于戏也看不下去的。

妈连一声“再见”都不对你说吗？有时，母亲在离别孩子时，是

【题注】收录李玉茹编、钱亦蕉整理：《没有说完的话》，山东友谊出版社 1998年第1版。部分信件据万方提供文字稿排印。

不忍多看看孩子的。看了，说了，都会使母亲流泪，而你母亲的性格很强，在人前是不肯流眼泪的。“丈夫有泪不轻弹，只因未到伤心处。”（记得么？这是戏里林冲说的）你的母亲就是一个女中丈夫啊！“妈妈干什么事都那么认真”，这确是她的长处，她总在“拼命干”，在中国这样的人还是少了。我知道，你了解你母亲比我要深得多。你母亲常对我说，她肋骨摔断时，那时经济很困难，你天天半夜排队买一些肉骨头，为她熬汤，使她得到了滋补，她的伤才好得快一些。你们真是经过患难的母女。我猜想，你的姐姐莉莉也会和你一样疼爱你们的母亲的，你们的母亲是个十分坚强的女性，我想你们也是的。

代我问莉莉姐姐好！我常想起她在上海的冬日清晨，你家门口，为我和你们的母亲照的照片，她的摄影艺术可相当高明啊！代我问你的姐夫好，问你的朋友好。

万伯伯

四月二十八日[1]

一九七九年五月十九日

小如茹：

你的五月二日信，我读了许多遍，每次都叫我想笑，使我快乐！

1　1979年。——底本注。

你还是个小孩子，虽然你已经二十六岁了。妈妈竟敢擅自拆我们“小公主”的信，这真太不像话，等妈妈回来，我一定要说说她。万伯伯是会十分喜爱你的，因为你是一个又聪明又能干又富于幽默感的小姑娘。

你大约许多地方赶不上你妈妈，但幽默感你比妈妈要强得多。因此，你写吧，你有表达能力，你如果能完全表达出你的幽默才能，那在我们祖国的文艺园地上，你将会大有贡献的。我们文艺界没有十分深刻的幽默作家，因为那总要深刻的思想与观察。鲁迅与老舍先生，各有不同的表现手法，深浅也不同，然他们的文章使人多想，更深一些触动我们的感情，使我们笑中体会既是感情又是思想汇合起来的一种奇妙的东西。

你仿佛写得很流畅，你多写写吧。常常动笔，天天动笔，我感觉到你会有你的文体与风格。

譬如说，你写“我很胖，……”那一段，我就觉得写得很有风趣，又非常亲切。“妈妈为我的胖寻找了半天原因”这句话，太像你的妈妈，她原是一个十分“顶真”的人，而“最后得出的结果是‘太称心’了”，这真是点睛之笔。

我不如你，我写文、写信都很涩，除非当我十分快意而又在精神饱满时，我才偶尔写出一点通畅的文字。

小如茹，你并不算胖，不要把这种小事太放在心上。但是，你必须多走路，运动，苦练体操，而且要持之以恒，这就好！不要发展下去，就很好！

我也是胖，最近我开始走路，一天至少走一小时，希望以后坚持下去。

我这一个月，每天必出门（医院的门），开会，见外宾，为极令人头痛的事情奔忙。每晚归来，废然躺在床上，只有你妈妈的旧信与你们的来信，使我得到安慰与乐趣，有时竟看得忘了睡觉，因此第二天起来头痛。

为了发信，不写了！

祝

你学习好！

万伯伯

五月十九日

一九七九年

如茹：

收到五月十八日[1]信。看来看去，你还是像个小孩子，说不定你将来会是个童话文学家。你一点也不是“被宠坏了的坏孩子”，你的想法与感觉都有种说不出的新鲜的稚气。你的那些想法：姐姐的名字为什么总放在前面，你的名字就放在后面，你要问一个为什么？这倒不是“矫情”，这是一种“打破砂锅问到底”的孩子气，而且是那样

1　1979年。——底本注。

可喜可爱。任何一个幼儿园的小班孩子都喜欢这样问，但大人因为见多了，沿袭的事情太多，就没有兴趣想，更不愿出口问了。如果你能把这种精神认真、严肃地发展下去，又如实地加以解决，你也许会成为哲学家，或是别具一格的童话家。

老实说，孩子，我不大懂你！我只能说你在某些地方有点像你的妈妈，譬如爽直、敏感，学习上相当勤奋等等（妈妈的勤奋可能比你强多了）。我喜欢听你说为何写不出你那个“戏剧片段”，或者写出来，自己也不甚满意，你道出“由衷”与“不由衷”的道理。是的，言不由衷，那话必然是结结巴巴。至于有种坏人，整天说不出一句心里话，口是心非，弄虚作假，他们总在油嘴滑舌，这类可以做我们“戏剧片段”的对象，绝不是我们的朋友。我喜欢说老实话的文章，更喜欢老老实实的朋友。你为什么不写你身边的“片段”，像不像“戏”，且不管它。难道你自己作为妹妹，和你的好姐姐的对话不是很好的片段么？自然，对话是要有选择的，精练的，当然，更需要有创造性而不是完全照原话抄录。写吧，孩子！“由衷”地写你的“戏剧片段”。多记录你的观察所得，“自然”“人”，是万千世界；肯用功的人写一生也不能把这个极复杂、离奇，而又有极深的道理的世界写完的。

我十分赞同你的暑期旅行，观泰山、游东海、逛青岛，这都好。我小时也想坐一次海船，海是非常伟大的，你想不出海会使人生出怎样宽阔雄浑的感情！

我只有一点，你没有小旅伴，你行么？孩子，你还是太小（当然，我知道你已经历了不少艰难困苦！），对于“人”这个又好又坏的东西，你还是不大明白的。我喜欢一个勇敢的孩子，但你毕竟是个女儿家啊！这件事你必须问问姐姐！和姐姐好好商量一下才可，因为我不知道你具体知道人生的知识有多少。我有一最小的女儿（那时才十五岁），在我还未彻底“解放”时，她已经自己参加海军当兵去，来回北京烟台道上都没有陪伴，但那时是迫不得已的。

有一件事，我十分着急，我许久没有收到你母亲的信了。我怕她病了，又疑心你妈妈写了信，而带信人疏忽中忘记发或遗失了。我羡慕你们，万分羡慕你们，你们可以写信给妈妈，而我不知道她究竟在哪里，我不能写。请告诉我，你们用什么法子，给她写信的？记得她曾告诉我可以寄我国驻英大使馆，但是由谁转？而我国驻英大使馆又在伦敦哪条街上？

我每晚睡前读妈妈的旧信，直到安眠药性发作，不能再读了。然而每天盼望她来一封简单的信，但总是渺然，我心不安极了。

你们孩子家，很难想象老朋友、老相知是如何把感情深深埋在心里，一旦爆发，又如何急不可待，恨不得一按电钮便看见了她似的。说出来，这不是大笑话吗？大约是返老还童吧！是最末一段强烈的闪电吧？不，不是一段，而是长长的，长长的，连续的灼热的感情与知遇之感。遇见这样人，便像太阳辐射的那样光和热，一切烦恼、痛苦、哀伤都消逝了。我一面怀疑我的话究竟夸张了多少，但我一面也想到这种情感有时确是如此的。一个人心中毫无躲藏，如同你妈妈这样的人，便使我真感到鸟在天空中翱翔的自由。

我这些话确只能给你这样一个小孩子讲，你就当做童话听。别人听去，便成了笑话了！

有两句唐诗，请你一定抄给妈妈看，说万伯伯寄给她的话：“远游不定书难寄，日日空寻（“寻”作深沉地追忆讲）别时语。”

我说不下去了。问姐姐好。你一定什么都好！小如茹！我的小姑娘！

年老的伯伯

一九七九年六月五日

小如茹，我的小姑娘：

收到你五月二十九日的信许久了，我确实忙又有点病，觉得话有山那样“重”而且“大”。我写了许多页，当然是关于你的妈妈，也是关于我如何想念她的话，写着写着如脱缰的马，愈说愈奇，连我自己都觉得不好意思寄给你看了。也许日后给你看，也许终于烧了它，因为七十老翁如此狂妄，你妈妈也会笑我的。

但我得感谢你，你引王国维那句诗是如何确切啊：“四时最好惟三月，一事能狂便少年。”如此说来，我现在诚然是“少年”了。这句诗也应该送妈妈，妈妈是有深厚感情的女人，她和我谈得来。就是，她和我都像在童话世界中被神仙一吹，忽然变年轻了！

不能再说了，说说伯伯又该说“胡话”，妈妈一定会怪我的。

寄给你一条剪报，那就是妈妈最近的行踪，你看她多兴奋，多愉快，多欢乐，我仿佛看见她在台上一次次谢幕的笑容和那双光亮的眼睛！她已由西德飞往比利时，而在比又获得极大的成功。中国上海京剧团确实为国争光了，她为国争光了！

小如茹，真得再感谢你！你为妈妈解释少来信的理白是多贴切！但除了这个解释外，是你爱妈妈这番做女儿的心。我为妈妈高兴，有你这样一个好女儿。我和你妈妈有几十年的友谊，几十年的感情。终于一天见着了，而讲了话，说明白各自的心情。世上有这样幸福的事情么！况且有你们这一双好姐妹。我时常觉得这不是真的，这是梦，是童话，是神仙世界，然而这件事我向往已久了。我不能不感谢你们，因为你们“批准”我们将来可以相守在一处。好孩子们，我们这一对老人怎么能不看你们是我们的宝贝呢！

姐姐到沈阳去了，你只好守家。然而为了姐姐与姐夫的争吵问题，你又能独自解决多少呢？我非常同情姐姐，这样的结合是无法说明白的。有时夫妻弄不到一块去时，又不能互相谅解时，这种苦痛是非当事者永不能体会的。我这才知道你妈妈的信中说“要团结”的话来的道理。我奇怪，妈妈其中又有多大作用。你又能帮了多少忙！中国妇女的命运，经常为这类事——结婚与生孩子——被重重地压在头上、肩上，甚至整个身体上，你说这有什么办法？因为我们这个社会还留下过多的封建的意识，男、女都有，不是社会主义社会应有的现象太多了。你是一位很能顾大局，而且有正义的情感的人。你做的两件事：献血与决定留沪为姐姐解忧，充妈妈这个角色，牺牲自己的航海之行，这说明你是个不自私的小姑娘。

我还是十分同情姐姐，尽管我不知其详，一般说，中国妇女是“苦命”的（这当然是怨话），但即至今日，中国妇女也没有逃脱

“苦”的前途。比以前，自然好多了。提起真正的解放，还离得很远，很远。

关于《雷雨》中的周萍，你的看法是对的。他在当时是真爱其后母，但过了一段时间，在当时又是真爱四凤。此人过了一关，又有一关等他过去。他是懦弱子弟，而又颇能自圆其说。但其“说”，其“理”，都自然情有可原，也说得通，然总是令人不能相信他究是真是假。因此，关于周萍这个人——至今争论不休。不过有一点要紧，切不可硬把他演成一个“大反派”，而“反派”尚不足解恨，还要在他鼻头上涂了块白脸，以“狠狠”地显出导演与演员如何当着许多观众展览他们是如何恨这个“坏家伙”。这是个粗劣的手法，不足与他们谈性格化的。

如茹，我的小姑娘。我忘记一件十分重要的事，你妈给我写过两封信，内容几乎完全相同。但我觉得过了一个月，应该来第三封了。就完全不顾她是多么忙，多么累！这就是不体贴！不像个伯伯！

伯伯

一九七九年六月五日

一九七九年六月六日

如茹，我的小姑娘，我的孩子：

你终于可以到海上劳动了！见到伟大的海了。海上的风云变幻，万里阳光；忽而惊涛骇浪，海鸥浮沉……说不完的景色使你开阔胸襟，立大志气！如茹，你不要太活动了！千万要注意安全。你会游泳吗？你晕船吗？我想起我小时的乘海船的情景，就怕你太兴奋了。

我在雨中寄给你一信，也是谈的妈妈。

我并没有多吃安眠药，现在吃得少多了。我一定服从小姑娘的"命令"，虽然妈妈的"嘱咐"我也是十分听从的。你想，我多快活，我多幸运，有你们母女二人这样关怀我这个十分孤单的老人（我总觉得做人太难，我真应付不过来）！

现在我不"老"了，有人看见我，说"五十多岁了"！气色也好，你看，我不是快和妈妈一样的年纪吗？

我唯一的烦恼，就是感到腹中空空，知识太少。你妈妈以为我有点学问，你也以为我是个什么什么！其实都不是！我现在不知写什么！甚至于怕写不出什么来了！也许你妈妈会治我这种恐慌症、空虚病，但是妈妈是那样远，她像是在什么行星上遨游，而我是一粒尘土粘在泥泞的道路上。小如茹，我十分想念妈妈啊！有了她，我可以说出许多话，许多感情，而她又是多么能劝解、分析、解释、安慰。我只是怕她累病了！你看又许久不见她一个字了！这怎么好啊！

祝你海上之行万分快乐！

我仍将不断给你写信的！

伯伯

一九七九年六月六日

一九七九年六月二十二日

如茹，伯伯的好孩子：

收到你的信与相片二张，非常高兴！你并不黑也不胖。信也写得好，你真是个孩子，这样大，居然写出一段童话来，我读了高兴，大约你写时也是高兴的。

大约温州之行，想必是很苦恼，但也值得。多看看人，各种各样的人，好与坏，美与丑，孩子，你可得大大增加这里面的知识。这本书是十分难读的，一生读不尽，而且必须用尽心血来读的。

大连之行，我从你的相片也看出来，你的旅行是愉快、爽朗的。“海”，我们中国人写得不多，我是说，比起西方人写海。如你能读英文或日文，你可以学习如何写“海”，西方有多少专写海的小说、散文与油画，不知为什么中国海岸这样长，而写“海”的文艺却不太多。

我赞成你的好友小成翻译如何写电视剧作的书，这样的书太少，应该多译。但，我知道读读它有一定的好处，知道“电视”的要求，但它一般说，并不能使你立刻写剧本。“写”需要大量的生活实践，这才是万分艰苦的工作，而“人”是多么难以理解。

感谢你，再再地感谢你，你把我说的两句诗，告诉妈妈了。我从你的相貌尽力找你妈妈的面容，我觉得都像，又觉得都不全像，大约妈妈小时，是跟你现在差不多的神气，而我又没有见过。

见孩子，就如见着妈妈一样。你想象不出你送来你这两张相片，给我多少喜悦。

我一定把未发出给你们姐妹的信寄出，但不是现在，因为我总觉得作为一个老人，那样写出他对你们的老母亲的感情，我总觉得有些脸红。

孩子，你经验少。虽然你受苦不少，毕竟你是个孩子，你还要深深地读“生活”这本书。当然，同样需要大量中外古今的各种书（小说可以多读一些）。你的职业与今天的学科都需要现在赶紧大量读书。那本“生活”的书，今后你会用你的汗、眼泪，甚至鲜血，才读下去，当然这书里也必有很多使你欢笑，使你老时回忆起非常愉快的往事。孩子啊，老人好说些空话、道理，所谓“经验”“教训”，这是老人的通病。你们有丰富的时间与精力去实践的。

我现在又天天开人代会，又想写东西。字一个写不出，形象一点也没有，头脑是空空的、木木的。我和你一样，定的计划完全落空。

我是十分不勤奋的人，这点比起你妈妈，实在差远了。她像个刚出厂的发动机，动起来，土地都因为她的震动而颤动。

我经常觉得自己是一辆老牛破车，不过不甘心太落后就是了，因此，还在计划还要写点东西。

你和小成同志译书的计划我十分赞同，千万立刻动手。凡事一耽搁，便如激流中一根羽毛，再也看不见、望不见了。

我还得立刻到剧院去陪一位领导同志看戏！你看，这种事太多了！类似的事也太多了！

问姐姐好。

问你的朋友小成同志好。

万伯伯

一九七九年六月二十二日

一九七九年六月二十五日

有时，我对自己失望极了。如果今后一个字也写不出，一点想法也没有，那不成今天世界上一个“老废物”（贾母的话）了么？我想到这点，真是又害怕，又着急。其实，也忙，就是忙得毫无道理。一用脑，想问题，想写点什么，就烦躁不堪，就想逃出去，做那些不用脑筋的事。我真像一生就完了，白白地过去了。你想想，可怕不？活着，就是得动，要加足了马力，干。而我现在做不到，这真是苦，苦闷极了！怪不得，我现在好发脾气，我常做些使我因发了脾气而后悔的事。

老实说，我懒极了！孩子，你懒，你还有些时间，可以追赶；我懒，就不成，时间不允许我再懒了。因此，我烦恼，烦恼得很呢！

一九七九年七月十四日

如茹，我的小胖孩：

你每封信总提你“胖”，而且最近提“又胖了”，于是，连我都怀疑，你是否真脱不了“胖了又胖”的命运？因此，我要称你一声“小胖孩”，以警告你。你若不认真采取措施，你真会如你讲的“要胖下去”，到了不可救药的地步（但是，妈妈和我——这个老伯伯——是不会介意的，是一样会喜欢你的）。

因此，我要给你说我亲眼见过一个榜样，我真是亲眼见过这个榜样。郑振铎的一个胖孩子（男孩子），小时，十几岁，仍胖得像圆桶——汽油桶一般。有一次，过了半年，他忽然瘦了，完完全全和常人一样瘦。我问他：“怎么搞的？”他说：“跑步！用尽所有的力量，早晚长距离地跑步！”“多少里？”“十几里到几十里！！”“怎样做呢？”“循序渐进！但是一定要发狠天天跑！一定要跑去身上这许多肥油！”这个孩子，现在是四十开外的大人，仍保持男子的体形美。你就朝夕不断，风雨不停地，冬夏不停地“跑”，就把自己练出一很好看、很健康的体态！如茹！你听见没有？我觉得，你会有这样的毅力！你也做得到！只有一条！你要检查身体，是否有心脏病（任何心脏病，都要注意！尤其是先天性的心脏病）！然而即便有一点心脏病，也可以用“跑”来消胖。不过你就是要发“狠”！这次，如果在检查之后，可以“跑步”，你便一定能消除“胖”，但是你应要有恒心，“持之以恒”！一生都这样锻炼！（我，做学问，写戏也是如此！）你要锻炼自己的毅力、自己的意志，养成自己的好习惯。万不能跑一段，就停下来猛吃，那会更可怕！孩子，这是万伯伯给你下的命令！你也要尽量执行！

我一定听你的“命令”，我一定保重身体！而且尽量少管闲事

（实际，也不是闲事），并且少吃安眠药，整天保持清醒。我现在，仍然做得不理想，但我每天坚持散步，由一小时到两小时。热得发昏时，也是不停工作，甚至于写点什么，不是戏，是想练练笔。人，这个机器，不用，便生锈。孩子，你一定要勤奋，万不可放松自己。我介绍你一篇好文章，一九七九年一月份的《艺术研究》，载一篇李可染同志的文章《谈学山水画》。它给我很大的启发、鼓励。尤其是他谈到“勤奋”这一章，那真是开人心胸，使人感觉得前途无穷。

再你如决心“跑”，开始，一定以一公里跑起，早晚多跑几次。要逐步增加里数，少吃糖、肥肉、油腻的东西（但不是不吃）。

你必须为我向你莉莉姐姐祝贺！她写的《永不凋谢的红花》确是一篇好文章，我很感动！十分感谢她，为全中国画出这样一位伟大的人物——张志新。

孩子，你万万要保重身体。考试，想必已过了。考试的紧张，我从前是经过的，你描写得“烤”得冒油，那真是可怕！这大概由于你平时用功不够，临考才如此为难。你要放松一点，正如你劝我一样。

考后，稍事休息，即应锻炼身体，磨砺意志，还须观察人生，记下来，每天记，每天用自己的文字记。一天至少写五百字——那是文章，自己的创造，不是指“记”。要刻苦啊，孩子！

时间，如东流水，一逝即去。一晃，便是壮年，中年，老年，追悔莫及！

鲁迅说：“哪里有天才，我是把别人喝咖啡的工夫都用在工作上的。”

寄上一张前两天的照片，留给妈妈。你看，我的肚子，也胖起来了。只有锻炼！

万伯伯

一九七九年七月十四日

一九七九年八月十二日

如茹，我的三好学生，小胖姑娘：

我真对不起，你这个可爱的好姑娘。庆贺你被评为全校三好生！你显然是很不一般的用功学生，妈妈没有白白地疼爱你！你这次可以对妈妈“撒娇”了，你还是哭，还是笑呢？孩子，你现在身体如何？暑期中干些什么？我对你说你要远航、长跑。玩了一阵后，就要把许多该浏览的书，读一遍。学写戏，是相当困难的“行当”。你必须有大志，有远见。女子总是有许多困难与磨难的。我有时一想到你这个姑娘，将会经过多少关口，我的心就像你有一个大手把它紧紧捏住一样，忽然有些不安的感觉。这是一个老人的过分的担心。正如，大人为孩子学步一样，总怕孩子猛地要摔跤，就想过去搀一下。如茹，你是个勇敢、聪慧，有志气的姑娘，你会克服一切困难。没有困难，人是长不大的，长不聪敏，长不到比较完整的样子。

我很感谢你，你的信不只给我快乐，更给我对于人生与生活的许多理解。孩子啊，你是个多么有幽默感又多么天真坦率的姑娘！我不知道，你将来会如何走进中年，走进你的光辉耀眼的事业中去！但我相信，你将会得到快乐的歌声，聪明的言语，与智慧的道理。这些将会领着你进入一条平整、宽阔的大道上，但你总要准备着歧路、小道在等待你，□你于不□慎时，引你走进迷宫。人生是给有勇气的人走完的，也是给有智慧的人才能走好的。

感谢你，你在等待我写信，而我为了忙与病，竟然把你的信放在一旁，搁了这样久。还是给我写信。你是个多么使人高兴的好姑娘啊！你没有生我的气。你还怕我会生你的气！想想，我觉得对不起你这个孩子，竟耽搁许久没有寄你。请原谅吧，孩子。

我收到你的八月十一日信。妈妈一定在22日到上海来！庆贺你们娘儿三个又在家里聚着，我是羡慕！

给妈妈一封信，请放在抽屉里不要忘记了！

祝：成兄好，小姑娘好！

万伯伯

一九七九.八.十二

一九八二年四月八日

如茹：

一口气读了你的戏！这是一个十分感人的剧本。它深刻，道出真正的人性，也道出我们祖国十年浩劫给予我们的说不出的伤痛与痛苦。但作者有一颗温暖的心，在这个剧本中，真诚、勇敢的人性，终于闪耀出惊人的光彩，告诉人们，春天毕竟要到来。善良的人，尽管经过多少灾难与折磨，群众不会忘记他们。群众看得见是非，看得见，和这些善良的灵魂一道，看见了天地间是有光明的。“凤凰”是会再生的，是永不朽的，是永生的。你写了一曲歌颂光明与欢乐的诗歌！你将会得到人们的认识，只要你长此用功，奋斗下去！你是有才能的！相信一个七十二岁老人的话吧！

爸爸

一九八二年四月八日读一整天

一九八二年五月二十九日

如茹：

过两天是儿童节，这本书[1]是为中国少年编的。我读了觉得很好。人要用心读，同时闷时，就拿起读诵，最好全部背下来。如茹儿。

爸爸

一九八二.五.二十九.晨

---

1 《唐宋律诗选讲》。——底本注。

一九八二年六月七日

如茹：

《戏剧动作浅探》读完。

题目恰当，内容还扎实。《动作与意向》一段，说得精辟，但细节的重要性似有夸张。

整个论文是好的，自然，没有掉书袋气。

你写了“戏”(《凤凰》)，作为初写长篇者，是上上作，又写了这样一篇论文，很精致、准确、逻辑性强。

你的努力是十分可取的，值得大大称赞的。祝贺你，如茹！我们的小作家，小理论家！你日后会写出更好的东西来！

爸爸

一九八二年六月七日晨

一九八三年五月十三日

如茹，爱女：

读了你的信，我看考试虽严，你应该有录取的可能，因为你的分数不低，你的准备是充足的，辛辛苦苦几个月，昼夜读书，如果你录取上了，要立刻给我通电话或电报。妈妈和我多希望你以优异成绩录取，从此钻研学术。莎士比亚的几段，我想多少过去你是读的，不应答得坏。

妈这次出门，你和莉又孤寂了，但多了一个讨厌的胖狗，你把她训练好了么？我很想念你，也惦念姐姐的离婚大事。妈有信来，就是牵挂你们这两块宝贝。我离开妈妈，多少难过，无须再谈。只觉人生离合，虽是常事，然即便如此短短的分离，都有难言之苦。我们不是你的好榜样，“自作自受”，这就是我和妈妈的结论。

你真将于月底到合肥么？真能住招待所，可以单人住么？我也认为考完了，把家事、私事安排一下，回去改剧本是对的。各种环境都缺经验，看看身旁的人物如何行事、说话，有怎样的面貌，这对你大有益处。我在京，不愉快，只是开会、看戏、见洋人，身体比在上海好。你的腰痛如何？到了合肥，也得找医生看，你太年轻，不要留下病根，要紧，要紧!!

有一位姓黄的太太，瑞士人，她曾给我一信，介绍一个人的著作，希望我帮忙。我可能把这封信留在上海家，那信中还有著作的梗概，你若找到，给我寄来。

你说要写的字，候我有工夫，一定寄去。我多怀念在上海团聚的日子，仿佛上海家中充满了生活的气息。当然有沉默、有叹气、有烦躁，但更多是朗朗的笑声，我们一同像疯了似的那样抢着说、抢着闹!

不知何时能再如此？也许不久，但愿如此!

爸爸

一九八三年五月十三日

一九八三年五月十八日

如茹爱女：

得来信，十分高兴，你在码头上大哭，妈已告诉我了。能哭出来总是幸福的。世界上总有许多事使你哭都哭不出来，那才真苦！

身边有闲话，完全可置之不理。我与妈妈从不为你考试想过什么！考试是国家大事，岂可以各种闲言蜚语定夺取录与否？做最坏的准备：考不上。自己更发奋用功。人要正，心要宽，眼光要远。社会上有些狭隘浮浅的庸人，只知死水中的孑孓与蛆虫在蠕动，不知海天鲲鹏在飞跃。中国事往往被此种孑孓所误，因它无头脑，只在浑浊的水中、空气中散布毒菌。有点真志气的人不可与这种恶浊虫豸接触，更无须听其唠叨也。

信找不到，大约仍由我携京。小狗四处尿屎，无可爱处。有生气、活气者是伟大天才所著的书籍，那声音叫你“为何不来听我？”流光易逝，只有真知者不朽！

爸爸

五月十八日

一九八三年七月三日

如茹爱女：

大约前两天寄给你一封信，也是为了录取后到北戴河休息事。录取多半可成，只是不接到通知不算数。人间事极复杂，人性也难测。你既然学习文学，对人须彻底了解，不然，便无从学起。

你在合肥，生活想甚苦，且天气酷热，想也不能每日洗浴。希望你不久即能返沪，则一切顺遂，前途自然舒适多了。

我仍盼能在录取后来北戴河一游，不过目前都未筹划，妈妈八日来京，都得等她来后共同商量才行。八月间妈也可能返沪演戏。如果这样，北戴河之行，就吹了。

我一切都好，只是胸闷难忍，幸有苏合丸在身，常服仍见效。我十分惦念你和你的前途。孩子们总是人的最大希望。年老如爸爸，将来究竟如何，实难预测。不要多思虑，想便想在事业上。即奉挂号你买的签了老师与师母的名的《原野》。其实大可不买，我还有。

爸爸

一九八三年七月三日

一九八四年

如茹：

不听话！妈妈叫你要休在家里为何还是到学校？课要上，然身体不行，积年大病，你如何是了？你确实倔强，我明白丢一天课，日后都难补。然而万一一块木板抬出去，你不后悔吗，父母不心痛吗，妈的梦就不吉利，幸而是梦，但已满脸泪流，睡不着觉，你不觉得她可怜吗？孩子，懂事点，要权衡轻重，知道好劣。

你不要生气，说爸爸讲得不合理，也说得太重了。送医生字，又一便你看情况，填上日期送他。

实是无办法，才写这样的信，每人处境不同，如何对待自己的工作态度，也不同。好孩子，最明白的孩子，是人要紧，还是功课要紧？妈妈给你的铁箍腰合用么？告诉我，你的一切。写不出，请妈妈代写。祝你真正健康起来！

爸爸

一九八四□□

一九八四年五月十九日

（火车寄所以比较慢）

如茹：

已挂号寄出去字典，其中有一张卡是Key To Promonciation，不要失去。它告诉你古今、□父学字应为何读法。

你的气管炎见好否，十分挂念。一定要好好锻炼保护身体。

爸爸

一九八四.五.十九

一九八六年五月五日

心心复心心，结爱务在深

坐结行亦结，结尽百年月

岁在丙寅维国如茹二儿携手走上人生大道。行路漫漫为阳春为荒寒？端在日后能否互谅互让，持有崇高情操，各尽所长，望共勉之。

爸爸

妈妈

一九八六年五月五日

一九八七年六月五日

如茹爱女：

□□□很想你：单怕你不知惜身体，□年要做真须知识国事，今人学问是有限地想你了，真想你，你妈和我都爱你。

爸爸

一九八七.六.五.北京医院

一九八八年四月三十日

万不能失却“童心”：

童心是一切好奇、创造的根源。童心使你能经受磨炼；一切空虚、寂寞、孤单，精神的饥饿，身体的折磨与魔鬼的诱惑，只有“童心”这个喷不尽的火山口，能把它们吞噬干净。

你会向真纯、庄严、崇高的人生大道一直向前闯，不惧一切。

爱女如茹即将赴英，你肯干、耐苦、好学，正在壮茂之年，本无可虑。然多年相处，一旦长别，二老垂暮，远隔万里，骨肉别离之痛，难以言喻。路途漫漫，遥望岂解日夜思念，姑书数语，难诉老人念儿情深。

但我俩身体尚好，如茹在外一切当心，学有所成，数年必欢聚祖国大地。

孩子，一切珍重！所书是二老一生经历得来。在一切关口上，切望熟思之。

爸爸

妈妈

一九八八年四月三十日

一九八八年八月十八日

如茹爱女：

多想你，话是无用的。到了你的生日，妈妈和我更是念记你，总想起我们在一起时，你是多么疼人，多乖，多怜惜我们。你总是辛辛苦苦，东跑西奔，为着年老的爹娘操心。我常想起每晨你在地板上仰卧起坐，为了治腰，反复不已。你不管严寒酷暑，总趴在你那小屋子里堆满书本的隙缝中写呀，读呀，你那样坚强，我们又爱又疼，觉你的身体不太结实。如今在海外，工作、饮食、住宿，都使我们挂念。幸而你因为自己诚直、热情，有不少师友关心你。你又获得工作，但同时又要用心苦学，不知你的精神与身体是否吃得住。妈妈和我现在总觉得你在身边时，爱你爱得不够，有时甚至委屈了你，偶尔想起，就免不住心酸。写这些，不是使你更想念我们，只是要你更成熟，更有成就，不要想家。我们身体都好，你不能归来，我们也会设法来看你的。昨夜妈妈想起如茹，就写了一首诗，我看很好，另抄给你，也算爸爸一点心意吧。你每次写信很多，当然好，只怕你太累了。你的信，使我们温暖，使我们高兴。然而不必为写信累着！

万分想念你的爸爸

一九八八年八月十八日

一九八八年十二月二十四日

亲爱的小女儿，我的小如茹：

爸爸从北京医院望着我的小如茹的图。

小如茹正在沉思：她想如何教好中文，如何学莎士比亚。如何过得既省又舒服。想着妈妈又胖了，整日陪着爸爸太累了。但你放心我与妈妈二人过得很好，在医院里，像过家家，一点不想出院。昨天妈妈到大学会餐厅，仇校长请妈妈与北京人艺，于是之等十几位，来一次大会餐，过新年，妈妈在那里玩了七个小时，吃得快活极了，她晚九时回院大谈：海参吃了十几条，炸大虾吃了四只，还有□□，鱿鱼吃了半大碗，还有许多许多，就是后来上了“蹄髈”实在吃不下。她说这一下□一星期的肉。

我们二人常做诗，□戏，总之会玩得很呢！

你说□是“海”，还是你对！我□瞎猜，究竟你是个大schoLar：我把你要的书全部交□□带到英国再寄给你。祝你过个最愉快的新年。

爸爸

1988.12.24

一九九四年十二月

如茹爱女：

《麦克白》的演出资料，收到后立刻读了，当时，身体无力，不能作复。这两天又仔细地读了两遍，感想很多。首先，读了维国[1]导演的话，了解这是一出实践性演出样式，感到莎士比亚与中国传统戏剧这两种不同戏剧文化，经过你们两人苦心经营，终于有机地结合成一种新的形式。内容与表演汇合成一出极为成功的演出，正如评论（你们的英译文）说的，观众看戏，不是被动地观望，而是主动地

1　蒋维国，如茹爱人。——底本注。

参加这个演出的动作与发展精神状态里。我觉得此点似乎说，观众也成这个演出中一个重要的角色，甚至于比麦克白本身还有劲的主要角色。这当然有些夸张，但说明你们这次有中国传统戏剧个性与莎士比亚的汇合是极其成功的。我特别欣赏你们处理麦克白夫人之死，她被人高举起来，垂头散发，手却指着麦克白，几乎触到他的身子。这是多么尖锐的情感，多么动人的表现。

至于那三个女巫，改为三个年纪轻、楚楚动人的少女，这个创举极具动人的内容，原戏这三个女巫只出四次，你们却使她们随麦克白出现多次，它道出邪恶的势力如何影响麦克白，又重重地表现他的内心矛盾。这三个少女女巫有突出的诱惑性，你们这一创举说明人性的奥秘是多么值得挖掘啊！

我佩服这些演员如何别出心裁地用中国传统戏剧形式，成为自己的有特色的表演（如演员用动作成为船在水中漂荡等等）。这是导演维国与你这位成功的中国演技训练者的十分惊人的结果。

我十分钦佩维国的导演才能，我向你们二人衷心地祝贺，只可惜我不能亲自看这个有分量的演出。

如茹，你为我买了许多东西，我着实用得很好，我感谢你，你的厚意，我时刻感觉到，我真诚地感激你！！

妈妈回京了，我非常高兴，我们二人欢快异常，你不能见到，真是憾事。

爸爸

一九九四年十二月

那些演出的剧照也非常好，多少帮助我理解你们的艺术。[1]

你们要排《原野》，我当然同意。我确高兴能与你们两个在一起合作，这是我的荣幸，我很感谢。最近没有我的戏剧节。你们排了，在中国没有机会演。[2]

1 这是曹禺原来附写在信末的。——底本注。

2 此段写在第二页信纸左边，估计最后所加，现编于最后。——底本注。

致李如茹、蒋维国

一九九二年二月三日

如茹、维国：

今晨妈妈来了，一脸喜气，原来维国来了电话，小如茹经过大手术，一切顺利。我和妈都欣快非常，几乎像亲眼看见如茹那样兴奋。这一阵，我们都在耽心，尤其是妈妈，怕万一出什么错失。现在好了，一块石头落了地，我们最可爱的小女儿安然无恙，只需要养三个月，就完全可以工作了。

然而，我仍有些耽心，就多想了点故事。你这个好强的女儿，就在养病时，暗地干“私活”，又读书，又写文章，又社交，又招待许多在病中看过你的朋友。你性子急像妈。我估计的情况，不是没有可能的。

大手术一场，常是身体有好起来的转机，这是多少人说过的，是

【题注】据万方提供文字稿排印。

经验之谈。但在这过程中就是要有充足的耐性，好好疗养，坚持真正复原，成了又结实又美丽的好女儿，再恢复工作。你认识到这是身体能好的关键么?

你能记得住，妈妈和我这一个小意见，但是很重要的意见么?

为你广阔的前途，你一定要听进这几句话。

我们等待你获取博士学位，我们全家（即李、万两个“全家”），只有你这一个博士，而且是英国的文学博士，这是多么难能可贵的学位啊！妈妈说，她一定争取到英国参加你举行博士的学位典礼！

维国，你真正好，工作好，又是一个知道体贴妻子的好丈夫，你与妈妈都真正爱如茹。

爸爸

1992.2.3春节前夜

图书在版编目（CIP）数据

曹禺全集. 第十一卷 / 曹禺著. — 北京 ：北京十月文艺出版社，2023.6
ISBN 978-7-5302-2258-4

Ⅰ. ①曹… Ⅱ. ①曹… Ⅲ. ①曹禺（1910–1996）—全集 Ⅳ. ①I216.2

中国版本图书馆CIP数据核字（2022）第155334号

曹禺全集 11
CAOYÜ QUANJI 11
曹禺 著

出　　版　北京出版集团
　　　　　北京十月文艺出版社
地　　址　北京北三环中路 6 号
邮　　编　100120
网　　址　www.bph.com.cn
发　　行　新经典发行有限公司
　　　　　电话 010-68423599
经　　销　新华书店
印　　刷　北京盛通印刷股份有限公司
版　　次　2023 年 6 月第 1 版
印　　次　2023 年 6 月第 1 次印刷
开　　本　700 毫米 ×980 毫米　1/16
印　　张　51.25
字　　数　566 千字
书　　号　ISBN 978-7-5302-2258-4
定　　价　139.00 元
如有印装质量问题，由本社负责调换
质量监督电话　010-58572393